Het Stockholm Octavo

Wil je op de hoogte worden gehouden van de romans van Orlando uitgevers? Meld je dan aan voor de nieuwsbrief via onze website www.orlandouitgevers.nl

KAREN ENGELMANN

HET
STOCKHOLM OCTAVO

Vertaald uit het Engels door
Saskia Peterzon-Kotte

ORLANDO
uitgevers

© 2012 Karen Engelmann
Nederlandse vertaling © 2013 Orlando uitgevers, Utrecht,
een onderdeel van De Arbeiderspers/AW Bruna Uitgevers
Vertaald uit het Engels door Saskia Peterzon-Kotte
Oorspronkelijke titel *The Stockholm Octavo*
Oorspronkelijke uitgever Ecco, an imprint of Harper Collins
Publishers, USA

De liedjes van Carl Michael Bellman zijn gekozen uit *Fredman's Epistles & Songs – A Selection in English with a Short Introduction* van Paul Britten Austin en worden gebruikt met toestemming van Proprius Förlag AB, Stockholm, Zweden.

De illustraties van het omslag en de speelkaarten komen uit *Charta lusoria,* 1588, van Jost Amman. Ze worden gebruikt met toestemming van Beinecke Rare Book and Manuscript Library, Yale University, behalve de Under Knave of Books Card, die wordt gebruikt met toestemming van de Herzog August Bibliothek: UH 20 Wolfenbüttel, Duitsland.

Oorspronkelijk omslagontwerp Alasdair Oliver
Bewerking Nederlands omslag b'IJ Barbara
Foto auteur © Audrey S. Bernstein
Typografie Pre Press Media Groep, Zeist
Druk- en bindwerk Wilco, Amersfoort

ISBN 978 90 229 6201 5
NUR 302

www.orlandouitgevers.nl/www.leescluborlando.nl

Voor Erik

1771 Kroonprins Gustaaf verneemt tijdens een bezoek aan de Parijse Opera dat zijn vader is overleden.

1788 Gustaaf richt het Koninklijk Dramatheater van Zweden op.

Rusland wordt de oorlog verklaard.

1772 Gustaaf III wordt gekroond tot koning van Zweden en Finland. Hij beraamt een coup d'état tegen de heersende aristocratie.

1786 De Zweedse Academie wordt door Gustaaf gesticht.

1782 Gustaaf opent de Koninklijke Opera in een nieuw operagebouw in Stockholm.

1777 Gustaaf ontmoet zijn nicht Catharina, keizerin van Rusland, die Zweden als mogelijke uitbreiding van haar rijk ziet.

1789 De Wet op de Eenheid en Veiligheid wordt aangenomen, waarmee de gewone burger ongekende rechten krijgt en er vrijwel absolute macht aan de koning wordt toegekend. De rivaliserende patriotten, gesteund door hertog Karel, de jongere broer van de koning, keren zich tegen Gustaaf. Negentien van hun leiders worden gevangengenomen.

1770

1780

1770 De Franse kroonprins Lodewijk August trouwt met Marie-Antoinette van Oostenrijk.

1784 De Franse koning en koningin verwelkomen Gustaaf III aan hun hof. Graaf Axel von Fersen maakt deel uit van het gevolg.

1774 Graaf Axel von Fersen van Zweden ontmoet dauphine Marie-Antoinette op een gemaskerd bal in Parijs. Het gerucht gaat dat ze geliefden worden.

Lodewijk XVI wordt gekroond tot koning van Frankrijk.

1789 De Staten-Generaal worden opgevolgd door de Nationale Assemblee. De Verklaring van de Rechten van de Mens wordt aanvaard.

Bestorming van de Bastille

Versailles wordt bestormd door een menigte Parijse vrouwen. De koning en koningin nemen hun intrek in het Tuilerieënpaleis in Parijs.

Februari Uit angst voor het verbreiden van de revolutie verbiedt Gustaaf nieuws over Frankrijk in de Zweedse pers.

Gustaaf beraamt plannen voor gewapende interventie in Frankrijk met vereende Europese krachten. Hij is van plan zelf het leger te leiden.

Augustus Gustaaf III wordt tot overwinnaar uitgeroepen in de oorlog tegen Rusland, ten koste van veertigduizend levens en 23 miljoen riksdalers. Zweden is bijna bankroet.

Juni Gustaaf reist naar Aix-la-Chapelle om de vluchtende koning en koningin van Frankrijk te groeten. Als zijn plan mislukt, smeedt hij nieuwe interventieplannen.

December Gustaaf stelt voor 1792 een parlement in om de financiële crisis van het land te bezweren. Hij heeft plannen om de regering verder te moderniseren.

Februari Het parlement leidt tot een politieke triomf voor Gustaaf, waardoor de patriottische oppositie wordt aangewakkerd.

Maart Gustaaf III wordt op16 maart 1792 tijdens een gemaskerd bal in de Opera van Stockholm in zijn rug geschoten.

1790   **1791**   **1792**

Juni De Franse koninklijke familie probeert te vluchten. Graaf Axel von Fersen ment de koets het eerste deel van de dag. Ze worden in Varennes onderschept.

Augustus Oostenrijk en Pruisen pleiten voor interventie voor het behoud van de Franse monarchie, mits de grote Europese machten het daarmee eens zijn.

September Lodewijk XVI accepteert formeel de nieuwe Franse Constitutie. Frankrijk wordt een constitutionele monarchie.

Februari Graaf Axel von Fersen bezoekt in het geheim de Tuilerieën met plannen voor een nieuwe ontsnapping.

Lodewijk XVI weigert.

April De Franse Assemblee verklaart Oostenrijk de oorlog.

De guillotine wordt geïntroduceerd.

Menigten vallen de Tuilerieën aan. De koning en koningin worden gevangengenomen in de Tempeltoren.

September Twaalfhonderd gevangenen worden zonder pardon geëxecuteerd (septembermoorden).

December Lodewijk XVI wordt berecht als 'burger Capet' en wordt met een nipte meerderheid van stemmen ter dood veroordeeld. Hij wordt in januari 1793 geëxecuteerd.

PERSONAGES

❧❧❧

EMIL LARSSON: Een ongetrouwde *Sekretaire* bij het douane- en accijnskantoor in Stockholm (de Stad)

MEVROUW SOFIA MUS: De eigenares van een speellokaal in de Minderbroederssteeg, waar ze ook het beroep van kaartlegster en waarzegster uitoefent

KONING GUSTAAF III: Heerser over Zweden sinds 1771. Cliënt en vriend van mevrouw Mus

HERTOG KAREL: Jongere broer van Gustaaf en sympathisant van de patriotten, een groep tegenstanders van Gustaaf

GENERAAL CARL PECHLIN: Sinds jaar en dag vijand van Gustaaf III en leider van de patriotten

DE UZANNE: Barones Kristina Elizabet Louisa Uzanne; waaierverzamelaarster, lerares, voorstandster van de aristocratie en van hertog Karel

CARLOTTA VINGSTRÖM: Begerenswaardige dochter van een rijke wijnkoopman en protegee van De Uzanne

KAPITEIN HINKEN: Een smokkelaar

JOHANNA BLOEM (GEBOREN JOHANNA GRIJS): Aspirant-*apothicaire* die naar de Stad is gevlucht

MEESTER FREDRIK LIND: De uitmuntende kalligraaf van de Stad

CHRISTIAN NORDÉN: Een Zweedse waaiermaker, in Frankrijk opgeleid, gevlucht uit het revolutionaire Parijs

MARGOT NORDÉN: Christian Nordéns in Frankrijk geboren echtgenote

LARS NORDÉN: Christian Nordéns jongere broer

ANNA MARIA PLOMGREN: Een oorlogsweduwe

en

STADSBEWONERS IN ALLE SOORTEN EN MATEN

Het Stockholm Octavo

Het Stockholm octavo zal nooit in officiële documenten verschijnen; kaartleggingen vormen nu eenmaal geen archiefmateriaal en bovendien waren de voornaamste deelnemers kaartspelers, handelslieden en vrouwen – zelden het aandachtspunt van geleerden. Dat maakt het octavo echter niet minder belangwekkend, vandaar deze aantekeningen. Ik heb het verhaal gereconstrueerd aan de hand van herinnerde fragmenten; grotendeels ter meerdere eer en glorie van de memoiresschrijver zelf. Deze fragmenten worden aangevuld met informatie afkomstig van regeringsdossiers, kerkregisters, onbetrouwbare getuigen, regelrechte leugenaars en mensen die dingen 'gezien' hebben door de ogen van bedienden of kennissen, of in vertrouwen hebben gehoord van achter-achterneven die het uit de derde of vierde hand hebben. Een aanzienlijk deel van de bronnen probeerde rechtdoorzee te zijn omdat ze niets te verbergen hadden; en in sommige gevallen kletsten ze er vrolijk op los als de waarheid een reputatie om zeep zou helpen waarvan ze wisten dat die op bedrog gebaseerd was. Ik heb gezocht naar overlappingen en bevestigende herhalingen en patronen, waarbij ik de waardevolle bronnen noteerde. Maar soms waren die er niet, dus een deel van mijn relaas is gebaseerd op speculatie en geruchten.
Dat staat ook wel bekend als geschiedenis.

Emil Larsson
1793

DEEL EEN

ARTE ET MARTE

KUNST EN OORLOG

Inscriptie boven de ingang van het Riddarhuset
– het Ridderhuis of het Huis van de Adel – in Stockholm

Hoofdstuk een

STOCKHOLM – 1789

Bronnen: E.L., politieagent X, mijnheer F., baron G***,
mevrouw M., archivaris D.B. – Riddarhuset

STOCKHOLM WORDT HET Venetië van het noorden genoemd, en terecht. Reizigers beweren dat het net zo complex, net zo groot en net
zo mysterieus is als zijn zusje in het zuiden. In het ijzige Mälarmeer
en de wirwar van waterwegen van de Oostzee weerspiegelen zich
grootse paleizen, strogele huizen, sierlijke bruggen en ranke skiffs
waarmee de inwoners zich verplaatsen tussen de veertien eilanden
waaruit de stad bestaat. Alleen waaieren deze niet uit naar een zon-
nig, gecultiveerd Italië, maar vormen de dichte bossen die deze
glinsterende archipel omringen een blauwgroene grens vol wolven
en ander wild spul, die de toegang markeert tot een eeuwenoud
land en het harde boerenleven dat vlak achter de Stad ligt. Maar op
de rand van het slotdecennium van de eeuw, in de laatste jaren van
het verlichte koninkrijk van Zijne Majesteit koning Gustaaf III,
dacht ik zelden aan het platteland of de paar ploeterende mensen
die daar woonden. De Stad had veel te veel te bieden en het leven
leek vol kansen.

Het klopt dat het op het eerste gezicht niet de beste tijd was.
Boerderijdieren leefden vaak in de huizen, plaggendaken vermolm-
den tot bouwvallen en niemand kon zijn ogen sluiten voor de pokkenlittekens, de slijmhoest of de talloze andere tekenen van ziekten
die de bevolking kwelden. De doodsklokken luidden elk uur, want
de Dood was meer thuis in Stockholm dan in welke andere stad in
Europa ook. De stank van vuil rioolwater, rottend voedsel en ongewassen lijven verstikte de lucht. Maar aan de andere kant van dit

grimmige tafereel kon men een glimp van een lichtblauw, met gouden vogels geborduurd jasje van gewaterde zijde opvangen, of het ruisen van een tafzijden avondjapon en fragmenten van Franse poëzie horen, of de geur van rozenpommade en eau de cologne opsnuiven die voorbijdreef op hetzelfde briesje dat ook een melodie van Bach, Bellman of Kraus meevoerde: de ware keurmerken van het gustaviaanse tijdperk. Van mij mocht die gouden tijd eeuwig duren.

De finale zou onvergetelijk worden, maar vrijwel iedereen ging voorbij aan het begin van het einde. Dat was niet zo verbazingwekkend; mensen verwachtten dat een revolutie gepaard ging met geweld – daar waren Amerika, het Koninkrijk der Nederlanden en Frankrijk kersverse voorbeelden van. Maar bij aanvang van onze stille revolutie op die avond in februari was het rustig in de Stad; de straten waren vrijwel verlaten en ik zat te kaarten bij mevrouw Mus.

Ik was dol op kaarten, net als iedereen in de Stad. Kaartspelletjes maakten deel uit van elke bijeenkomst, en als je niet meedeed, werd je niet beschouwd als onbeschoft, maar als dood. Mensen vermaakten zich met elk willekeurig spel dat op tafel lag, maar Boston Whist was het nationale spel. Gokken was een vak dat, eigenlijk net als prostitutie, nog net geen gilde en wapenschild had, maar wel werd erkend als een steunpilaar van de sociale constructie van de stad. Het zorgde ook voor een soort sociale corridor: mensen met wie je anders misschien nooit zou omgaan, konden zomaar tegenover je aan de kaarttafel zitten, vooral als je het toegewijde type speler was dat werd toegelaten in de goklokalen van mevrouw Sofia Mus.

Toegang tot dit etablissement was zeer gewild, want hoewel het gezelschap gemengd was – hogere en lagere klasse, dames en heren – was een persoonlijke aanbeveling vereist om binnen te komen, waarna de in Frankrijk geboren mevrouw Mus haar nieuwe gasten doorlichtte aan de hand van een systeem dat niemand echt kon doorgronden: spelniveau, charme, politiek, haar eigen occulte gevoelens. Als je niet aan haar normen voldeed, mocht je niet meer terugkomen. Mijn uitnodiging was afkomstig van de politiespion op straat, met wie ik een nuttige uitwisseling van informatie en goederen had bekokstoofd voor mijn werk bij het douane- en accijnskantoor. Het was mijn bedoeling een van de vertrouwde vaste klanten van Mus te worden en op elke mogelijke manier fortuin te maken. Zoals onze koning Gustaaf een bevroren provinciale uithoek had gekozen en die had getransformeerd tot een baken van cultuur en verfijning, wilde ik opklimmen van loopjongen tot een gerespecteerde, in rode mantel gehulde Sekretaire.

Mevrouw Mus' speellokalen waren gevestigd op de tweede verdieping van een oud trapgevelhuis op nummer 35 van de Minderbroederssteeg, dat was geschilderd in het typische geel van de Stad. We kwamen vanaf de straat door een gewelfde stenen poort waarin een waakzaam gezicht in de sluitsteen was uitgesneden. Klanten beweerden dat de ogen bewogen, maar toen ik er was, bewoog er helemaal niets, behalve dan een flinke hoeveelheid geld uit en naar mijn zak. Ik geef toe dat mijn maag die eerste avond van tevoren flink in opstand was gekomen, maar toen we eenmaal de stenen wenteltrap op waren geklommen en de foyer binnenstapten, voelde ik me volkomen op mijn gemak. De sfeer was hartelijk en gezellig, met een overvloed aan kaarslicht en gemakkelijke stoelen. De spion introduceerde me keurig bij mevrouw Mus en een dienstertje gaf me een glas brandy van een dienblad. Tapijten dempten het geluid en de ramen waren behangen met nachtzwart damast om de kamers op elk tijdstip duister te houden. Deze stemming paste zowel bij de gokkers die de tafels bezetten als de zoekers die wachtten op een consult, want in een privévertrek boven aan een nauwe trap vervulde mevrouw Mus ook de rol van waarzegster. Er werd gezegd dat ze raadgeefster van koning Gustaaf was; hoe het ook zij, haar tweeledige vaardigheden met de kaarten bezorgden haar een aardig inkomen en gaven haar exclusieve gokgezelschap een extra prettig gevoel.

De spion vond een tafel en een derde speler, een kennis van hem, en ik was op zoek naar een gemakkelijke vierde toen er een grijnzende man met zwarte tanden aan kwam, die iets in het oor van de spion fluisterde en daarmee een glimlach op diens gewoonlijk stoïcijnse gezicht wist te toveren. Ik ging zitten, nam een spel kaarten uit een kistje waar er twee in zaten, en tikte het tot een nette stapel.

'Goed nieuws?' vroeg ik.

'Wie weet, het is maar hoe je het bekijkt,' antwoordde de man.

De spion ging zitten en klopte op de stoel naast hem. 'U behoort toch tot de voorstanders van de koning, mijnheer Larsson?'

Ik knikte; ik was een fervent royalist, evenals mevrouw Mus, te oordelen naar de portretten van Gustaaf en Lodewijk XVI van Frankrijk die in de foyer hingen.

De man stak zijn hand uit, zei zijn naam – die ik meteen weer vergat – en schoof zijn stoel dichter bij de tafel.

'Het Huis van de Adel is gevechtsklaar. Koning Gustaaf heeft twintig patriottenleiders gevangengenomen. Generaal Pechlin, de oude Von Fersen, en zelfs Henrik Uzanne.'

'Dan hebben ze zeker eindelijk eens iets gedenkwaardigs gedaan,' zei ik, terwijl ik de kaarten schudde.

'Het gaat om wat ze níét gedaan hebben, mijnheer Larsson.' De man met de weerzinwekkende glimlach boog zich voorover en stak zijn hand op om me tot stilte te manen. 'De adel heeft geweigerd de Wet op de Eenheid en Veiligheid van de koning te ondertekenen. Ze werden witheet bij de gedachte dat gewone stervelingen de rechten en privileges zouden krijgen die waren voorbehouden aan de aristocratie. Gustaafs *coup d'état* hield hen tegen voordat hun onvrede zou worden verbreid en deze verlichte wetgeving in de kiem gesmoord zou kunnen worden. De drie lagere standen hebben getekend. Gustaaf heeft getekend. Het voorstel is nu een wet.'

Ik hield de kaarten even stil en keek hoe de andere drie mannen het beeld van dit nieuwe Zweden aan hun geestesoog voorbij zagen trekken.

'Dat soort daden leidt elders tot bloedige opstanden,' zei de spion eerbiedig. 'Gustaaf heeft die dreiging met een pennenstreek uitgeschakeld.'

'Uitgeschakeld?' vroeg de derde speler, en hij dronk zijn glas leeg. 'De adel zal zich verenigen en met geweld reageren, net zoals ze dat in '43 deden, en net zoals ze dat overal doen. Klaar ben je met de eenheid van die wet.'

'En hoe zit het met die veiligheid?' vroeg ik. Niemand zei iets, dus hield ik de kaarten maar omhoog. 'Boston?'

Mevrouw Mus, die aandachtig naar het gesprek had geluisterd, knikte me goedkeurend toe; ze wilde het onderwerp politiek duidelijk van tafel hebben. Ik verdeelde de kaarten in vier stapeltjes en legde ze met hun witte achterkant op het groene tafelblad.

'Is de broer van de koning ook gevangengenomen?' vroeg de spion, nieuwsgierig naar een van zijn voornaamste doelwitten. 'Karel is sinds kort de facto de leider van de patriotten.'

'Hertog Karel een leider?' De man trok een grimas. 'Hertog Karel wisselt net zo vaak van loyaliteit als van vrouw. Gustaaf kan maar niet geloven dat Karel een complot zou beramen tegen de troon, en om dat te bewijzen bevoorrecht hij hem – hij heeft zijn lieve broertje benoemd tot militaire gouverneur van Stockholm.'

'Nou, dan zullen we vanavond allemaal beter slapen,' zei ik, en ik maakte een waaier van mijn kaarten. 'Maar nu moeten jullie inzetten.' De conversatie stokte. Het enige wat je hoorde was het schuiven en ritselen van speelkaarten, het rinkelen van muntjes en het knisperen van bankbiljetten. Ik deed het die avond extreem goed aan de tafels, want gokken was een talent dat ik polijstte. De spion deed het ook goed, want het was in mevrouw Mus' belang om de politie te polijsten – al snapte ik niet hoe ze het spel stuurde, want hij was niet echt een uitblinker.

Toen de klok in de buurt van de drie kwam, stond ik op om mijn benen te strekken, en mevrouw Mus liep naar me toe en nam mijn hand in haar beide handen. Ze was niet bepaald de jongste meer en ging eenvoudig gekleed, maar in het zachte schijnsel van het kaarslicht en door de waas van alcohol heen schitterde haar vroegere uitstraling. Mevrouw Mus hield haar adem in en liet haar lange, slanke vinger langs een lijn op mijn handpalm glijden. Haar handen waren koel en zacht en leken boven mijn hand te zweven en die tegelijkertijd te omvatten. Het enige wat ik op dat moment kon bedenken, was dat ze een uitstekende zakkenroller zou zijn, maar ze was niet voornemens om iets te verdonkeremanen – ik controleerde later mijn zakken – en haar blik was warm en kalm.

'Mijnheer Larsson, u bent voor de kaarten geboren, en hier in mijn vertrekken zult u er uw voordeel mee kunnen doen. Ik denk dat we nog vele spelletjes voor de boeg hebben.'

De warmte van die triomf kroop van top tot teen door me heen, en ik weet nog dat ik haar handen naar mijn lippen bracht om onze verbondenheid met een kus te bezegelen.

Die kaartavond luidde het begin in van twee jaar uitzonderlijk veel geluk aan de speeltafels, en leidde me mettertijd naar het octavo, een aan mevrouw Mus voorbehouden vorm van waarzeggerij, waarvoor ze een achttal kaarten koos uit een oud, mysterieus kaartspel dat verschilt van elk ander dat ik ooit gezien heb. In tegenstelling tot de vage kronkels van de zigeunerinnen op het marktplein werd haar exacte methode geïnspireerd door haar visioenen en wees ze acht mensen aan die een gebeurtenis teweeg zouden brengen die in een visioen tot haar kwam; een gebeurtenis die een transformatie zou inleiden, een wedergeboorte voor de zoeker. Natuurlijk impliceert een wedergeboorte ook een dood, maar daarover werd nimmer gerept wanneer de kaarten gelegd werden.

De avond eindigde met een reeks dronkenmanstoosten: op koning Gustaaf, op Zweden en op de stad waarvan ik hield. 'Op de Stad,' zei mevrouw Mus, en ze tikte haar glas klinkend tegen dat van mij, waarbij de amberkleurige vloeistof op mijn hand spatte.

'Op Stockholm,' antwoordde ik met een stem die dik was van emotie. 'En op het gustaviaanse tijdperk.'

Hoofdstuk twee

TWEE FANTASTISCHE JAREN
EN EEN VERSCHRIKKELIJKE DAG

Bron: E.L.

BINNEN ZES MAANDEN na mijn eerste bezoek speelde ik me een weg naar de positie van partner van mevrouw Mus. Ze zei dat ze slechts twee spelers kende met mijn behendigheid: de ene was zijzelf en de andere was dood. Dat was een compliment, geen waarschuwing.

Als mevrouw Mus af en toe vals speelde – en dat deed iedereen – gebruikte ze zelden de gebruikelijke vormen van oplichterij, zoals het markeren van de kaarten met een vouwtje of een teken, en evenmin begunstigde ze het huis overmatig, dus beschouwden de spelers haar etablissement als elegant en betrouwbaar. Ze had een manier van blind schudden die bijna niet waarneembaar was, en ze had een foefje om met één hand te couperen waar ze mee wegkwam als een onschuldig melkmeisje. Alleen in noodsituaties gebruikte ze een vals spel kaarten dat al geprepareerd was, en ze kon in een oogwenk een kaart in haar handpalm laten verdwijnen en vervangen.

Soms was ons bedrog niet bedoeld om te winnen, maar wilden we ervoor zorgen dat een onwelkome speler uit vrije wil het speellokaal verliet. Dan gebruikten we een tactiek die zij een zetje noemde. Mevrouw Mus maakte me duidelijk om welke speler het ging. Dan zette ik bescheiden bedragen in en legde mijn kaarten zo dat die speler verloor, ongeacht de uitkomst voor mezelf. Ik verloor veel meer dan ik won, en niemand verdenkt een verliezer van vals spelen. Na één, hooguit twee van dit soort avonden begrepen kruimeldieven de hint en kwamen niet meer terug. Bij spionnen duurde het langer omdat dat zelf geen spelers waren, maar ook zij dropen uiteindelijk af. Mevrouw Mus beloonde mijn heimelijke medeplichtigheid door mijn verliezen ruimschoots te compenseren en de exclusieve flessen uit haar kelder met me te delen.

Geheel volgens haar eerste voorspelling had ik, na een jaar van mevrouw Mus' tedere zorg, genoeg geld verdiend om me een positie te verschaffen als Sekretaire bij het douane- en accijnskantoor, een schier onmogelijke promotie voor iemand die uit het niets kwam. Als familie had ik slechts wat hardvochtige, huichelachtige boeren uit Småland, maar onze wegen waren lang geleden eens en voor altijd gescheiden. De enige groep waar ik bij hoorde was de onofficiële broederschap die in de Stad bekendstond als de Orde van Bacchus, een vrijgevig, emotioneel clubje dat met elkaar kon lachen en huilen en vaak vastbesloten was om te zingen, al waren ze te dronken om op hun benen te staan en te arm om hun drankje te betalen. Voor het lidmaatschap moest je behoorlijk wat tijd in de zevenhonderd taveernes van Stockholm doorbrengen, en minstens tweemaal met je gezicht omlaag in de goot worden aangetroffen door hun hogepriester: componist en genie Carl Michael Bellman. Uiteindelijk bleek deze broederschap een veel te grote aanslag te plegen op zowel mijzelf als mijn portemonnee, dus bracht ik mijn vrije avonden door met kaarten. Als ik niet aan de tafels te vinden was, zat ik thuis voor de spiegel te oefenen. Mijn toewijding verstevigde mijn band met mevrouw Mus en mijn geluk bleef groeien.

In het voorjaar van 1791 had ik het gevoel dat ik iedereen in de Stad op zijn minst van gezicht kende; van de hoeren uit de Baggensstraat tot de edellieden die hun klandizie vormden. Zij kenden mij echter niet, daar zorgde ik wel voor. Het was in mijn vakmatige en persoonlijke belang dat ik uitermate gemakkelijk te vergeten was, waardoor ik aan verwikkelingen, verplichtingen en af en toe wraak ontsnapte. Mijn rode Sekretairemantel opende deuren en portemonnees, en een flink aantal zachte, bleke dijen. Naast mijn salaris ontving ik een percentage van de verkoop van alle geconfisqueerde goederen en was ik in staat een uitstekende wijncollectie te 'importeren', evenals fraaie Italiaanse laarzen en andere huishoudelijke artikelen voor de nieuwe kamers die ik betrok in de Kleermakerssteeg in het centrum van de Stad. Ik verscheen om twaalf uur op kantoor om papierwerk op te bergen en opdrachten te ontvangen, ging om drie uur met mijn collega's koffiedrinken in De Zwarte Kat, en vertrok vervolgens naar huis voor een bescheiden maaltijd en een dutje voordat ik eropuit ging. Mijn hoofdtaak was het ontmaskeren van smokkelaars en het inspecteren van verdachte ladingen, werk dat meestal 's nachts in dokken en pakhuizen plaatsvond. Ik bracht veel tijd door met het vergaren van informatie in koffiehuizen, herbergen en taveernes waarvan er her en der in de Stad al net zoveel te vinden waren als vrolijke lantaarns, en ik mengde me onder dames en heren van alle rangen en standen. Het was de ideale baan voor een vrijgezel, en al helemaal voor een kaartspeler die gewiekst was in het interpreteren van gezichten en gebaren en het ruiken van bedrog.

Toen verscheen er een barstje in mijn volmaakte leven.

Het was een prachtige maandag in juni, Tweede Pinksterdag. De Superieur van de douane, een vreselijk vrome man met een zure adem, riep me meteen bij zich in zijn kantoor. Hoewel ik de zondagsdiensten bijwoonde (aangezien je beboet werd als je dat niet deed), beweerde de Superieur dat dat niet voldoende was voor een man die zijn tijd doorbracht in het gezelschap van dronkaards, dieven, gokkers en vrouwen van lichte zeden. Ik merkte op dat dit deel uitmaakte van mijn taak en voegde eraan toe dat de Verlosser zelf ook in dat soort gezelschap had verkeerd. De Superieur fronste zijn voorhoofd. 'Maar dat was niet het enige gezelschap waarin hij verkeerde,' zei hij, terwijl hij zijn handen gevouwen op zijn bureau legde. 'Mijnheer Larsson, er bestaat een menselijk antidotum tegen het gif waarmee u zich omringt.'

Ik was volslagen verbouwereerd. 'Discipelen?' vroeg ik.

Hij kreeg een opmerkelijk rode kleur. 'Nee, mijnheer Larsson. Het heilig huwelijk.' Hij stond op, boog zich over zijn bureau en overhandigde me een pamflet met de titel *Een pleidooi voor de Heilige Verbintenis*. 'De regering moedigt jonge meisjes aan door middel van de Maagdenloterij. Ik lever mijn bijdrage via een nieuwe vereiste voor Sekretaires: het huwelijk. Bisschop Celsius staat er voor honderd procent achter. Mijnheer Larsson, u bent de enige

Sekretaire die niet eens een verloofde heeft. Ik eis de aankondiging van uw verbintenis halverwege de zomer.'

Ik sloeg het pamflet open en deed alsof ik het las, terwijl ik overwoog om overhaast mijn ontslag in te dienen. Maar al deed ik nu mijn voordeel met de kaarten, mijn gewin kon met één verkeerde hand verloren gaan, en het gevang wachtte als een valsspeler zijn scherpe blik verloor, wat elke valsspeler overkwam. Nee, ik zou mijn rode mantel, mijn titel, mijn pas verworven comfort en mijn kamers in het hart van de Stad niet opgeven. Met een beetje geluk zou ik er ook nog een leuke bruidsschat en een permanente huishoudster aan overhouden. Op zijn minst zou de huwelijkse staat me binden aan het leven dat ik verheerlijkte.

Hoofdstuk drie

HET OCTAVO

Bronnen: E.L., mevrouw M., A. Vingström, freule N***,
freule C. Kallingbad

OP ELKE HOEK VAN de straat waren wel koppelaarsters en bemoei-
zuchtige buren die een stuk of tien begerenswaardige meisjes konden noemen; stuk voor stuk arm of hard op weg om ouwe vrijsters
te worden. Ik stelde plichtmatig een lijst op om aan de Superieur te
laten zien, maar rekte tijd door uiting te geven aan mijn twijfel over
een huwelijk dat gespeend was van ware gevoelens. Hij bood aan
om namens mij navraag te doen in zijn 'exclusievere' kringen, maar
ik twijfelde er niet aan dat die maagden zowel kuis als braaf en saai
waren. Net toen het erop begon te lijken dat ik dan maar een keuze
moest maken uit deze treurige mogelijkheden, verscheen Carlotta
Vingström. Het was een toevallige ontmoeting terwijl ik zakendeed
met haar vader, een succesvolle wijnkoopman die een in beslag genomen zending uit Spanje opkocht. Ze had honingkleurig haar,
een warm perzikkleurige huid en het weelderige figuur dat voort-
komt uit overvloedig tafelen. De aanblik van Carlotta tussen al die
flessen en vaten inspireerde me om nog diezelfde dag een ruiker
voor haar te kopen. Ik zou mijn rode mantel kunnen behouden en
nog huwelijksgeluk kunnen vinden ook!

Carlotta's moeder was ongetwijfeld voornemens haar dochter
een treetje of twee hoger op de sociale ladder te krijgen, maar Carlotta schonk me binnen enkele minuten nadat we aan elkaar voorgesteld waren een flirterige blik. Ik snelde naar huis om een correspondentie te beginnen, maar de woorden kwamen niet: ik had
geen idee hoe ik iemand het hof moest maken. Dus liep ik op die

zomeravond naar mevrouw Mus' huis voor een spelletje Boston en wat fatsoenlijke port, in de veronderstelling dat de kaarten me wel zouden inspireren. Het was zondag, een populaire avond voor bals en feestjes, en in de verte hoorde ik een waldhoorn blazen om een bacchanaal aan te kondigen. Dat geluid monterde me op en ik klom met twee treden tegelijk de stenen wenteltrap op. Mevrouw Mus' dienstmeisje, Katarina, liep naar me toe met de kille neutrale blik die ze voor gokkers reserveerde, en ik voegde me bij een tafel vol rijke, onervaren spelers. Ik wilde net een winnende Koningin leggen, toen mevrouw Mus zich vooroverboog en fluisterde: 'Mijnheer Larsson, een belangrijke mededeling.' Ik stond beleefd op en volgde haar door de zaal.

'Wat is er mis?' fluisterde ik, en het viel me op dat ze stevig in haar handen kneep.

'Er is niets mis. Ik heb een visioen, en als dat een ander aangaat, ben ik verplicht het meteen te vertellen.' Mevrouw Mus zweeg, pakte mijn hand en tuurde aandachtig naar mijn handpalm. 'De aanwijzingen zijn ook hier aanwezig.' Ze keek op en glimlachte. 'Liefde en verbondenheid.'

'Echt waar?' vroeg ik stomverbaasd.

'De waarheid is wat ik in mijn visioenen zie. En die is niet altijd zo teder. Kom.' Ze draaide zich om en liep de trap op, en ik volgde haar naar haar kamer boven. Net als het speelvertrek waren ook hier de gordijnen zwaar en het tapijt dik, maar het rook er minder naar tabak en meer naar lavendel, en de temperatuur werd er opzettelijk laag gehouden. Het was een intieme, eenvoudig ingerichte kamer met alleen een ronde, houten tafel en vier stoelen, een bijzettafel met brandy en water, en twee leunstoelen naast een keramieken kachel van mosgroene tegels. Ik had aanwezig mogen zijn bij een stuk of zes waarzegsessies met de kaarten, gewoonlijk wanneer een eenzame, timide zoeker graag wilde dat er nog een andere levende ziel bij was. Op één na hadden alle sessies die ik had bijgewoond frivool geleken. Maar die ene keer verkondigde mevrouw Mus dat ze een visioen kreeg, en vroeg ze ons niet naar haar te kijken. Ik kneep mijn ogen dicht, maar voelde een energie in de kamer en een ernst in mevrouw Mus' stem waardoor de haartjes op mijn armen rechtovereind gingen staan. Een zekere freule N*** werd in de meest bloedstollende, onomwonden termen over haar lot geïnformeerd. Ze trilde en was bleek toen ze de kamer verliet en ze kwam nooit meer terug. Ik maakte mezelf wijs dat het allemaal theater was, maar niet veel later kwamen de voorspellingen uit. Daarna was ik meer op mijn hoede voor mevrouw Mus' vaardigheden (en minder geneigd om deel uit te maken van haar sessies). Maar een visioen van liefde en verbondenheid was een onmiskenbaar positief voorteken. 'Goed, uw visioen,' zei ik. 'Wat was dat?'

'*Uw* visioen, mijnheer Larsson. Het kwam vanmiddag door.' Mevrouw Mus nam een slok uit een glas water op het bijzettafeltje. 'Ik weet nooit wanneer er een visioen doorkomt, maar na al die jaren voel ik wel wanneer het eraan komt. Het begint met een merkwaardige, metalige smaak achter in mijn keel, die als een slang langs mijn tong omhoog kruipt.' We gingen aan tafel zitten en ze legde haar handen plat op haar bovenbenen, sloot even haar ogen, opende ze toen weer en glimlachte. 'Ik zag een waas van glinsterend goud, als munten die dansten op hemelse muziek. Toen versmolten ze tot ze één waren, en vormden een gouden pad. Op die weg reisde u.' Ze leunde achterover in haar stoel. 'U hebt geluk, mijnheer Larsson. Liefde en verbondenheid zijn slechts voor weinigen weggelegd.' Ik voelde de prettige spanning die erbij hoort wanneer vragen en antwoorden samenkomen en vertelde haar over het decreet van de Superieur: dat ik een respectabel, getrouwd man moest zijn als ik mijn baan bij de douane wilde behouden. 'Dan was dit visioen geen toeval,' zei ze.

'Toch verlang ik niet naar serieuze betrekkingen.'

Ze strekte haar hand uit en legde die op de mijne. 'Die zijn soms moeilijk te vermijden. Mensen komen zonder vragen ons leven binnen en blijven zonder uitnodiging bij ons. Ze geven ons kennis waar we niet naar op zoek zijn en geschenken die we niet willen. Maar desondanks hebben we hen nodig.' Ze boog zich voorover naar een smalle la die verborgen was onder de tafelrand en haalde er een pak speelkaarten en een opgerold mousselinen kleed uit.

'Deze kaarten worden gebruikt voor mijn hoogste vorm van divinatie: het octavo. Gezien de luister van uw visioen is dit de kaartenset die ik voor u wil leggen.' Ze schudde zorgvuldig, coupeerde de set tot drie stapels en maakte daar weer één stapel van. Ik vroeg mevrouw Mus waarom ze kaarten nodig had; haar visioen was immers genoeg. Ze draaide de set om en spreidde de kaarten in een brede waaier op tafel. 'De kaarten zijn op deze aarde geënt, maar spreken de taal van de onbekende wereld. Ze dienen als mijn vertalers en gidsen en kunnen ons laten zien hoe uw visioen gerealiseerd kan worden.' Ze boog zich naar me toe en sprak fluisterend. 'Ik begon patronen te zien in mijn leggingen, en patronen in mijn eigen leven, waarbij het getal acht een rol speelde. Ik ben ervan overtuigd geraakt dat we worden geleid door getallen, mijnheer Larsson. Ik geloof dat God geen vader is, maar een oneindig cijfer, en dat wordt het beste verbeeld in de acht. Acht is het oude symbool van de eeuwigheid. Op zijn kant gelegd is het het teken dat wiskundigen de lemniscaat noemen. Rechtop is het een mens, voorbestemd om weer in oneindigheid terug te vallen. Er bestaat een wiskundige uitwerking van deze filosofie, die de Goddelijke Geometrie wordt genoemd.' Ze rolde het kleed uit. In het midden stond een rood vierkant, dat was omringd door acht rechthoeken met de exacte grootte van een speelkaart, waardoor er een achthoek gevormd werd. Het vierkant en de rechthoeken waren genummerd en van een naam voorzien. Boven dit diagram waren met heel dunne lijntjes precieze, geometrische vormen getekend. Mevrouw Mus volgde met haar wijsvinger de vorm van de cirkel en het vierkant in het midden. 'De middencirkel is de hemel, het vierkant daarbinnen is de aarde. Ze worden gekruist door het kruis, dat gevormd wordt door de vier elementen. De kruispunten vormen de achthoek: de heilige vorm.'

'Wat is de bron van deze geometrie?' vroeg ik. Wiskunde en magie waren heel erg in de mode.

'Die zult u niet aantreffen in een pamflet in een snuisterijenkraampje. Dit is de kennis van de geheime verenigingen, oude kennis die is voorbehouden aan een selecte groep. Het is mij verboden u mijn bron te noemen, maar er is een heer die bereid is een vrouw op te leiden. Ik heb nooit meer dan basisinstructies ontvangen, maar zijn filosofie is overal voor ons opgeschreven om te bestuderen. Ga naar de Katarinakerk in het zuiden van de stad; de toren daar stuurt een overduidelijke boodschap. Ga naar elke willekeurige kerk, mijnheer Larsson. Het doopvont is vrijwel altijd een achthoek. Die vorm vertegenwoordigt de achtste dag na de schepping, wanneer de levenscyclus opnieuw begint. Het is de achtste dag na Jezus' intocht in Jeruzalem. Het octavo is de legging van de wederopstanding.'

'En wat is dat vierkantje helemaal in het midden?' vroeg ik.

'Dat staat voor de ziel die op zijn wedergeboorte wacht. U ontkomt er niet aan ingrijpende veranderingen te ondergaan door een gebeurtenis die aanleiding geeft tot een octavo.' Mevrouw Mus strekte haar arm over de tafel uit en zette twee vingers midden op mijn borst. Ik voelde de twee verbonden cirkels op mijn borstbeen. 'U moet de twee lussen van de acht volgen om bij het einde te komen,' zei ze.

Mijn mond was ineens kurkdroog. 'Maar de acht heeft geen einde.'

Ze schonk me een stralende glimlach en trok haar hand terug. 'Zoals ook de ziel geen einde heeft.'

Mevrouw Mus vervolgde: 'De kaarten die we leggen, vertegenwoordigen acht mensen.' Ze raakte elk van de rechthoeken op het kleed aan. 'Elke gebeurtenis die de Zoeker meemaakt – élke gebeurtenis – kan in verband worden gebracht met een groep van acht mensen. En die acht moeten op hun plek staan om de gebeurtenis te laten plaatsvinden.'

'Ik hou niet van meer dan drie mensen tegelijk, mevrouw Mus, plus degenen die me aan de andere kant van de goktafel aankijken,' zei ik.

'U kunt er niet minder hebben en u zult er niet meer vinden. De acht kunnen achteraf gemakkelijk worden aangewezen, maar door het octavo te leggen, kunt u de acht identificeren voordat het voorval plaatsvindt. De Zoeker kan de gebeurtenis dan manipuleren in

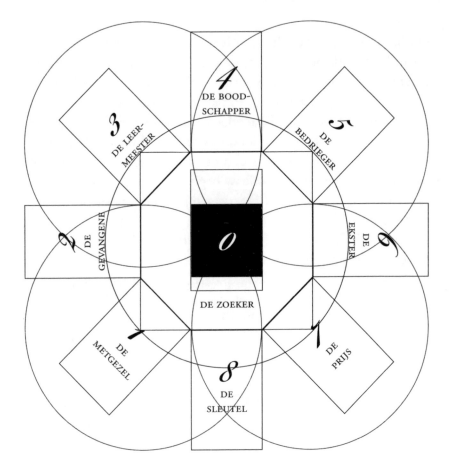

de richting die hij verkiest. U moet alleen die acht een duwtje geven. Zie het als het lot, sparren met de vrije wil.'

'En wat voor soort gebeurtenis inspireert dat octavo van u?'

'Een gebeurtenis van groot belang, een keerpunt. De meeste mensen kennen er een of twee in hun leven, maar ik heb mensen gekend die er wel vier hadden. De liefde en verbondenheid die ik voor u heb gezien is zo'n gebeurtenis. Een visioen is vaak de katalysator.'

'Dat geeft me hoop dat ik misschien echt op dat gouden pad ga lopen! Maar ik ben weleens aanwezig geweest bij uw sessies en ik heb u nooit eerder de kaarten in een achthoek zien leggen.'

'Correct, mijnheer Larsson; dat is niet voor iedereen weggelegd.

Ik moet aanbieden het octavo te leggen, en de Zoeker moet het aanvaarden. Hij moet een eed afleggen dat hij het tot het eind toe volhoudt.'

'Waren die Zoekers in staat de gebeurtenissen die voorspeld waren te beïnvloeden?'

'Alleen degenen die de eed die ze hadden gezworen waren nagekomen. Voor ieder van hen veranderde de wereld, en ik durf te beweren in hun voordeel. De overigen werden te gronde gericht door de storm die ze verkozen te negeren. Ik kan u vertellen dat het kennen van mijn laatste octavo me een groot gevoel van veiligheid en troost bood.'

'Veiligheid en troost...' Ik gebaarde naar de brandy die op een bijzettafel stond. Mevrouw Mus knikte en ik schonk mezelf een glas in. Ik kon het octavo gebruiken om Carlotta Vingström mijn huwelijksbed in te krijgen. Dat zou mijn positie bij de douane verstevigen en ongetwijfeld een genereuze bruidsschat met zich meebrengen, om nog maar te zwijgen over de geneugten van mijnheer Vingströms uitstekende wijnkelders. Een gouden pad, jawel! Ik ging zitten en wreef in mijn handen om ze op te warmen, zoals ik voor elk potje kaarten deed. 'Ik wil dit octavo graag spelen,' zei ik.

'Dus u vraagt erom? Het is geen spel.'

'Ja,' zei ik, en ik vouwde mijn handen in mijn schoot.

'En u zweert dat u het zult voltooien?'

Ik nam nog een slok brandy en zette het glas naast me. 'Ja.'

Opeens was het doodstil. Mevrouw Mus drukte het spel kaarten tussen haar handen en gaf het toen aan mij. 'Kies uw kaart,' zei ze. 'Degene die het meest op u lijkt.'

Zo begonnen al haar sessies: als een zoeker een vraag had, vroeg mevrouw Mus hem de kaart uit te kiezen die hem het beste vertegenwoordigde in het licht van de vraag die hij stelde. Onnodig te zeggen dat er meestal koningen, koninginnen en zo nu en dan een schildknaap werd gekozen, en tijdens de standaardsessies van mevrouw Mus waren de kaarten bijna helemaal niet te onderscheiden, met dat schemerduister, de flakkerende kaarsen en het afleidende gegaap van de zoeker. Maar dit was niet haar gebruikelijke spel. De kaarten waren wel oud, maar niet al te versleten, en ze waren met zwarte inkt gedrukt en met de hand ingekleurd. Ze waren Duits, en in plaats van de gebruikelijke symbolen van harten, ruiten, klaveren en schoppen, waren deze gemarkeerd met Bekers, Boeken, Wijnkruiken en iets wat eruitzag als paddenstoelen, maar wat eigenlijk Stempelkussens bleken te zijn. De hofkaarten bestonden uit twee Schildknapen, de Onderste en de Bovenste, en een Koning. De Koningin was ondergebracht bij het getal tien. Zowel de hofkaarten als de getallen waren versierd met ingewikkelde tekeningen van flora, fauna en mensen van uiteenlopend allooi. Ik kwam in de verleiding een kaart te kiezen waarop drie mannen stonden die zich te goed deden aan een gigantisch wijnvat, en dacht liefdevol terug aan de Orde van Bacchus.

'Denk eraan, mijnheer Larsson, in dit spel moet u geen mooi weer spelen, maar ook niet vals bescheiden zijn. Neem de tijd. Vind uzelf.'

Ik keek de hele stapel drie keer door alvorens te kiezen. Op de kaart stond een jonge man die aan het lopen was, maar over zijn

schouder keek, alsof iets of iemand hem volgde. Er lag een boek op de grond voor hem, maar daar sloeg hij geen acht op. Er bloeide een bloem aan zijn ene kant, maar ook die negeerde hij. Wat me werkelijk trof, was dat hij een rode mantel droeg, als van een Sekretaire. Mevrouw Mus nam de kaart aan en glimlachte terwijl ze hem in het midden van het diagram legde.

'De Onder-Schildknaap van de Boeken. Ik denk dat u goed gekozen hebt. Boeken zijn de kleur van het streven, en ik weet dat u hard gewerkt hebt voor uw

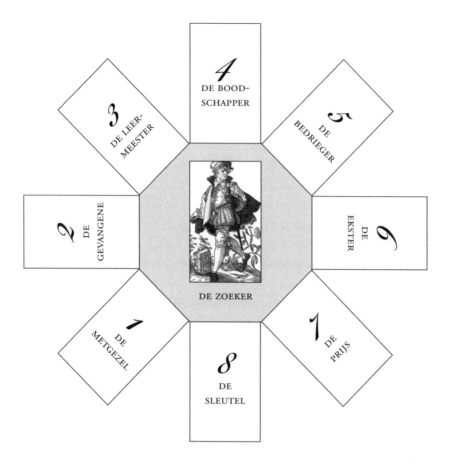

mantel. Maar deze man heeft alle middelen om zich heen – het boek, het zwaard, de bloem – en gebruikt er toch niet één. Nog niet.' De haartjes in mijn nek gingen overeind staan. Ze knikte naar het diagram. 'Het schema laat zien welke rol uw acht zullen spelen. Ze verschijnen misschien niet precies in deze volgorde en hun rol is niet altijd meteen duidelijk; de Leermeester kan overkomen als een nar, de Gevangene lijkt misschien helemaal niet bevrijd te hoeven worden. Het octavo brengt met zich mee dat u een derde of vierde keer naar de mensen om u heen moet kijken, en moet waken voor een overhaast oordeel.' Ze schudde de kaarten opnieuw en vroeg mij te couperen, waarna ze haar ogen sloot en het spel kaarten weer tussen haar handen drukte. Ze legde zorgvuldig een kaart linksonder naast de Zoeker. 'Kaart één. De Metgezel.' Toen legde ze met de klok mee nog zeven andere kaarten neer, zodat er een achthoek ontstond:

2. De Gevangene
3. De Leermeester
4. De Boodschapper
5. De Bedrieger
6. De Ekster
7. De Prijs
8. De Sleutel

Ze tuurde langdurig naar de kaarten terwijl ze alle acht hun namen mompelde.

'En, wie zijn het?' vroeg ik uiteindelijk, en mijn ogen werden naar de lieftallige Koningin van de Wijnkruiken getrokken. Carlotta?

'Dat weet ik nog niet. We herhalen de legging tot een kaart tweemaal opduikt; dat is het teken dat hij moet blijven. Dan wordt

hij op de eerste open plek van het schema gelegd.' Ze gaf me een ogenblik om de legging in mijn geheugen te prenten, raapte ze toen allemaal bijeen, behalve de Onder-Schildknaap van de Boeken en begon te schudden. 'Tweede keer. Let op.' Ze legde nog een set van acht kaarten.

Ik zocht aandachtig naar de Koningin, maar dit was een heel ander gezelschap. 'Waar is mijn lieve dame?' vroeg ik. Ze stak de acht kaarten terug in het spel en voerde het proces opnieuw uit. 'Als er deze ronde niemand nog een keer komt, gebruik ik een lei

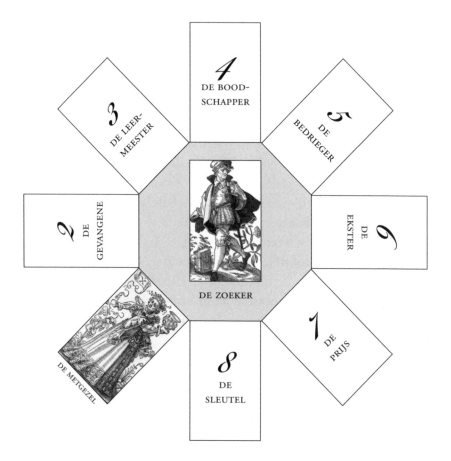

en een krijtje om aantekeningen te maken.' Ditmaal nam mevrouw Mus langdurig de tijd om de kaarten tussen haar handen te drukken voor ze deelde. Ik keek heel goed, maar kon niets vreemds ontdekken, behalve dat de kamer buitensporig warm aanvoelde. 'Mag ik het raam op een kiertje zetten?' fluisterde ik.

'Sssssttt!' siste ze tegen me, waarna ze de derde legging deed.

'Daar is ze!' Ik voelde de opwinding die alle spelers voelen wanneer de kaart waar ze op wachtten voorbijkomt.

'Uw Metgezel.' Mevrouw Mus legde de Koningin van de Wijnkruiken op de eerste positie van het schema en leunde achterover. Ze glimlachte niet zoals ze dat tegen romantiekzoekende ingénues deed. 'De Metgezel is van cruciaal belang, want de acht komen in haar kring bijeen. Ze zal in uw leven, in uw gesprekken en in uw dromen opduiken. Ze zal naar u toe worden getrokken en u naar haar. Misschien werkt u met haar samen, misschien staan jullie tegenover elkaar.'

'Ik weet zeker dat we een harmonieus paar zullen vormen,' zei ik.

'De Koningin van de Wijnkruiken is een vrouw die over macht en middelen beschikt: wijnkruiken zijn de kleur van de overvloed. Meestal geld. Maar elke kaart kan de rol van weldoener of tegenstander spelen. Ziet u de valse mouw? De handschoenen die verwijderd zijn? Daar is de kronkelende wijnrank van de verstrengeling. Met andere woorden: wees voorzichtig.'

'Ik voel me behoorlijk veilig, mevrouw Mus. Want kan die mouw niet gewoon in de mode zijn, en zijn die handschoenen niet verwijderd zodat ik haar warme hand in de mijne kan nemen? De kronkelende wijnrank is de vruchtbare oogst en de kruik brengt een bedwelmende wijn naar mijn tafel, ongetwijfeld uit de kelders van Vingström,' zei ik en ik stelde me Carlotta's volle, zachte mond voor.

'Niet zo zelfgenoegzaam, mijnheer Larsson,' bitste ze. 'Dit is niet een of ander kaartspelletje dat u vaker hebt gespeeld. De Metgezel kan u ook naar de liefde leiden en zelf niet de geliefde zijn. Er zijn zeven personen die we nog niet ontmoet hebben.'

'Maar ze zou het kunnen zijn,' zei ik.

'Het zou kunnen, ja,' zei mevrouw Mus onwillig. Ze raapte het hele spel kaarten bij elkaar en legde het met de afbeeldingen omlaag in het midden van het diagram.

'Wat is dit? Stoppen we nu al?' vroeg ik, te luid voor deze intieme sfeer.

'Het ritueel zit erop. Zodra er een plek is opgevuld, zijn de kaarten klaar tot de volgende dag.'

'Maar u hebt het bedacht; u kunt het ritueel veranderen als u wilt.'

'Het ritueel loopt via mij, het is niet van mij afkomstig. Het is afkomstig van het goddelijke. Of misschien van de kaarten zelf. Ik weet het niet. Het octavo neemt acht opeenvolgende avonden in beslag. We ontmoeten elkaar morgen weer, en de zes avonden daarna.' Ze pakte een pen en inkt uit de la onder de tafel en schreef mijn kaart en die van mijn metgezel in een dun leren boekje. 'Zorg dat u om elf uur hier bent,' zei ze, en ze maakte de bladzijde droog met zand uit een strooier.

'Bedoelt u dat ik echt elke avond hier moet komen?' vroeg ik.

'Ja, mijnheer Larsson. U hebt een eed afgelegd.'

'Uw reguliere clientèle heeft zeker geen geduld voor zo'n langdradig spel?'

Ze lachte en pakte haar pijp en tondel uit een kastje. 'Ik zou het octavo nooit leggen voor iemand die alleen maar nieuwsgierig was. Dat zou hetzelfde zijn als een palingvrouw vragen als een alchemist te denken. Daar is dit veel te serieus voor. En er staat veel te veel op het spel.'

'Wat dan?'

Ze stak met de tondel een kaars aan en hield die bij haar pijp, terwijl ze aan de steel zoog om de vlam naar de bol te trekken. Ze zoog haar mond vol rook en blies één kringetje uit. 'Liefde, mijnheer Larsson,' zei ze met een half lachje om haar mond. 'Liefde en verbondenheid.'

Hoofdstuk vier

DE HOOGSTE AANBEVELING

Bronnen: E.L., mevrouw M., Katarina E.

GEÏNSPIREERD DOOR DE verschijning van de Koningin van de Wijnkruiken schreef ik Carlotta de volgende ochtend, en ik ontving een
antwoord met de middagpost. Ze schreef dat ze mijn mysterieuze
verhaal over de acht kaarten boeiend vond en mijn pen krachtig en
dat ze contact met me zou opnemen voor een tijdstip en een plaats
waar we elkaar zouden kunnen ontmoeten. Nu al vorderingen in de
richting van het gouden pad! Ik deelde de Superieur en mijn col-
leges bij de douane mee dat ik een huwelijksvis aan de haak had
geslagen en dat we dat binnenkort zouden vieren met een bedwelmende punch. Het kon me niet gauw genoeg elf uur zijn, dus ging
ik vroeg op pad naar de Minderbroederssteeg met de bedoeling de
tijd te verdrijven met whist. Ik klopte aan bij mevrouw Mus en na
enige tijd deed Katarina open. 'Sekretaire. Mevrouw Mus zei dat u
om elf uur zou komen.'

Ik gluurde over haar schouder. De gang was leeg en de speelvertrekken waren donker. 'Waar zijn de spelers?'

'U zult moeten wachten.' Katarina ging me voor naar de vestibule voor zoekers, een zijkamertje bij de trap naar de kamer boven.
Het was verlicht met één kaart in een glazen, bolvormige blaker, en
tegen één wand stonden drie houten stoelen. Ik wachtte bijna een
uur en hoorde toen eindelijk voetstappen op de trap. Ik liep naar de
gang om te kijken wie de oorzaak was van de stille tafels en hoorde
de stem van mevrouw Mus, die dringend klonk. 'Nee, Gustaaf, dit
visioen was een waarschuwing voor je.'

Dus het was waar! Ik liep achteruit terug de wachtkamer in en keek van achter de deur naar mijn koning. De eerste glimp die ik van Gustaaf had opgevangen, was bij zijn kroning geweest, toen ik acht was en hij vijfentwintig, destijds een jeugdige held. Toen Gustaaf op die prachtige ochtend in mei voorbijreed, glinsterde er iets gouds tegen de blauwe hemel en ik ving een van de munten die hij gooide en die ongetwijfeld voor mij bedoeld was. In de twee decennia daarna vestigde Gustaaf een schitterend hof, het Koninklijk Theater, de Opera, en de Zweedse Academie. Voltaire had hem de Verlichte Monarch genoemd.

Gustaaf trok een witleren handschoen aan die was afgezet met zilverdraadjes die glinsterden in de eenzame, brandende blaker. 'Ik zie je visioen niet als duister, Sofia.' Daarop humde mevrouw Mus iets en hij draaide zich om, zodat ik eindelijk zijn gezicht kon zien. Gustaaf was pafferig geworden en hij liep krom, alsof het gewicht van zijn jaren hem langzaam omlaag trok. Hij zag eruit als elke man van middelbare leeftijd, zoekend naar antwoorden zoals elke zoeker. 'Dat klonk lomp, Sofia, maar je weet dat ik het niet oneerbiedig bedoel. Vertel me nog één keer je visioen, dan zal ik je vertellen wat ík eruit haal.'

Mevrouw Mus sloot haar ogen. 'De zon gaat onder, de lucht verandert van blauw naar feloranje in het westen, met wolkenbogen die naar de hemel reiken. Er staat een groot, mooi huis, als een paleis, en een grote, zwarte reiskoets staat buiten te wachten; de paarden briesen en steigeren, wanhopig om te ontsnappen. De wind steekt op, een hevige storm. De koets, de paarden en het fraaie paleis worden als zand weggeblazen en drijven over de Stad als diamanten, als sterren, waarna ze in de inktblauwe diepten van de Riddersbaai vallen en weg zijn. Alles verloren, Gustaaf. Alles.' Ze greep zijn arm. 'Het is de wind die ik alarmerend vind. Die kan niet worden tegengehouden.'

'We kunnen de wind niet tegenhouden, lieve vriendin, en ik ben van plan erop te zeilen.' Gustaaf pakte de hand van mevrouw Mus en hield hem in de zijne. 'Ik ben verrukt over dit visioen, Sofia. Je begrijpt de betekenis niet; niet omdat het je aan vaardigheden ontbreekt, maar aan informatie. Probeer het vanuit mijn perspectief te bekijken: een felle zonsondergang, een koninklijk, maar leeg huis dat wordt meegevoerd door een straffe wind; dat wijst allemaal op de revolutie in Frankrijk, de koning en de koningin die tegen hun wil worden vastgehouden. Gustaaf dempte zijn stem, maar zijn opwinding klonk erdoorheen. 'Dit visioen bevestigt het succes van een reddingsplan dat al in gang is gezet, en te midden van die ontsnapping komt een zwarte reiskoets voor, precies zoals jij beschreven hebt. De jonge graaf Von Fersen is nu in Parijs om te helpen. Hij is loyaal aan de kroon, in tegenstelling tot zijn vader, de patriot. Tegen midzomer zal de koets vertrekken, het huis zal gered worden en de revolutionaire verraders zullen als stof verspreid in de Seine liggen.'

'Je kent mijn gevoelens voor Frankrijk. Ik zou dolblij zijn met je succes,' zei mevrouw Mus. 'Maar dit is jóúw visioen, en de wind… de wind is een vreselijk teken. Je moet naar je eigen huis kijken.'

'Het klopt, mijn huis lijkt leeg te zijn.' Gustaaf liet haar hand los en trok een los draadje van zijn handschoen. 'Zodra de gewone man wat privileges toebedeeld kreeg, werd duidelijk waar de ware loyaliteit van mijn hof lag. Maar ik moet de monarchieën van alle naties steunen als de adel überhaupt wil overleven.' Gustaaf wuifde, en ergens vanuit de schemerige hal kwam een officier tevoorschijn. 'Ik ben geboren voor het leiderschap, net als jij bent geboren voor het Inzicht. We kunnen die last niet naast ons neerleggen, hoezeer we dat ook zouden willen.'

'Blijf toch. We zouden vanavond met het octavo kunnen beginnen,' zei ze.

'Ik kan je geen acht avonden geven, al zou ik het graag willen. Over een paar uur vertrek ik naar Aix-la-Chapelle. Daar zal ik de Franse koninklijke familie verwelkomen.' Hij pakte een blauwzijden mantel aan die zijn bediende hem aangaf, en overhandigde mevrouw Sparrow een leren zakje. 'Dank voor je zorgen, Sofia.'

'We zijn oude vrienden, Gustaaf,' zei ze zacht.

'Ik reken op de weinigen die ik overheb,' zei hij. 'De politiecommissaris is beschikbaar als je hem nodig hebt. En bisschop Celsius doet boete; hij en zijn geestelijken zullen je niet meer lastigvallen.' De koning boog zich voorover en gaf haar een kus op elke wang. 'Ik kom weer langs als de Franse koning in veiligheid is. Daarna zul je mij moeten betalen om de tekenen te interpreteren.' Daar moest ze om lachen en ik hoorde hun voetstappen wegsterven. Er klonk geen ratelende koets buiten; ze hoefden de Minderbroederssteeg slechts een klein, nat stukje uit te lopen naar de Grote Kerk. Daar vlak achter stond het paleis.

'Mevrouw Mus,' fluisterde ik vanuit de wachtkamer. Ze draaide zich met een ruk om. 'Ik ben het, mijnheer Larsson.'

Haar schouders ontspanden, maar haar stem klonk bars. 'Gustaaf staat niet welwillend tegenover spionnen die niet bij hem in dienst zijn.'

'Gelukkig liet Katarina me binnen,' zei ik, nog altijd verwonderd over deze intieme glimp van mijn koning. 'Is hij vaak in uw gezelschap?'

'Niet zo vaak als ik zou willen. We zijn al ruim twintig jaar bevriend, mijnheer Larsson.'

'Hoe kunt u de koning ontmoet hebben? U moet nog een jong meisje geweest zijn.'

'Gustaaf ging naar Frankrijk met zijn jongste broer, Frederik Adolf; hertog Karel was niet uitgenodigd. Hun moeder achtte hem onwaardig.'

'En de prinsen hadden een zieneres nodig?'

Ze lachte en ging op een van de wachtkamerstoelen zitten. 'Ze hadden een wasvrouw nodig die uitstekend Frans sprak. Mijn vader was een meester-handwerksman die in het Drottningholmpaleis werkte. Hij kreeg er lucht van en bood mijn diensten aan in de veronderstelling dat het mijn kans zou zijn om de vorst te dienen en me van een betrekking te verzekeren; huwelijkskandidaten vermeden een meisje met helderziende gaven, dus dit was onze grote hoop voor mijn toekomst. En vader wilde wanhopig graag dat ik mijn thuisland zou zien; hij was bang dat ik het zou vergeten. Mijn Frans was vlekkeloos en mijn moeder had me de geheimen van bleken en stijven goed bijgebracht. Ik sloot me bij het vrolijke gevolg aan als dienares, maar mijn helderziendheid wekte de belangstelling van de kroonprins, dus werd ik goed behandeld. Gustaaf en zijn broertje Frederik veroverden Parijs stormenderhand: bals en jachten met koning Lodewijk en Marie-Antoinette, een ontmoeting met de Montgolfiers en hun gigantische ballon, bezoeken aan de exclusiefste salons. Karel is er nog steeds kwaad over.'

'Hebt u in Parijs de kaarten gelezen voor Gustaaf?'

'Ik had nog niet geleerd ze te lezen; ik gaf mijn visioenen door. Zijn kroning was ophanden en dat zei ik. Er waren er enkelen die me uithoonden en me uitmaakten voor duivelshoer en erger. Maar Gustaaf was mijn loyale beschermheer en ik had gelijk: de oude koning stierf terwijl wij in Parijs waren, en Gustaaf werd in mei 1772 gekroond. Hij hecht nog steeds waarde aan het intuïtieve en verkiest velen die de kunst beheersen: magiërs, astrologen, waarzeggers. Hij heeft onlangs een alchemist ingehuurd om de koninklijke geldkist te vullen.'

Ik ging op de stoel naast haar zitten. 'En wat moet u vullen?'

'De behoefte aan echte vriendschap en de waarheid. En niets anders.' Ze keek me met toegeknepen ogen aan. 'Er zijn er maar

weinigen die dat durven te bieden, en nog minder die zorgzaam zijn, zoals u zag. Maar hij is een groot koning, mijnheer Larsson.'

'Een groot koning,' echode ik. 'En hij heeft ongetwijfeld gelijk, mevrouw Mus. Over het visioen, bedoel ik. Zijn begrip van de wereld overtreft dat van ons veruit.'

'Hij is en blijft een man, mijnheer Larsson. Hij ziet wat hij wil zien.' Ze leunde achterover in haar stoel, haar ogen gesloten, alsof ze zo in slaap kon vallen. 'We kunnen maar het beste met u verdergaan,' bromde ze. We klommen de trap op en gingen

zitten. Een zomerse regenbui kletterde tegen het raam, en in de kamer was het koeler dan de avond ervoor. Ze pakte de twee kaarten die we al kenden uit het pak, schudde langdurig en legde de kaarten midden op tafel.

Ik coupeerde ze en zij deelde. Na vier rondes dook de tweede kaart van mijn octavo op: de Gevangene, de Aas van de Stempelkussens. We bogen ons voorover om de kaart te bestuderen.

Een engelachtig gezicht stond midden op een wapenschild. Onder de kin zweefde een vogel. Twee leeuwen stonden met de kop naar elkaar in afzonderlijke velden, en een van hen hield een ontspruitend zaadje of een wortelstok vast. 'De Aas is een jong persoon, of één met beperkte ervaring en een beïnvloedbare geest. Hij staat voor een nieuw begin. Kan een man of een vrouw zijn,' zei ze.

'Lisdodden. Hij is vast en zeker arm,' zei ik bij het zien van de twee sigaren aan weerszijden van het stempelkussen dat boven het engelengezicht hing. Ik dacht aan mijn verpauperde neven, die de lisdodden die ze niet opaten gebruikten als kaarsen, door ze in was te dopen en de stengel als een pit aan te steken.

'Niet per se. Het stempelkussen is een teken van zaken en handel, dus dit zou iemand kunnen zijn die met weinig middelen toe kan. Hij zal nauw verbonden zijn met uw Metgezel, en de Koningin van de Wijnkruiken is een kaart van rijkdom, dus hij zou zijn voordeel kunnen doen met haar vriendschap. Maar dit is uw Gevangene.'

Ik tuurde naar het lieftallige cherubijntje. 'Zou dit Carlotta kunnen zijn?'

'Misschien, maar de kaarten roepen hun levende tegenhanger pas op wanneer ze alle acht op hun plek liggen.'

'Ik kan niet wachten, mevrouw Mus!'

'Toch moet dat. Het duurt nog maar zes dagen.' Ze glimlachte om mijn ongeduld. 'U gaat er toch niet overhaast vandoor om samen met Gustaaf de Franse koninklijke familie te ontmoeten, hè, mijnheer Larsson?'

'Mijn Koningin is hier in de Stad.'

'Als u er zeker van bent, kunt u uw Gevangene vasthouden of vrijlaten, al naar gelang dat ten goede komt aan uw ware doel, wat dat ook moge zijn.'

'U weet wat mijn ware doel is,' zei ik.

Hoofdstuk vijf

EEN KANSSPEL

Bronnen: E.L., mevrouw M., Katarina E., Freule C. Kallingbad, portier E.,
A. Nordell, med mera.

WE KUNNEN RUSTIG stellen dat iedereen verliest met kaarten. Wat interessant is, is hoe en wat ze verliezen en wat er gebeurt als gevolg daarvan. Graaf Oxenstierna gedroeg zich als een volmaakte heer toen hij twee grote percelen land verloor met het spelen van La Belle. Zijn gezelschap stond versteld van zijn beschaafdheid, maar de storm die er thuis op volgde vormde nog maandenlang een smeuïg gespreksonderwerp. Schijnbaar waren zijn vrouw, zijn volwassen kinderen, een aantal personeelsleden en de Ierse wolfshonden erbij betrokken. Maar insinuaties en roddels zijn povere versnaperingen vergeleken bij het zinderende feestmaal van een substantieel verlies in levenden lijve. Zo was het ook toen ik toekeek terwijl twee vermogende vrouwen hun meest waardevolle waaiers in de waagschaal legden. Ik hoorde duidelijk het geluid van een kaartspeler die een val opzette en vanaf dat ogenblik besteedde ik aandacht aan het spel in plaats van me met mijn hele wezen te focussen op Carlotta Vingströms mooie borsten. De speler die bij dit kansspel betrokken was, was de barones, die bij iedereen bekendstond als De Uzanne, een vrouw die nooit verloor.

Laat me u iets vertellen over De Uzanne. Ze was gedoopt als Kristina Elizabet Louisa Gyllenpalm, en hoewel al die namen koninklijke implicaties hadden, werden ze nooit gebruikt. Als kind werd ze aangesproken als Jonge Vrouwe. Na haar huwelijk als Madame. Maar in gesprekken werd ze De Uzanne genoemd, misschien omdat er maar één van kon zijn.

De Uzanne was waaierverzamelaarster. Ze was voor het eerst gefascineerd geraakt door waaiers op haar vijftiende, toen ze er getuige van was dat een nichtje dat precies even oud, maar noch zo rijk, noch zo mooi was als zij, een hele salon in haar ban kon houden door haar kunstige gewapper. De Uzanne, toen nog Jonge Vrouwe, overtuigde haar nichtje ervan om haar deze boeiende taal te leren. De signalen waren zowel bij mannen als vrouwen bekend, en net als bij elke taal was het zo dat je meer kon uitdrukken naarmate je meer oefende. Algauw overtroffen de vaardigheden van de leerlinge die van haar lerares. Openklappen, vallen, draaien met de pols, tikken, wapperen en lang, aanhoudend strelen vulden stuk voor stuk de leegte die werd achtergelaten door de onuitsprekelijke verlangende woorden. De Uzanne wist in welke hoek ze de waaier over haar borsten moest houden als ze niet, of juist wel, wilde dat ze beschouwd werd als courtisane, en hoe ze met een bepaalde blik over een half dichtgevouwen waaier elke man aan haar zij kon krijgen. In hogere kringen schreeuwde men om De Uzannes aanwezigheid in salons en tijdens bals. Het jaloerse nichtje ondernam een poging tot wraak door De Uzanne op het voorjaarsbal te koppelen aan een eenvoudige jongeman. Daarop nam De Uzanne de rol van lieftallige koppelaarster op zich en seinde de status van haar nichtje als gretige maagd naar een epileptische Finse graaf die er klaar voor was om de lege holte van zijn huwelijksbed op te vullen. De Uzanne plengde de mooiste krokodillentranen toen ze haar nichtje uitzwaaide terwijl die afreisde naar Åbo, een belachelijk dorp dat dienstdeed als hoofdstad van Finland.

De Uzanne had haar wapen gevonden. Een aantal jaar oefende ze onophoudelijk, reizend van Parijs naar Wenen om te leren van de meesteressen en koninginnen die van achter de troon heersten, waarbij ze een bezoek bracht aan de waaiermakers en hun om tips en trucs vroeg. Op haar negentiende beleefde ze haar grootste triomf: ze wist de rijke, jonge baron Henrik Uzanne wuivend eerst in haar armen en vervolgens in haar bed te krijgen. Binnen drie maanden waren ze getrouwd. Alleen haar oudere zus, die met deze edelman verloofd was geweest, was er kapot van. De Jonge Vrouwe nam trots de oude Franse achternaam aan, die een eeuw eerder naar Zweden was gekomen. Ze repte nooit over het feit dat de naam Uzanne daar was aanbeland door een ambitieuze huursoldaat die zich al hakkend omhoog had gewerkt.

Henrik was de ideale verovering: zeer gewild, aristocratisch, knap om te zien, aangenaam gezelschap en met genoeg eigen geld om haar te laten doen wat ze wilde. Mettertijd kwam ze erachter dat Henrik meer was dan alleen een trofee van haar uitzonderlijke vaardigheden. Hij hield van haar en zij vond de passie van haar leven in hem. Henrik hield zich intensief met politiek bezig en liet De Uzanne kennismaken met regeringsspelletjes, die intrigerender waren dan die van romantiek en hofmakerij. Eerst kwam hij tegemoet aan haar belangstelling, maar daarna merkte hij dat ze een schrandere waarneemster en analytica was. De Uzanne en haar Henrik beraamden met de patriotten een plan voor de terugkeer naar een regering die door de adel werd geleid, met hertog Karel als stroman en koning. Hun samenzwering bracht hen nader tot elkaar dan de meeste getrouwde stellen; niemand kon hun gebrek aan ontspannen afspraakjes begrijpen. Henrik zuchtte wel om hun kinderloosheid, maar De Uzanne had niet meteen ambities voor het moederschap. Nog afgezien van haar ijdelheid en de risico's van een bevalling dacht ze dat kinderen het grootst denkbare ongerief vormden. Ze gaf Henrik de vrije teugel met haar dienstmeisjes, bij wie hij verscheidene aanbiddelijke bastaards verwekte, en zo werd dat kleine meningsverschil uit de weg geruimd. Toen ze besloot dat het verstandig was een erfgenaam voort te brengen, was het helaas te laat.

Henrik gaf ook toe aan De Uzannes passie voor waaiers, en na een tijdje was haar collectie ongeëvenaard. Ze omvatte alle kleuren, alle landen, alle soorten. Italiaans sandelhout, Russisch velijn, Engels zilver, Japanse zijde en alles wat maar Frans was. Maar De Uzanne had heel wat over voor waaiers die ze bestempelde als Karakter en Noviteit. De Karakterwaaiers brachten een unieke emotie met zich mee, en haar verzameling bevatte Verlangen, Melancholie, Woede, Verveling, Lust, Romantiek en verscheidene vormen van

Waanzin. Onder de Noviteitenwaaiers bevonden zich onder andere telescopische, *double-entente* waaiers die naar beide kanten opengingen en twee verschillende afbeeldingen onthulden (Henrik vond vooral de pornografische variant leuk), scharnierende bladen, puzzelwaaiers, allerlei soorten bladen met kijkgaatjes, benen met klokken, beschermkapjes met thermometers en zelfs een waaier waarvan een beetje snuiftabak of arsenicum in de met een edelsteen gekroonde sluitpin verborgen zat. Toen Henrik haar als verjaarsgeschenk Cassiopeia gaf, zag ze die als het kroonjuweel van haar collectie. Cassiopeia combineerde het Karakter van Onweerstaanbare Autoriteit en de Noviteit van een geheime schacht langs het middenbeen met uitgelezen vakmanschap, schoonheid en de mysterieuze band tussen een kunstenaar en diens instrument. De Uzanne en Cassiopeia pasten bij elkaar als geliefden op een te kleine canapé, die precies wisten hoe ze moesten bewegen voor het maximale effect.

In de loop der tijd smeekten de dames uit de Stad of De Uzanne haar geheimen wilde onthullen, maar ze wist dat kennis waardevol was. Algauw tastten alle aristocratische dochters, die van heinde en verre kwamen, diep in de buidel voor De Uzannes instructies. De moeders van deze debutantes zagen dat hun dochters onder haar begeleiding verfijnd en schrander werden, in staat waren om zelfs in het stralendste gezelschap van het continent te schitteren en zich vaak ook verloofden. De meisjes zelf zagen een lange rij vrijers, officieren die hun donkerblauwe uniform tegen hen aan persten en naar eau de cologne roken, diplomaten die woordjes in hun oor fluisterden die niet voor vertaling vatbaar waren, en edellieden die het waagden hun handen, hun borsten en hun dijen aan te raken, hun lippen met hun tong uiteen te duwen en ze te openen als een waaier die door een deskundige wordt bewerkt: langzaam, langzaam, tot ze zo wijd open gespreid is dat ze bijna breekt. Maar een bataljon vrijers was een kleinigheid. De Uzanne wist dat de waaier veel meer macht had.

Na jaren van studie en oefening kon De Uzanne de informatiestroom in elk willekeurig vertrek met haar waaier aansturen. Ze kon woorden naar een onbedoeld oor sturen, ze naar zichzelf laten komen en de aandacht van een enkeling of velen door de ether leiden met een geringe aanpassing van de hoek, de snelheid en de intentie. Het was een duizelingwekkende combinatie van kunst en vakmanschap die dienstdeed als een visitekaartje, sociale band en statusindicator. Maar het was tevens het ideale hulpmiddel voor een vrouw die wilde deelnemen aan de spelletjes die gewoonlijk gereserveerd waren voor machtige mannen. En men zou nooit vermoeden dat een waaier een wapen kon zijn.

In 1789 hadden De Uzanne en Henrik het gevoel dat hun politieke doelen binnen hun bereik lagen: Zweden was verzwakt door Gustaafs desastreuze oorlog met Rusland, zijn ministerraad werd verdacht van financiële wandaden, en de angst voor revolutie voedde een wijdverbreid verlangen naar de terugkeer van tradities. Maar Henrik en zij hadden niet gerekend op de Wet op de Eenheid en Veiligheid, een *coup d'état* en bloedeloze revolutie in één. Nadat Gustaaf de patriottenleiders gevangen had genomen, was alles verloren. Henrik herstelde nooit van de beproeving, ondanks de fatsoenlijke wijze waarop hij in kasteel Fredrikshov was opgesloten. Toen hij in november van dat jaar overleed aan longontsteking, dacht De Uzanne dat haar leven voorbij was. Ze bleef bijna een maand lang in bed, tot hertog Karel haar ervan overtuigde samen met hem en de Kleine Hertogin de kerstdienst bij te wonen. Het jaar daarna droeg ze uitsluitend zwart, ontving maar een paar bezoekers, weigerde aan het hof te verschijnen en annuleerde haar lessen voor jongedames voorgoed. Maar door een groeiende frustratie ten aanzien van Gustaafs schijnbare onoverwinnelijkheid, hertog Karels voortdurende ambivalentie jegens zijn broer en een plotseling onstuitbaar verlangen naar wraak verrees ze uit haar isolement om haar land te dienen.

In 1791 maakte De Uzanne opnieuw deel uit van de vele intriges en gebeurtenissen in de Stad. Op 20 juni van dat jaar – midzomer – gingen De Uzanne en haar Cassiopeia naar een geïmproviseerd feest dat zowel politiek als de gebruikelijke kaarten, roddels en joligheid beloofde. Voor De Uzanne was dat de ideale mengeling en ze stond erop dat haar nieuwste protegee, Carlotta Vingström, haar vergezelde. Carlotta en ik wisselden een reeks urgente briefjes uit over die avond, want we hadden al plannen gemaakt om uit te gaan. Dat Carlotta bij de barones werd geplaatst was echter een onbetwistbare eer en verplichting. En het was precies de opening die ik nodig had. Carlotta en ik hadden bijna twee weken dagelijks gecorrespondeerd en ik bezocht de wijnhandel vaak, maar we waren nog helemaal niet aan serieuze onderwerpen toegekomen. Ik suste het gezeur van de Superieur met een uitstekende fles tempranillo en de belofte dat dit de eerste van vele was uit de kelders van mijn toekomstige schoonvader: tijdens de midzomernacht zou ik mijn intenties uitspreken en op een antwoord aandringen.

Ik opperde een gewaagd plan om me als indringer naar binnen te werken; alles om maar bij haar te kunnen zijn. Ik wist dat het eenvoudig zou zijn om het feest te betreden, al vertelde ik dat niet aan Carlotta: het adres was namelijk Minderbroederssteeg 35. Ik werd er om elf uur verwacht om de derde kaart van mijn octavo te leggen en mevrouw Mus zou me nooit vragen mijn gelofte te breken.

De avond begon goed: om zeven uur bezorgde mijn hospita, mevrouw Murbeck, een laatste brief van Carlotta, waarin ze haar erkentelijkheid betuigde vanwege het grote risico dat ik voor haar wilde nemen, en schreef dat ze ervan overtuigd was dat ik me gemakkelijk in het illustere gezelschap zou mengen en dat ze popelde om alleen met me te zijn zodra het feest was afgelopen. Met een net geperst stel fraaie kleren en een scheut eau de cologne haastte ik me naar de Minderbroederssteeg. De klokken van de Grote Kerk sloegen acht, maar de hemel was zo helder als midden op de dag. De straten en huizen van de Stad waren versierd met berkentakken en bloemen, die tot guirlandes waren gevlochten. Hier en daar werd de dag gemarkeerd door meibomen met een krans erbovenop, die behangen werden met bladgroen en bloemen, terwijl de linten wapperden in de bries die vanuit de baai kwam aanwaaien. De gasten arriveerden luidruchtig, de wielen van hun rijtuigen ratelden op de keien en ze riepen elkaar begroetend toe. Toen hield er een bijzonder mooie zwarte koets met een baroniewapenschild stil, en het hoefgekletter ging gepaard met de onmiskenbare stroom van gebabbel die alleen een opgewonden Carlotta kon voortbrengen.

'Madame, ik moet u een heleboel over dit huis vertellen.' Carlotta stoof naar buiten in een wolk van citroengele zijde. 'Maar ik heb gewacht tot u arriveerde, zodat u het mysterie uit de eerste hand kunt ervaren. Madame, kijkt u eens naar de sluitsteen in de boog, als u wilt. Ziet u het gezicht? Er wordt gezegd dat het beweegt.' De Uzanne tuurde naar buiten. 'Dit, Madame, is het huis van de geesten.'

'Dit is geen bruikbare informatie, Carlotta. Ik wil weten waarom hertog Karel ons allemaal hier naar dit afgelegen niemandsland heeft laten komen,' zei De Uzanne met een verrassend melodieuze stem. Ik had een aftandse matrone verwacht, die deed denken aan een grote, half opgegeten taart van het feestje van de avond ervoor. De Uzanne raakte de hand van de voorman nauwelijks aan toen ze uit de koets tevoorschijn kwam in haar bleke jurk, die afstak tegen het glanzende zwart van de koets. De jurk die ze droeg was nauwaangesloten, in de nieuwe *à l'anglaise*-stijl, en de zeegroene sjerp om haar middel liet haar figuur zeer voordelig uitkomen. Haar donkere haar was niet gepoederd en eenvoudig gekapt, en ze beroerde het eenmaal, als om zich ervan te verzekeren dat het op zijn plek bleef zitten. In het spel van licht en schaduw zag ze eruit alsof ze van Carlotta's leeftijd was.

'Hertog Karel wenst een sessie met het orakel hier.' Carlotta beet op haar lip, maar bleef naar het stenen gezicht opkijken. 'Madame, ik heb de betrouwbaarste bronnen geraadpleegd en die verzekerden me dat deze zieneres onfeilbaar is.'

'Niemand is onfeilbaar, Carlotta, wat de Paus ook mag willen.' De Uzanne klapte een waaier uit met zo'n hoge snelheid dat ik verstijfde. 'En waarom heeft hertog Karel zich juist door deze charlatan zo laten inpalmen?'

'Zij is de raadgever van koning Gustaaf.' De Uzanne hield haar waaier halverwege een slag stil; de stilte van een arrogante afwijzing.

Carlotta vervolgde: 'Hertog Karel deelt vele occulte interesses met zijn broer en zoekt bevestiging en sturing; wie zou daar beter in zijn dan een bron van het geluk van zijn broer? De hertog stond erop dat de zieneres zichzelf en haar vertrekken op zeer korte termijn beschikbaar stelde.'

'En Gustaaf wil haar delen?'

'O, nee. Gustaaf heeft geen idee. Hij is op reis.' Carlotta dempte haar stem. 'Die vrouw is een fervent royalist, Madame. Ze heeft het verzoek van de hertog afgewezen. Uiteraard werd de belangstelling van de hertog alleen nog maar aangewakkerd door haar excuses en hij heeft haar duidelijk gemaakt dat hij geen weigering accepteerde.' De dames liepen naar het trappenhuis. 'Wat ik niet begrijp, is waarom hertog Karel niet alleen is gekomen. Waarom zou hij midden op een midzomerfeest een orakel bezoeken?'

De Uzanne gaf haar waaier een nonchalante draai. 'Hertog Karel is een man die verandering wenst, maar een grote hoeveelheid bevestiging eist. Hij heeft gezelschap nodig.'

Ik keek hoe ze de trap beklommen, met de rokken opgetild zodat hun witte kousen zichtbaar werden, evenals hun satijnen schoenen met de gewelfde hakken, en de zachte draaiing van hun enkels, verlicht door de kleine koperen lantaarns die op elke tree stonden. Carlotta was een verrukkelijke perzik, maar ze had het springerige, huppelige van een meisje. De Uzanne bewoog met een gratie die alleen bereikt wordt door jarenlange aristocratische training, en dat versterkte haar schoonheid: een vrouw die je wilde aanraken, al wist je dat het niet mocht, maar misschien zou je toch zo roekeloos zijn om het te doen. Ik volgde hen op een afstandje en zag Carlotta's heerlijke achterwerk majestueus voor me oprijzen.

Katarina trok haar wenkbrauwen op, maar weerhield me er niet van me bij de gasten te voegen. In de hal bleef De Uzanne even staan en wendde zich naar de schilderijen van de Zweedse en Franse monarchen. 'Er ontbreekt een portret in deze koningsgalerij,' zei De Uzanne. 'Dat van hertog Karel. Tenzij deze galerij slechts oog heeft voor hen wier tijd voorbij is.' Eén tel was het volkomen stil, maar daarna klonk er voorzichtig applaus en steeg er een geroezemoes van commentaar op.

Mevrouw Mus observeerde dit alles vanaf de andere kant van de gang. Ze ging gekleed in een lichtgroene jurk en een paisley shawl die eerder geschikt waren voor overdag. Haar bruine haar was in een wrong naar achteren getrokken; niet gepoederd, zonder pruik of kapje. Haar gezicht was een masker. Alleen haar handen verrieden haar woede: ze hield haar tot rode vuisten gebalde vingers tegen haar zij gedrukt. Naast mevrouw Mus stond een onbeduidende man in een legeruniform van zeer elegante snit en stof. Hij deed met bestudeerde gratie een stap naar voren en drukte een langgerekte kus op De Uzannes handschoen, met een snelle blik op Carlotta, die een paar stappen achter haar bleef staan.

Katarina besloop me van achteren en kneep in mijn bovenarm. 'Dat is hem. Hertog Karel.' Ik had me deze militaire held en koninklijke donjuan fysiek wel wat indrukwekkender voorgesteld. 'Hij heeft zijn vrouw bij het Mälarenmeer en zijn maîtresse aan de andere kant van de brug op Koningseiland achtergelaten,' fluisterde ze.

'Ik sta erop dat we hier vanavond alleen naar de toekomst kijken, Madame Uzanne,' zei hertog Karel, waarna hij vooroverboog om iets in haar oor te fluisteren. Er speelde een spottend glimlachje om haar lippen en ze keek door de hal heen naar mevrouw Mus, ving haar blik en hield die vast. Als hertog Karel De Uzanne niet naar de speelvertrekken had gedraaid, hadden ze nog lange tijd zo kunnen blijven staan.

'De hertog denkt dat mevrouw Mus hem, omdat hij alleen is gekomen, zuiverder vindt voor zijn sessie met de geesten, maar uiteindelijk gaat hij misschien toch nog bezoedeld de trap op,' zei Katarina. Ze slikte een lach in en ik kuchte die van mij weg. Ik keek toe terwijl hertog Karel werd voorgesteld aan Carlotta. Hij hield haar hand lange tijd in de zijne, waardoor er een blos langs mijn gezicht kroop, en daarna verontschuldigde hij zich en ging op zoek naar mevrouw Mus, die hem via de trap voorging naar het bovenvertrek. Een legerofficier ging daar staan om de doorgang te versperren.

Ik volgde Carlotta en De Uzanne naar de speelvertrekken. Daar hadden zich bijna veertig gasten verzameld; de gezichten en jurken van de dames waren bleek in het donkere interieur, en de mannen, in neutralere tinten, vervaagden als geesten. De warme, benauwde lucht rook naar parfum, tabak en zweet. Het gelach klonk een tikkeltje geforceerd en de tafels waren leeg; de verwachtingsvolle sfeer beteugelde de gebruikelijke hunkering naar kaarten en schransen. 'Ik kan niet geloven dat ik zijne excellentie heb ontmoet,' zei Carlotta eerbiedig. 'Ik heb de hertog ontmoet. O, Madame, denkt u dat de voortekenen gunstig zullen zijn?'

'Die fascinatie voor magie is een zwakte. De hertog moet betrouwbaarder middelen aanwenden,' zei De Uzanne, terwijl ze traag haar waaier opende.

'Maar de hertog...'

'Ik heb dorst, Carlotta. Neem zelf ook een drankje om je hoofd helder te krijgen. En bijt niet op je lip,' zei De Uzanne. Carlotta maakte zich haastig uit de voeten. Haar grandioze weldoenster begon in een gestaag tempo met haar waaier te wuiven, met tragere streken naar buiten, gevolgd door een vlugge streek naar zich toe. De Uzanne leek haar aandacht te richten op de dames in het vertrek, of eigenlijk op de waaiers die ze bij zich hadden: vanavond was een ontspannen gelegenheid om de waaiers te observeren die recentelijk in de Stad waren gearriveerd, en tevens een kans om haar kennis en haar collectie te vergroten. De Uzanne wachtte geduldig af, in de hoop een glimp van een nieuwe of zeldzame soort op te vangen. Als er iets begerenswaardigs opdook, zou ze de eigenares aanspreken, haar de waarde en de herkomst ontfutselen en vervolgens besluiten of het de moeite waard was om de waaier aan te schaffen. Na dit een paar minuten gedaan te hebben, haalde ze een ivoren tablette en potlood uit een binnenzak van haar rok en maakte verscheidene aantekeningen. Toen richtte ze haar aandacht op de heren en begon door het vertrek rond te lopen om hun woorden te verzamelen. Ik ving stukjes en beetjes op toen ik haar volgde: Gustaaf zou de teugels van het parlement en het werk van de ministers aan onwetende winkeliers en botte boeren geven. Zweden was in het grootste gevaar en had de stabiliteit en traditie nodig die alleen de patriotten konden verschaffen. De tiran moest het veld ruimen en zijn bastaarderfgenaam moest onder controle worden gehouden. Hertog Karel móést de troon bestijgen. Als die zieneres nu maar een teken wilde geven, zou hij het wel doen!

De vurigheid van deze perfide gesprekken nam met de snelheid van De Uzannes waaier toe, totdat de hoofden werden omgedraaid en de stemmen verstomden. Hertog Karel stond onder aan de trap met mevrouw Mus aan zijn arm. Hij glimlachte warm, met een bewonderende blik. Mevrouw Mus zag bleek en staarde naar de grond. 'Het feit dat Gustaaf u sinds Parijs voor zichzelf heeft gehouden, rijt de oude wond van het hier achtergelaten worden weer open. Ik ben dolblij dat ik u eindelijk heb leren kennen.' De hertog greep mevrouw Mus' hand en kuste die ten teken van dank. De menigte applaudisseerde en dromde naar hem toe, hun stemmen luid van opwinding; de tekenen waren duidelijk gunstig. Mevrouw Mus maakte een snelle reverence en haastte zich toen terug naar de achterkamer, waarbij ze haar hand afveegde aan haar rok. Ik raakte haar mouw aan terwijl ze langs me heen snelde. Ze bleef staan en staarde me aan. 'U?'

'Mevrouw Mus!' siste ik. 'Een patriottenbijeenkomst? Hier?'

'Ik heb er niet om gevraagd. God weet dat ik dat niet heb gedaan. Maar waarom bent ú hier in duivelsnaam, mijnheer Larsson?' vroeg ze met een gealarmeerde blik.

'Ik ben hier voor mijn octavo. En voor Carlotta,' fluisterde ik. 'Carlotta Vingström; ze vergezelt De Uzanne.'

'U moet gaan luisteren,' fluisterde ze en ze gebaarde naar de hertog. 'Ik ben bij eed verbonden mijn visioenen te vertellen, en ik vrees dat hij ernaar zal handelen. Ga snel, maar wees discreet,' zei ze, waarna ze er snel vandoor ging voor ik kon protesteren.

Nieuwsgierigheid en nu ook enige behoedzaamheid hielden me aan de randen van het vertrek. Ik ging op weg naar de hal, waar hertog Karel en De Uzanne stonden te praten met generaal Carl Pechlin, sinds jaar en dag de vijand van Gustaaf. Pechlin veranderde vaker van politieke richting dan een man van sokken wisselde en koos steevast partij voor de machtigste vijanden van de koning.

Men zei dat Pechlin als een vrij man leefde omdat niemand getuige was van zijn verraderlijke gesprekken. Om te luisteren sloot ik me terloops aan bij een groepje gasten in mijn buurt, ervoor wakend dat mijn gezicht in de schaduw bleef.

'Hertog Karel, u hebt toch zeker geen bevestiging nodig van een spel kaarten?' vroeg De Uzanne.

De hertog bloosde en schoof nerveus en opgewonden zijn manchetten recht. 'Er waren geen kaarten, Madame. Die Musvrouw raakte in een soort veranderde staat. Ze stond me niet toe om tijdens haar transformatie naar haar te kijken.' Hertog Karel staarde naar de trap naar boven. 'Ze zei twee kronen. Ze zei dat ik er twee zou dragen.'

'Dan hebben we dubbel geluk,' zei Pechlin, die met zijn vlekkerige handen de ivoren knop van zijn wandelstok beetpakte. 'Gaf ze u verder nog raad?'

'Ik drong wel aan, maar ze wilde niets zeggen,' zei hertog Karel mokkend, alsof hij op de een of andere manier was opgelicht. 'Jullie moeten me adviseren, beste vrienden. Ik weet niet goed welk pad naar dit glorieuze visioen zal leiden.'

'Er is slechts één weg,' zei Pechlin, 'en al lijkt die duister, hij zal ons alleen naar het licht leiden. Hij moet verdwijnen. Voorgoed.'

'Te duister, mijnheer, te duister.' Hertog Karel fronste zijn voorhoofd en wendde zich weer tot De Uzanne. 'Je lijkt wel een engel vanavond, Kristina. Het is zo heerlijk om je niet meer in het zwart te zien. Misschien kun jij wat mildere wijsheid bieden voor dit onderwerp.'

'Ik zou zeggen dat er vele wegen naar de overwinning leiden en dat de meest voor de hand liggende paden niet altijd de beste zijn,' zei ze. 'Een verdwijning, ja, maar geen eeuwigdurende. Gewoon fysiek op afstand, en misschien ook mentaal. Ik geef de voorkeur aan een verfijndere benadering.'

'In de strijd is er geen plaats voor een vrouw, hertog Karel,' zei Pechlin.

Hertog Karel negeerde Pechlin; hij liet zijn hand over de groenzijden sjerp om De Uzannes middel glijden en hield zijn ogen en zijn adem op haar borsten gericht. 'Welke wapens zou je meenemen?'

'Die welke mannen niet meenemen,' antwoordde ze met een glimlach, terwijl ze het gezicht van hertog Karel met de rand van haar waaier dichter bij het hare bracht.

Hertog Karel boog zich heel dicht naar haar toe; zijn lippen beroerden haar oorlelletje. 'Een Engelsman zei ooit: "Vrouwen wapenen zich met waaiers zoals mannen met zwaarden, en soms weten ze daar meer mee voor elkaar te krijgen."'

'Het ruisen en optillen van de zoom van een rok, een zucht, een waaier. Denkt u dat dat de middelen zijn om een kroon te gronde te richten?' vroeg Pechlin.

'U hebt het twintig jaar geprobeerd, maar zonder succes, generaal Pechlin, en toch had u daar alle mannelijke middelen voor,' kaatste De Uzanne terug en haar wangen kleurden roze onder hun sluier van wit poeder.

Pechlin keek naar het plafond. 'Kent u de fabel van de zon en de wind, hertog Karel? Ze houden een weddenschap om wie de mantel van de reiziger af weet te krijgen. Niet de lucht, maar het vuur wint. Ik koester die vlam al sinds Gustaafs coup d'état in 1772.'

'Ik heb zowel wind als vuur, mijnheer, en mijn vuur is nog jong. Ik heb sinds kort de rouw afgelegd,' zei De Uzanne, die haar waaier dichtklapte.

'Ik ben samen met uw man gevangengenomen door Gustaaf, Madame, en met ons nog achttien andere edellieden. Denkt u dat mijn woede daarover bekoeld is?'

Hertog Karel liet zijn hand langzaam weer van De Uzannes middel glijden en boog naar Pechlin. 'Is er ooit een minder standvastige generaal geweest?' Hij kuste de hand van De Uzanne. 'Is er ooit een bekoorlijker amazone geweest?'

'Mijnheer.' De Uzanne knikte koeltjes naar Pechlin.

'Madame.' Pechlin maakte een minieme buiging.

'Madame!' Carlotta kwam aansnellen, blijkbaar opgelucht omdat ze De Uzanne had gevonden. 'Ooh!' Ze kwam tot stilstand en maakte een gracieuze reverence voor de hertog, terwijl ze uitnodigend glazen muntpunch omhooghield, waarin verlepte blaadjes tegen het zweterige glas plakten.

'De betovering van de avond gaat maar door! U komt precies op het juiste moment, lieftallige nimf.' Hertog Karel pakte de glazen aan en gaf er een aan De Uzanne en een aan Pechlin. 'Ik zal twee kronen dragen: een voor de lucht en een voor het vuur. Jullie moeten met elkaar klinken als de zon en de wind, die in volmaakte harmonie in de hemelen bestaan.' Er werd zwak, schoorvoetend getoost en trots werd weggeslikt. 'Laat het spel beginnen, veel geluk allemaal!' verkondigde de hertog op luide, opgewekte toon. Hij wendde zich tot Pechlin. 'U zei dat u een tafel gereserveerd had, generaal?'

Pechlin pakte de hertog bij de arm en leidde hem bij De Uzanne weg. 'Een uitstekende hoektafel, waar we dit visioen over twee kronen in serieüs gezelschap kunnen bespreken. Mijn mannen zullen erop toezien dat we volstrekt niet gestoord worden.'

'Ik moet het goede nieuws over dit visioen aan de Kleine Hertogin vertellen… en aan mijn maîtresse, uiteraard. Het is maar goed dat ik twee kronen zal hebben, hè?' zei hertog Karel tegen Pechlin.

'Ik denk dat we de bijzonderheden misschien maar voor onszelf moeten houden tot we een plan hebben.' De Uzanne zag hen arm in arm weglopen en sloeg haar waaier tot de helft open, waarna ze hem weer dichtklapte, steeds opnieuw. 'Geniet van het spel, Madame!' riep Pechlin over zijn schouder.

Carlotta wachtte tot de hertog op fatsoenlijke afstand was. 'Ik dacht dat hij langer zou zijn,' zei ze.

'De kroon maakt elke man langer,' zei De Uzanne. 'Zelfs de hielenlikker die aan zijn arm hangt, wordt erdoor opgetild.'

Ik nam even de tijd om deze conversatie over te brengen aan mevrouw Mus, die een huisknecht aanwijzingen gaf een kist wijn naar de trap achterin te brengen. Ze draaide zich met een schok om en veegde wat stro van haar rok. 'Kunt u bij de hertog gaan zitten?'

'Geen sprake van,' zei ik.

'Nee, natuurlijk niet. En ze zullen het merken als u in hun buurt blijft rondhangen.' Nadenkend perste ze haar lippen op elkaar.

'Dan moet u dicht bij De Uzanne blijven en uitkijken naar een teken.'

'Een teken waarvan?' vroeg ik.

'Dat weet ik niet,' zei ze, met frustratie in haar stem. 'Kom naar me toe in het bovenvertrek als alle gasten weg zijn.'

'Maar ik heb plannen om...'

'We leggen vanavond uw derde kaart, zelfs als dat pas ver na elven is. Ga nu maar, mijnheer Larsson, ga!'

Ik maakte verder geen tegenwerpingen; ik zou Carlotta gewoon meenemen. Ze zou verrukt zijn als ze het nieuwe orakel van hertog Karel mocht ontmoeten.

Een kalme manier van doen is de voornaamste vuistregel van elke beroepsgokker, dus ik nam de tijd en dronk een half glaasje punch voordat ik me naar de speelvertrekken begaf. Carlotta en De Uzanne manoeuvreerden hun jurken tussen de groepjes groenbeklede tafels en de zware stoelen door. De Uzanne liep achter Carlotta aan en liet haar een pad door de menigte banen, maar richtte haar ogen op de tafel van de hertog en die in zijn buurt, die zich al met spelers gevuld hadden. Ze ging op hertog Karel af en sprak kort met hem, maar werd niet gevraagd te gaan zitten. Ze liep terug en volgde Carlotta naar de andere kant van de ruimte, waarbij ze haar waaier dicht bij haar oor liet wapperen zodat ze de woorden van de hertog zo lang mogelijk met zich mee kon nemen.

Carlotta had haar drankje te snel achterovergeslagen en had blozende wangen. 'Madame, ik heb de ideale tafel: we kunnen kijken en door iedereen bekeken worden, niet te dicht bij de muziek, maar vlak bij het buffet dat, oh, Madame, is gedekt met het prachtigste Beierse porselein, en aardbeien die in kristallen schalen helemaal tot het plafond zijn opgestapeld, en Russische kaviaar, frambozen, gepocheerde zalm in aspic, witte asperges, gekruide perziken en...'

'Als je nog eens een plaats voor ons moet zoeken, zet dan je hoofd of op zijn minst je hart aan het werk, Carlotta, en niet je maag.'

Carlotta maakte een zijwaarts kniksje om deze slag te incasseren. 'Ah, daar is onze speeltafel. En... onze lieve vriendin mevrouw

Von Hälsen.' Carlotta bleef even staan om haar traject aan te passen aan dit onverwachte obstakel op haar pad. 'Wat heerlijk dat u ons gezelschap kunt houden met kaarten, mevrouw Von Hälsen, ziet u, dat is mijn sjerp die daar over de stoelen hangt om onze plaatsen bezet te houden, en uiteraard hopen we van harte dat u hier wilt blijven voor een vriendschappelijk spelletje met ons,' zei Carlotta met onberispelijke onoprechtheid. Haar kennis over mevrouw Von Hälsen was gebaseerd op enkele paragrafen smerige roddel die onder de kop EEN SPORTLEVEN was verschenen in *Nog nieuws?* 'Madame?' Carlotta wendde zich tot De Uzanne voor een definitief oordeel.

Aan de wenkbrauwen van mevrouw Von Hälsen was duidelijk te zien dat het niet haar bedoeling was de tafel met Carlotta en De Uzanne te delen, maar ze zat in de val: het zou zeer onfatsoenlijk zijn om weg te lopen, maar ze moest toch vragen of ze mocht blijven. De Uzanne, die hoger op de sociale ladder stond, knikte en ging op de stoel rechts van mevrouw Von Hälsen zitten, waarna ze de gebruikelijke beleefdheden op haar losliet. Maar De Uzannes blik werd opmerkelijk geconcentreerd toen mevrouw Von Hälsen haar waaier opende.

'Wat een verfijnde schoonheid, mevrouw Von Hälsen. Vertel eens,' zei De Uzanne met zachte, warme stem.

Mevrouw Von Hälsen legde haar waaier voorzichtig op tafel. 'Haar naam is Eva.' Eva had vergulde ebbenhouten benen, en haar blad was van de mooiste witte zwanenhuid, schitterend beschilderd met een grote cartouche die een weelderige tuin omlijstte. Dichte tropische bomen waaraan rijpe vruchten in rood- en paarstinten hingen, overschaduwden bloembedden met een veelheid aan kleuren. De hemel was onbewolkt en stralend blauw. Net buiten het midden stond een pauw met opgestoken staart, zodat er een groot aantal ogen te zien was. In de schaduw van het bosje was vaag het silhouet van een vrouw te zien, die naast een tak stond waaraan een wirwar van dikke wijnranken hing. Niet alleen was Eva een prachtig specimen van Parijs vakmanschap uit het midden van de eeuw, ze had bovendien een karakter dat een kenner zou kunnen definiëren als Verleiding. De Uzanne had geen enkele waaier van deze aard in haar uitgebreide verzameling.

'Ik zou er heel wat voor geven om zo'n waaier te hebben,' zei De Uzanne.

'Ik heb er zelf al heel wat voor gegeven,' zei mevrouw Von Hälsen, die Eva langzaam dichtdeed en de waaier op haar schoot legde.

'Welk spel speelt u het liefst, mevrouw Von Hälsen?' vroeg De Uzanne beleefd.

'Boston, Madame. Bestaat er nog een ander?' vroeg mevrouw Von Hälsen, die een van de twee kaartspellen van de tafel pakte en dat aan De Uzanne gaf. 'Madame deelt.'

'Hebben we al een vierde?' vroeg Carlotta, die zich omdraaide en me aankeek. Ik had vlakbij een plekje bij het raam ingenomen vanwaar ik naar het spel wilde kijken en schudde mijn hoofd. Ik wilde niet de aandacht vestigen op mijn status als indringer.

'Mijn jonge nichtje, juffrouw Fläder.' Mevrouw Von Hälsen wuifde naar een knap, vlasharig meisje met een rond gezicht dat roze kleurde van de warmte en van de punch en dat nu aan tafel plaatsnam tegenover De Uzanne. Ze deed haar mond nooit verder dan een spleetje open en als ze dat wel deed, hield ze haar hand ervoor om het zicht te belemmeren; misschien miste ze wat tanden.

Alle tweeënvijftig kaarten werden uitgedeeld, zodat er vier handen van dertien waren. De speler links van de deler opende het spel; de rest moest kleur bekennen. De hoogste kaart won de slag; de speler die de meeste slagen had, won het spel. Hoewel de etiquette van Boston whist voorschreef dat er tijdens het spel geen geluid gemaakt werd, was het lachwekkend hoeveel mensen een gezicht hadden dat net een surrogaattong was. Carlotta was daar een perfect voorbeeld van: haar neusvleugels trilden allercharmantst wanneer ze dacht dat ze voortreffelijke kaarten had, en al was dat zelden het geval, ze was een hopeloze optimist. De wenkbrauwen van mevrouw Von Hälsen leken net signaalvlaggetjes, aangezet met het lijntje houtskool dat ze voor de avond had aangebracht. Juffrouw Fläder had een vreselijke aanval van dronken gegiechel in combinatie met de hik, die ze probeerde te onderdrukken door haar lippen op elkaar te klemmen. Ze verloor een behoorlijke som geld, wat haar niet in het minst leek te deren. Maar toen De Uzanne de laatste van haar dertien oorspronkelijke kaarten op tafel legde, bleef haar mooie gezicht onaangedaan als een Grieks marmeren beeld. 'Ik ben alweer afgetroefd.' Ze zuchtte. De Uzanne verloor geregeld; geen enorme bedragen, maar genoeg om ervoor te zorgen dat mevrouw Von Hälsen vertrouwen had in haar gelukkige gesternte, en ik besefte dat De Uzanne een ware speelster was, die haar winst aan het bekokstoven was.

De Uzanne had sowieso al aanleg voor de speeltafels, want gokken is altijd politiek. Haar behendigheid met waaiers zorgde ervoor dat ze vaardig en gracieus met de kaarten omging. Ze wilde al haar talenten uit de kast halen, want op dit moment was het enige wat ze begeerde de waaier van mevrouw Von Hälsen. En ze moest en zou hem krijgen. De dames pauzeerden slechts eenmaal voor een drankje en mevrouw Von Hälsen wilde niets horen over een wisseling van spelers of het afbreken van het spel. Ze zei dat het een aardig tijdje geleden was sinds ze Vrouwe Fortuna zo warm en zo dichtbij had gevoeld.

Om tien uur was elke tafel verzonken in zijn eigen wereld. Mevrouw Mus liep rond zoals ze altijd deed; een stille waarneemster die nieuwe doosjes speelkaarten bracht of een fles liet komen. Ze kwam niet te dicht bij de tafel van hertog Karel; de spelers joegen iedereen weg die naderbij kwam. Maar ze cirkelde regelmatig rond de tafel van De Uzanne en voelde aan dat er een list werd beraamd.

De Uzanne duwde haar stapel kaarten weg. 'U hebt me ingemaakt, mevrouw Von Hälsen. Als ik nog één cent op het spel zet, eindig ik nog in het gevang van het Spinsterhuis op Långholmen.'

Mevrouw Von Hälsen keek beteuterd, en haar wenkbrauwen deden hun best elkaar troostend aan te raken. Ze tikte met het uiteinde van de mooie Eva op tafel. 'Ach, één spelletje nog…'

De Uzanne trommelde met haar vingers op tafel, en daarna klaarde haar gezicht op. 'Het is niet ongebruikelijk om iets anders als inzet te gebruiken. We zouden onze waaiers kunnen verwedden. De mijne is zo ouderwets – kijk hoe lang ze is – dat de verliezers zich kunnen troosten met een nieuwe.'

'O, Madame, ik zou een nieuwe waaier geweldig vinden,' zei Carlotta, die een middelmatige Italiaanse souvenirwaaier op tafel legde. Juffrouw Fläder, die een derderangs Engelse waaier met een blad van bedrukt papier bij zich had, klapte in haar handen en deponeerde haar waaier naast de Italiaanse. Maar mevrouw Von Hälsen keek bedrukt en fronste. 'Noem een waarde voor jullie spullen, dames, en dan zet ik er contant geld tegenover. Mijn waaier mag dan ouderwets zijn, ik ben wel aan haar gehecht.'

De Uzanne wachtte een ogenblik, pakte toen haar eigen waaier op en beroerde de warme, ivoren benen. 'Net als u zou het me spijten om een oude vriendin te verliezen, maar de hertog heeft ons bevolen vanavond naar de toekomst te kijken,' zei ze, en ze klapte die van haar met de pink van haar linkerhand open en onthulde langzaam het beschilderde zijden oppervlak. 'Ik bied u Cassiopeia,' zei ze zacht. 'Ze was een geschenk van wijlen mijn man, Henrik.' Cassiopeia was lang, de lengte van twee handen. De benen en buitenbenen waren van eenvoudig ivoor, de sluitpin was een zilveren nagel, afgezet met een blauwe edelsteen. De hals was smal en het blad was beschilderd met een mysterieus landschap, met bovenaan een diepпаarse lucht, die kobalt werd en daarna uitliep naar een oranje zonsondergang, met wolkensliertjes die lange, rode sporen maakten, en een boog van wegvliegende vogels. Ik boog me voorover om dit vreemd vertrouwde tafereel beter te kunnen zien. Een zwarte koets stond verwachtingsvol voor een statig herenhuis te wachten, klaar om iemand naar het rijk der zinnen te vervoeren.

Carlotta hield haar hoofd scheef om de opengevouwen waaier te bestuderen. 'Neem me niet kwalijk, Madame, maar waarom heet ze Cassiopeia? U zou haar Reiziger of Gast moeten noemen, met die koets die erop staat.'

'Ik verander nooit de naam waar een waaier al naar luistert, vooral niet als ze gedoopt is door een vrouw die zo bekwaam en bekend was.'

'En wie mag dat dan wel zijn?' vroeg mevrouw Von Hälsen.

'Henrik zweert... zwoer... dat ze toebehoorde aan Madame de

Montespan, de eerste maîtresse van Lodewijk XIV. De afbeelding op het blad is een herinnering aan een vroeg rendez-vous in het buitenchâteau van haar minnaar, de koning.' De Uzanne draaide de waaier om en toonde een indigo geverfd blad van zijde, bezaaid met lovertjes en kleine kristalbolletjes. 'De sterrenbeelden op de achterkant doen denken aan de mysteries en geneugten van de nacht. En zijn vele geheimen. De naam van Madame de Montespan is voor eeuwig verbonden met liefde en grote charme, maar ook met zwarte magie en de *Affaire des Poisons*. Zal ik u het geheim van mijn waaier vertellen?' De dames knikten gretig en bogen zich dicht naar haar toe. 'Als u heel goed kijkt, zult u zien dat Cassiopeia een hoesje van zijde over het middelste been op de achterzijde heeft. In dat hoesje zit een schacht waarin een papiertje met een geheime boodschap kan zitten, of een dun stukje hout doordrenkt van een bedwelmend parfum of... nou ja, misschien iets gevaarlijkers.' De dames lachten nerveus. De Uzanne glimlachte naar mevrouw Von Hälsen en legde Cassiopeia met de bovenkant omhoog op tafel. 'Zullen we?'

Mevrouw Von Hälsen voelde de druk om De Uzanne tevreden te stellen, maar ze voelde ook het valse zelfvertrouwen van haar overwinnaarsroes, die werd versterkt door de punch. Ze nam de tweede set kaarten in haar plompe handen en deelde. Ze speelden slechts eenmaal de tafel rond, De Uzanne pakte de slag en ineens werd juffrouw Fläder stil en verdween al het roze uit haar wangen. Ze verontschuldigde zichzelf bruusk.

'En nu?' vroeg Carlotta. 'We moeten nog twaalf slagen en de inzetten zijn geplaatst!'

'Ik zou het vreselijk vinden als jullie spel al eindigt voor het begonnen is.' Mevrouw Mus stapte uit de schaduw aan de rand van het vertrek en ging bij de tafel staan. 'Mag ik?' Het was niet ongebruikelijk dat mevrouw Mus meespeelde, maar om bij iemand van De Uzannes kaliber te gaan zitten, die bovendien een politieke vijand was, was schaamteloos. Aanvankelijk dacht ik dat mevrouw Mus gewoon probeerde het haar gasten naar de zin te maken, maar ze was ergens anders op uit, want ze klemde haar handen ineen alsof haar leven ervan afhing.

'Onze gastvrouw,' moduleerde mevrouw Von Hälsen met geveinsd enthousiasme. Carlotta was op slag ontnuchterd en hield haar kaarten als een schild voor zich. Beide dames wachtten op De Uzanne, die even met een uitgestreken gezicht opkeek.

Mevrouw Mus stak haar hand in een zak bij haar middel en haalde een ivoren briséwaaier tevoorschijn. Ze legde haar geopend midden op tafel. Het ivoor had een zachtgeel patinalaagje door het jarenlange gebruik, en hoewel de waaier zo klein was dat ze van een kind kon zijn geweest, was het ajour van een kwaliteit die een prinses niet zou misstaan en door het lange, roodzijden kwastje liepen goudkleurige draden. 'Een schat uit de Oriënt. Ze zal de inzet verhogen.'

De Uzannes gezicht lichtte wellustig op. Kinderwaaiers waren uitermate zeldzaam. 'Gaat u zitten.'

De speelsters pakten hun kaarten op en maakten zich op om het spel te hervatten. Niemand zag het bijna onmerkbare zijwaartse knikje dat mevrouw Mus me over de hoofden van de andere speelsters gaf. Ze vroeg me het spel met een zetje aan te sturen. Ik keek naar mevrouw Mus' vingers: ze hield de eerste twee vingers van haar linkerhand gekruist over de rug van haar kaarten. Twee spelers om de tafel; ze wilde dat De Uzanne zou verliezen. De Uzanne had de hele avond regelmatig verloren, maar nu steeg er een gloed van haar op die voelbaar was voor een ervaren speler: dit was het spel waarop De Uzanne had zitten wachten en dat ze wilde winnen. Ik stond op van mijn stoel en kwam dichterbij.

Mevrouw Mus ving mijn blik en hield haar hoofd iets scheef naar de waaiers op tafel. Zo mogelijk zou ze er niet alleen voor zorgen dat De Uzanne verloor, maar ze zou bovendien de inzet in een bepaalde richting duwen. Ze bracht de kaarten naar haar lippen. Dat signaal had ik slechts eenmaal eerder gezien: mevrouw Mus wilde winnen. Dit was dubbel gevaarlijk: in elk spel was vals spelen van haar kant verdacht, maar De Uzanne was bovendien scherp en nuchter. Mevrouw Mus legde haar kaarten met de afbeelding omlaag op tafel. 'Volgens de regels mag een speler de laatst behaalde slag bekijken, is het niet?' De Uzanne overhandigde haar de vier kaarten en mevrouw Mus bestudeerde ze een minuut lang grondig, waarna ze ze teruggaf. 'En mag ik ook de inzet zien?' vroeg mevrouw Mus beleefd. Ze keek eerst naar de Engelse papieren waaier en gaf die aan mevrouw Von Hälsen. 'Ik heb de plaats van uw nichtje ingenomen en haar inzet door de mijne vervangen, dus ze neemt niet langer deel aan het spel. Dat zijn de huisregels en ik hoop dat u daarmee instemt.' Mevrouw Von Hälsen knikte. Mevrouw Mus wierp een blik op de Italiaanse waaier en pakte toen mevrouw Von Hälsens Eva op. 'Als de eerste warme juniavond in een geheime tuin. Het verliezen van de onschuld,' zei ze. Mevrouw Von Hälsen knikte, en een zwak spoortje van ongerustheid deed haar voorhoofd rimpelen. Toen pakte mevrouw Mus Cassiopeia op en staarde naar de afbeelding van de reiskoets. 'Die ken ik,' zei ze zachtjes bij zichzelf.

'Heus?' vroeg De Uzanne met sceptische neerbuigendheid. 'Ze is oud en Frans.'

'Net als ik,' zei mevrouw Mus luchtig, en ze legde de opengevouwen waaier voorzichtig bij de andere in het midden.

'Zullen we verdergaan?' vroeg mevrouw Von Hälsen, popelend om haar Eva terug te krijgen.

Het spel werd hervat. Mevrouw Mus zat doodstil met halfgeloken ogen. Alleen haar handen bewogen terwijl ze haar kaarten uitspeelde. Ze zou elk beetje vaardigheid nodig hebben, want ze had geen kans om een kaart heimelijk weg te nemen of met het kaartspel te sjoemelen. De volgende twee slagen waren voor De Uzanne en de vierde voor mevrouw Mus. Mevrouw Von Hälsen was klam van het zweet en voelde haar overwinningsroes wegsijpelen. Haar wenkbrauwen vormden een voortdurende frons van bezorgdheid. Er gingen twee slagen naar mevrouw Von Hälsen, maar haar gezicht bleef een toonbeeld van ongerustheid. De Uzanne hield haar emotieloze gezichtsuitdrukking vast, zeker van haar superioriteit. Intussen probeerde Carlotta haar geeuwen te onderdrukken en wapperde met haar kaarten alsof ze een miniatuurwaaier vormden: iedereen kon ze zien. Op de een of andere manier wist ze één slag binnen te halen, maar het duurde niet lang of mevrouw Mus en De

Uzanne stonden gelijk, met ieder vier slagen.

'Mevrouw Mus, u speelt alsof uw toekomst ervan afhangt,' zei De Uzanne op enigszins verbaasde toon, in de verwachting dat haar gastvrouw gracieus van haar meerdere zou verliezen.

Mevrouw Mus beantwoordde haar blik niet, maar keek strak naar de opengeslagen voorkant van Cassiopeia. 'Niet alleen mijn toekomst, Madame, maar die van ons allemaal.'

'Ik dacht dat u voor vanavond klaar was met uw toekomstvoorspellingen,' merkte De Uzanne koeltjes op. 'Misschien leest u onze kaarten ook wel.'

'Ooh, wat is dit mysterieus,' brabbelde Carlotta.

'Stil, jij dronken koe,' beval De Uzanne.

De schok van die opmerking echode door het vertrek en bracht nieuwe toeschouwers naar de tafel. Carlotta's ontstelde blik verdween meteen, in de wetenschap dat het geen zin had te reageren. Maar ik besloot dat De Uzanne dit spel niet mocht winnen, wat er ook gebeurde. Met nog maar twee slagen te gaan, waren er weinig opties. Ik liep naar een lege tafel en pakte een reserveset, verre van zeker dat ik de tijd zou hebben om de kaart te vinden die ik nodig had, laat staan om die door te geven. Ik liep behoedzaam om de tafel heen en focuste op de kaarten die de dames nog in hun handen hadden. Carlotta had niets. Mevrouw Von Hälsen zou nog één slag kunnen winnen, maar De Uzanne kon troeven als de juiste kaarten gespeeld werden, en ze kon een plaatje opgooien voor de laatste slag. Mevrouw Mus stond er niet gunstig voor. Ik zou mevrouw Von Hälsen moeten gebruiken om een zetje te geven, en bovendien hoopte ik een kaart te kunnen doorgeven. Ik gebaarde naar mevrouw Mus dat ze met schoppen moest uitkomen.

Mevrouw Mus legde de beste kaart die ze overhad op tafel, de schoppenboer. Carlotta speelde de harten drie. De Uzanne glimlachte en legde de schoppendame neer. Mevrouw Von Hälsen leunde achterover; ik zag de strijd op haar gezicht. Ze kon de slag winnen als ze wilde, maar ze kon waardering winnen door 'per ongeluk' een verkeerde kleur te spelen en De Uzanne het spel te gunnen. Ik liep naar de achterkant van het vertrek en begon (tamelijk vals) wat aangepaste regels uit een treurzang van Bellman te zingen, als een wanhopig signaal aan mevrouw Von Hälsen om De Uzanne en zichzelf allebei in een verliezende positie te brengen.

Men mag zich bij tijden beklagen,
Dat lucht op en is heel gezond,
Vertel, waarom ben je geslagen
En kreeg je een schop voor je kont?
Die slag, die is echt vol gevaren,
Och, zusters, geen heldengedrag!
Plink plonkeli plonkeli pli. Ach,
Laat dat spel toch varen!

Vele toeschouwers lachten en vielen in, en algauw kwamen zelfs hertog Karel en zijn gevolg erbij staan. De Uzanne sloot vol walging haar ogen en zei: 'Die melodie is gestolen van Händel.' Ik baande me een weg naar mevrouw Mus en schampte haar schouder terwijl ik een andere lolbroek de hand schudde. Op dat moment klemde ik een kaart tussen haar ribbenkast en haar bovenarm, een klunzig foefje dat alleen onopgemerkt bleef door alle opschudding van het ogenblik. Als iemand die kaart ongemerkt kon pakken, was het mevrouw Mus.

Ik ging weer terug naar de tafel, waar ik met de anderen lachte en grapjes maakte, terwijl we intussen verder zongen. Mevrouw Von Hälsen keek met een vrolijk gezicht naar me. Ik boog mijn hoofd lichtjes met een glimlach en een knikje naar mevrouw Mus, en trok me terug in de schaduw van mijn stoel bij het raam. Het zou gelijkspel worden als De Uzanne deze slag won, maar meer kon ik er niet aan doen.

Mevrouw Von Hälsen keek naar De Uzanne; ze hield haar ene hand over de kaarten die ze nog overhad, en tikte met de vingers van de andere hand rusteloos steeds dichter bij de waaiers. Ze hield haar ogen op de donkere tuin van Eva gericht, en de ivoren perfectie van de Chinese prinses lag hulpeloos midden op tafel uitgespreid. Mevrouw Von Hälsen keek naar mevrouw Mus, die haar blik met warm medeleven beantwoordde. Mevrouw Von Hälsen legde de schoppenheer op De Uzannes dame en trok de kaarten met een zwierig gebaar naar zich toe, waarna ze aan de laatste ronde begon met de ruiten acht, een verliezende kaart. Haar gezichtsuitdrukking was sereen. De Uzanne keek naar mevrouw Von Hälsen, en haar mondhoeken gingen een fractie omhoog. Maar toen legde mevrouw Mus de ruitenheer op tafel. Carlotta gooide met een zucht de schoppen vier neer. De Uzanne legde de dame, haar gezicht nog steeds als van marmer. Mevrouw Von Hälsen draaide zich om en legde haar hand op de arm van mevrouw Mus. 'Het verheugt me zeer,' zei ze.

Vrouwen zijn zulke vreemde gokkers.

De toeschouwers begonnen te applaudisseren en Carlotta deed mee, tot De Uzanne haar bij de pols greep en haar hand op tafel duwde. 'Ik dacht dat de heer al eerder in het spel gespeeld was,' zei ze.

'Dat was de boer op mijn aas, in de vierde slag,' zei mevrouw Mus, die de ruitenaas en de ruitenboer uit haar stapeltje kaarten trok en vervolgens de hele set bij elkaar raapte. 'Spelers verwarren een boer vaak met een heer.' Mevrouw Mus pakte Cassiopeia op en klapte haar dicht, waarna ze hetzelfde deed met de andere drie waaiers. Ze stond op van tafel, klemde de vier waaiers als een tondel in haar bevende handen en wendde zich tot mevrouw Von Hälsen. 'Ik heb geboft met de kaarten van uw nichtje en geluk moet gedeeld worden. Kom binnenkort een keer met haar bij me langs.' Mevrouw Mus gaf een knikje en verdween door de donkere gang naar haar privévertrekken.

Ik kon De Uzannes gezicht niet zien, maar Carlotta boog zich naar haar toe en gaf haar een kus op de wang. 'Kom, kom, Madame. U zei zelf dat we naar de toekomst moeten kijken.' Carlotta aarzelde, en ik zag aan haar gezicht dat haar goedhartigheid zegevierde over haar sociale status. 'Ik heb geruchten gehoord over een vrolijk uitstapje in Djurgården morgenochtend. Komt u ook?' Ik liet me van mijn stoel glijden en probeerde Carlotta duidelijk te maken dat dit gewoon niet kon: ik wilde haar mijn bedoelingen vertellen zodra we alleen waren. Maar Carlotta had alleen oog voor haar verslagen weldoenster.

De Uzanne haalde haar ivoren tablette en potlood tevoorschijn en schreef met trillende hand het woord mus op. Er zaten vochtige kringen onder haar oksels en borsten, die de geborduurde bloemen op haar jurk bewaterden. Ze wendde zich tot haar lieve metgezellin. 'Ja, Carlotta, we moeten naar de toekomst kijken. Maar ik heb al plannen en jij ook.' Carlotta keek verbouwereerd. 'Ik heb een rendez-vous met luitenant Halland voor je geregeld. Hij heeft een nauwe band met hertog Karel en is familie van de familie De Geer.'

'De familie De Geer!' Carlotta legde haar hand op haar boezem. Het was een adellijke familie en hun rijkdom was legendarisch. 'Waar is hij?' vroeg ze, terwijl ze met haar allerliefste glimlach rondkeek.

De twee dames zetten koers naar hertog Karel en diens gevolg, en De Uzanne droeg Carlotta over aan een dronken officier met weerspannige gezichtsbeharing. Interventie zou in het gunstigste geval beschamend uitpakken en in het slechtste geval een duel uitlokken, dus ik stond er stijfjes bij en keek toe hoe die pummel haar blote hand kuste en zij zijn uniform bewonderde. Ze keurde me geen blik waardig terwijl de vurigheid van hun contact toenam. Toen Carlotta de officier bij de arm pakte en zich tegen hem aandrukte, waarbij ze haar zachte lippen naar hem ophield, maakte ik mezelf wijs dat ze het spel gewoon meespeelde en zowel De Uzanne als haar moeder tevreden wilde stellen, maar haar duidelijke plezier was pijnlijk om naar te kijken.

De Uzanne leek meer dan een woordje te willen wisselen met hertog Karel, want ze boog zich in de meest verleidelijke poses naar hem toe, maar plotseling stond Pechlin op en riep luid om de koets van de hertog. De gasten die er nog waren, maakten aanstalten om te vertrekken, terwijl de huisknechten buigend achter hen aan liepen om de lege glazen op te halen. Ik verdween in de menigte en trok me terug op de schimmige binnenplaats. Het licht van de lucht begon eindelijk op avond te lijken en het blauwe uur brak bijna aan, als de zon langdurig aan de horizon draalt en alleen de sterkste sterren zich laten zien. Tussen dag en nacht zit je gevangen in een zeldzaam azuurblauwe wereld, zoals ik me gevangen voelde tussen Carlotta's aanvankelijke aanmoediging en haar verdwijning. Ik wachtte tot iedereen weg was, liep de diensttrap op en ging in het bovenvertrek zitten tot mevrouw Mus de kaarten kon leggen.

Hoofdstuk zes

CASSIOPEIA

Bronnen: E.L., mevrouw M.

MEVROUW MUS ZAG er bleek en vermoeid uit, en de wallen onder haar ogen waren iets groter dan gewoonlijk. Ze zette een blad met twee glazen en een fles op tafel en ging tegenover me zitten, net zo stijf rechtop als de rugleuning van haar houten stoel. 'Een roerige midzomeravond, mijnheer Larsson.'

Ik streek met mijn handen door mijn haar en over de stoppels op mijn kin. 'Ja. En niets is gelopen zoals ik van plan was. Zag u mijn Carlotta vertrekken met die... die lomperd? Mijn toekomst is me ontstolen!' Mevrouw Mus pakte een lang, smal voorwerp dat in blauwe zijde gewikkeld was van het blad, en haar handen beefden licht toen ze Cassiopeia eruit haalde en openvouwde. 'En dan dat! Zo roekeloos vals spelen voor zo'n kleine inzet.'

'Ze is geen kleine inzet. De Uzanne heeft me een waardevol stuk gegeven, vooral als het verhaal over de duistere herkomst van de waaier waar is. Ik zal het navragen bij de waaiermaker, Christian Nordén. Hij zal wel weten wie en wat ze is.'

'Ik weet dat ze op zijn minst een maandsalaris waard is.' Ik schonk mezelf een glas armagnac in terwijl het geluid van serviesgekletter en de stemmen van de bedienden opsteeg via de trap. 'Ik verwacht trouwens wel een aandeel.'

'Ik ben niet van plan haar te verkopen, maar ik zal u uiteraard terugbetalen.' Ze hield Cassiopeia omhoog, met de voorzijde naar me toe. 'Herkent u haar?' Mevrouw Mus draaide de waaier om en keek naar het geschilderde landschap. 'De zonsondergang die van indigo naar oranje kleurt, de wolken die een boog naar de hemel maken. Het mooie huis, de zwarte reiskoets… dit is het visioen dat ik voor Gustaaf had.'

'Ja!' Ik boog vooorover om het fascinerende tafereel te bekijken en stelde me voor dat ik zelf de koets in stapte en naar een bestemming vol onvoorstelbare geneugten vervoerd werd. 'Ik had al zo'n gek gevoel toen ik haar op tafel zag liggen…'

Op het gezicht van mevrouw Mus stond zowel ontsteltenis als verbazing te lezen. 'Gustaaf bleef erbij dat het visioen naar Frankrijk verwees, maar het is zijn eigen huis dat gevaar loopt. Dat werd vanavond wel duidelijk.' Ze liet haar vinger langs de voorzijde van de waaier glijden. 'Ik moet een octavo leggen.'

'Maar ik hoorde Gustaaf zeggen dat hij geen tijd had.'

'Nee, mijnheer Larsson. Ik moet een octavo voor mezelf leggen.' Ze vouwde Cassiopeia dicht en wikkelde haar weer in haar zijden cocon. 'Het klopt dat Gustaaf aan dit visioen verbonden is, maar ik had het mis toen ik dacht dat het voor hem was. Het visioen is voor mij bedoeld. Ik ben verantwoordelijk voor het beschermen van zijn huis.' Mevrouw Mus deed Cassiopeia in haar zak en klopte er meermalen op, alsof ze zou kunnen verdwijnen.

'Met alle respect, maar wat hebt u nu te bieden om de koning te beschermen?' vroeg ik.

'Mijn octavo. De kennis die mijn octavo me zal geven, kan het verraad tegenhouden voordat het begint.'

'Gustaaf heeft twintig jaar lang intriges overleefd, mevrouw Mus, en wat de patriotten betreft die we vanavond aanschouwd hebben… De ene dag haat hertog Karel zijn broer en de andere dag huilt hij tranen van toewijding. Pechlin staat met één voet in het graf en De Uzanne is… een waaierverzamelaarster.'

'Een heel onderscheidende nog wel. Cassiopeia is een machtig voorwerp en ik ben van plan haar te gebruiken. Misschien moeten we haar ontwapenen, of haar betoveren. En misschien moeten we haar vernietigen.'

'Wé? Waarom zegt u we?'

Ze pakte haar pijp van het bijzettafeltje en stak hem aan met een waspit. 'We zijn partners, mijnheer Larsson. Ik kan me bezighouden met hertog Karel; hij gelooft in me en zal me komen opzoeken. Maar ik wil dat u meer te weten komt over De Uzanne: wie ze als bondgenoten heeft, wat haar zwaktes zijn, hoe ze van plan is Karel op de troon te krijgen. Trouwens, past de Koningin van de Wijnkruiken niet heel goed bij De Uzanne? Uw Metgezel.'

'Ik zie haar niet in die rol. En hoe zou ik De Uzanne moeten benaderen? Met kaarten?'

'Gebruik de deur die Carlotta u biedt.'

'Carlotta? Carlotta is er met die soldatendruiloor vandoor gegaan zonder zelfs maar met haar ogen te knipperen.' Ik sloeg mijn drankje in één teug achterover. 'Maar ja, die arme meid had natuurlijk geen keus. Ze is... een gevangene!' Ik zette mijn lege glas neer en ging rechtop zitten. 'Mijn octavo, mevrouw Mus. Het is bijna middernacht!'

Ze knikte en maakte snel de tafel gereed voor de kaarten. 'Vanavond zoeken we een Leermeester om u te instrueren.' We spraken niet meer terwijl de kaarten gedeeld werden. Na vijf ronden arriveerde nummer drie van mijn achttal.

'De Leermeester: Boeken acht. Boeken zijn de kleur van het strijden.'

'Ik dacht dat u zei dat het de kleur van het streven was!'

'Elke kleur heeft een goede en een slechte kant. Soms gaat het om een negatieve vorm van streven. Leren is iets heiligs, het brengt mensen tot grote hoogte, maar sommige mensen raken erdoor overmeesterd en worden onderworpen aan dogma's en wrede wetten. Nieuwe ideeën concurreren met oude; de wetenschap brengt de wereld ten val en verheft haar. Een minuut lang

bestudeerde ze de afbeelding grondig. 'Uitgaand van deze kaart kan uw Leermeester een man of een vrouw zijn. Twee bloemen bloeien, een witte en een rode. Een of andere tegenstelling. Maar het cijfer acht staat voor wedergeboorte; misschien verlangt uw Leermeester daar ook naar. Dit is iemand die hogerop wil klimmen, misschien in de boom van de kennis, misschien in de boom van succes. Maar hoewel uw Leermeester slim is, is hij ook vatbaar voor vleierij en imitatie; ziet u de papegaai?'

'Ik denk meteen aan de Superieur bij de douane. Die blaat voortdurend Bijbelverzen en geeft me raad over mijn keuze voor een echtgenote.'

'Hmm.' Ze lurkte aan haar pijp. 'Maar de muziek die deze twee zo langs hun neus weg brengen, doet niet denken aan een hymne.'

'Ik dacht dat ik vanavond met Carlotta een hymne voor Eros zou zingen,' zei ik, en ik staarde naar het stelletje op de kaart.

Hoofdstuk zeven

INSPIRATIE VAN HET VARKEN

Bronnen: E.L., C. Hinken, J. Bloem

ONDANKS EEN KORTE, rusteloze nacht stond ik de volgende dag vroeg op en pende een vurig bericht aan Carlotta. Het was een hele bladzijde vol complimenten, gevolgd door eentje vol ontzetting vanwege haar vertrek, mijn vergiffenis daarvoor en de verzekering dat dezelfde Zieneres die ook hertog Karel raad had gegeven, me voorkennis had gegeven over onze liefde en verbondenheid. Dat het octavo nog niet compleet was, deed er niet toe; ik had het volste vertrouwen in de gelukkige uitkomst. Toen ik met mijn epistel beneden kwam, begon mijn hospita, mevrouw Murbeck (een vrouw die ik meestal tot elke prijs probeer te ontlopen) haar gebruikelijke preek over mijn late thuiskomst en mijn incidentele katers, tot ik haar vertelde over mijn ophanden zijnde verloving. Dit nieuws transformeerde haar tot de allerliefste vriendin. Ze riep meteen haar zoon, die ze altijd hekelde om een of andere misstap, en bood me zijn diensten aan als liefdesboodschapper. Maar tegen het avond-eten was er nog steeds geen antwoord van Carlotta, en dat stak me als een horzel, tot ik me realiseerde dat dit bij het spel van hofma-kerij hoorde en dat ze het vermogen had me te laten lijden.

Voor mijn opdracht van die ellendige avond moest ik ploeterend door plassen en karrensporen naar een van de vele dokken van Skeppsholmen, een eiland ten oosten van de stad. Beschermd door een dikke mantel en hoge laarzen keek ik naar een doorgezakte ouwe schuit die eruitzag alsof hij vaker op en neer was gegaan dan een oude hoer. Zulke schepen waren vaak het terrein van douaneinvallen; wrakken die als laatste redmiddel werden bevaren door wanhopige lieden of door misdadigers die ze konden verlaten zonder dat het verlies al te veel pijn deed. Het vaartuig was volgeladen met smokkelwaar en was onderweg vanuit Riga. Een succesvolle reis was grote risico's waard; nu Frankrijk door de revolutie niet meer de positie innam van het centrum van de beschaafde wereld, waren luxeartikelen schaars en de invoerbelastingen hoog, en deze boot zat vol met kant. Duur om te produceren en een populaire versiering voor mannen, vrouwen, kinderen en zo nu en dan een schoothondje, dus zou het een klein fortuin opbrengen. Ik liet me niet afschrikken door slecht weer en een laat tijdstip; ik had recht op een deel van de in beslag genomen goederen.

Er waren al twee politieagenten gearriveerd, en een zeeman stond in de kring van het licht van hun lantaarns. Hun arrestant was een pezige man met een gegroefd gezicht en hij hield een kleine concertina in zijn handen. Hij knikte respectvol bij het zien van mijn rode mantel. 'Een vreselijke avond, Sekretaire, en ik ben per ongeluk bij de Vedereilanden aan komen waaien,' zei de kapitein, die me de hand schudde. 'Laten we ons terugtrekken in de dichtstbijzijnde herberg, zodat ik u in een droge ruimte mijn verhaal kan vertellen onder het genot van een drankje om warm te worden. Op mijn kosten, uiteraard.'

Ik zei tegen de politie dat dit duidelijk een zaak voor de douane was en dat ik zelf wel met deze oplichter zou afrekenen. De kapitein en ik gingen naar De Varkensstaart, waar een lantaarn ter begroeting in de regen hing te flakkeren en iedereen, behalve de meest toegewijde drinkers, thuis waren gebleven vanwege het verschrikkelijke weer.

'Ik wil uw naam liever niet weten, voor het geval er later vragen worden gesteld,' zei hij.

'Dat geldt voor de meeste mensen,' zei ik. 'Maar ik weet de uwe wel. Er wordt vaak over u gesproken bij de douane, kapitein Hinken.'

Dit wuifde hij weg als een compliment dat hij al veel te vaak had gehoord. 'Ik ben een handige man om te kennen, want ik kan alles

– of iedereen – van punt A naar punt Ö vervoeren zonder dat de rest van het alfabet ervanaf weet.' Hij riep in de richting van de herbergier om bisschopswijn en ging zitten. 'U belichaamt het beeld van een douaneofficier, Sekretaire,' begon Hinken. 'Lengte en gewicht van een soldaat, gelijkmatig gezicht. U zou iedereen kunnen zijn en wordt ongetwijfeld vaak voor iemand anders aangezien. Op het eerste gezicht vriendelijk en schijnbaar betrouwbaar. Bij nadere inspectie…'

'U vleit me, kapitein.'

'In het geheel niet, Sekretaire. Elke jongedame zou het beamen.' Hij riep nogmaals om onze drankjes en de herbergier kwam haastig aanlopen met de kroezen. Hinken wachtte tot de man buiten gehoorsafstand was en vervolgde: 'Ik ben een zeeman, Sekretaire, dus gevangenschap is iets wat voor mij op aarde het dichtst in de buurt komt van de hel. Misschien kunnen we tot een schikking komen.' Ik knikte, maar niet al te enthousiast. Hinken bood me als deelbetaling een kist Russische wodka en een dozijn klossen kant aan, als ik een rapport zou opstellen waarin melding werd gemaakt van zijn volledige medewerking en hem naar St.-Petersburg zou laten afreizen. We werden het eens over drie kisten drank en een halve krat goederen, plus de belofte van discreet transport in de toekomst, mocht ik dat nodig hebben. Hinken stuurde de keukenhulp naar zijn schip met een boodschap voor de eerste stuurman, en nog voor de eerste ronde drankjes op was, verscheen de koopwaar al. Ik stopte een klos kant in mijn schoudertas en regelde dat de rest naar mijn kamers werd gebracht. Het was een goedkope aanbetaling voor de kapitein – het kant bleek draderig spul te zijn dat een visvrouw zou kunnen gebruiken om een lijfje te versieren, en de wodka was middelmatig – maar voor mij was het een behoorlijke ruil. In de Stad kon je allerlei soorten sterkedrank verkopen, en nieuwigheden als kant kwamen wel van pas als ik overredend moest zijn. Uiteindelijk zou ik de volle mep binnenhalen.

Hinken had nog iets anders te bieden: hij bracht nieuws over de Europese revoluties. Engeland likte nog steeds zijn wonden na het afscheiden van de koloniën. De republikeinse opkomst in Holland was vertrapt door Pruisische laarzen. Frankrijk was net begonnen met het uitkotsen van de inhoud van zijn misselijkheid. Koning Gustaaf had het nieuws uit Frankrijk in de ban gedaan uit angst dat er ook thuis dergelijke acties werden ontketend, dus de gasten van Het Varken waren verrukt. 'De Fransen zingen *Ah! Ça ira!*, geïnspireerd door een Amerikaanse revolutionair met de naam Franklin. Maar ik betwijfel of het goed gaat. De rij immigranten is een bende geworden; ratten die weten dat het schip snel zal zinken. De tekenen wijzen op een hevige storm, Sekretaire,' zei Hinken, 'en alles wat Frans is, wordt in noordelijke richting geblazen.'

'Wij hebben onze revolutie al gehad, zonder enige storm, dankzij onze koning,' zei ik.

Hinken tuitte zijn lippen en schudde ernstig zijn hoofd. 'Nee. De storm moet nog komen.'

Het nieuws verspreidde somberheid over de taveerne, dus vroeg ik Hinken om zijn concertina erbij te pakken en iets vrolijks te spelen. Ik gebaarde naar het dienstertje om nog een rondje, in de hoop dat ik van een knap gezicht wel zou opbloeien. Het meisje kwam gauw genoeg, maar ik kan niet zeggen dat er meteen iets opbloeide. Ze was extreem mager, met een uitgemergeld gezicht, bleekblauwe ogen onder dunne wenkbrauwen, een korte neus, en nietszeggend bruin haar, dat naar achteren was getrokken in een knot. Haar kleding was slecht gemaakt en zo treurig grijs dat het duidelijk was dat ze recentelijk hierheen was gekomen vanuit de verst denkbare uithoek. Maar haar huid trok mijn aandacht: die was glad en melkwit en de schaduwen onder haar ogen hadden de kleur van lavendel. Er was geen pukkeltje of litteken te zien, zelfs niet op haar handen; verrassend voor een meisje dat moest werken voor haar levensonderhoud. 'Arm ding,' zei ik tegen Hinken. 'Die zal het niet lang uithouden in Het Varken.'

'Ik mag hopen van niet, mijnheer,' zei ze kortaf en ze zette het dienblad neer. 'Hebt u iets op mijn dienstverlening aan te merken?'

'In het geheel niet, juffrouw,' zei ik, terwijl ik mijn hand naar mijn drankje uitstak.

'We hebben u nauwelijks opgemerkt,' zei Hinken, die dat van hem pakte.

'En ik ben blij te horen dat u hogere ambities hebt,' zei ik, 'maar met uw kleding ziet u eruit alsof u geschikt bent voor...'

'Het kerkhof?' onderbrak ze me, terwijl ze het lege dienblad tegen haar borst klemde. 'U hebt gelijk, want ik ben net herrezen en heb betere kleding nodig. Wat zou u uw diensters laten dragen, mijnheer de Sekretaire? Misschien mouwen die zijn afgezet met sneeuwwit kant. Of anders zou ecru wel aardig zijn.' Ze knikte naar mijn kratten met Hinkens smeergeld. 'Misschien kunt u me helpen aan uw strenge maatstaven te voldoen, Sekretaire. Het kost niet veel om me de mond te snoeren.'

Het zou niet in mijn belang zijn als mijn transactie met Hinken rondgebazuind zou worden, en ik moest toegeven dat ze een slimme zet had gedaan. Ik gaf haar een klos uit het krat en ging nijdig zitten. 'Kunt u ons wat brood met droge worst brengen, juffrouw...?'

'Juffrouw Grijs,' zei ze, en ze ging op weg naar de achterkamer.

Hinken en ik barstten in lachen uit, maar Hinken hield abrupt op toen juffrouw Grijs zich omdraaide en ons met een betraand gezicht aankeek. 'Daar zit een verhaal achter,' zei hij. Het kostte me bijna een jaar om erachter te komen.

Grijs was echt haar achternaam, en toen ze net in de Stad aankwam vanuit Gefle, een klein stadje op twee dagen afstand in het noorden, paste die precies bij haar. Want Johanna Grijs, en de hele familie Grijs, droeg alleen grijze kleding. Johanna's moeder, die buitengewoon vroom was, verklaarde dat het een belediging voor de Almachtige was om jezelf in kleurige kleding te hullen. Mensen waren kleurloos geboren en dienden hun leven in gebed door te brengen tot ze de brug van de dood zouden oversteken naar een schitterend paradijs. De kleur van de kleding die mevrouw Grijs geschikt achtte voor het leven op aarde, was de kleur van boetedoening, die deed denken aan ellende: de lucht in november, vol koude, striemende regen. Omdat mevrouw Grijs gebrek aan kleur als teken van puurheid beschouwde, besmeerde ze Johanna's huid dik met crème om te voorkomen dat hij in de zon verbrandde of vlekkerig werd. Johanna's huid bleef doorschijnend wit, wat anderen alleen bereikten door middel van arsenicumpoeders. Behalve door haar etherische gelaatskleur stond Johanna door haar werk nog verder weg van de andere meisjes in het dorp. Haar twee oudere broers waren gestorven aan cholera en mijnheer Grijs had hulp nodig in de familieapotheek. Toen Johanna veertien was, kon ze lezen en schrijven en had ze wat kennis van Latijn, Frans, plantkunde en medicijnen, maar haar voornaamste taak was het kweken, vinden en bereiden van ingrediënten waar een groot aantal eenvoudige medicamenten van werden gemaakt: paardenbloem, jeneverbes, kamille, rozenbottel, doornappel, vlierbloesem, berendruif en monnikskap. In de gematigde seizoenen verzamelde ze een of twee keer per maand bloedzuigers door met blote benen in het meertje te gaan staan tot ze dik op haar benen zaten. Door deze oogst van flora en fauna konden ze de kruiden en medicijnen betalen die ze niet zelf konden kweken, verzamelen of bereiden.

Johanna ontdekte een regenboog in al die bloemen en planten, en ze begon pigmenten en aftreksels te maken om de kleuren bij zich te houden. Ze bestudeerde de tinten van de wortels, de zaadjes, de bloemen en de bast die ze had verzameld, waarna ze die droogde en tot poeder vermaalde. Door de pigmenten aan lijnzaadolie en alcohol toe te voegen, verkreeg ze prachtige resultaten. Ze zei tegen haar vader dat dit een manier was om botanie en artsenijbereidkunde te studeren, en tegen haar moeder dat dit een vorm van persoonlijk gebed was. Enkele combinaties hadden medicinale eigenschappen en Johanna opperde tegen haar ouders dat haar tonica het gezinsinkomen konden verhogen. De smakelijke drankjes werden populair en troostend, vooral eentje die mijnheer Grijs het Onmatigheidstonicum noemde. Het werd gemaakt van gember, kardemom en schnaps, en het genas veel gulzigheid in het omringende platteland, terwijl het flink wat geld in het laatje bracht.

De familie Grijs beleefde een jaar van welvaart en relatieve rust, tot Johanna op haar zestiende eindelijk haar maandstonden kreeg. Mevrouw Grijs zag dit als haar dochters toetreding tot de gevaren van het vrouw-zijn en hield dagelijks tirades over de dodelijke zonde van de lust. Ze liet mijnheer Grijs huiveringwekkende verhalen over aan stukken gereten lichtekooien uit het Oude Testament voorlezen, pakte het enige donkergroene haarlint af dat Johanna in haar onderjurk verborgen hield en verbrandde het als de kiem van wellustigheid. Maar daarvoor hadden ze niet hoeven vrezen, want Johanna had geen vleselijke verlangens en evenmin had ze ooit zelfs maar de minste aandacht van de andere sekse gekregen. Het was alsof de neutrale chemie van haar uiterlijk was vermengd met een stukje van de engel der kuisheid. Het was nooit bij Johanna opgekomen om haar hand langs de zachte huid van haar borsten te laten glijden, over haar buik omlaag, om te verkennen wat er tussen haar benen zat. Het enige waar haar rijpheid toe leidde, was een verlangen naar regelmatig baden. Toen mevrouw Grijs de aangeboren deugd van haar dochter herkende, zag ze dat als een zegen van de Almachtige en ging ze op zoek naar een geschikte kandidaat. Mijnheer Grijs ging op zoek naar een nieuwe leerling. Maar het liep allemaal niet volgens het plan van de Heer, noch dat van de familie Grijs. Noch dat van de jonge Johanna.

Hinken pakte Johanna's pols en drukte een muntstuk in haar hand. 'We bedoelden het niet kwaad, juffrouw Grijs.'

'U hebt een mild hart, kapitein,' zei ik, plotseling wensend dat ik zo vrijgevig was geweest.

'Mildheid ontstaat door te oefenen, Sekretaire,' zei ze.

Ik viste een munt uit mijn zak en gaf die aan haar. 'Ik kan klein beginnen, neem ik aan.'

'Een kleine sleutel kan een grote deur openen,' zei ze, en ze liep weg.

Hinken en ik klonken met onze kroezen, waarna we onze aandacht op een luidruchtige tafel met gokkers richtten. Ze waren verdiept in een potje Poch, een Duits kaartspel dat werd gespeeld met een speelbord met acht vakken rondom een centrale bron. Ik volgde de weddenschappen enkele minuten, maar begon toen het bord met de acht vakken te bestuderen, dat me deed denken aan mijn afspraak met mevrouw Mus. De vakken waren voorzien van woorden als HUWELIJK, KONING en BOK. Het was al na elven, en ik fronste mijn voorhoofd bij de gedachte dat ik in de regenachtige duisternis naar de Minderbroederssteeg moest lopen, maar als ik niet zou komen opdagen, zou ík de bok zijn.

Hinken gaf me een por in mijn ribben. 'Wat een zuur gezicht, Sekretaire. Een liedje, dat helpt. Hier is dan eindelijk de muziek waar u om vroeg.' Hij pakte zijn concertina van het bankje naast hem en speelde een eenvoudige toonladder om op te warmen: C D E F G A B C.

'Dat heet toch een octaaf?' vroeg ik. 'De eerste en de laatste noot zijn hetzelfde.' Hinken knikte. 'En waarom is de herhaling van die noot nodig? Waarom kunnen het er geen zeven zijn? Waarom moeten het er acht zijn?'

Hinken fronste zijn voorhoofd bij die lastige vraag, en speelde toen de toonladder een paar maal zonder de laatste noot. Hij legde zijn concertina neer en haalde zijn schouders op. 'Zo klinkt het niet goed. Je hebt ze alle acht nodig.'

'Dus... dus dit is een Waarheid?' vroeg ik stilletjes. 'In bredere zin?'

Hinken haalde zijn schouders op en hervatte zijn spel. Maar na twee klaaglijke, valse ballades had de herbergier er genoeg van en eiste dat hij stopte. De laatste ronde werd aangekondigd en het geschuif van stoelen en banken die op de houten tafels werden gezet, werd vermengd met het gekletter van de afwas achterin. Johanna gooide een mengsel van zaagsel en zand op de grond en maakte aanstalten om te gaan vegen.

'Wat weet je nog meer over octaven en achttallen?' vroeg ik Hinken. Johanna kwam dichterbij en veegde zo traag dat het geluid van haar bezem nauwelijks te horen was.

'Acht heeft me altijd geluk gebracht, mijnheer de Sekretaire. Er zijn slechts zeven zeeën, maar mijn boot heet *De achtste*. Ik noem hem *Hendrik*. Het gebeurt niet vaak dat een schip mannelijk is, maar hij is het.'

Johanna leunde op haar bezem. 'Mijn vader is *apothicaire*, en hij kocht kruiden van een Chinees die een tatoeage had in de vorm van het cijfer acht. Dat begon boven zijn middelvinger en liep helemaal via zijn onderarm naar zijn elleboog. De Chinees aanbad de acht djinns die rijkdom en een lang leven brengen. Hij vertelde mijn vader dat acht het grootste geluksgetal is.'

Hinken knikte. 'En oosterlingen zijn de grootste geluksvogels. Elke Chinees die ik ooit ontmoet heb, had al zijn tanden nog,' zei hij. 'Maar vanwaar uw vraag?'

'Een waarzegster is begonnen aan een legging van acht kaarten, het octavo genaamd,' zei ik. 'Ik zou daar nu moeten zijn om de volgende kaart te leggen.' Ik keek naar de aangrenzende tafel en het verlaten Poch-bord met de kring van acht vlakken rondom een blanco middelpunt. 'De Zieneres heeft me een eed laten afleggen dat ik het af zou maken, en zei dat het tot mijn wedergeboorte zou leiden,' zei ik.

'En wat voor soort wedergeboorte zal dat octavo u dan brengen? Rijkdom en een lang leven, net als de djinns van die Chinees?' vroeg Johanna.

'Ze zei dat het me liefde en verbondenheid zal brengen, maar dat krijg ik toch wel, kaarten of geen kaarten. Ik ben bijna verloofd.'

'Gefeliciteerd.' Hinken sloeg op mijn rug. 'En gecondoleerd.'

Ik strekte mijn armen boven mijn hoofd en hoorde mijn schouderbladen knakken. 'Misschien kan ik morgenavond gaan in plaats van nu.'

Hinken stond bruusk op en greep mijn arm om te voorkomen dat hij zou vallen. 'Het is gevaarlijk om terug te komen op een eed, vooral als de Zieneres een gave heeft. Misschien vervloekt ze je wel.'

Hoewel mevrouw Mus haar handlanger niet zou willen kwijtraken, had ze inderdaad gezegd dat zoekers die hun octavo verwaarloosden verdwaald raakten. Ik kon het rijke schip Carlotta maar beter op elke mogelijke manier veiligstellen. 'U hebt gelijk, Hinken. Het is verstandiger om door te gaan. Een soort extra verzekering voor mijn succes.'

'Zet uw koers uit en u zult op de plaats van bestemming aankomen,' maande Hinken me, en hij trok zijn overjas aan. 'Ik zou u graag naar die waarzegster begeleiden, maar u zult begrijpen dat het voor ons allebei beter is als onze wegen hier scheiden.'

'Hoe kan ik u vinden als ik gebruik wil maken van die gunst die u me schuldig bent?' vroeg ik en ik raapte mijn rode mantel van de grond.

Kapitein Hinken deed de deur open en de regen kletterde koud op mijn gezicht. 'Mijn nicht, Tantetje von Platen, beheert het oranje huis in de Baggensstraat. Tussen mijn klussen in, en in de maanden dat er ijs ligt, bivakkeer ik bij haar op zolder. Zij weet me wel te vinden.'

Ik floot en knikte. Johanna trok haar bezem met een ruk omhoog: zelfs zij kende het beruchte oranje huis in de hoerenstraat. 'Ik hoop het genoegen te mogen beleven,' zei ik.

Hoofdstuk acht

DE TAND DES TIJDS

Bronnen: E.L., mevrouw M.

EEN BOOT ZOU een sneller transportmiddel terug naar de Stad zijn geweest, maar zelfs als ik er een zou vinden, zou ik kletsnat en zee-ziek worden door het tochtje en zou de roeibootmevrouw me vloe-kend naar de maan wensen terwijl ze tegen de wind in aan de rie-men trok. Gelukkig zat ik binnen in een donkere koets, met als enige gezelschap de geur van schimmel en het geluid van regen en hoefgetrappel, en ik hoopte maar dat ik niet te laat was en dat me-vrouw Mus sterke koffie met veel suiker en melk voor me zou zet-ten.

Ik stapte in de buurt van de Grote Kerk uit om een luchtje te scheppen en stommelde door de Minderbroederssteeg, die geheel in schaduwen en nevel gehuld was. Er kierde een verwelkomend streepje licht tussen de ramen aan de voorkant van het huis van mevrouw Mus door, dus beklom ik de trap en klopte aan. Katarina deed open, maar zei niets; de kringen van vermoeidheid onder haar ogen vormden een blauwe veeg.

'Katarina, ik werd om elf uur verwacht, maar ben vreselijk ver-laat.'

'Mevrouw heeft een privéconversatie, mijnheer Larsson, en het is erg laat.' Ze wilde me al buiten laten staan, maar ik haalde een klos kant uit mijn leren schoudertas en gaf die aan haar. Met onge-lovig opengesperde ogen nam ze de klos aan en zei dat ik haar moest volgen naar de zoekersvestibule. Ze liep op haar tenen en ik imi-teerde haar op mijn dronkenmansmanier om mijn gastvrouw niet te storen, die zich ongetwijfeld bezighield met geestelijke zaken.

Ik was vochtig en klam van de wandeling, dus trok ik mijn jas en mijn laarzen uit en legde ze bij de kachel te drogen. Er kwam een verschrikkelijke geur van mijn voeten af, dus deed ik het raam open om de kamer te luchten en algauw rilde ik in de kille buitenlucht. Door het ongemak begon ik te ijsberen en stak ik om de paar rondjes mijn hoofd om het hoekje van de gang om te kijken of mevrouw Mus' late avondklant al vertrok. Eindelijk hoorde ik hun voetstappen op de trap en ging de deur krakend open.

'U bent te laat,' zei mevrouw Mus.

'Maar ik heb een eed afgelegd.'

Ze keek naar mijn blote voeten en rimpelde haar neus, waarna ze haar klant naar de deur begeleidde. Ik pakte haastig mijn laarzen. Toen mevrouw Mus terugkwam, bleef ze met haar armen over elkaar in de deuropening staan. 'Enig excuus?'

'Ik was verlaat vanwege een klus op Skeppsholmen. U weet dat mijn positie bij de douane in gevaar is en ik kan het niet laten afweten, zelfs niet voor het octavo,' zei ik. Ze schudde geërgerd haar hoofd en we liepen de trap op naar het bovenvertrek.

'De Boodschapper arriveert vandaag. Ik hoop dat hij in de buurt is, want ik ben erg moe,' zei ze en ze geeuwde terwijl ze het diagram en de set kaarten neerlegde.

De Boodschapper zat waarschijnlijk in Skåne; pas na bijna negen ronden kwam hij opdagen.

'Kijk eens aan: nog meer Stempelkussens, maar boven op het pakket dat hij draagt staat een wijnkruik, het teken van uw Metgezel,' zei mevrouw Mus.

'Ik heb Carlotta vandaag een bericht gestuurd,' zei ik, terwijl ik verwoed probeerde me de details van vanochtend te herinneren. 'De zoon van mijn hospita heeft de brief weggebracht!'

Mevrouw Mus negeerde mijn agitatie. 'Uw Boodschapper zal dienen als een betrouwbare bode en zal u een missive brengen of er een voor u afleveren. Dat kan eenmaal zijn, of vele malen. Bedenk eens hoeveel levens er veranderd zijn door een zoekgeraakte brief, of doordat er precies op het juiste moment nieuws kwam.'

'Ik moet zeker weten of de boodschap bezorgd is,' zei ik en ik stond al half op van mijn stoel.

Mevrouw Mus klopte op mijn arm. 'Let hier even op. Het cijfer vier is geaard, dus hij zal solide en oprecht zijn. Een praktische man, die in waardevolle goederen handelt. IJverig, ook: daar zijn de lisdodden weer. Succesvol, te oordelen naar de mooie kleding. Maar hij kijkt achterom naar iets, en niet naar zijn helper. Een man die bang is dat hij gevolgd wordt. Of een man die ergens spijt van heeft, misschien.'

'Er kan onmogelijk meer dan één wijnhandelaar Vingström zijn,' zei ik, terwijl ik naar de deur keek.

'Hebt u íéts gehoord van wat ik zei?' vroeg ze.

Buiten begon het weer te plenzen. Ik wiebelde op mijn stoel en keek weer naar mevrouw Mus. 'Misschien had u het mis. Wat mijn visioen betreft. Ik heb nog nooit van mijn leven geluk gehad.'

'Niks mis. Het visioen is van u. En het meeste geluk wordt verkregen door hard werken,' zei ze, met een spoor van vermoeidheid in haar stem.

Ik knikte en speelde met de gesmolten was die in een uitgedoofde kaars lag.

'Emil, wat doet u toch aarzelen?' zei ze, milder nu.

'Mevrouw Mus, het komt omdat... Ooit is me verteld dat ik vervloekt was.'

'Dat lijkt me onwaarschijnlijk.' Mevrouw Mus stak de waspit weer aan, maar in plaats van terug te keren naar de tafel, ging ze in een van de leunstoelen bij de kachel zitten. 'Maar vertel. U zult nooit een sympathieker oor treffen.'

'Ik was bijna twaalf en mijn moeder was zwanger van een bastaardkind. Ze had het gevoel dat ze het niet zou overleven en zei dat ze me iets moest vertellen over mijn eigen geboorte. Het schijnt dat ik geboren ben met twee tandjes in het midden van mijn onderste tandvlees. Moeder beweerde dat dat betekende dat ik begiftigd was, maar de oude vroedvrouw rende meteen naar de priester en noemde het het teken van het Beest. De vroedvrouw vertelde het rond en de oude vrouw van de Katarinakerk spuugde op de grond en maakte met haar handen gebaren tegen het boze oog toen mijn moeder daar kwam voor mijn doop. Algauw fluisterde heel Zuid-Stockholm erover. De onderbuurvrouw opperde dat ik een trol zou kunnen zijn en terug moest worden gebracht naar de bergen. Anderen zeiden dat mijn moeder me naar de barbier moest brengen om de tanden te laten trekken; ik kon beter helemaal geen tanden hebben dan opgroeien als een satanskind en in de hand van de gezegenden bijten. Moeder weigerde en de buren vergaten het nooit.' Ik liep door de kamer en ging op de armleuning van de stoel tegenover mevrouw Mus zitten. 'Toen ik groter werd, zag moeder het als haar taak om me dicht bij zich te houden en me te laten verdwijnen door me in de plooien van haar rokken te duwen. Ze leerde me mijn mond te houden en nooit de aandacht op me te vestigen. Zo leerde ik observeren en luisteren. Ik leerde anoniem te zijn. Toen ik mijn moeder vroeg wat er met die babytandjes gebeurd was, zei ze me dat die binnen twee weken na mijn geboorte op miraculeuze wijze verdwenen waren.'

Het gezicht van mevrouw Mus was tijdens mijn relaas rood geworden van woede. 'En hoe kwam dat?'

'Ik denk dat mijn moeder ze had losgewrikt. Of misschien waren ze eruit gevallen. Maar mijn vader, moeder en doodgeboren zusje eindigden allemaal in het graf. Ik vraag me soms af of ik echt vervloekt ben.' Ik slikte moeizaam en keek haar eindelijk aan. 'Kijk hoe het nu met Carlotta loopt. Hoe kan ik nu liefde en verbondenheid vinden als de duivel me gebrandmerkt heeft?'

'Nonsens. De duivel kan niemand brandmerken. Maar anderen willen zijn merkteken maar al te graag bij iedereen zien, vooral in tijden van onzekerheid. Dan regeert de angst over de rede en zullen mensen het kwaad al zien voordat ze ook maar goed gekeken hebben.' Ze stond op en liep naar de tafel, waar ze zich over de vijf kaarten boog. 'U bent gemerkt voor iets heel anders, mijnheer Larsson. Als het octavo op zijn plek ligt, zult u het zien.'

Hoofdstuk negen

DUIVELSKAARTEN

Bronnen: E.L., mevrouw M., A. Vingström

NA EEN KOP koffie in De Zwarte Kat liep ik de volgende dag langs Vingströms wijnhandel om te kijken of ik Carlotta tegen het lijf zou lopen en kon nagaan of mijn brief was aangekomen. Door het welkom van mijnheer Vingström kikkerde ik behoorlijk op, maar zijn vrouw zag haar kans schoon en maaide me met één zin omver toen ik naar de gezondheid van hun dochter informeerde. 'Carlotta is verloofd, mijnheer Larsson.'

Met nerveuze haast slikte ik een mondvol crianza door. 'Met wie?'

'Nou, nou, Magda, zo ver is het nog niet,' wierp mijnheer Vingström tegen. Mevrouw Vingström hield haar hand omhoog om haar man het zwijgen op te leggen, draaide zich toen op haar hakken om en smeet de winkeldeur met een klap achter zich dicht.

'Is het waar, mijnheer Vingström?' vroeg ik, en ik wreef zenuwachtig over mijn glas.

Mijnheer Vingström zette de deur op een kier om er zeker van te zijn dat zijn vrouw echt weg was. 'Carlotta's weldoenster heeft een potentiële kandidaat voorgesteld: een luitenant met adellijke connecties. Mevrouw Vingström hoopt dat er binnenkort nieuws over een verloving komt.' Hij schonk een slok wijn in een glas en draaide het rond. 'Persoonlijk vind ik hem een achterbaks jongmens dat niet sterk genoeg is om de stormen van het huwelijk te doorstaan. Vooral niet met mijn Carlotta.' Hij liet de wijn in zijn mond rondgaan en spoog hem toen uit in een tinnen kroes. 'Wilt u proeven?' vroeg hij glimlachend.

Ik hief het glas met mijnheer Vingström en hemelde Carlotta op, terwijl ik me de hele tijd voorstelde hoe het zou zijn om hem vader te noemen. Het was geen onplezierige, maar wel een vreemde gedachte, aangezien hij een klant was van mijn geconfisqueerde goederen en ik nog nooit van mijn leven iemand vader had genoemd. We schudden elkaar de hand toen ik wegging. 'Brengt u alstublieft mijn allerbeste wensen aan uw prachtige dochter over. Boven alles verdient ze geluk.'

Lusteloos wandelde ik naar De Pauw voor het avondmaal en ging daarna naar de Minderbroederssteeg om te kaarten, tot Katarina op mijn schouder tikte. Mevrouw Mus was klaar en zat boven aan tafel op me te wachten. 'Maak het u gemakkelijk, mijnheer Larsson. De Bedrieger neemt doorgaans de tijd.'

Mevrouw Mus tuurde naar de kaart die twaalf moeizame ronden later arriveerde. 'Weer Stempelkussens. Hier hebben we nog een ijverig iemand, maar die kan wel anders zijn dan hij zich voordoet. De Bedrieger kan de hofnar spelen en is vaak zijn beste raadgever. En verder... nou ja, Bedrieger is ook een naam van Satan, nietwaar?' Ze gaf me de kaart.

'Ze lijkt op mevrouw Murbeck.' Ik zag haar wenkbrauwen vragend omhooggaan. 'Mijn hospita. Ze scheldt voortdurend op haar zoon.'

'Niet te overhaast, mijnheer Larsson. Uw Bedrieger kan op een bepaalde manier overkomen, maar heel anders zijn, net als het verhaal van de ouwe toverkol die een prachtig meisje wordt als ze met respect en ware liefde wordt behandeld. Of de tovenaar die als domme sul vermomd is met als doel je in zijn netten te verstrikken. De Bedrieger is een kaart

DE LEERMEESTER
8

DE BEDRIEGER
7

DE GEVANGENE

DE EKSTER
9

DE ZOEKER

DE METGEZEL

8
DE
SLEUTEL

7
DE
PRIJS

waarbij voorzichtigheid geboden is, vooral een zeven. Dat is het abracadabra-cijfer.'

Ik keek nog eens goed. 'Die man ziet er te dom uit om een magiër te zijn. Maar met die vrouw valt niet te spotten. Kijk eens hoe ze die vloek uitspreekt.'

'Weet u zeker dat het een vloek is en geen zegen?'

'O!' zei ik, en ik voelde hoe het bloed naar mijn hoofd steeg. 'Dit zijn de Vingströms! Ik heb ze vandaag gezien, en Carlotta's vader deed hartelijk, maar haar moeder stormde naar buiten, nadat ze haar hand naar haar man had opgeheven. En die omgevallen mand betekent vast dat ik Carlotta kwijt ben; ze heeft niets van zich laten horen en haar moeder zegt dat ze verloofd is.'

'U trekt in alle opzichten overhaaste conclusies. Het achttal is nog niet compleet. En families zijn gecompliceerd. Dat weet ik eerder uit observatie dan uit recente ervaringen, vrees ik.' Ze stond op en schonk zichzelf een glas water in. 'Hoe zit het met uw familie? Als ik meer over u weet, helpt dat bij het lezen van uw octavo.'

Ik ging staan en liep naar het open raam, waar ik het zachte gordijn tegen mijn wang liet strijken. 'De Stad is mijn familie.'

'Maar u had toch wel ouders, en misschien ook broertjes en zusjes, en neefjes en nichtjes?'

'Er is me verteld dat mijn vader muzikant was. Hij is overleden voor ik hem kon leren kennen. Ik ben naar zijn beste vriend vernoemd, een Franse violist, maar Emil is een veel te hoogstaande naam voor me. Iedereen noemt me gewoon Larsson of, tegenwoordig, Sekretaire.'

'Ik vind Emil een mooie naam. Misschien moet u er nog in groeien,' zei ze. 'Net als Sofia.'

Ik haalde mijn schouders op. 'Na de dood van mijn moeder werd ik naar verre neven gestuurd, waar ik ging wonen omdat niemand anders me hebben wilde; een wanordelijk gezin van negen mensen die de aarde in Småland omschoffelden en beweerden dat ze boeren waren. Twee jaar lang trok ik stenen uit de grond, staarde naar de zwarte naaldbossen en at schorsbrood en gezouten vlees van elk willekeurig dood dier dat mijn oom mee naar huis sleepte. In één gure wintermaand aten we alleen dassenvlees en watergruwel.' Mevrouw Mus vertrok haar gezicht. 'Maar dat was wel de plek waar ik het heerlijke tijdverdrijf van het kaartspel leerde van een buurman, de enige aardige, beschaafde persoon die ik daar heb ontmoet. Op driekoningenavond gaf hij me een kaartspel; een gul gebaar dat wellicht voortkwam uit medelijden. Toen mijn vrome oom de kaarten ontdekte, verbrandde hij ze en sloeg me tot bloedens toe. Hij verkondigde tijdens de zondagsdienst dat ik duivelskaarten uitdeelde en niet geschikt was als gezelschap van mensen. Hij verhuisde me naar de schuur.'

'Ik weet maar al te goed hoe ellendig het is om een buitenbeentje te zijn,' zei mevrouw Mus.

'Ik ben weggelopen, terug naar de Stad, en wist rond te komen door te werken als lantaarnaansteker, vogelvanger en uiteindelijk dokwerker. Weet u wat ik van mijn eerste extra centen kocht?'

'Een fatsoenlijke maaltijd, mag ik hopen.'

'Ik kocht tweeënvijftig van die duivelskaarten, mevrouw Mus, en daar ben ik ver mee gekomen: ik begon op de werf, waar dokwerkers de vrije uurtjes vullen met rummy tegen een lage inzet. Dat was voldoende om me te kunnen redden tot ik Rasmus Bleking ontmoette, een Sekretaire bij het douane- en accijnskantoor. Hij had een jongen nodig die de Stad op zijn duimpje kende en die zijn mond kon houden. Er werd van die jongen verwacht dat hij alles deed wat Bleking vroeg, wat uiteindelijk neerkwam op al het werk van Bleking. Hij bood een schamele vergoeding, één maaltijd per dag en de zolderkamer boven zijn eigen kamer in een hok in Zuid-Stockholm, in de buurt van het Fatburs-meertje, een stinkende poel vol drek, afval en kadavers.' Mevrouw Mus zoog haar adem naar binnen. 'Maar ik had mijn kaarten, en mijn reis was net begonnen. Bleking was een nul op het gebied van gokken en ik bood aan hem te leren wat ik wist. Ik liet hem nooit winnen, maar nam zijn geld gewoon eerlijk aan. We zaten dag en nacht te kaarten, tot hij een waardige tegenstander was. Als tegenprestatie leerde hij me lezen en schrijven: een goede ruil voor hem, want nu kon ik al zijn papierwerk bij de douane doen. Maar voor mij was het een nog betere ruil. Toen hij overleed, mocht ik zijn baan en zijn kamer houden en ik hield me uit alle macht staande, tot de kaarten me naar de Minderbroederssteeg brachten en daarmee naar u. Vorig jaar kocht ik Blekings Sekretairetitel en verhuisde weer naar mijn familie, de Stad.'

'En nu?' vroeg ze.

'Ik heb mijn bestemming bereikt, mevrouw Mus. Ik zal in de Stad bij de douane blijven tot ik mijn positie verkoop of overlijd. Mits mijn octavo snel genoeg vorm krijgt om de Superieur te behagen. Hij is bereid te wachten tot zijn naamdag in augustus, maar alleen omdat hij een hekel heeft aan de familie De Geer.'

Hoofdstuk tien

DE SLANGENKOKER

Bronnen: E.L., mevrouw M.

DE DOUANE HAD die dag niet afschuwelijker kunnen zijn. Het eindeloze afhandelen van officiële documenten en het monotone gebrom van de Superieur waren voldoende om me schele hoofdpijn te bezorgen. Zelfs De Zwarte Kat liet me in de steek, met koffie die gebrouwen was van cichorei in een poging een paar centen te besparen. Maar het allerergste was dat ik niets van Carlotta gehoord had. De luitenant zou de overhand krijgen, maar het schoot me te binnen dat ik het voordeel van mijn achttal had. Die avond daalde er laag in de straten een lichte nevel neer, maar aan de hemel scheen de volle maan, waardoor de Stad in een iriserende wolk werd gehuld. Er hing magie in de lucht en mijn hoop laaide weer op. 'De luitenant heeft zijn rivaal verkeerd ingeschat,' zei ik, gezeten op mijn vaste plek in het bovenvertrek. 'Ik zal haar voor me winnen, mevrouw Mus.'

'Is dat uw idee van liefde en verbondenheid?' Mevrouw Mus keek me van opzij aan terwijl ze het pak kaarten schudde. 'Het is een diepzinnig, mysterieus privilege, belangwekkend genoeg om

DE BOODSCHAPPER

DE LEERMEESTER

DE BEDRIEGER

DE GEVANGENE

DE EKSTER

DE ZOEKER

DE METGEZEL

8
DE
SLEUTEL

1
DE
PRIJS

het octavo te leggen, maar bij u klinkt het alsof dit meisje de pot is in een spel hier beneden.'

'Ik hou van winnen, net als u,' zei ik, terwijl ik mijn jas uittrok. 'Is dat niet het doel van het spel? Carlotta is de ultieme prijs: een mooi vogeltje, een fraai nest, een geborgen thuis en een toekomst bij de douane.'

'In mijn oren klinkt dat als een kooi.' Ze legde de zes kaarten die we kenden terzijde en deelde. De Ekster had zeker zin om te praten, want de kaart dook al na twee ronden op.

'Zesde positie. De Ekster. Weer de Stempelkussens! U hebt veel mensen uit de handel en de nijverheid om u heen. De Ekster kletst wat af; of tegen u, of over u. Dat geklets heeft hier vele mogelijke bronnen en onderwerpen. Een lastige kaart om te ontcijferen. Maar wel een fraaie. De dame die erop staat bevalt me. En de arm van haar heer die zo innig om haar schouder ligt. Vijf is het cijfer van verandering en beweging. Ze lijken er plezier in te hebben.'

Ik nam een slok uit het glas bier dat Katarina me gebracht had. 'Ik vermoed dat de luitenant iets te zeggen zal hebben als hij ziet dat ik mijn arm om zijn Carlotta sla.' Mevrouw Mus rolde met haar ogen. 'Ik kan het niet helpen dat ik door uw gave geïnspireerd raak. De kaarten zijn u op het lijf geschreven.'

'Alleen omdat ik daar zelf voor heb gezorgd. Omwille van het octavo, want ik merkte dat ik de kaarten net zo hard nodig had als elke zoeker.' Een ogenblik klonk slechts het geluid van een sputterende kaars. 'Ik ben niet voor het Inzicht geboren, ondanks mijn voornaam, Sofia, die "wijsheid" betekent. En het was geen gave.' Ze pakte de kaarten en tikte ze tot een stapel. 'Toen ik nog een meisje was, vond ik het geweldig om naar rondreizende voorstellingen te kijken, en mijn lieve vader nam me mee wanneer hij maar kon: naar de vuurvreters, de jongleurs, de acrobaten en de zigeuners. Eén zomer wilden mijn vader en ik dolgraag naar een echte slangenbezweerder, die helemaal uit het Verre Oosten kwam. In de gewelfde kelder van de taveerne, waar de voorstellingen werden opgevoerd, was het druk en rumoerig. Mijn vader duwde me naar een lege plek helemaal vooraan en vond zelf een stoel een paar rijen naar achteren. Er klonk een jammerende toon uit een hoorn en daarna een roffel op een trommel van dierenhuid. Uit de keukendeur stapte de slangenbezweerder. Hij was zo bruin als een noot, om zijn hoofd was een saffraankleurige tulband gewikkeld en zijn gewaad was van een prachtige, gestreepte stof die glansde in het zwakke licht. De slangenman sprak gebroken Frans, dat slecht werd vertaald door de herbergier, maar Frans was mijn moedertaal. De slangenman legde uit dat muziek de taal van alle schepsels was en dat hij nu de koning van de slangen zou roepen. "*Le roi*," zei hij zachtjes en hij begon op een lange, dunne hoorn te blazen. Uit een zwarte rieten mand verrees een dikke albinoslang.

Inmiddels was het in de kelder verstikkend door alle lijven en door de angst die de slangen opriepen, al merkte ik daar niets van.

De slangenman zag dat ik hem begreep en wist dat ik in de ban van zijn handelingen was. Hij vroeg of ik de koning van de slangen wilde vasthouden en ik knikte instemmend. Hij tilde de albino zachtjes op, gaf hem een kus op zijn kop en overhandigde hem aan mij. Hij was zinnelijk glad en ik voelde de kracht van het schepsel toen het zich om mijn magere arm klemde. De slang werd rustig en stil, dus kuste ik het prachtige dier op zijn kop, net als de slangenman.

Iemand uit de menigte begon te schreeuwen en noemde me Eva en enkele jongemannen riepen dat ik het verhaal moest naspelen. Iedereen lachte en klapte, misschien van opluchting omdat het Heilige Boek werd genoemd. Iemand gooide een verschrompelde appel, die op de tafel belandde, en een dronken kerel schreeuwde dat ik ook naakt moest. Mijn vader ging hem te lijf. Een oude vrouw begon de namen van Jezus en Satan te roepen, wijzend naar de vreemdeling, en de taveerne werd een slagveld. De slangenman verzamelde vlug zijn manden en ging er in de richting van de keuken vandoor, onopgemerkt in de chaos.

Ik ging hem achterna met de bedoeling hem zijn slang terug te geven, maar hij was al weg. Alleen de dikke kok stond in de keuken taarten te bakken. Hij keek snel mijn kant op en schreeuwde dat ik weg moest gaan, waarna hij terugkeerde naar zijn korstdeeg. Maar toen bleef hij staan en keek nogmaals, omdat hij de albino zag die aan mijn handen bungelde. Hij liep langzaam, met zijn handen vol bloem, om de tafel heen en sloot zachtjes de deur naar de kelderruimte. "Ik heb het verhaal gehoord, jongedame, en ik heb me altijd afgevraagd of het waar was."

Ik dacht dat hij het over de Hof en Eva had en de slang van dichtbij wilde bekijken. Ik hield de albino voor hem, zodat hij hem kon aanraken. "Niet bang zijn," zei ik. Daarop sprong de kok op me af, griste de slang uit mijn handen en gooide het arme wezen in een ketel die aan het spit hing. Het sissen van de stoom en het zwiepen van de bleke slang boven het kolkende water achtervolgen me nog steeds in mijn dromen.

"We dopen brood in het vleesnat zodra hij gekookt is," fluisterde hij opgewonden, "en dan kijken we of we visioenen krijgen. Mijn grootmoeder zwoer dat het waar was. We zullen zien, jongedame, we zullen zien!"

De slang was nu dood, drijvend in de borrelende vloeistof, en de dikke kok pakte een stukje grof roggebrood, doopte het in het vleesnat en gaf het aan mij. De kelderdeur werd geblokkeerd door zijn enorme lijf en zijn grimmige blik; ik kon de keuken niet verlaten zonder zijn waar geproefd te hebben.

"Maar wilt u zelf ook geen visioenen?" vroeg ik, in de hoop te kunnen ontsnappen. Hij glimlachte en boog alsof hij een keurige heer was, en wachtte tot ik het brood in mijn mond stak en kauwde. Het smaakte niet naar duivelsvuur of naar de ijzige kilte van het hiernamaals. Het was gewoon vochtig roggebrood. Ik forceerde een glimlach en haalde mijn schouders op, terwijl ik wanhopig graag wilde vertrekken. De kok deed een stap opzij en begon te lachen. "Verdomd volksverhaal," snoof hij en hij stopte een stuk rauw taartdeeg in zijn mond. "Ik wilde gewoon zien of het waar was." Ik spurtte naar de deur, legde mijn hand op de ijzeren klink en toen werd de hele keuken – de hele wereld – wit.'

De bovenkamer van mevrouw Mus werd nu alleen verlicht door de ene blaker aan de muur naast de tafel en een zwakke, oranje gloed die door het deurtje van de kachel scheen. Ik dronk mijn glas in één teug leeg. 'De witte wereld, was dat uw eerste visioen?' vroeg ik.

'Dat witte is altijd het eerste dat ik zie, voor het visioen,' zei ze, en bij de herinnering wrong ze smartelijk haar handen. 'Toen ik bijkwam, hield mijn vader me vast en depte de vrouw des huizes mijn voorhoofd met een in koud water gedoopte doek. De kok stond zo ver mogelijk bij me vandaan en zijn handen trilden terwijl hij zijn deeg uitrolde en verderging met bakken. Hij wilde niet dichterbij komen, zelfs niet toen mijn vader hem vroeg te helpen me de trap op te krijgen. Hoewel ik duizelig was, zei ik tegen mijn vader dat ik wel kon lopen en ik vulde mijn longen met frisse lucht. Mijn vader wist zeker dat ik van pure opwinding was flauwgevallen, maar toen we de Riddersbaai naderden, kwam dat verblindende wit opnieuw. Ditmaal volgde er een visioen. Ik zag water, glinsterend paarsachtig zwart, en een groep schepen die met het tij vertrokken. De hoge, donkere masten staken af tegen de zonsondergang en door het geklapper van het canvas toen de zeilen werden losgemaakt, fladderde er een troep meeuwen met klaaglijk gekrijs op van hun nest. In hun vlucht maakten ze een boog langs een pad van rozige wolken en met hun vleugels veroorzaakten ze een storm, een wind die me tegen de grond sloeg. Mijn vader schreeuwde vanaf het dek van het verste schip naar me, maar de wind blies hem buiten mijn gezichtsveld en zwiepte toen als een orkaan terug door de straten van de Stad. Daarna was er slechts stilte.' Ze vouwde haar handen voor zich op tafel en bestudeerde ze aandachtig. 'Toen ik bijkwam, vertelde ik mijn vader wat ik gezien had, maar hij trok me alleen dicht naar zich toe en zei dat ik niet moest tobben: de wind kan niet worden tegengehouden. Op Sint-Maartensdag van dat jaar verdronk mijn vader. Hij deed pleisterwerk in Drottningholm en ging met de boot. Hij viel overboord – of werd geduwd of geblazen, dat weet niemand – en werd door de sterke stroming mee naar beneden getrokken. Zulke winden zijn een vreselijk voorteken. Daarom ben ik ook zo bang om Gustaaf.'

Ik wendde mijn blik van haar af en keek naar de inktzwarte hoek van de kamer. 'Dat vind ik heel erg voor u, mevrouw Mus.'

'Ik ben blij dat u het begrijpt. Dat doen er niet velen. Ik heb vaak gewenst dat ik in plaats daarvan een charlatan was.'

'Maar dat u het Inzicht hebt… is dat de reden dat u zich met gokken hebt ingelaten?' vroeg ik.

'Ja en nee. Het Inzicht helpt niet bij het winnen met kaarten, maar de kaarten waren een manier om ermee om te gaan. Na een tijdje hielden de visioenen niet meer op. Ik zocht anderen op, vrouwen met een gave zoals ik, om te leren wat ik zou kunnen doen om ervan af te komen. Sommigen van hen waren nep, anderen waren krankzinnig. De echte zeiden dat er geen mogelijkheid was om het terug te draaien, maar ze hadden allemaal een manier gevonden om ermee om te gaan. Ze breiden of maakten kant, ze serveerden in koffiehuizen of taveernes: allemaal werk waarmee ze hun geest en hun handen bezighielden. Ik werkte als wasvrouw en leerde kaarten, en ik speelde overal en met iedereen. Spelen was voor mij de beste afleiding en ik merkte dat de wilde paarden van het Inzicht bereden konden worden in de kalmte die de kaarten me gaven.' Ze leunde achterover in haar stoel en legde haar handen in haar schoot. 'Toen stuitte ik tijdens een reis naar Parijs op een boek: *Etteilla, of een manier om uzelf te vermaken met een pak kaarten.* Het was een complete filosofie en instructie over kaartlegging: waarzeggerij met behulp van gewone speelkaarten. Dat boek veranderde – of beter gezegd: redde – mijn leven. Niet alleen vond ik een manier om hetgeen ik zag te gebruiken en te ontcijferen, ik vond ook een vak waarmee ik klanten kon vinden van de kok tot de kroon. Anders was ik misschien geëindigd als rioolschoonmaakster of als een van de schimmen in de buskruitfabriek van mijnheer Lalin, nadat ik was uitgewoond als een hoer. Trouwens,' zei ze en ze boog zich voorover en draaide zich met een triest lachje naar me toe, 'ik had de werktuigen al onder de knie. Ik moest alleen nog leren wat ik ermee kon doen.'

'En nu maakt u een gouden pad voor mij,' zei ik.

'Net als dat vrolijke stel van uw Ekster hier.' Ze pakte de kaarten, tikte ze tot een stapel en legde die met de afbeeldingen omlaag neer. 'Nog maar twee kaarten, mijnheer Larsson.'

Hoofdstuk elf

DE PRIJS

Bronnen: E.L., mevrouw M., freule C. Kallingbad

EINDELIJK ANTWOORDDE CARLOTTA! Blijkbaar stond de luitenant niet dicht genoeg bij de familie De Geer om in hun buidel te kunnen tasten. Ik ontmoette haar voor een haastige picknick in Djurgården, waar ze me bij het blauwe hek gepassioneerd kuste en me lieveling noemde. Carlotta was binnen mijn bereik en het octavo zou haar bij me brengen als ik mijn achttal in die richting duwde. Ze vond het jammer dat ik onze picknick moest verlaten vanwege het octavo, maar ik verzekerde haar dat het cruciaal was voor ons toekomstige geluk. Uit haar omhelzing op de kade sprak iets wat oprecht waarachtig aanvoelde, en dat gevoel hield ik de hele weg naar de Minderbroederssteeg. Het was ideaal weer en de energie van de liefde in mijn tred kende geen grenzen, terwijl ik in gedachten mijn aanzoek voorbereidde. Toen ik op nummer 35 naar binnenging, zei Katarina dat mevrouw al boven was en daar al de hele avond zat. 'Ze kan niet wachten om de Prijs te delen,' zei ik, 'en ik ben er klaar voor om hem aan te nemen!'

'Ze zou u het liefst helemaal niet zien,' riep Katarina me ernstig na, terwijl ik met twee treden tegelijk de trap op liep.

Ik ging tegenover mevrouw Mus zitten en wreef in mijn handen voor het schudden en delen. Er stond een lavendelplant in een pot op de vensterbank, en die geurde sterk. 'Ik ruik... succes.'

'O, ja?' Ze keek eindelijk naar me op, met rode ogen en een vlekkerig gezicht. 'Dan hebt u geen neus voor nieuws.' Ze vertelde me dat de politiecommissaris langs was geweest met een bericht van Gustaaf: de redding van de Franse koninklijke familie was mislukt.

Ze waren in Varennes gevangengenomen en het zou voor hen allemaal slecht aflopen. Gustaaf zou een tijdje in Aix-la-Chapelle blijven om de *émigrés* te troosten die op hun vorst wachtten en om een nieuw plan uit te denken.

'Wat gaat er nu gebeuren?' vroeg ik, op slag helemaal niet opgewekt meer. Ik dacht onwillekeurig aan de kinderen van de Franse koning en koningin.

'Als ik toch eens zo ver kon kijken, mijnheer Larsson. Nu leggen we uw kaarten.' Ze zat vijf ronden zwijgend te delen, terwijl het geroezemoes van de gesprekken in de salon beneden vaag te horen was. De afleiding leek mevrouw Mus te helpen en toen mijn Prijs verscheen, was ze helemaal op de kaart gericht: de Boven-Schild-knaap van de Bekers.

'Een mán als mijn Prijs?' zei ik, me bedrogen voelend.

Mevrouw Mus verzekerde me dat dit een prima kaart was om op de positie van Prijs te hebben. 'Bekers steunen het visioen van liefde en verbondenheid. En de Boven-Schildknaap is een persoon van

grote verdienste. Hij houdt het schilderspalet vast, wat duidt op raffinement en cultuur. Wie hij ook is, hij zal u bijstaan tijdens uw hofmakerij en u iets van waarde geven. Misschien is het een vader die u zijn grootste werk aanbiedt: de hand van zijn dochter. En kijk, daar is de lelie. De bloem van Frankrijk.' Ze keek me aan, en mijn zorgen werden weerspiegeld op haar gezicht. 'Maar de lelie groeide ook in Getsemane op paasochtend. De opstanding. Een voortreffelijke kaart.' Ze pakte haar schrift en vulde de zevende rechthoek van

DE BOODSCHAPPER

DE LEERMEESTER

DE BEDRIEGER

DE GEVANGENE

DE EKSTER

DE ZOEKER

DE METGEZEL

DE PRIJS

8

DE
SLEUTEL

mijn kaart in. 'U moet nu gaan, mijnheer Larsson. Mijn hoofd
staat vanavond niet naar spelen.'

Ik wankelde op de wenteltrap naar de straat, alsof de sidderin-
gen van de revolutie in Frankrijk zich een weg hadden gebaand
naar het hart van de Stad. Het was te laat om vanavond nog naar de
zachte troost van Carlotta terug te gaan, maar morgenmiddag zou
ik mijnheer Vingström om haar hand vragen. Een huwelijksverbin-
tenis leek opeens de veiligste haven.

Hoofdstuk twaalf

DE SLEUTEL

Bronnen: E.L., mevrouw M., A. Vingström

OM DRIE UUR sloeg ik de koffie af en stak het Grote Plein over op weg naar de wijnhandel van Vingström. Ik was er eindelijk klaar voor om mijn liefde voor Carlotta uit te spreken, maar toen ik er arriveerde, was de winkel gesloten en zaten de luiken voor de ramen, waardoor ik terneergeslagen, maar tegelijkertijd ook vreemd opgelucht was. Een dienstmeisje dat van de binnenplaats kwam, stond stil om de veter van haar laars te strikken en ik vroeg haar waarom de zaak zo vroeg gesloten was.

'De Vingströms zijn precies op dit moment hun dochter aan het uitzwaaien, mijnheer. Ze vaart af naar Finland.'

'Finland!' De stenen onder mijn voeten leken te verdwijnen en ik zocht steun bij het huis. 'Was er een luitenant bij hen?'

Het meisje wendde blozend haar gezicht af. 'Nee. Ik heb niets gezien of gehoord over een officier.'

'Waarom gaat ze dan weg? Komt ze weer terug?'

Het meisje staarde naar haar voeten. 'Blijkbaar moest juffrouw Vingström gestraft worden vanwege haar losbandige manier van leven, en moest ze worden verwijderd van de verleidingen van de Stad.' Ze maakte een reverence en rende weg voor ik kon reageren. Ik deed navraag bij de sigarenboer op de hoek, de slager en allerlei mensen op straat, maar ik werd niets wijzer. Ik ging ongelovig naar huis en lag tot bijna zeven uur op bed.

Toen ik die avond bij mevrouw Mus arriveerde, rook het boven nog lichtjes naar mannenreukwater, en er stond een glas dat halfvol zat met een heldere vloeistof op het bijzettafeltje. 'Is dat wodka?'

vroeg ik. 'Mag ik het opdrinken?'

'U bent er slecht aan toe,' zei ze.

'Ze is weg, mevrouw Mus.' Ik ging in een leunstoel zitten, rook aan het glas en zette het neer. Het was water.

'Wie is weg?'

'Carlotta! Verdwenen, zomaar.' Ik knipte met mijn vingers. 'En ik kom er maar niet achter waarom, behalve dan een of ander lasterlijk verhaal over losbandigheid. Ik verzeker u dat dat niet met mij was. Ik heb alleen een kus gekregen.' Mevrouw Mus klopte op mijn schouders en riep naar beneden om een fles, waarna we zwijgend bleven zitten tot Katarina met wodka en een glas aan kwam. Ik schonk drie vingers in en dronk. 'Ze is naar Finland gestuurd. Finland! En wat zeg ik nu tegen de Superieur? Dat hij moet wachten tot ik mijn achttal weer helemaal opnieuw heb uitgeplozen? Dan heeft hij voor morgenmiddag mijn mantel van mijn rug getrokken en mij achterstevoren de deur uit gezet! Dat octavo heeft geen zin meer.'

Mevrouw Mus stond op en liep naar de tafel, waar de legging van de avond ervoor nog lag. 'Ik

zag een gouden pad voor u en daar geloof ik nog steeds in. En houd in gedachten dat Carlotta misschien helemaal geen deel uitmaakt van uw achttal. Misschien was haar rol wel om u de Zoekersplek te wijzen en dan te vertrekken.' Daarop gromde ik alleen maar. Mevrouw Mus legde de zeven kaarten en de Zoeker terzijde en begon de rest van het pak te schudden. 'We mogen niet opgeven. Kijk naar de koning en de koningin van Frankrijk: zo dicht bij hun doel en dan... Maar ze gaan verder. Er

DE BOODSCHAPPER

DE LEERMEESTER

DE BEDRIEGER

DE GEVANGENE

DE EKSTER

DE ZOEKER

DE METGEZEL

DE PRIJS

DE SLEUTEL

worden al nieuwe plannen gemaakt. De jonge Von Fersen is stand-vastig en vermetel. Gustaaf zal hen niet laten lijden. We gaan ver-der.' Ik schonk mezelf nog een glas in en staarde naar het kleurloze drankje. 'Er is nog slechts één kaart te gaan. Kom.' Mevrouw Mus schudde langdurig en gaf me daarna bij elke ronde het pak om te couperen. Ik keek aandachtig toe: ze deelde uiterst netjes. We leg-den de kring van kaarten tot de sleutel arriveerde: Bekers negen.

'Weer Bekers. Dat is goed, hè?' gokte ik. 'Ik beschouw het als een goed teken.'

Mevrouw Mus zei niets, maar legde zorgvuldig mijn voltallige octavo op zijn plek, terwijl haar handen lichtjes trilden. Ze was vast net zo opgelucht als ik dat de legging eindelijk compleet was. Als laatste legde ze mijn kaart in het midden. Ze sloot haar ogen en we bleven een paar minuten stil zitten. De klokken van de Grote Kerk sloegen twaalf en ik hoorde Katarina's voetstappen en daarna de stem van de portier, waarna alles stil werd. Mevrouw Mus opende haar ogen en vouwde haar handen in haar schoot. 'Nu het octavo compleet is, zullen de acht verschijnen, want de kaarten hebben hen opgeroepen. Ze zullen op u afkomen als ijzervijlsel op een magneet. Vind hen en u kunt de uitkomst van uw belangrijke gebeurtenis veranderen.'

'Misschien brengen ze me wel naar Carlotta, of halen ze haar terug.' Ik bestudeerde dit rad van fortuin, dat gevuld was met vreemden en hoop. 'Maar hoe zal ik hen precies kennen?'

'Wees waakzaam en houd de hele tijd de kaarten in gedachten. U zult merken dat uw oog telkens weer op dezelfde persoon valt en dat uw oor aan hun naam gewend raakt. Ze zullen in uw dromen of dagdromen opduiken, en in gesprekken, in toevallige ontmoetingen die opmerkelijk regelmatig opnieuw plaatsvinden. Verbind hen met de aanwijzingen die de kaarten u gegeven hebben. En vraag mij om hulp.'

'We hebben de laatste kaart nog niet besproken, mevrouw Mus,' zei ik. 'Ik moet Bekers negen begrijpen als ik de Sleutel wil vinden.'

Ze keek naar me op met een oprechte, warme glimlach. 'U hebt gelijk wat de Bekers betreft: een uitstekende kleur in deze positie, aangezien er liefde is voorspeld. En daar is de lelie weer. Wederopstanding. Frankrijk.' Ze boog zich over de gelegde kaarten en liet haar vingertoppen op de tafelrand rusten. 'Kijk eens naar de positie van de negen bekers: de acht die om die ene heen staan, als een echo van het octavo zelf. Negen is het laatste enkelvoudige getal en daarmee is het het getal van de voltooiing, van vervulling en ook van universele invloed. Gunstig, zeg ik. Uitstekend voor u.' Ze raapte de overgebleven kaarten op, liet haar wijsvinger ritselend langs de randen glijden en liet met haar pink onbewust een kloof ontstaan. 'Net als de Metgezel heeft ook deze persoon cruciale banden met uw belangwekkende gebeurtenis.'

'Maar er staan geen mensen op deze kaart.' Ik boog me voorover en bekeek de kaart. 'Het is een vogel die zijn kop in de muil van een beest steekt,' zei ik, plotseling bang dat deze kaart symbool stond voor de ware huwelijkse staat.

Mevrouw Mus legde het spel kaarten op tafel en bedekte mijn handen met die van haarzelf. 'Dit is mijn kaart, mijnheer Larsson. Ik ben uw Sleutel.'

Hoofdstuk dertien

KUNST EN OORLOG

Bronnen: M.F.L., Louisa G.

'KOMT HIJ ALTIJD te laat?' vroeg De Uzanne wrevelig aan haar eigen weerspiegeling in de etalage. Tussen de laaghangende beukentakken door zag ze het zwarte silhouet van een koets, die als een enorme kever kwam aankruipen tegen de blauwe achtergrond van het Mälarenmeer. 'En waarom kan die idioot niet gewoon de boot nemen, net als iedereen?' Ze wist heel goed dat hij er niet aan moest denken dat zijn kleding nat werd of zijn kapsel verwaaide. En ze wist ook dat hij de gewoonte had om bij iedereen iets aan de late kant te komen, wat kwetsend zou zijn als ze niet zo'n bewondering zou hebben voor zijn verwaandheid. Meester Fredrik Lind was de eerste bezoeker die ze toeliet sinds Cassiopeia haar ontstolen was, of eigenlijk de eerste persoon hoger in rang dan een huisbediende die ze verkoos te ontvangen. Niet dat meester Fredrik een rang had; meester was een beleefdheidstitel die hij zichzelf verleend had. Maar ze zou die titel nooit ter discussie stellen. Zijn bekwaamheid als kalligraaf, zijn schat aan roddels en zijn onvoorwaardelijke loyaliteit aan zijn weldoenster waren ongeëvenaard.

De Uzanne sloot haar ogen en probeerde zich het gewicht van Cassiopeia in haar hand, het gladde ivoor van haar benen en de geur van jasmijn die opsteeg uit haar versozijde te herinneren. Nu hield ze een met edelstenen bezette cabrioletwaaier vast, die was gemaakt voor Catharina de Grote, maar niets kon haar favoriet vervangen. Ze had die Musvrouw geschreven om over een koop te onderhandelen. Er was geen antwoord gekomen. Ze schreef opnieuw en bood een ruil aan: een Belgische kanten rouwwaaier en een Engelse carnavalswaaier met een pierrotmasker op de voorzijde vormden een meer dan royale ruil.

Een week later arriveerde een summier briefje waarin werd gesteld dat Cassiopeia zich niet langer in het huis in de Minderbroederssteeg bevond. Of die vrouw loog, of ze had de waaier al verkocht; in beide gevallen zou Cassiopeia gevonden worden. Intussen meldde De Uzanne in een brief aan hertog Karel dat ze vermoedde dat er vals werd gespeeld in de speellokalen van zijn waarzegster, in de verwachting dat hij wel de galante heer zou willen spelen voor een dame in nood. Blijkbaar was haar band met de hertog nog niet hecht genoeg, want zijn scherpe repliek weerspiegelde zijn kortaangebondenheid:

Als Madame zich bezig wenst te houden met serieuze staatsaangelegenheden, moet ze zich niet laten afleiden door een bagatel die ze bij een kaartspelletje verloren heeft. En aangezien ze geen bewijs heeft voor een wandaad, is het uiterst onbehoorlijk om te verlangen dat de speelwinst wordt teruggegeven. Waarlijk enorme gokgeschillen worden in een duel uitgevochten, niet door koninklijke interventie.

Het enige goede aan deze tirade was dat de hertog als 'troost' een doorschijnende, met vogels beschilderde waaier uit Japan meezond; helaas werd haar woede alleen nog maar aangewakkerd door de vogels. Een tuinman zei dat ze de waaier in het meer smeet, waar hij hem later uit viste om hem voor een fiks bedrag te verkopen.

Voor De Uzanne vertegenwoordigde de diefstal van Cassiopeia alle tekortkomingen van het land: de opkomst van de lagere klassen, het afbrokkelen van de autoriteit, de zwakte van de machthebbers en het verdwijnen van de orde. Het terugvinden van Cassiopeia was de eerste stap om die tekortkomingen aan te pakken, een gedachte die niemand behalve Henrik ooit zou kunnen begrijpen. Maar als ze haar verlangen om Cassiopeia terug te krijgen nu eens verpakte in het rijke kostuum van hebzucht en wraak? Dan zou ze er met gemak voorstanders voor vinden.

De Uzanne hoorde de voordeur opengaan en de dienstmeid, Louisa, lachen. Toen weergalmde er een mooie baritonstem tegen de grijze paneelwanden van de hal:

Spanje en Portugal
Och, daar regeerde ik al
Ook de Engelse kroon was mij zeer toegewijd
Ik leer u een les
Een koningsprinses
Slaapt in mijn armen als iedere meid

De Uzanne trok een lelijk gezicht; ze verafschuwde de taveerneliedjes van die schunnige, halvegare royalist Bellman, maar het feit dat meester Fredrik op de hoogte was van het repertoire van het gewone volk, gaf hem toegang tot een standsniveau dat De Uzanne alleen van een afstandje had aanschouwd. Rioolpoëzie zat meester Fredrik in het bloed en dat kwam zo nu en dan goed van pas; hij kon venijnigheden opschrijven die op de meest vindingrijke manieren uitlekten. Een keer zette hij een onbeschaamde bankier de hoorns op door in de *Stockholmse Courant* een vreselijke ode te publiceren waarin hij de obscene escapades van diens vrouw portretteerde met gebruik van rijmwoorden als *pudendum/stupendum.* In een sonnet in *Nog nieuws?* werden de aambeien van een oudere minister bezongen.

Ze verruilde haar grimas voor een serene blik en ging meester Fredrik begroeten. Hij stond met een rood gezicht van het zingen en bezweet door de lange koetsrit te glimlachen om zijn eigen optreden. 'Er zijn hier geen prinsessen, mijnheer, alleen deze oudere matrone die uw vakkennis nodig heeft.' De Uzanne wachtte de hevige protesten af die op haar opmerking volgden en sprak toen verder. 'U zult de beproeving van de rit naar Gullenborg de komende maanden waarschijnlijk wel vaker moeten ondergaan.'

'*Enchanté*, Madame,' antwoordde hij en hij boog gracieus voor zo'n vlezige man. De eenvoudige snit van zijn kleding camoufleerde zijn voorkeur voor kostbare stoffen en uitmuntend maatwerk. Zijn bruine jas was van Italiaanse zijde en de naden waren afgezet met bijpassend gestreept rips. De knopen waren van uitgesneden zwart hoorn en het kant dat onder de manchetten uit piepte was Belgisch. Zijn zwarte schoenen waren onberispelijk gepoetst, zijn pruik was keurig gekapt en volmaakt gepoederd, en hij rook vaag naar eau de cologne met een topnoot van tabak. Meester Fredrik droeg in alle seizoenen handschoenen; hij beweerde dat hij dat deed om zijn werktuigen te beschermen, maar het was ook om zijn handen zacht en onbezoedeld te houden: de handen van een aristocraat. Alleen zijn vingertoppen verrieden zijn gewone status, want ondanks herhaaldelijke schrobbeurten zaten er vage inktvlekken op. 'Dan kan ik mijn honger naar uitmuntend gezelschap stillen. Ik heb de afgelopen maanden doorgebracht op het platteland in het hoge noorden en was daar gespeend van adequate voeding.'

De Uzanne ging hem voor naar een ruime salon, die leeg was, afgezien van een grijs-wit gestreepte canapé, een withouten stoel met gestoffeerde rugleuning en een zitstuk in bijpassende stof, en een ronde bijzettafel met daarop een koffiestel. Ze gebaarde dat hij op de stoel mocht plaatsnemen; zijzelf nam de canapé. Ze schonk twee kopjes in, bood er een aan meester Fredrik aan en begon de taken op te sommen die hij namens haar moest uitvoeren: ze had een groot aantal uitnodigingen en kaarten nodig voor het komende seizoen. De Uzanne heropende haar school voor jongedames en maakte deze nu ook toegankelijk buiten de aristocratie.

'Een gewaagd, modern uitgangspunt, Madame,' zei meester Fredrik, met een laagje bewondering om elke lettergreep.

'Vindt u?' vroeg ze. De stap maakte deel uit van haar grotere plan om meer jonge meisjes als een suikerpot te vullen met patriottenstandpunten, waarbij hun moeders instemmend zouden knikken, hun jongere broers en zussen hun voorbeeld zouden volgen en hun vaders en oudere broers erbij betrokken zouden raken. De aanhang die Gustaaf nog onder de burgerklasse had, kon worden weggevaagd door het gedrag van de vrouwen. En door les te geven, kon De Uzanne alle heren en officieren uitnodigen die ze maar wilde, zodat ze op de hoogte kon blijven van informatie over de regering en het leger. 'En ik overweeg een andere ontmoetingsplaats voor het debuut. Aan het hof kan het niet; ik heb gezworen daar nooit meer een voet over de drempel te zetten zolang de oude constitutie niet is hersteld.' Meester Fredrik knikte en zuchtte. 'Maar het debuut moet een koninklijk stempel hebben. Ik overweeg een gemaskerd bal in de Koninklijke Opera.'

Als kandidaat voor de adelstand kon meester Fredrik zijn teleurstelling over het mislopen van een presentatie aan het hof niet verhullen, maar toen drong het voordeel van een maskerade tot hem door. 'Een maskerade! Mijn favoriete gelegenheid! Burgers en koningen kunnen zich vrijelijk onder elkaar mengen.'

En een maskerade stond garant voor anonimiteit. 'Juist. De koning gaat er altijd naartoe en hertog Karel zal aanwezig zijn. Ze zullen ieder een belangwekkend gevolg meenemen, maar mijn jongedames zullen de balans laten doorslaan.'

'Welke kant op, Madame?' vroeg meester Fredrik.

'De kant van de terugkeer van de sociale orde,' antwoordde ze. 'En de "Vijfde Stand" – de vrouwen van mijn klasse – zal het voortouw nemen.' Meester Fredrik keek haar uitdrukkingsloos aan. Ze zette vraagtekens bij zijn ambitie om toe te treden tot de lage adel, als hij dit allereenvoudigste signaal niet eens oppikte. Het was duidelijk dat ze zelfs niet hoefde te zinspelen op het patriottische plan dat ze aan hertog Karel zou voorstellen. De Uzanne zuchtte en schonk hem haar verleidelijkste glimlach. 'U zult erbij zijn als een van mijn begeleiders. We zullen geweldige kostuums dragen, dat beloof ik.'

Meester Fredriks gezicht lichtte op. 'Men zal zich er wijd en zijd op verheugen, Madame, niet alleen de jongedames en hun moeders, maar ook de kleermakers, de coiffeurs, de handschoenmakers, de hoedenmakers en de parfumeurs in de Stad! En de heren zullen weken van tevoren in de rij staan!' Meester Fredrik zag zijn eigen handel ook al groeien, want de jongedames staken elkaar voorafgaand aan hun debuut altijd de loef af met theepartijtjes en feestjes, waarvoor de meest verfijnde en kostbare correspondentie vereist was. 'Waarmee kan ik u van dienst zijn?'

Dat was een stuk eenvoudiger uit te leggen. De Uzanne was heel precies in wat ze wilde: het papier, de kleur inkt, hoe de enveloppen gevouwen moesten worden, de was, de zegels en de exacte tijd en manier waarop ze bezorgd dienden te worden. Meester Fredrik was dol op zoveel aandacht voor detail en maakte overvloedig aantekeningen in een klein boekje dat hij in zijn zak had. Toen dit achter de rug was, stond meester Fredrik op en liep naar de muur met de glazen deuren, die opensloegen naar een beschaduwd terras dat uitkeek over een gazon dat glooiend tot aan het meer liep. 'Uw grootsheid wordt weerspiegeld door de omgeving, Madame. Er ontbreekt werkelijk niets in deze volmaaktheid.' De Uzanne zuchtte en zei dat dat weliswaar in vele opzichten waar was, maar dat ze nog drie onvervulde verlangens koesterde. 'Laat mij uw genius zijn en ze vervullen,' zei hij gretig.

De Uzanne sloot haar waaier en legde die op haar schoot. 'Vervul ze en u zult mijn dierbaarste vriend zijn.' Ze klopte op de zitplaats naast haar. Meester Fredrik nam plaats. 'Mijn eerste verzoek is rust. Ik heb al ruim een maand niet goed geslapen. Ik zou graag een discrete apothicaire hebben die een slaapmiddel kan maken, iemand die bekend is met... ongewone en krachtige ingrediënten,' zei ze.

'Dan is De Leeuw de apotheek bij uitstek. Uitstekende dienstverlening. Uiterst discreet. Een ruime keus aan zeldzame bestanddelen: ik heb er zelf laatst nog Egyptisch mummiepoeder gekocht.' Hij wachtte even en liet haar de naam van dit exotische, kostbare goedje proeven. 'Ik zal zo snel mogelijk met de apothicaire gaan praten. Uw tweede wens?'

'Ik wil een nieuwe gezelschapsdame, bij voorkeur iemand die niet bekend is met de verachtelijke manier van doen in de Stad.' De Uzanne liet haar waaier sneller wapperen. 'Juffrouw Carlotta was lieflijk vanbuiten, maar de verrotting die eronder schuilging was...'

'Was wat?' vroeg Meester Fredrik begerig, en hij ging op het puntje van de canapé zitten.

'Juffrouw Vingström vergezelde me naar een feest van niemand minder dan hertog Karel. Het was een weergaloze gelegenheid. Ik dacht dat ze daar wel dankbaar voor zou zijn, en haar ouders dachten dat ze veilig bij me was. Maar juffrouw Vingström haalde met een stel anderen een wrede grap met me uit tijdens het kaartspel, waarna ze er de hele maand juli steeds stiekem tussenuit piepte met een of andere dronken sater en haar avonden in onuitsprekelijke verdorvenheid doorbracht.'

Meester Fredrik boog zich voorover. 'U kunt het mij wel vertellen.'

De Uzanne tikte lichtjes zijn pols aan met haar waaier. 'Ik heb haar ouders geschreven met de suggestie dat ze er goed aan zouden doen om hun dochter onmiddellijk de Stad te laten verlaten. Natuurlijk beweerde het meisje huilend dat ze onschuldig was; of eigenlijk beweerde ze dat ík verantwoordelijk was.'

'Schaamteloos.' Meester Fredrik kauwde op een zoet biscuitje dat besmeerd was met jam.

'Gelukkig vond ik een betrekking voor haar in Åbo.' Meester Fredrik snoof in wrede verrukking toen ze de deerniswekkende Finse hoofdstad noemde. 'Dus. Ik heb een meisje nodig. Eentje die niet zo verleidelijk of vatbaar voor verleidingen is. Eentje die doet wat ik zeg en dankbaar is dat ik haar de kans geef.'

'Wie zou dat niet zijn? Ik zal onmiddellijk navraag doen,' zei hij. Er was geen betere manier om de schuldplichtigheid van rijke ouders te verkrijgen dan het bevorderen van de status van hun kinderen. 'En uw derde wens, Madame? Als ik een beetje verstand van sprookjes heb, vormt die altijd de grootste uitdaging.'

'Ja.' De Uzanne stond op van de canapé en liep naar de ramen en weer terug. 'U hebt wellicht gehoord over mijn afwezigheid in de Stad sinds midzomer. U bent de eerste bezoeker die ik heb ontvangen.'

'Een onverdiende eer, Madame. En wees ervan verzekerd dat uw afwezigheid is opgemerkt en betreurd,' zei meester Fredrik. 'Waar piekert u zo over, als ik vragen mag?'

De Uzanne hield haar waaier stil en zat zo roerloos dat zelfs een vlieg die om haar hoofd heen zoemde in de kromming van een krul ging zitten en zich rustig hield. Ze legde haar hand zachtjes op meester Fredriks dij. 'Ik ben het slachtoffer van een misdrijf geweest.' Meester Fredrik ademde hoorbaar in. De Uzanne beschreef Cassiopeia, de gebeurtenissen op het feest van hertog Karel, de weigering van die Musvrouw om te onderhandelen, en haar verlangen dat meester Fredrik zich namens haar in allerlei bochten zou wringen.

'Mag ik eerst een kleine troost bieden, Madame, in de vorm van een vervangend exemplaar? Het zou me een eer zijn.'

De Uzanne kneep in de nu gesloten waaier die ze vasthield. 'Er bestaat geen vervangster voor Cassiopeia.'

Meester Fredrik boog. 'En zo'n schat kan nooit lang verborgen blijven, Madame.' Hij trommelde met zijn vingers op de armleuning van de canapé. 'Waaiermaker Nordén in de Kokssteeg handelt in mooie waaiers en is een aannemelijke koper. Ik zal het hem vragen. Iedereen heeft een prijs. En een achilleshiel.'

'Is dat die Zweedse vakman? Ik betwijfelde of het de moeite waard was bij hem langs te gaan, omdat zijn werk waarschijnlijk niet kan tippen aan dat van de Fransen,' zei ze.

'Hij is Zweeds van geboorte, maar heeft een tien jaar lange opleiding genoten bij Tellier in Parijs. Nu is hij een vluchteling, en hij wil graag naam maken. Een paapse vrouw, helaas, maar ze hebben beiden uitstekende manieren en een aangenaam voorkomen. Er wordt gezegd dat hij een kunstenaar van het hoogste kaliber is.'

De Uzanne stond op en liep langzaam naar het raam. 'Misschien dat monsieur...'

'Nordén.'

'Monsieur Nordén zou me misschien een exemplaar kunnen aanbieden, een voorbeeld van zijn expertise,' zei ze.

'Dat wil hij ongetwijfeld, Madame, al is zijn financiële situatie tamelijk precair.'

Ze nam dit extra voordeel in overweging. 'Hij zou dat geschenk als een visitekaartje kunnen gebruiken, en als de kwaliteit voldoet en hij zo verfijnd is als u beweert, zullen we hem klandizie bieden. Mijn aanbeveling alleen al zou goed zijn voor een dozijn waaiers. Hij zou zelfs een interessante gast kunnen zijn bij mijn openingsvoordracht. Maar eerst: mijn Cassiopeia.'

'Daar zal ik voor zorgen.' Meester Fredrik pakte haar hand en drukte er een langdurige kus op. 'En wat gaat u doen als u Cassiopeia weer in handen hebt?'

'Dan wakker ik de wind der verandering aan, meester Fredrik,' zei ze met een glimlach. 'Sommigen zouden tegenwerpen dat een beetje stof en wat stokjes in de hand van een verwende dame niet zo'n staaltje werk teweeg zouden kunnen brengen, maar denk eens aan de invloed van een stuk perkament dat door Maarten Luther aan een deur is gespijkerd. Het kleinste gebaar kan mettertijd de wereld veranderen.'

'In uw handen wordt dat briesje een orkaan,' zei Fredrik. 'Maar ik hoop dat daar geen morele hervormingen van welk soort dan ook mee gepaard gaan.'

'Nooit, meester Fredrik.' De Uzanne glimlachte en leunde achterover op de grijs-wit gestreepte zijde van de canapé. 'Vertel eens, wat weet u over de huidige maîtresse van hertog Karel?'

Hoofdstuk veertien

EEN ONTLUIKENDE BLOEM

Bronnen: M.F.L., J. Bloem, mevrouw Lind, het Skelet, vader Berg, Louisa G.,
verscheidene personeelsleden van Gullenborg

EEN PAAR WEKEN nadat ik haar in Het Varken had ontmoet, stond Johanna aan het eind van een smal steegje dat uitkwam op het Koopmansplein. Ze had het adres lang geleden in haar geheugen geprent, maar zette toch haar valies neer en keek nog eens naar het versleten visitekaartje. Ze liet haar ogen langs de gebouwen gaan, die samensmolten in al hun gouden schakeringen. Toen ze jonger was, had haar vader haar een keer meegenomen naar Stockholm tijdens zijn jaarlijkse uitstapje om zeldzame medicijnen voor de apotheek te kopen. De meest onuitwisbare herinnering die Johanna aan dat reisje had, was de schitterend gekleurde kleding die de mensen in de Stad droegen, zo verleidelijk dat ze haar uiterste best moest doen om zichzelf ervan te weerhouden het luchtige, room-kleurige kant, het rokerige kastanjebruine fluweel en het framboos-kleurige satijn aan te raken, eraan te ruiken of er zelfs van te proe-ven. Dit banket van mode kende geen sociale grenzen: zelfs de verkopers van de snuisterijenkraampjes gingen gekleed in een re-genboog van zijde.

Als Johanna eindelijk haar weg vond, als ze zich zou vestigen als apothicaire, zou ze alles aan zichzelf veranderen: haar kleren zouden van mooie stoffen zijn, gedrenkt in kleuren en geuren. Ze zou ge-noeg eten om rondingen te krijgen. Ze zou spreken met het accent van iemand die in de Stad geboren en getogen was, haar Frans per-fectioneren, haar Latijn verbeteren en Engels leren.

Laat in het voorjaar was haar plaats in de apotheek plotseling ingenomen en was ze uitgehuwelijkt aan Jakob Stenhammar, een weduwnaar van bijna zevenenveertig die de enige molen in Gefle bezat. Hij had vijf kinderen onder de zeven, waaronder een zuigeling die mevrouw Stenhammar de dood had ingejaagd. Maar er werd gefluisterd dat Jakob Stenhammar met zijn harige rode knuisten aan haar verscheiden had bijgedragen. Mevrouw Grijs zag dit zielige gezin als de kans voor Johanna om Goed Werk in de Wereld te verrichten. Johanna had het gezien als het Eind van de Wereld. Ze bad om verlossing, om bevrijding, om een teken. En dat bezorgde God in de vorm van een man uit de Stad, meester Fredrik Lind genaamd.

Misschien dat er nog een of twee buitenstaanders van plan waren om op haar bruiloft te komen dansen, maar inmiddels wisten de meesten wel dat ze er met haar bruidsschat vandoor was gegaan. Johanna vervalste een reispas, want ze wist dat de meeste soldaten niet konden lezen, liep in vier dagen naar Uppsala en kocht een biljet voor een koetsrit naar de Stad. Ze was van plan ervoor te zorgen dat niemand haar zou vinden en de Stad was de perfecte plek om volledig te verdwijnen, want al zagen honderd mensen op elke willekeurige dag je gezicht, er was niemand die je werkelijk zag. Johanna snelde langs winkels waar porseleinwaar en stoffen werden verkocht; straatverkopers met eten, bezems, vogels, potten en pannen; een apotheek, waardoor er even een steek van heimwee door haar heen ging; minstens zes taveernes boordevol klanten; en een koffiehuis op de tweede verdieping, waarvan het geroezemoes van de gesprekken en de geur van gebrande bonen naar het plein eronder zweefde. Toen zag ze het: een huis van vijf verdiepingen met de kleur van guldenroede, ruim twee kamers breed. Nummer elf. Ze zette haar valies en apothekerskoffer neer, streek haar grijze cape glad en stopte een haarlok onder haar kap; futiele gebaren van netheid na een nacht in de Grote Kerk.

Een bleke man met een lang, somber gezicht deed open nadat ze had aangeklopt. Hij nam haar door de nauwelijks geopende deur van top tot teen op en zei bijna fluisterend: 'Bedienden achterom,' waarna hij de deur voor haar neus dichtsmeet. Ze liep haastig door een nauwe doorgang naar de achterkant van het gebouw. Dezelfde huisknecht stond op haar te wachten met een verveelde blik; hij kon niet weten van wie haar boodschap afkomstig was. Hij was zo mager dat de witte polsen die uit zijn mouwen staken net zo goed dunne, ivoren staven konden zijn. 'Wat kan ik voor de jongedame betekenen?' vroeg hij. Ze gaf zwijgend meester Fredriks kaartje aan deze spookverschijning. 'Juist. Maar mag ik vertellen wie er is?' vroeg hij.

Johanna maakte een ingestudeerde reverence. 'Apothicaire juffrouw Grijs.'

'Kom binnen en wacht hier, alstublieft.' Daarna draaide hij zich om en verdween door een lichtblauwe deur die vanzelf dicht leek te zwaaien, en Johanna bleef achter in een gang tussen twee open ruimtes die zo smetteloos en geordend als een apotheek waren, met grote, afgesloten kasten en planken vol potten, dozen en kruiken langs tegenoverliggende wanden. De donkerblauwe flessen waren keurig van een etiket voorzien: AZUUR, VERMILJOEN, OKER, CHROOMGROEN. De schat aan kleuren deed Johanna een ogenblik duizelen en ze leunde tegen de muur tot ze voetstappen in de hal hoorde. Johanna rechtte haar rug en wachtte tot ze de man kon begroeten die had beloofd haar te helpen.

'Juffrouw Grijs! Welke goddelijke macht heeft u hierheen gezonden?' riep meester Fredrik uit terwijl hij door de blauwe deur stormde. 'Ik word geplaagd door een gigantische hoofdpijn, mijn maag borrelt als een draaikolk en mijn handen beven zo dat ik niet eens een glas aan mijn mond kan zetten. Gisteravond was een hevig bacchanaal en het laatste restje van uw tonicum is allang op.'

Johanna keek hem even met open mond aan, maar opende toen vlug de apothicaire-reistas die ze van haar vader had gepakt en haalde er een fles van haar Onmatigheidstonicum uit. Meester Fredrik pakte een mes en sneed de was van de bovenkant af, trok de kurk eruit en dronk rechtstreeks uit de fles. 'Een wonder,' zei hij, met een glimlach die even snel afzwakte als het middaglicht in september. 'Zulke wonderen gaan vaak gepaard met lijden.' Hij keek haar met één oog dicht aan. 'U lijkt me niet zwanger. Of bent u dat wel?'

Johanna schudde hevig haar hoofd en haar wangen kleurden boos rood. 'Ik ben niet in verwachting. Ik kom hier voor zaken, niet voor liefdadigheid, meester Lind.'

'Lieve juffrouw, als een jong meisje dat ik nauwelijks ken in haar eentje bij me op de stoep staat met een tas vol bezittingen en mijn visitekaartje, begin ik toch te speculeren. Misschien kunt u me in het kort vertellen wat voor zaken u hierheen gebracht hebben, want mijn plicht roept.' Johanna vertelde hem maar niet dat ze was weggevlucht voor haar bruiloft in september, maar alleen dat ze hoopte er beter op te worden in de Stad, geïnspireerd door het bezoek dat meester Fredrik het afgelopen voorjaar aan haar vaders apotheek had gebracht.

Het was een frisse zaterdag in het begin van april geweest, even na het middaguur, en alle winkels waren aan het afsluiten voor die dag. Mevrouw Grijs was naar de kerk. Mijnheer Grijs had een dringende oproep gekregen voor het bezorgen van een digitalismengsel en was overhaast vertrokken. Johanna slaakte een zucht van opluchting toen ze de deur van de apotheek achter haar vader hoorde dichtslaan. Het was het gezegende tijdstip van haar wekelijkse bad. De ketel siste op het haardvuur en heet water vulde de grote, koperen teil die ze in de *officin* had klaargezet. Johanna liet zich dankbaar in het warme water zakken; haar armen en benen prikten nog van de brandnetels die ze die ochtend had geplukt. Ze sloot haar ogen en in de dampende vertroosting viel ze in een lichte slaap. Ze droomde dat ze een stem hoorde, een aangename bariton, die in de verte een vrolijk zomerliedje zong.

De heer stapte de duistere winkel binnen en het schunnige lied dat hij had gekweeld, verstomde. De apotheek was doortrokken van een geur van exotische specerijen die kalmte teweegbrachten, en de rijen laatjes en porseleinen potten op de walnoothouten planken achter de toonbank, elk met een opschrift waarop de Latijnse naam van hun inhoud vermeld stond, leidden hem een ogenblik af. Maar na een paar teugen van deze heerlijke lucht schraapte hij zijn keel een paar keer, en toen er niemand kwam, riep hij: 'Halloa!

Hier is een volgeling van Bacchus in netelige toestand!' Johanna schrok op uit haar drijvende dagdromerij en probeerde zo zachtjes mogelijk op te staan, maar het water plensde luidruchtig op de vloer. 'Wat is dat? De fontein der jeugd, misschien, in het geheim gebotteld?' riep de heer. Voordat Johanna iets kon terugroepen, stond hij al achter de toonbank, opende de deur naar de officin en zag haar in de tobbe staan met haar blauwwitte billen, die felrood waren geworden door de hitte van het bad.

'Mijn God! Een baviaan verrijst uit het bad! Heil, bavianengodin, want ik zie aan uw vorm dat u een vrouw bent.' Johanna trok het drijfnatte badlaken om zich heen, niet wetend of ze moest wegrennen, schreeuwen of weer gaan zitten. Slechts het gedrup van het water was te horen, totdat de heer nogmaals zijn keel schraapte en zei: 'Uw scharlaken achterwerk tegen het witte laken; een vlek van passievolle inkt, inderhaast door een minnaar gemorst op fraai linnen papier. Godin, u inspireert me tot een paar maten van Bellman.'

Een engelenblik, twee lippen, een borst
Zo gevaarlijk zichtbaar…

Hij boog en stond op. 'Maar ik ben hier niet gekomen om poëzie te zingen voor een druipende nimf. Ik ben gekomen om genezen te worden en zal bij de toonbank op u wachten.'

Daarop verdween hij door de deur, en terwijl Johanna zich haastig afdroogde, vroeg ze zich af wat een baviaan precies was en of dat betekende dat die heer haar aantrekkelijk vond. Ze kleedde zich aan en snelde naar de voorkamer.

'Meester Fredrik Lind uit de Stad,' zei hij. Het was een grote man van middelbare leeftijd, goed gekleed, met een zacht, vlekkerig gezicht waaruit sprak dat hij tijd in taveernes had doorgebracht. 'Vergeef me alstublieft de aard van onze eerste ontmoeting, maar de kerkklok sloeg het middaguur en wanhoop nam mijn zinnen in beslag. Mij is verteld dat ik hier het beroemde Overmatigheidstonicum van de Kroon-apotheek kon vinden,' zei hij.

Johanna maakte weer een reverence en pakte een van de doorzichtige glazen flessen die roodgoud op de vensterbank stonden te glimmen. Ze sneed de wassen sluiting van de bovenkant, trok de kurk eruit en schonk zorgvuldig een beetje in een porseleinen medicijnkopje. Hij dronk het leeg, huiverde en glimlachte. 'Verbijsterend. Ik voel me nu al beter.' Hij tuurde naar de rij flessen. 'Ik neem de fles, en nog een half dozijn extra. Voorbereiding is alles in het leven.'

Johanna voelde een gloed van plezier naar haar wangen stijgen en ging de flessen pakken. Terwijl ze de flacons in een houten kist deed en ze met stro verpakte, staarde meester Fredrik aandachtig naar haar vingertoppen. 'Lieve Heer, meisje, bent u daar ook al rood?'

Johanna klemde haar handen ineen en mompelde dat ze gevlekt waren door gedroogde meeldraden van veldlelies die ze had gemalen om pigment te maken.

'Ik ben de vooraanstaande kalligraaf van de Stad en sta bekend om de kleuren van mijn inkt. Als het karmozijnen pigment dat u maakt net zo goed is als uw rode tonicum, wil ik er graag wat van kopen.'

Johanna's handen trilden toen ze een fiool pakte die gebruikt werd voor medicinale poeders, die met pigment vulde, er een kurk in stopte en hem op de toonbank plaatste. Meester Fredrik zette de open fles tonicum die hij in zijn hand had neer en pakte een van haar handen. Hij vouwde haar opgekrulde vingers open en kuste eerbiedig de topjes. 'Dat Gefle zulke schatten herbergt zou geen mens in de Stad kunnen bevroeden. U moet komen! Een vrouw in een hippocratische rol zou revolutionair zijn, en de bevolking zou luidkeels om uw vakkundigheid schreeuwen.' Hij legde een crèmekleurig kaartje op de toonbank en drukte een bankbiljet in haar handen. 'Als u uw omstandigheden wilt verbeteren en naar Stockholm komt, staan mevrouw Lind en ik tot uw beschikking.' Hij maakte een buiging naar haar en verliet de winkel. Hij had zich ongetwijfeld vergist toen hij haar het veel te royale bankbiljet gaf, maar Johanna riep hem niet terug. Ze staarde naar het fortuin in haar hand en wist dat ze een teken had gekregen.

'Bent u net gearriveerd, juffrouw Grijs?' Johanna schrok op uit haar dagdroom door de stem van meester Fredrik.

'Ja,' antwoordde ze, want het klopte dat ze net was aangekomen in huize Lind. Ze zei niet dat ze al sinds juni in de Stad was en werk had gevonden in Het Varken. Ze bracht haar tijd door met het aanleren van het dialect en het bestuderen van de stadsmanieren, en ze had een deel van haar loon besteed aan een behoorlijke jurk van de markt met korenblauwe en roomkleurige strepen, en een nette kanten bonnet. Ze wilde er niet uitzien als een boerenmeisje als ze bij meester Fredrik aanklopte. Het werk in Het Varken was aanvankelijk eenvoudig geweest, maar algauw wilde de eigenaar dat ze meer opdiende dan alleen het eten. In het besef dat ze de ene gevangenis had opgegeven voor de andere, had ze een handvol doornappelzaadjes in zijn halfvolle vat rum gegooid en was naar meester Lind vertrokken. De zaadjes zouden niet tot de dood leiden, maar konden wel gezichtsverlies en paniek veroorzaken onder de klanten van Het Varken, waardoor het lokaal de weinige omzet die het had zou kwijtraken. Nu was het belangrijk om onderdak te vinden bij meester Fredrik. 'Ik ben op zoek naar een betrekking.'

Hij bestudeerde Johanna een ogenblik met zijn wijsvinger tegen zijn lippen gedrukt. 'Een jongedame, niet te verleidelijk of vatbaar voor verleidingen... Hebt u kennis van het Frans?'

'*Oui, Monsieur.* En ook een beetje van Latijn. Ik ben opgeleid in de plantkunde en het samenstellen van medicijnen. Ik zou graag als apothicaire willen werken, zoals u opperde.'

Zijn ogen gingen wijd open en er verscheen een sluw lachje om zijn mondhoeken. 'Het tijdstip van uw komst had niet gunstiger kunnen zijn, juffrouw Grijs.' Hij liep naar de hal en riep luid: 'Mevrouw Lind, mijn duifje, ontgrendel de speciale garderobekast. We hebben een jongedame die nieuwe kleding behoeft.'

Mevrouw Lind koerde en vertroetelde. 's Middags had Johanna koekjes en thee gekregen en was ze gewassen, gekleed en gekapt op een manier die een jongedame van stand, zo niet uit rijke kringen, niet zou misstaan. Meester Fredrik, die de dames voor deze transformatie alleen had gelaten, keerde terug in een nieuw stel kleren:

een gestreept jasje van donkerblauwe en groene zijde, een zwarte broek en een zwart vest, geborduurd met romig ivoorkleurige pioenen die over de voorkant en rond de zilveren knopen klommen. Hij deed één oog dicht en tuurde naar haar. 'Juffrouw Grijs... u kunt niet juffrouw Grijs zijn. Van nu af aan bent u juffrouw... Bloem, de dochter van een arme adellijke tak uit de noordelijke provincies, met recht een zeldzame bloem uit het Hoogland.' Hij pakte een hoed en een mantel van een haak en riep zijn skeletachtige huisknecht om Johanna's valiezen te pakken. 'Leg wat nadruk op uw noordelijke dialect, juffrouw Bloem. Wees onder de indruk van de pracht die we dadelijk te zien krijgen, zoals elk plattelandsmeisje zou zijn, zelfs als ze van uw stand was.'

'Gaan we weg?' vroeg Johanna, opeens niet op haar gemak. Ze had zich voorgesteld dat ze haar intrek zou nemen bij meester Fredrik en zijn vriendelijke vrouw.

'Wees gerust, juffrouw Bloem, de accommodatie van Madame zal u uitstekend bevallen. En het potentiële succes nog duizendmaal meer.' Hij duwde Johanna naar de achterkant van het huis, waar een sjees stond. Meester Fredrik sprong erin, waardoor het rijtuig schommelde onder zijn enorme omvang, en stak zijn hand uit om Johanna te helpen. Ze raakte zijn hand lichtjes aan en drukte zich toen tegen de verste hoek van de zitting aan. Het paard trok hen door de poort naar het Koopmansplein. Meester Fredrik liet de teugels knallen en begon te zingen.

Allengs verlaten wij dit oord
Van Bacchusfeesten en tumult,
Wanneer de Dood roept: Vriend, maak voort,
Je uurglas is gevuld!
Kom oudje, leg je kruk maar weg
En volg mij rustig en gedwee,
Jij jonge man, doe wat ik zeg
En neem je meisje mee.

'Is de muziek van Bellman bekend op het platteland?' vroeg hij.

Johanna schudde haar hoofd en hij minderde vaart. 'Nee? O, jongedame, als u de Stad wilt leren kennen, is hij de ware meester!' Met die woorden liet hij de zweep knallen en het paard schoot vooruit op de klanken van het volgende vers. Ze reden door het drukke stadscentrum, langs kerktorens en lanen vol mensen en vee, over een brug naar Koningseiland en langs een drukbereden weg langs het Mälarenmeer. Groene bossen en velden glooiden aan de ene zijde, van jong gras tot diepgroene naaldbomen. Aan de andere kant lag het glinsterend blauwe wateroppervlak van het meer, met hier en daar schuimkoppen en vogels. De lucht rook naar sparren en de zee, en Johanna voelde een aangename tinteling bij het ruiken van dit parfum, terwijl de wind haar kippenvel op haar armen bezorgde.

'Goed, juffrouw Bloem, waardoor hebt u Gefle precies verlaten?' zei meester Fredrik om de stilte te doorbreken.

Johanna keek naar haar handen en tilde toen haar hoofd op om meester Fredriks blik te beantwoorden. 'Ik ben hier gekomen voor de toekomst, mijnheer, en zou het verleden graag laten waar het is.'

Meester Fredrik bracht het rijtuig tot stilstand. 'We rijden op dit moment naar uw toekomst, en ook naar de mijne, als u de prijs bent die ik denk dat u bent: een bescheiden, maar talentvol meisje dat kan lezen, schrijven en medicijnen samenstellen... als u ook nog citer zou spelen en kon zingen, zou ik u voor mevrouw Lind en mezelf houden.' Johanna bloosde door dit compliment; ze was niet gewend aan loftuitingen. 'Onthoud alleen dat discretie een bewonderenswaardige eigenschap is, juffrouw Bloem. Laat mij uw verhaal vertellen en het pad naar het hart van de dame voor u effenen.' Meester Fredrik liet de teugels knallen en het rijtuig schoot vooruit. Na een laatste heuvel stonden er twee keurige rijen zwarte wilgenbomen met glinsterend groene bladeren die aan de linkerzijde een allee vormden, geflankeerd door koolzaadvelden. Gullenborg verscheen aan het eind van de weg. 'Aanschouw het schitterende huis dat lonkt,' zei meester Fredrik. Johanna maakte zich langer en boog zich voorover om het beter te kunnen zien. 'De verwelkomende gouden aanblik, de staalgrijze sierlijsten. En het grind: roze. Roze grind! Heel wat anders dan de modderkleuren van de toendra, hè, juffrouw Bloem?' Meester Fredrik reed een smal laantje in voordat ze bij het grote huis kwamen, en zette koers naar een wit gestuukte stal. 'We gaan zo naar Madame, maar eerst moeten we mijn zaken regelen,' zei hij, en met een flinke ruk liet hij het paard halt houden.

'Ik begreep dat u de meest vooraanstaande kalligraaf van de Stad was, mijnheer,' zei Johanna.

'Inderdaad. Maar Madame heeft mijn hulp gevraagd met het oog op een andere kwestie. Ze heeft een nieuwe waaier besteld, maar het schijnt dat de Parijse waaiermaker monsieur Nordén de materialen die in de Stad verkrijgbaar zijn inferieur vindt. Ik zal aantonen dat dat niet het geval is.' Meester Fredrik stapte uit het rijtuig en stak zijn hand uit naar Johanna. 'De dame wil per se kippenleer. Dat is een subliem oppervlak voor verf: licht, sterk en doorschijnend. Een enigszins bobbelige textuur, maar zo glad dat pen en penseel eroverheen bewegen alsof ze worden aangestuurd door God zelf. Behalve God zijn er trouwens slechts weinigen die het zich kunnen veroorloven,' voegde hij er met een knikje naar het huis aan toe. 'Hebt u ooit een waaier in uw bezit gehad?'

'Nee, mijnheer, daar had ik het geld niet voor,' zei Johanna.

'Daar kan gauw genoeg verandering in komen.' Meester Fredrik sloeg zijn mantel weer om zijn schouders, haalde een zilveren snuifdoos uit zijn zak, inhaleerde een flinke dosis en liep verder. Johanna verroerde zich niet. 'Kom, juffrouw Bloem, dit is geen waaierwinkel, maar de plek waar de waaier begint. Bent u niet nieuwsgierig?'

Johanna klom uit het rijtuig en vroeg of ze de kip zouden roosteren als ze hem gevild hadden; ze had al heel lang niet goed gegeten. Meester Fredrik lachte vrolijk en zwaaide met een overdreven buiging de staldeur open. Een stalknecht en een jongen begroetten meester Fredrik, terwijl ze steelse blikken op Johanna wierpen. 'Ik heb vandaag een slim meisje meegebracht voor Madame,' zei meester Fredrik.

'O, Madame zal uw uiterlijk wel waarderen, juffrouw. Zo plat als een plank, dus daar komen geen problemen van,' zei vader Berg. 'Jonge Per zal binnenkort naar het grote huis verhuizen; misschien passen jullie wel bij elkaar. Je zult verzorgd worden, jongen, in plaats van zelf te verzorgen.' Hij gaf Per een tik tegen de zijkant van zijn hoofd en kakelde. Johanna draaide haar hoofd om, alsof ze uit het raam keek.

Meester Fredrik wreef zich vol verwachting in zijn handen. 'Zo, vader Berg, zo, Jonge Per! Waar is die lieve Klaver?' De oudere man deed een stalhek open en ging naar binnen. 'Kom, juffrouw Bloem.' Johanna leunde op het halfhoge houten tussenschot om te kijken. Vader Berg knielde naast een zachtbruine koe met een hoogzwangere buik neer. Ze kauwde op hooi en staarde wezenloos naar een baal vlak bij haar. Jonge Per deed een muilband om de kop van de koe en bond die aan een ring in de vloer vast. Hij bond haar poten met leren riemen vast en gaf haar twee klopjes. Ze maakte een loeiend geluid, waarna er een zilveren flits uit de koeienbuik kwam en een stroom bloed het gele stro onder haar bevlekte. Johanna's knieen knikten. Ze greep de bovenkant van het tussenschot zo vlug beet dat ze er splinters van in haar handen kreeg. Meester Fredrik nam nog een snuifje uit de kleine zilveren doos.

'Nou, meester Fredrik, u heeft het geluk van de duivel,' kraaide vader Berg. 'Zo te zien is het een tweeling!' Hij trok twee kalfjes uit de samentrekkende baarmoeder en legde ze naast elkaar op een dikke laag stro. 'Geen zorgen, jongejuffrouw, de kalfjes krijgen een elegante toekomst, hè, meester Fredrik? Ik zal ze schoonmaken voordat u vertrekt, zodat u en de jongejuffrouw naar de huiden kunnen kijken.' Hij knipoogde naar Johanna, die zich nog steeds moest vasthouden om niet te vallen.

Meester Fredrik keek naar het wit weggetrokken, trillende meisje. 'U wist toch wel dat kippenleer slechts een uitdrukking was?' Johanna schudde van nee. 'Een handelsterm, liefje. Van een kip valt niet eens een waaier te maken die groot genoeg is voor een baby. Het zou ook geitjesleer kunnen zijn, maar De Uzanne houdt geen geiten; ze vindt de geur onaangenaam.' Hij wendde zich tot vader Berg. 'Een drankje voordat u ze vilt, mijnheer? En is Jonge Per al oud genoeg voor een slokje?' Als antwoord juichten ze opgewekt. Hij haalde een zilveren flacon uit zijn jaszak en gaf die aan de oudere man. 'Kom, juffrouw Bloem, we gaan eens informeren naar uw betrekking.' Meester Fredrik pakte zijn flacon weer terug en begeleidde haar door de deur naar de achterkant van het huis.

De meid begroette meester Fredrik bij de dienstingang en nam zijn hoed en zijn mantel aan. 'Hebt u vandaag geen lied voor me, meester Fredrik?' vroeg ze.

'Nee, Louisa, mijn keel is schor van alle serenades voor juffrouw Bloem,' zei hij met een knikje naar Johanna.

Louisa keek Johanna minachtend aan. 'Een ongewoon boeket,' zei ze snuivend.

'Vers geplukt in het Hoogland,' antwoordde hij. 'Zeg tegen Madame dat ik haar een zeldzaam exemplaar kom brengen.'

De meid verdween in de lange, grijze gang en meester Fredrik ging kreunend op een beklede stoel zitten. Johanna bleef met haar armen stijf langs haar zij staan en keek naar de gepoetste parketvloer en de overdaad aan glas. 'Zorg dat u niet op uw lip bijt,' zei meester Fredrik. 'Madame had ooit een dienstmeisje dat niet kon ophouden, dus genas ze haar noodgedwongen door een paar tanden te trekken.'

Louisa keerde terug en ging hen voor naar een zitkamer. Een muurschildering sierde drie wanden: een mooi uitgewerkt tafereel van smaragdgroene en gouden Chinese motieven, afgewisseld met vreemde vogels en bloemen. Madame zat in het midden aan een ebbenhouten schrijftafel en boog zich over een massief leren boek. Ze had evengoed de keizerin van een mythisch rijk geweest kunnen zijn, met haar juweelgroene jurk, haar volmaakte kapsel en de gracieuze houding waarmee ze zich naar de deur draaide. 'Meester Fredrik, wat hebt u voor me meegebracht?'

Hij haastte zich om haar uitgestrekte hand te pakken, maar De Uzanne hield haar blik op Johanna gericht. 'Een aardige jongedame om u gezelschap te houden, precies zoals u wenste.' Meester Fredrik maakte een buiging. 'Mag ik u voorstellen aan juffrouw Bloem.'

Johanna aarzelde een ogenblik en ging toen naar de schrijftafel om een reverence te maken, alsof ze dat dagelijks deed. De Uzanne stond op en liep om Johanna heen als een koper op een vee-markt, waarbij ze langzaam de inventaris opmaakte: de textuur en de kleur van het haar, de breedte van de schouders, de borsten, het bovenlijf, de heupen, de benen, de voeten en de handen. Ze pakte Johanna's bovenarm en kneep er zachtjes in, waarna ze Johanna recht aankeek. 'Uw huid is volmaakt, maar verder bent u verwaar-loosd, juffrouw Bloem. Ik vraag me af wie een raspaard zou uit-hongeren?'

'O, ze is van goede komaf, Madame: een geleerde, edele vader en een toegewijde moeder. Haar magere geraamte is veroorzaakt door afwijzing van de vleselijkheid, die deel uitmaakt van de religieuze overtuiging van haar moeder.'

'Waar komt u vandaan, juffrouw Bloem?'

Meester Fredrik antwoordde snel: 'Uit het noorden, Madame, een dorp met slechts...'

De Uzanne stak haar hand op. 'Ik wil de jongedame graag zelf horen spreken.'

'Ik kom inderdaad van het Hoogland, Madame,' antwoordde ze en ze paste haar accent aan zodat het noordelijker klonk. 'Mijn ouders hadden een financiële tegenslag, zoals vele adellijke families tegenwoordig. Behalve mijn naam heb ik weinig en dat betekent steeds minder.'

'Ik begrijp precies wat u bedoelt, juffrouw Bloem,' zei De Uzan-ne, die traag haar waaier opende en de lucht rondom het meisje bewoog.

'Vader en moeder zijn vaak wanhopig bezorgd om mijn toe-komst. Ze hoopten dat ik succes zou boeken door mijn diensten aan te bieden.'

'Kunt u lezen en schrijven?' De Uzanne ging dicht bij Johanna staan, waarbij haar parfum zich vermengde met de vage stalgeur die om Johanna's schoenen hing.

'Jazeker, Madame,' antwoordde Johanna. 'Zowel Zweeds als Frans. En mijn Latijn is beter dan dat van elke willekeurige jongen van mijn leeftijd.'

'Goed.' De Uzanne knikte, en de met citrien afgezette sierkam schitterde in haar haar. 'Hebt u het gebruik van de waaier bestudeerd?'

Johanna antwoordde naar waarheid, omdat ze niet kon voorwenden dat ze deze vaardigheid beheerste. 'Nee, Madame. Voor dat soort verfijndheden hadden we geen gelegenheid.'

'Het meisje is te bescheiden, Madame.' Meester Fredrik kwam naast Johanna staan. 'Ze is een vakkundige apothicaire. Ik ben zelf een van haar patiënten.'

'Dus u bent opgeleid in het maken van medicijnen en kuren?' vroeg De Uzanne, die nu met een warme glimlach haar hand onder Johanna's kin legde en in haar lichtblauwe ogen keek.

'Ja, Madame. Ik heb het van mijn vader geleerd, die een geleerd man is op het gebied van plantkunde en plantenmengsels. Ik heb een reiskoffer tot mijn beschikking.'

'Dat zou weleens handig kunnen zijn,' zei ze zacht, en ze bracht haar hand naar Johanna's wang en liet hem daar even rusten. 'Daar wil ik graag meer over horen.'

Johanna voelde de stijfheid van haar armen, de spanning in haar nek. 'Ik ken alle gebruikelijke plantenmiddeltjes, maar heb ook kennis van krachtiger mengsels: digitalis, valkruid, Florentijnse wolfskers, Perzische laudanum, en gemalen poeder van valeriaan en hop die de diepste slaap teweegbrengen. Ik kan ook koken,' voegde Johanna eraan toe, hoewel ze betwijfelde of Madame de dingen wilde eten die zij kon bereiden: schorsbrood, gezouten rendiervlees, flauwe gele erwtensoep.

'Nee, liefje; Kokkie waakt als een trol over mijn keuken. Ik heb andere plannen voor u,' zei De Uzanne zachtjes. 'U zult goed beloond worden, dat beloof ik.' Ze wendde zich tot een stralende meester Fredrik. 'Net als u.'

Johanna keek nog eens goed naar de jurk die haar mevrouw droeg: een gewaad van smaragdgroene, zijden damast met gestikte rimpels vol pareltjes van de hals tot de hoge taille, en geborduurd met wijnranken die langs de zijkant van de eenvoudige rok omlaag krulden en rond de zoom uitwaaierden. Aan het uiteinde van elke wijnrank zat een fantastische bloem die op het punt stond te ontluiken. Het was alsof de jurk de zaadjes van Johanna's toekomst bevatte, en ze maakte opnieuw een reverence voor De Uzanne, ditmaal met nog meer gevoel en gratie.

'Kijk eens aan,' mompelde meester Fredrik. 'Misschien had ik haar tóch voor mezelf moeten houden!'

Hoofdstuk vijftien

RANGEN EN STANDEN

Bronnen: E.L., M.F.L.

NATUURLIJK HAD IK de naam meester Fredrik Lind jarenlang gehoord, maar ik had nooit reden gehad om hem voor zaken of gezelschap op te zoeken. Ik maakte kennis met hem in de vrijmetselaarsloge. Met een onverwacht vertoon van menselijkheid kreeg de
Superieur medelijden met me vanwege het plotselinge verlies van
Carlotta. Hij opperde dat zijn loge de juiste plek zou zijn om contact te leggen met vaders die hun dochters graag wilden laten trouwen met een gelijkgestemde man. Dat gaf me uitstel tot ver in de
herfst.

De vrijmetselaars kwamen bijeen op het eiland Blasie, in het
Bååtska-paleis, een gigantisch huis met strakke lijnen en witte zuilen, en met een eenvoudige klok hoog op het koperen dak boven de
ingang, die me eraan herinnerde dat ik te laat was voor mijn allereerste bijeenkomst. Meester Fredrik, een vrijmetselaar die enkele
jaren ouder was, bevond zich in hetzelfde lastige parket. We haastten ons samen naar de bijeenkomst, waar hij me onder zijn hoede
nam.

Op een middag in het vroege najaar wandelden meester Fredrik
en ik na een vrijmetselaarsconclaaf naar de Stad. We bespraken de
douaneaccijnzen op de kleine geneugten des levens en waren beiden van mening dat die ons land kosteloos zouden moeten binnenkomen. Hij bleef staan en keek naar zijn spiegelbeeld in de etalage
van een bakkerij. In het juiste licht en op de juiste afstand zag meester Fredrik er zwierig uit. 'De inwoners van de noordelijke landen
zijn melancholiek van aard en hebben dringend behoefte aan vro-

lijkheid,' zei meester Fredrik. Hij bestudeerde zijn kapsel, dat te lijden had gehad van de stevige wind. 'En daarbij helpt het zachte briesje van kleine luxeartikelen.'

Ik vertelde over de recente inbeslagname en verbranding van verscheidene kratten vol Chinese waaiers, en meester Fredrik begon meteen over zijn hechte band met De Uzanne. Hij pakte mijn arm en leidde me door de Havenstraat naar de Koningstuin. 'Madame heeft een encyclopedische kennis van waaiers waarmee ze Diderot naar de kroon kan steken, en een weergaloze collectie, mijnheer Larsson,' zei meester Fredrik, die de kraag van zijn jas opzette tegen de wind. We kwamen bij het bovenste deel van het park, waar laantjes vol bomen de omlijsting vormden voor het koninklijk paleis aan de overkant van het water. 'Madame is een uiterst geraffineerd persoon. Haar jurken, haar meubels, haar gastvrijheid! De arbiter elegantiarum. U zou in Madame een verwante geest vinden, aangezien u zelf een man vol raffinement bent.'

'Ik ben in geen enkel opzicht verfijnd, meester Fredrik. U bent een vreselijke vleier.'

'Ik herken iets moois wanneer ik het zie,' hield hij vol. Meester Fredrik dempte zijn stem. 'Madame en ik zijn vertrouwelingen geworden. Ze doet een beroep op me om haar diepste verlangens te vervullen.'

Ik moest lachen, zo vurig was zijn overgave. 'Is dat een liefdesverklaring, meester Fredrik?'

'Een liefdesverklaring? Goeie God, nee. Hebt u soms lasterpraatjes gehoord, mijnheer Larsson, over mij en Madame?'

'In het geheel niet, meester Fredrik, hoewel niemand zou weerspreken dat u aantrekkelijk bent,' voegde ik eraan toe.

'Madame wil de helpende hand bieden in vriendschap en hulp. Als de tijd rijp is, zal ze me aan het hof voordragen. Ik zal een titel krijgen.'

'Een titel? Is dat alles wat ze u geeft?'

Ditmaal lachte hij en barstte los in een variant op een lied van Bellman, waarbij hij de waldhoorngedeelten luid toeterde.

Toet toet toet toe – Daar zwiert Uzanne onverschrokken
Hoog haar hemelsblauwe rokken;
Geritsel overal.
Ha! Ik zie haar boezem zwellen,
Zie haar rode voetjes snellen;
Toet toet toet toe – Pas op je tellen.
Daar is Uzanne, wees paraat
Toet toet toet toe – Maar blaas wel in de maat.

Ik veinsde een geschokte blik, maar viel in bij het refrein. 'U kent deze muziek goed,' zei hij met oprechte bewondering.

'Ik zou Bellman ook een meester noemen,' vertelde ik hem ernstig.

Meester Fredrik sloeg op mijn rug. 'We zijn hard op weg om vrienden te worden, mijnheer Larsson.'

We liepen zwijgend over het grindpad naar de haven, waar de laagstaande avondzon de stammen van de dwergwilgen een gouden gloed gaf. Het koninklijk paleis stond aan de noordoostkant van de Stad: een donkere massa tegen de nog donkerder lucht erachter. Ik voelde de regen striemen in de wind.

'Het lijkt erop dat we een aantal dingen gemeen hebben, mijnheer Larsson. Mag ik u trakteren op een versnapering? Een vroeg souper, wellicht?'

Ik moest over minder dan een uur op de werf zijn, dus dineren was geen optie. Maar ik dronk meestal zoete, sterke koffie voor ik aan mijn nachtronde begon, dus stelde ik voor dat we naar De Wandelaar gingen, een café op de tweede verdieping in de Kleinwaterstraat. We liepen achter de geur van gebrande bonen aan de smalle trap op en vonden een tafeltje bij het raam, waar de frisse lucht naar binnen stroomde. Het was er fel verlicht en vol heren die ofwel aan het ontnuchteren waren, ofwel op weg waren om zich te gaan misdragen, waardoor de sfeer feestelijk was. We bestelden, en meester Fredrik begon weer over zijn blijkbaar favoriete onderwerp. 'Madame Uzanne heeft ongekende talenten en moet zeker niet onderschat worden. U kunt het voelen; als u tenminste bereid bent te aanvaarden dat een zo grote persoonlijke aantrekkingskracht bestaat. Persoonlijk heb ik nooit geaccepteerd dat we uitsluitend geregeerd worden door de ratio: integendeel, de rede lijkt als een kledingstuk over ons heen te liggen, alsof we het naar believen kunnen aandoen en uittrekken, afhankelijk van het tijdstip.'

'U bent een welbespraakt filosoof,' zei ik, en ik roerde drie suikerklontjes door mijn koffie.

Hij wuifde mijn opmerking weg. 'Wie is hier nu de vleier? Nee, mijnheer Larsson, Madame is de verlichte filosofe en u móét haar ontmoeten. Ze zou ongetwijfeld verrukt zijn om iemand te leren kennen die de paden bewandelt waarlangs haar schoonheden de Stad binnenkomen.' Nu begreep ik het doel van zijn edelmoedigheid. Ik vermeed dit soort belangenverstrengeling altijd en dat zei ik ook, maar meester Fredrik was vasthoudend. 'De meest begeerlijke jongedames van de Stad komen in haar salon bijeen. Misschien kunt u de toegang tot de ene soort schoonheid ruilen voor die tot een andere,' opperde hij.

De naam van De Uzanne was bij me opgekomen als de maan, soms vol en prominent aanwezig en soms slechts een sikkel, verborgen in de wolken van een gesprek. Misschien was De Uzanne, zoals mevrouw Mus dacht, wel mijn Metgezel: een bruikbare schakel in de zoektocht naar mijn achttal. Misschien zou ik zo ook meer te weten komen over Carlotta's toestand, of kon ik haar zaak zelf bepleiten.

'Madame organiseert een nieuw lesseizoen en heeft haar leerlingenbestand uitgebreid zodat nu ook de fine fleur van de lagere adel kan deelnemen.' Hij keek me recht aan. 'Rijkdom, mijnheer Larsson. Het is balsem voor de gewone man.' Hij nam een grote slok koffie. 'Ik ben nu begonnen aan de uitnodigingen: roomkleurig geschept papier uit Praag, besprenkeld met lila bloemblaadjes, de randen in bladgoud gedoopt, uitmuntende groene inkt. Ik zal ervoor zorgen dat u er een ontvangt. Gratis, uiteraard.' Hij keek me aan en wachtte op een opmerking. 'Extra uitnodigingen maken is de rigueur voor elke opdracht; een gastvrouw komt er vaak achter dat ze een belangrijke gast is vergeten, of ze wil bij iemand in de gunst komen. Ik blijf met een overschot zitten en daar is veel vraag naar.

'Dat lijkt me een heel slimme zet,' gaf ik toe.

Meester Fredrik haalde zijn schouders op. 'U zou versteld zijn van de aanvragen die ik krijg. Het begon allemaal met welgeplaatste giften en gunsten, en ik merkte dat dankbaarheid meestal werd uitgedrukt in contanten. Mevrouw Lind is verrukt over de regeling; ze heeft opsmuk nodig. En de jongens ook. Hun uniformen kosten elk een maandsalaris. Ik beperk de regeling zorgvuldig en zoek de juiste gasten bij het evenement.'

'Ik ben vereerd dat u aan me denkt,' zei ik.

'Er bestaat een pijnloze manier om iets terug te doen.' Ik wachtte, terwijl meester Fredrik een slok koffie nam. 'Hebt u weleens gehoord van de Minderbroederssteeg?' Ik bewoog mijn hoofd zowel in een nee- als een ja-beweging. 'Er was daar een midzomerfeest in de goklokalen van ene mevrouw... Raaf? Merel?'

'Ik heb weleens iets over die lokalen gehoord, ja,' zei ik. 'Heel exclusief.'

Meester Fredrik boog zich over de tafel. 'Het feest werd gegeven door hertog Karel. Hij is een zoeker, mijnheer Larsson, en een zeer goede vriend van Madame.' Hij knipoogde alsof hij er zelf bij was geweest.

'Onvoorstelbaar... Uitgenodigd te worden voor zo'n gebeurtenis,' zei ik.

'Ik vertel het u niet om uw afgunst te wekken, maar eerder om aan te geven welke kansen er liggen. Madame gelooft dat haar vouwwaaier haar tijdens deze unieke gelegenheid is ontfutseld tijdens een verhit kaartspel en ze wil haar schat dolgraag terug. Dat is een zaak die u kunt oplossen.'

'Ik ben douaneofficier, geen politieagent.'

'Als ik u de kans zou geven Madame te ontmoeten en haar van dienst te zijn, zou u geïnspireerd raken om haar waaier op elke mogelijke manier terug te krijgen. En dat zou dan tot ons wederzijds voordeel zijn.'

Voor hij verder nog iets kon zeggen, ontstond er een opstootje aan de andere kant van het vertrek en het porselein viel op de houten vloer aan gruzelementen. 'Ik ben meer gewend aan mensen van lager allooi, meester Fredrik. Ik betwijfel of ik in dat gezelschap op mijn plaats zou zijn.'

'Er zijn altijd rangen en standen boven ons. We moeten onszelf opwerken,' zei hij, terwijl hij zijn kastanjebruine, geitenleren handschoenen aantrok. 'Maar samenwerking is essentieel. Om het maar eens volks te zeggen: als u me een duwtje geeft, trek ik u verder. Op die manier wordt er fortuin gemaakt.' Hij stak zijn hand uit, die ik schudde. 'Ik kan u nog een hoop leren over dat onderwerp, want ik ben hoger geklommen dan iedereen gedacht had.'

'Ik zou ongetwijfeld baat hebben bij uw instructies,' zei ik en opeens verscheen het beeld van Boeken Acht voor mijn geestesoog: een man en een vrouw die samen muziek bestudeerden, misschien wel hij en De Uzanne die de *Epistels* van Bellman bekeken. En Boeken was de kleur van het streven; meester Fredrik was duidelijk kampioen in het beklimmen van de sociale ladder. Bovendien kon hij net zo kletsen als de papegaai in de takken boven de man en de vrouw. Ik was er zeker van dat ik de Leermeester van mijn octavo had gevonden.

Hoofdstuk zestien

DE BOODSCHAP VAN MEVROUW MUS

Bronnen: E.L., mevrouw M., Katarina E.

IN NOVEMBER VIERDE ik Sint-Maarten met een wild avondje kaarten, dat eindigde met mijn dronken eis om een consult in de bovenvertrekken. Het octavo werd weer urgent, want de Superieur werd ongeduldig vanwege mijn gebrek aan progressie. Ik had een heleboel vragen voor mijn Sleutel. Mevrouw Mus leidde me om een uur of twee bereidwillig naar boven en het volgende wat ik wist, was dat ze me wekte uit mijn slaap. De gordijnen waren opengetrokken en het raam stond open om de frisse wind en de kraakheldere najaarslucht binnen te laten. Ik huiverde onder de deken die 's nachts over me heen was gelegd en was dankbaar voor de dampende kop die ze me aanbood. De geur van sterke koffie maakte me goed wakker en ik bestudeerde de kamer op de bovenverdieping waar ik de nacht had doorgebracht. Tijdens al mijn vorige bezoekjes was hier voor de klanten eeuwige schemering gecreëerd. In het scherpe daglicht was er geen ontkomen aan: de brede vloerplanken hadden een schuurbeurt nodig en moesten in de was worden gezet, de ivoren wanden waren beschadigd en verschoten, gemarkeerd door de geesten van afwezige schilderijlijsten. De blauwe gordijnen, ooit luxueus, waren bij de roede versleten en de gestoffeerde stoelen hadden glanzende kale plekken op de armleuningen. De keramieken kachel was het enige voorwerp in de kamer dat de tand des tijds had doorstaan. Die was prachtig mosgroen met gouden randjes en een bronzen deur. De tegels hielden de warmte van de kooltjes van de vorige avond nog vast, en ik zette mijn stoel ernaast. 'Hoe laat is het?' vroeg ik.

'Tijd om te ontbijten, en ik heb honger. Neem uw koffie mee, dan gaan we naar beneden. Ik eet nooit boven en ik moet u iets laten zien,' zei mevrouw Mus. We gingen het verlaten speelvertrek in, dat werd verlicht door een kroonluchter met daarin de stompjes kaars van gisteravond. De kachels waren koud en de vloeren niet geveegd, want het was zaterdag dus zou er vanavond niet gekaart worden; mensen gingen niet uit, omdat ze wisten dat ze de volgende ochtend op hun best moesten zijn om naar de kerk te gaan. Op één tafel lagen een gouden pince-nez en een eenzame gele handschoen, op een andere een damessandaal. Ik was niet de enige die hoofdpijn had, te oordelen naar het aantal lege wijn- en champagneflessen om me heen. We gingen aan de enige schone tafel zitten, die gedekt was met een witlinnen tafellaken waarop het ontbijt was uitgestald: een schaal appels, hard brood, een bord met kaas, een aardewerken pot met haring en ui, zachte tarwebolletjes, boter en jam. Mevrouw Mus gaf Katarina een knikje ten teken dat ze kon gaan en dat ze de deur dicht moest doen. Slechts een paar straaltjes zonlicht sijpelden tussen de kieren van de gordijnen door.

'Katarina vindt het heerlijk om op te ruimen na dit soort wilde soirees; dan vindt ze veel meer gevonden voorwerpen. Die verkoopt ze in een kraampje op het IJzeren Plein en dat loopt heel goed,' zei mevrouw Mus. 'Ze spaart voor haar bruiloft, weet u, met de portier.' Ik kromp ineen bij het woord 'bruiloft' en ze klopte op mijn hand. 'Geduld, mijnheer Larsson. Geduld en waakzaamheid.' Ze vulde onze kopjes opnieuw met koffie en nam toen een slokje alsof het de beste cognac was. Er verstreken enkele minuten en eindelijk zette ze haar kopje neer. 'Ik heb mijn octavo ontcijferd. Ik wil het met u delen.'

Ze stak haar hand in haar rokzak en haalde het spel Duitse kaarten eruit, die ze in het nu vertrouwde patroon tussen de borden en de kopjes legde. Gealarmeerd zag ik kaarten die me bekend voorkwamen, zoals de Onder-Schildknaap van de Boeken, mijn eigen Zoeker. 'Wie zijn dat?' vroeg ik.

'Ik heb ze nog niet alle acht achterhaald. Ik ben er de afgelopen week mee aan het puzzelen geslagen en heb gewacht op tekens en

DE BOODSCHAPPER

DE LEERMEESTER

DE BEDRIEGER

DE GEVANGENE

DE EKSTER

DE ZOEKER

DE METGEZEL

DE PRIJS

DE SLEUTEL

bevestiging. Eén ding is zeker: ik word omringd door macht.'

Ik lachte opgelucht en smeerde een dikke laag aardbeienjam op een broodje. 'Dan val ik af, mevrouw Mus, want dan kan ik die schildknaap met die rode mantel niet zijn.'

'Integendeel, u bent het wel,' reageerde ze en ze keek abrupt op. 'Waarom denkt u anders dat ik dit zou vertellen?'

'U zei dat u omringd was door edelen. Ik ben een gewone man,' protesteerde ik.

'Ik zei macht, mijnheer Larsson, niet edelen. Dat eerste interesseert me.' Ze richtte haar aandacht weer op het octavo. 'Hier is mijn Metgezel, de Koning van de Boeken. De edelste koning in het spel, een geleerde, verfijnde man. Een machtig man die ten volle bij alles betrokken is: streven is zijn aard. Hij is ook een strijder; ziet u de helm onder zijn kroon? En hij draagt een scepter met een fleur-de-lis erop; zonder twijfel een verband met Frankrijk.' Ze raakte de kaart zachtjes aan. 'Er zijn vele mannen die aan die beschrijving voldoen en in een andere tijd, in een ander octavo, zou ik verder kijken dan de voor de hand liggende keuze. Maar ditmaal is hij het: de man met wie ik al die jaren bevriend ben geweest.'

'Koning Gustaaf?' vroeg ik, heel goed wetend dat ze niemand anders zou zien.

'En naast hem de Koning van de Wijnkruiken. Hertog Karel.'

'Hertog Karel is geen koning,' zei ik en ik nam een hap van mijn broodje.

'Maar dat wil hij heel graag worden. Hij heeft vele malen een beroep op me gedaan sinds midzomer.'

'Het verbaast me dat u hem weer binnenlaat, gezien zijn verradersmentaliteit.'

'Hertog Karel is de broer van de koning en de militaire gouverneur van Stockholm,' antwoordde ze. 'En trouwens, hij betaalt me royaal om hem telkens weer het verhaal van de twee kronen te vertellen; als een verwend kind dat voor het slapengaan steeds weer zijn lievelingsverhaaltje wil horen.'

'Hebt u een octavo voor Karel gelegd? U had een visioen voor hem.'

'Ik heb het hem gevraagd. Eenmaal. Hij heeft er het geduld niet voor.' Ze tikte met haar wijsvinger op het gezicht van de Koning van de Wijnkruiken. 'In mijn octavo is hertog Karel de Gevangene en ik ben van plan hem vast te laten zitten. Ik heb hem gewaarschuwd Gustaaf geen schade te berokkenen omdat anders zijn kronen zullen verdwijnen.' Ik keek haar vragend aan. 'Elke goede waarzegster sjoemelt weleens,' zei ze.

'En hoe zit het met de Koningin van de Wijnkruiken? Precies dezelfde kaart als mijn Metgezel.' Ik wachtte tot ze de naam zou noemen, maar dat deed ze niet. 'De Uzanne.'

'De Uzanne in de rol van mijn Leermeester? Nee. Er is niets wat ik van haar wil leren. Er zitten tweeënvijftig kaarten in het spel en er wonen tienduizenden mensen in de Stad. We hebben slechts een speelkaart gemeen. Maar ik ben blij dat u haar eindelijk in uw eigen octavo heeft geplaatst, mijnheer Larsson. Ze zal u van pas komen in uw zoektocht naar liefde, dat weet ik zeker.' Mevrouw Mus pakte een appel en begon die met een mes te schillen. 'De Koningin van de Wijnkruiken hier, mijn Leermeester, is de vrouw van hertog Karel, de Kleine Hertogin. Een slimme vrouw, verraderlijk genoeg en dicht bij de troon: die twee staan tegenover mijn koning. Kijk, ze ligt naast hertog Karel in deze legging, hoewel dat, naar ik hoor, in werkelijkheid zelden het geval is.' Ze zag mijn opgetrokken wenkbrauwen. 'De kaarten bevestigen vele zaken, zelfs de schandelijke. Ziet u hoe hertog Karel zijn blik afwendt?' Ze sneed een stuk appel af en stopte het in haar mond.

'En de Boodschapper? Werkelijk, mevrouw Mus, ik zie echt niet hoe ik hierin zou passen. Als het letterlijk gaat om brieven en pakjes in de Stad rondbrengen, tja, dan kan iedereen…'

'Niet voor de gebeurtenis waar mijn octavo toe leidt.' Ze legde haar hand op de mijne en de haartjes op mijn arm gingen overeind staan. 'Mijn Boodschapper moet ongemerkt kunnen komen en gaan in hoge en lage kringen. Hij moet vaardigheden bezitten op het gebied van observatie, conversatie en discretie; zo iemand die kan opgaan in de menigte, met kleren die mooi van snit zijn, maar niet opzichtig. Het moet een man zijn die zich kan inhouden met drinken en die beleefd, maar oppervlakkig met vrijwel iedereen kan converseren, zoals ik u heb zien doen aan de tafels. U kunt liegen en weet wanneer iemand tegen u liegt. Uw kantoor geeft u toegang tot allerlei zaken, en uw sekse geeft u toegang tot de rest. Kortom, u bent volmaakt.'

Ik kon er niets aan doen, maar ik bloosde vanwege haar complimenten. 'En uw Bedrieger dan, de Boven-Schildknaap van de Bekers. Die heb ik ook in mijn achttal, maar dan als de Prijs.'

'Wie is uw Prijs, mijnheer Larsson?' vroeg ze. Ik gaf toe dat ik dat nu niet wist, maar dat ik een rijke logebroeder met een knappe dochter waarschijnlijk achtte. Ze hield haar hoofd scheef en bestudeerde de kaarten. 'Mijn Bedrieger is niet iemand met wie u heel veel contact zult hebben gehad, al is het wel mogelijk dat u, als mijn

Boodschapper, hem tegen het lijf loopt. We hebben samen al hoogst bevredigende zaken gedaan. Waaiermaker Nordén.'

'Ik ken die naam... hij is een nieuwkomer in onze vrijmetse-laarsloge, op uitnodiging van meester Fredrik,' zei ik.

'Nordén bestudeert mysteries en is een royalist in hart en nieren. We zijn in meer dan één opzicht gelijkgestemde zielen.' Ze volgde de achthoek verder en beweerde dat haar Ekster waarschijnlijk mevrouw Von Hälsen was. 'Ze is een schat aan informatie geweest sinds ik haar waaier Eva bij haar heb teruggebracht. Ik kan haar maar niet stil krijgen.'

'Wie is de Koning van de Bekers, uw Prijs?' vroeg ik. 'En uw Sleutel?'

'Ik heb wel een idee, maar ik heb mijn Metgezel nodig om de laatste twee kaarten te bevestigen. Ik wacht tot Gustaaf langskomt. Of op zijn minst mijn brieven beantwoordt. Hij heeft... het druk.' Ze at het laatste stuk appel op, met klokhuis en al, en veegde haar handen af aan een linnen servet. 'Wat mijn Prijs betreft: de aanwijzingen van Bekers zijn liefde, genegenheid, gratie, raffinement. Kijk eens naar de geraffineerde buitenlandse kleding. Dit is Frankrijk, nietwaar? Er bevinden zich vier Bekers in de legging en die hebben allemaal banden met Frankrijk. Nordén is teruggekeerd uit Frankrijk, mevrouw Von Hälsens tragische liefde begon in Bretagne en ik ben geboren in Reims. In de kathedraal van Reims worden de koningen van Frankrijk gekroond. Ik ging tot mijn negende elke zondag naar de kathedraal. Op de vloer van die kerk ligt een labyrint in de vorm van een achthoek.'

'Dus de Koning van de Bekers is... de Franse ambassadeur?' vroeg ik.

'Nee. Ik geloof dat het de Franse koning is.' Ze zag de twijfel op mijn gezicht, pakte haar Sleutel, de Schildknaap van de Stempelkussens, en hield die voor mijn neus. 'De legging dient als geheel te worden gelezen. Kijk naar de Sleutel. Hier ligt een Schildknaap tussen twee Koningen, één hand op zijn musket, de ander op het punt om zijn zwaard te trekken. Op de hand van beiden, dapper, bereid tot opoffering. Hij draagt een rijk kostuum, een man met middelen. Dit is natuurlijk graaf Axel van Fersen; herinnert u zich het visioen?'

'Maar de ontsnapping is mislukt, mevrouw Mus.'

'De eerste poging is mislukt. Maar Gustaaf is voornemens de Franse koning te redden, want hij weet niet alleen dat de monarchie heilig is, maar ook dat Frankrijk en Zweden al tweeënhalve eeuw bondgenoten zijn. De zon en de Poolster zijn verbonden met heilige banden die nooit verbroken kunnen worden.' Ze legde haar vingertoppen tegen elkaar en glimlachte. 'Nog vooruitgang met uw achttal?'

Ik begon met het nieuws dat De Uzanne degene was die Carlotta had weggestuurd. 'Is dat geen connectie met mijn Metgezel?' vroeg ik.

'Jazeker. En een machtige ook. Misschien heeft De Uzanne iemand anders voor u.'

'Ik heb de hoop nog niet helemaal opgegeven,' hield ik vol, hoewel ik gehoord had dat Carlotta op een fraai landgoed in Finland terecht was gekomen en al een heer aan de haak had geslagen.

'Dat moet u ook niet doen,' zei ze, 'tot u hoop hebt op iets beters. Goed. Verder?' Ik beschreef de niet-aflatende druk die de Superieur uitoefende, zijn aandringen om me bij de vrijmetselaars aan te sluiten om hun dochters binnen te slepen, mijn pas verworven band met meester Fredrik, en de uitnodiging voor De Uzannes lessen.

'Uitstekend! U moet erheen gaan en aandacht besteden aan alle mensen met wie De Uzanne omgaat. Uw acht zullen naar haar toe worden getrokken, zoals mijn acht naar Gustaaf toe worden getrokken.'

'Nog één ding over meester Fredrik,' zei ik. 'Hij vroeg of ik De Uzannes waaier wilde zoeken. Hij stelde voor dat ik in de Minderbroederssteeg zou beginnen. Bij u.'

'O, ja?' Mevrouw Mus zette haar kopje met een klap neer. 'Misschien moeten we onze strategie aanpassen.'

'Ónze strategie? Moet ik echt verwikkeld raken in dit soort zaken?' vroeg ik. Ze stond op en verliet de kamer, om terug te keren met een draagbare schrijfkoffer. 'Wat is er met De Uzannes waaier gebeurd?' vroeg ik.

Ze schreef twee briefjes, blies de inkt droog en vouwde het ene briefje in het andere. 'Cassiopeia is niet hier, zoveel kan ik zeggen. Maar nu moet u een boodschap voor me bezorgen, Boodschapper,' zei ze, waarna ze opstond, en haar stem klonk opeens hoog en snel. 'De winkel van Nordén bevindt zich in de Kokssteeg, vlak over de Oude Noordbrug en in de buurt van de Opera; het is er zo Frans dat u het parfum twee straten verderop al kunt ruiken. Maandag-ochtend moet u deze brief naar mijnheer Nordén brengen.' Ze pakte een onverzegelde envelop die op een stoel naast haar had lig-gen wachten. Daar haalde ze een brief uit, versnipperde die, en verving hem door de briefjes die ze zojuist geschreven had, waarna ze de envelop met was verzegelde. 'We zijn vrienden, mijnheer Larsson. Ik vertrouw niemand anders.' Ik pakte de dikke envelop en was me er pijnlijk van bewust dat dit de eerste keer in vele jaren was dat iemand me een vriend had genoemd zonder dat er drank of een lening aan te pas kwam. 'Maar wees voorzichtig. Het risico van verraad ligt altijd op de loer,' zei ze.

'Een waaierwinkel lijkt me geen voor de hand liggende plek voor verraad,' zei ik, en ik stopte de envelop in mijn schoudertas.

Mevrouw Mus stond op van tafel en liep naar het raam waar een gordijn voor hing, met haar gezicht als een ivoren ovaal tegen het diepblauwe gordijn, en haar donkere kleding die met de vouwen versmolt. Ze trok de draperieën opzij en keek een tijdje naar de lucht. 'De duisternis valt steeds vroeger in, nietwaar?' vroeg ze.

Hoofdstuk zeventien

VERLEIDING

Bronnen: J. Bloem, verscheidene personeelsleden van Gullenborg,
R. Stutén

'JUFFROUW BLOEM, WAAR zijn de stoffen van Stutén?' Johanna hoorde de vraag niet, zo in trance was ze door het stiksel van de roomwitte satijnen schoenen die ze aan het schoonmaken was. De draadjes vormden een patroon van initialen – KEU – bij de teen en krulden zwierig omhoog rondom de beklede knopen langs de rand van de voetopening. Het borduursel voelde rasperig aan; zeldzaam metaal dat was gedwongen zich aan een eenvoudige naald te onderwerpen en substantie te bieden aan het verleidelijke omhulsel van gladde, matte stof. De hak boog naar buiten en was geverfd in een kleur roze die deed denken aan een schelp; glinsterend en warm tegelijk. De binnenkant van de schoen was afgezet met geitenleer in de kleur van bijenwas, en voelde al even zacht en meegaand aan. Johanna wreef met een vochtige doek traag en eerbiedig over de binnenkant van de schoen. Ze verwachtte zuur zweet of schimmel te ruiken toen ze de muiltjes bij haar neus hield, maar ze geurden naar ceder.

'Juffrouw Bloem!' De Uzanne had Johanna erop uitgestuurd om 'een plezierige keur' aan jurkstoffen te kopen, waarbij ze de fabrikanten een briefje had gestuurd waarin stond dat ze zich niet met Johanna's keuze mochten bemoeien. Dat was riskant geweest met ieder ander meisje dat ze had ingehuurd, maar Johanna was teruggekeerd met onberispelijke kleuren en stoffen met de ideale lengte. Er was nog geen reepje van gestolen. Tot dusver had Johanna alle verleidingen weerstaan die opzettelijk op haar pad waren gelegd: een zilveren ring op een kastje, een half dozijn versgebakken kardemombroodjes op een bord, een kanten zakdoekje buiten in de tuin. En ze won langzaamaan het vertrouwen van het personeel; ze ried de tuinman helende kruidendranken aan, stemde de prikkelbare Louisa mild met haar manieren en begon zelfs de staljongen Jonge Per te leren schrijven. Alleen de Ouwe Kokkie was onvermurwbaar.

'De stoffen, juffrouw Bloem!'

'Ja, Madame.' Johanna stond op en ging op een holletje naar de kast waar ze de lappen stof had neergelegd. Ze droeg ze naar de kamer en spreidde ze uit op een stoel bij het raam, waar het licht het beste was.

'Hebt u genoten van uw boodschap in de Stad?'

'O, Madame, ik vind de Stad betoverend. Ik kan niet bedenken waarom iemand ergens anders zou willen wonen.' De stoffenwinkel was een stroom van kleur, met zijde die over de toonbanken droop, dobberend brokaat dat tegen golven van stijf linnen aan klotste, en flanel dat tot oevers was opgestapeld om te voorkomen dat de linten zouden verdrinken. Mijnheer Stutén had haar persoonlijk bij de elleboog gegrepen om te voorkomen dat ze viel.

'U zult vaak naar de Stad gaan, juffrouw Bloem, om allerlei spullen te vergaren die ons van pas zullen komen,' zei De Uzanne.

Johanna moest glimlachen om dat 'ons'. 'Ik zou het heel prettig vinden om de Stad beter te leren kennen.'

De Uzanne liep naar de opgevouwen lappen stof. 'Van welke drie stoffen zou de verleidelijkste jurk gemaakt kunnen worden, juffrouw Bloem?'

Johanna beroerde elke rand zachtjes. Ze haalde er een stof uit die zo groen was als een wilgenblad in mei, en daarna een gestreepte zijde in de kleuren van kievietsei en room, en een schelpachtig roze dat paste bij de hakken van de schoenen die ze had schoongemaakt. De Uzanne bestudeerde haar keuzes, pakte elke lap om de beurt vast en spreidde hem op de vloer uit; een stroom van bloemknoppen en lente. 'Een prachtige combinatie, juffrouw Bloem. U kijkt naar het seizoen aan de andere kant van het jaar. En naar mijn schoenen,' zei De Uzanne. Johanna maakte de gracieuze reverence die ze op haar kamer had geoefend. 'Wie hier in huis kan zulke kleuren dragen? Louisa?' De Uzanne keek aandachtig naar Johanna's gezicht en zag dat de kleine beweging tussen haar wenkbrauwen het enige teken van haar ongenoegen was.

'Nee, Madame, Louisa heeft een gelige tint. Het zou het keukenmeisje beter staan, want haar huid heeft de kleur van een eierschaal.'

'Misschien,' zei De Uzanne. 'Maar het keukenmeisje is hoekig en heeft grote voeten. Wie nog meer?' Johanna gaf geen antwoord. 'Ik kan uw gedachten lezen, juffrouw Bloem. Kokkie is oud en heeft een onderkin, de meiden uit de bijkeuken zijn een lelijke, pokdalige tweeling en het meisje dat de nachtspiegels leegt, stinkt: de geur zou in de stoffen dringen en er nooit meer uitgaan.' Johanna perste haar lippen op elkaar om niet in lachen uit te barsten. 'U zou deze kleuren kunnen dragen.'

'Madame?' Johanna keek verrast op.

De Uzanne nam plaats aan een met inlegwerk gedecoreerde toilettafel voor een driedelige vergulde spiegel, zodat ze het gezicht van het meisje kon zien. Voor haar lag een reeks zilveren borstels en hoornen kammen, met edelstenen bezette haarversierselen, een albasten potje met verpulverde cochenille om haar lippen rood te kleuren, een porseleinen busje gevuld met wit arsenicumpoeder voor haar gezicht, een fiool met belladonna en een kristallen flacon met parfum uit Parijs. Ze raakte een medaillon aan en maakte het open, waardoor er een miniatuurportret van haar overleden man, Henrik, zichtbaar werd. 'We hebben het over je vakkundigheid in het maken van medicijnen en tincturen gehad.'

'Inderdaad! Meester Fredrik heeft veel baat bij mijn tonica.'

'Mijn maag verdraagt geen sterke tonica en ik word gekweld door slapeloosheid, niet door alcohol.' De Uzanne wachtte.

Johanna keek naar de wirwar van stoffen die op de gewreven vloer lagen. 'Ik kan een kalmerend poeder maken, Madame. Iets wat u kunt opsnuiven van de stof van uw kussen, iets wat de lucht parfumeert en een gelukzalige slaap teweegbrengt. Mijn vader had het over een dergelijke kuur die werd gebruikt door de Egyptische farao's. Valeriaan. Hop. En jasmijn.'

'De farao's?' De Uzannes wenkbrauwen gingen geamuseerd omhoog vanwege dit slimme meisje.

'Ik heb een koffer, maar heb meer ingrediënten nodig. Wat werktuigen. Een werkplek met een warmtebron.'

De Uzanne stond op en gebaarde dat Johanna haar moest volgen. Ze gingen via de achtertrap naar de kelderkeuken, een dampende ruimte vol kokende soepen, die geurde naar rozemarijn en geroosterd vlees. Het gepraat hield op toen ze binnenkwamen, en alleen het gesis van een ketel boven de haard was nog te horen. 'Juffrouw Bloem komt hier namens mij werken. Ze dient met respect behandeld te worden.' Het huishoudelijk personeel maakte een korte reverence; ze tolereerden deze zwervertjes die Madame adopteerde om ze er na verloop van tijd weer uit te schoppen, en dachten dat deze praktijken voortkwamen uit De Uzannes frustratie over haar kinderloosheid. 'Juffrouw Bloem heeft doorgeleerd in de kunst van de artsenijbereidkunde. Ze zal medicijnen voor ons maken.' De Uzanne gaf opdracht Johanna alles te verschaffen wat ze wilde.

Ouwe Kokkie gromde een schoorvoetende bevestiging. 'Maar onthoud, jongedame, dat ik hier in huis elk woord hoor en elke daad ken.'

'Kokkin, we hebben u nodig om de reputatie van Gullenborg in stand te houden,' zei De Uzanne geruststellend, 'en u hebt me geleerd hoe belangrijk het is elk verlangen te voeden.'

Ouwe Kokkie was niet zo gemakkelijk te lijmen. 'U mag dan een dame zijn, maar u doet uw eigen afwas, juffertje.'

'Ik kan heel goed voor mezelf zorgen, kokkin,' zei Johanna, die naar de zwartgranieten stamper keek die ze in haar hand hield.

'En er wordt hier niet gegraaid en gesnaaid,' zei Ouwe Kokkie, die waarschuwend met haar vinger zwaaide, waarvan het topje was afgeplat door een verkeerd geplaatst hakmes. 'Als ik u in de voorraadkast betrap zoals het laatste meisje…'

'Ik ben geen dief,' antwoordde Johanna koeltjes.

'En houd uw handen uit mijn kookpotten,' blafte ze, waarna een hoestbui haar geschel overnam.

Johanna zette haar handen plat op het hakblok en staarde Ouwe

Kokkie hardvochtig aan. 'En houd uw handen uit de mijne,' zei ze.

Ouwe Kokkie was even stil en begon toen te hakken, haar armen gekruist over haar op en neer gaande borst. De Uzanne zei zachtjes in Johanna's oor: 'Let maar niet op Kokkie; ze is een ouwe hond die haar bazin trouw is. Binnenkort houdt ze van u alsof u bij haar hoort.'

Ouwe Kokkie bekeek dit tedere onderonsje enigszins geamuseerd; ze had dit al vaker gezien. Ouwe Kokkie gaf een knikje en daarna vervolgde ze samen met het keukenmeisje haar werk en hun geklets. De Uzanne pakte Johanna's arm terwijl ze naar de trap liepen. 'Denk erom dat haar gehoor uitstekend is.' Ze dempte haar stem en zei fluisterend: 'Morgen brengt u een bezoek aan apotheek De Leeuw in de Kokssteeg, vlak bij de Jacobskerk. Gullenborg heeft daar een rekening. Haal de ingrediënten die u nodig hebt. En begin met dat gehoest van Kokkie tot bedaren te brengen, juffrouw Bloem. Het hele huis zal u er dankbaar voor zijn.'

Hoofdstuk achttien

JOHANNA IN HET HOL VAN DE LEEUW

Bronnen: J. Bloem, een anoniem personeelslid van De Leeuw

DE LEEUW WAS eerder een smerig pandhuis dan een apotheek zoals Johanna die kende. Flesjes en dozen stonden vervaarlijk hoog opgestapeld en de lucht was doordrenkt van de bittere geur van opiumpasta, vermengd met die van citroenbalsem en maagdenpalm. Ondanks de troep bracht De Leeuw onverwachts een steek van heimwee naar Gefle teweeg, en tevens de angst om serieuze medicijnen te moeten samenstellen zonder het advies en de begeleiding van haar vader. Ze wist dat de ingrediënten klopten. Ze zou alleen de hoeveelheden moeten testen.

Het vettige haar van de apothicaire stak onder zijn pruik uit, en zijn neus was rood en vlekkerig. Hij bestudeerde het stuk papier waarop haar lijstje stond en krabde met zijn vrije hand aan zijn hoofd. 'Iep, heemst, drop. Er is iemand aan het hoesten.' Hij hief zijn hoofd en keek naar Johanna. 'Hebt u dit lijstje zelf gemaakt?' vroeg hij. Johanna knikte. De apothicaire keek weer naar de lijst en vervolgde: 'Valeriaanwortel, hop, kamillebloempjes, gedroogd mos, sint-janskruid, wolfskruid, bilzekruid, zeepsteenpoeder, jasmijnolie. Wie stuurt u naar zijn Schepper, jongedame? Want dit wordt een duivels brouwsel.'

'Er wordt niemand schade berokkend,' zei Johanna. 'Ik maak een slaapmiddel voor mijn bazin.'

'Een wijze vrouw, hè? Een greintje opiumtinctuur zou eenvoudiger zijn.' Hij hield een kobaltblauwe stopfles met een kurk omhoog. 'Eén druppeltje maar, en ze zal een nacht heerlijk slapen. Een heel lange nacht, als u genoeg druppels in haar kroes doet.' Hij stikte bijna van het lachen om zijn eigen humor.

'Alleen droge ingrediënten. Poeders, als u hebt, maar ik kan ze zo nodig ook wel zelf malen.'

'Daar twijfel ik niet aan, juffrouw, en ik heb iets wat u kunt vermalen.' Hij was even stil en glimlachte naar haar. '*Amanita pantherina.*' Hij sprak elke lettergreep luid en overdreven uit, alsof Johanna hardhorend was. 'Een zeldzaamheid, niet erg bekend.'

'De Valse Blozer, een paddenstoel,' zei Johanna scherp.

'Wel, wel, juffrouwtje Latijn. In India noemen ze hem de goddelijke soma: het narcoticum van God. Hij wordt ook wel de erfgenamenassistent genoemd: om iemand voor eeuwig te laten inslapen, is een gulle portie voldoende.'

'Ik wil mensen beter maken, niet ziek,' zei ze. De apothicaire haalde zijn schouders op en verzamelde de ingrediënten in zakjes en flacons, die hij op de toonbank legde. Johanna stopte ze een voor een in een marktmand en bedekte ze met een doek. 'Waar is de jasmijnolie?'

'Dit is een apotheek, geen parfumerie. Verderop, in de Meester Samuelstraat, vindt u Cronstedt Parfum.' Hij schonk haar een glimlach die hij zelf blijkbaar verleidelijk vond. 'U weet dat jasmijn ook dromen versterkt, dromen van een bepaalde aard. Tantetje von Platen gebruikt uitsluitend de beste jasmijnolie van Cronstedt voor haar nimfen, maar misschien wist u dat ook, juffrouwtje Trompetter?'

'Nee, dat wist ik niet,' zei Johanna, die hem een kredietbrief overhandigde.

Hij tuurde naar de brief en richtte zijn blik toen weer op haar. 'Gullenborg, hè? Dan bent u dus De Uzannes nieuwste protegee? Ze verzamelt ze als zwerfkatten, weet u, kleedt ze mooi aan en vertroetelt ze een tijdje, en hup, weg zijn ze weer,' zei hij, terwijl het licht van een vergrotende lamp boven zijn gelooide huid heen en weer bungelde. 'Maar u ziet eruit alsof u een raskat bent, waar ze vast mee wil fokken. Wat was uw naam ook weer, zei u, liefje?'

'Die heb ik niet gezegd.' Met trillende handen raapte ze zichzelf en haar aankopen bij elkaar en draaide zich om. Ze bleef in de deuropening staan en keek de man aan. 'Ik zal Madame vertellen over uw suggestie van de erfgenamenassistent,' zei ze.

'Ze zal getroffen zijn door uw bezorgdheid, maar niet verrast door mijn ideeën. De Leeuw heeft zo zijn reputatie. *Au revoir, mademoiselle.*'

Eenmaal buiten leunde Johanna tegen de gevel en haalde diep adem, opgelucht dat ze aan De Leeuw had weten te ontsnappen. Ze rechtte haar rug, pakte haar mand stevig vast en liep naar het wachtende rijtuig in de Tuinstraat, en haar zelfvertrouwen nam met elke stap toe, waarbij de zoom van haar bosgroene wollen rok langs de bovenkant van haar mooie nieuwe schoenen streek. Ze zou in een fraaie koets rijden. Ze was een gewaardeerd lid van een uitstekend huishouden. Ze was een protegee.

Ze vertraagde haar pas toen ze langs een waaierwinkel liep; die kende De Uzanne ongetwijfeld goed, want hij was al even verfijnd en mooi als zij. Er lagen twee waaiers in de etalage en er was een lege plank waarop er een gelegen had. Johanna dacht aan de verloren waaier van Madame, Cassiopeia, en gluurde naar binnen. Ze zag een man, een donkergekleurde waaier voor hem op een schrijftafel, en een rode mantel die over de stoel achter hem hing. Het was de Sekretaire uit Het Varken, die van het kant en het muntstuk, en ze bleef staan om hem goed te kunnen bekijken.

Hoofdstuk negentien

FRANSE LES

Bronnen: Diversen, onder wie E.L., M. Nordén, J. Bloem, mevrouw Plomgren, bewoners van de Kokssteeg, officiers en klerken uit het Douane- en Accijnskantoor

IK GING MAANDAG om elf uur naar de Kokssteeg, want ik wilde mevrouw Mus' boodschap achter de rug hebben en stipt om twaalf uur aan het werk gaan; de Superieur wilde een privégesprek en ik had een lijst van vrijmetselaarsdochters opgesteld. De wijk in de buurt van de Opera was een dampend allegaartje van etablissementen, van een apotheek die blekende arsenicumcrème aanprees tot een lintenkraampje vol kleuren waar de dames als vliegen op stroop op afkwamen. Het was een straat waar ijdelheid hoog in het vaandel stond, maar ik was niet voorbereid op de volledige uiting van die heerlijke eigenschap in de winkel van waaiermaker Nordén. De gevel bestond uit een extravagant aantal glazen ramen en was gemaakt van uitgesneden hout dat lichtgrijsgroen geschilderd was. De ramen waren omlijst met golvende linten van hout en uitgesneden bloemboeketten. Maar het was niet een en al vrouwelijke fratsen, want de panelen onder de etalage waren glad en sober, en de zuilen die de klanteningang flankeerden waren klassiek Grieks, met Ionische kapitalen. Ongetwijfeld kwamen velen vol bewondering naar de gevel gapen, om er daarna snel weer vandoor te gaan omdat ze het gevoel hadden het niet waard te zijn om de deurknop vast te pakken. Ik ben nooit bang geweest voor mooie spullen, want ik weet hoe die dikwijls vergaard worden, maar deze uitgelezen plek bracht me wel even aan het twijfelen.

Ik stak de straat over en bleef voor de etalage staan. De drie planken achter het glas waren afgezet met zwart fluweel, bezaaid met piepkleine, uit papier gesneden sneeuwvlokjes. Uiteraard wist elke dame dat er bij de verandering van de seizoenen ook een andere jurk hoorde, en deze sneeuwvlokjes moesten haar eraan herinneren dat daar ook een nieuwe waaier bij hoorde. Op elke plank lag één waaier, de een nog beeldiger dan de andere. De twee bovenste waaiers verbeeldden het platteland van een of ander idyllisch landschap, waar bomen hun herfstkleuren aannamen en echt gouden vlekjes het geschilderde zonlicht nog warmer maakten. Iedereen die ernaar keek, zou een gevoel van vruchtbare overvloed krijgen: de ideale waaier voor de maagd die zelf op zoek was naar een oogst. De derde waaier, die op de onderste plank lag, was plat neergelegd in plaats van rechtop op een standaard gezet. Het leek alsof hij er in grote haast was neergelegd, in een brede hoek naar de straat toe. Het blad had het indigoblauw van de nacht, bezaaid met lovertjes, en er ging een huivering van herkenning door me heen. Ik stond nog steeds voorovergebogen door het raam te kijken om me ervan te verzekeren dat dit geen spel van licht en schaduw was, toen ik merkte dat iemand in de winkel naar me keek. Ik liep zogenaamd nonchalant naar de ingang en stapte naar binnen.

'*Bonjour*,' zei ik. 'Ik ben op zoek naar mijnheer Nordén.'

'*Bonjour*, heer in de rode mantel. Sta me toe u te verwelkomen, Sekretaire. Ik ben mevrouw Margot Nordén. Ik verontschuldig me voor het feit dat mijn man er niet is, maar ik verheug me u van dienst te mogen zijn.' Margot bood me haar hand en die kon ik alleen maar kussen. Ze was geen klassieke schoonheid, maar had wel adembenemende trekken, waarvan de meest opvallende haar scherpe neus was. Ze leek net een vogel, maar dan wel een heel mooie, met haar donkere haar en porseleinblauwe ogen. Haar stem en gedrag suggereerden een hoffelijke houding, dus ik boog voordat ik sprak en keek naar de grond toen ik mijn naam noemde, beschaamd vanwege mijn armzalige beheersing van het Frans. Desondanks leek ze verrukt en glimlachte ze des te warmer.

'Alstublieft,' zei ze, gebarend naar een stoel aan een kleine, vrouwelijke schrijftafel. 'Gaat u zitten, dan breng ik u een versnapering.

U loopt uw maaltijd wellicht mis door op dit tijdstip te verschijnen. Uw boodschap moet wel dringend zijn.'

'Ik moet naar de douane, maar wil deze taak graag voltooien,' zei ik. Ze glimlachte begrijpend en liep door een deur met een gordijn ervoor naar de achterkamer van de winkel. Als iemand dan toch zijn maaltijd mis moest lopen of te laat op zijn werk moest komen, zoals ik nu, kon het maar beter in zo'n plezierige omgeving als deze zijn. De ruimte was geschilderd in brede, horizontale strepen van vrolijk citroengeel met crème, en de witte ornamenten hingen als meringues aan het plafond. Het plafond zelf was gedrapeerd met geel-zwart gestreepte zijde die naar het midden was getrokken en daar bijeengebonden was met brede, grove linten waaraan een grote kristallen kroonluchter hing. De winkel rook naar verbena, citroenolie en bijenwas. In bronzen blakers met glazen bollen stonden dikke, gele kaarsen, die de ingelijste modeprenten van de laatste Parijse stijlen verlichtten. Tegen de achterwand stonden een hoge, afgesloten kast die prachtig beschilderd was met herderstaferelen, een schrijftafel die identiek was aan degene waaraan ik zat, en vier extra stoelen, stuk voor stuk met houtsnijwerk en verguld. Het meubilair was onmiskenbaar Frans, al even fijntjes als Margot zelf, en was ongetwijfeld bedoeld om duidelijk te maken welke financiele bijdrage nodig was om zulke kunstwerken te mogen bezitten.

Ik deed mijn rode mantel af en hing die over de rugleuning van mijn stoel, waarna ik ging zitten om naar voorbijgangers op straat te kunnen kijken, met mijn tas op schoot. Algauw keerde Margot terug met een glimlach om haar prachtige mond en een dienblad dat gevuld was met een porseleinen theepot en bijpassende kop-en-schotel, een bord vol knapperige witte bolletjes, een plak paté en diverse driehoekjes geurige kaas. Er lag ook een late pruim, glinsterend als de zeldzame edelsteen die hij ook was. Ze stak de lamp aan en ging druk aan de slag in de winkel, terwijl ik van de maaltijd genoot. Pas toen ze op haar lip beet terwijl ik de vrucht verorberde, besefte ik dat ik waarschijnlijk haar middagmaal had opgegeten. Zo onberispelijk zijn de manieren van de Fransen. Nu voelde ik me zowel gecharmeerd als schuldig, en ik wist niet hoe ik haar moest vertellen dat ik slechts was gekomen om een brief voor haar man te bezorgen. 'Mevrouw Nordén, u bent waarlijk een gracieuze dame. Ik moet u vertellen dat ik hier ben...'

Margot had het juiste moment afgewacht. '...om een waaier voor een bijzondere dame uit te kiezen, uiteraard. Een waaier is een koninklijk geschenk, mijnheer, een geschenk dat een koningin waardig is. Misschien hebt u een dame die u als uw koningin ziet?' Ik liet mijn gedachten even afdwalen naar Carlotta, maar misschien wachtte me wel iemand die nog beeldschoner was en zou mijn octavo me naar haar leiden. Daar moest ik van blozen, en Margot lachte opgewekt. 'Wat voor een dame zou het zijn? Flirterig? Beschaafd? Verlegen? Ik weet zeker dat ze net zo charmant en knap is als u, nietwaar?'

Nu waren mijn wangen zo rood als een hanenkam, en ik schudde mijn hoofd. Ze lachte opnieuw en pakte een sleutel, die aan een zwart koord om haar hals hing. Ze maakte de kast tegen de muur open en liet haar vinger langs de rijen modieuze, nieuwe kleuren en vormen glijden, stopte halverwege, deed de la open en haalde er een stuk of zes dozen uit, die ze naar de schrijftafel bracht. 'Deze zijn perfect voor het nieuwe seizoen: de driekwart cirkel *à l'espagnol*. Ze zijn ook een aantal vingers korter, dus zijn ze eenvoudig vast te houden, en uw vriendin zal merken dat de boodschappen die ze aan u wil overbrengen nog sneller zullen aankomen.'

Een voor een opende ze de dozen en spreidde de inhoud voor me uit. Ik was van een afstandje wel aan waaiers gewend, maar nu ik de tere schoonheid en het handwerk van zo dichtbij zag, was ik bijna bang om ze aan te raken. Toch had ik gezien hoe ze gegooid, dichtgeklapt en opzij gesmeten werden en hoe er vaak een boze mep mee werd uitgedeeld.

'Deze zijn opvallend mooi en ik kan wel zien dat de Nordéns begenadigde kunstenaars zijn. Maar ik was zeer onder de indruk van een waaier die bij u in de etalage ligt: donkerblauw, m`et glimmers.' Ze fronste een fractie van een seconde, waarna ze met een uitgestreken gezicht glimlachte. 'Nu geeft u blijk van uw eigen, onderscheidende smaak, Sekretaire. Wat jammer, ze is al besproken. Ze had waarschijnlijk helemaal niet in de etalage moeten liggen, maar ik kon het niet helpen. Zo'n fraaie waaier verdient het om gezien te worden.'

'Wat maakt haar zo mooi?' vroeg ik.

'Ze is Frans en dateert van eind vorige eeuw. Maar er is goed voor haar gezorgd; haar huid is opmerkelijk soepel, er is geen lijntje te zien, alle ivoren benen zijn nog heel en de kristallen en lovertjes op de achterkant zijn zo precies aangebracht dat het net een landkaart lijkt.'

'Waarom is ze dan hier?' Ik was heel benieuwd of mevrouw Mus haar had verkocht, want als dat zo was, had ik recht op een percentage. Als het niet zo was, wilde meester Fredrik haar met ongeoorloofde middelen inpikken, en dan zou ik het spel moeten spelen als ik nog iets wilde krijgen.

'Ze is bij ons gebracht ter reparatie.' Margot boog zich naar me toe en dempte haar stem. 'Ik zal u een geheimpje vertellen: het was eigenlijk een aanpassing. De klant wilde dat de lovertjes zouden worden herschikt. Ik heb ze er zelf op genaaid,' zei ze. 'Het is niet te zien, maar wel te voelen.'

'Net als magie,' zei ik.

'Net als liefde,' antwoordde Margot.

'Maar waarom zou iemand de moeite nemen om zulk onzichtbaar werk te laten doen?' vroeg ik, in de hoop mevrouw Mus' bedoelingen te kunnen achterhalen.

'Het kan een grap zijn, of misschien is er sprake van een subtieler mysterie.' Ze zette een strenge, mannelijke stem op. 'Ziet u, Sekretaire, subtiele details hebben invloed op de geometrie en daarmee op de persoonlijkheid en de mogelijkheden van een waaier. De kleinste aanpassing kan een verschuiving teweegbrengen in de aangeboren macht die ze in zich heeft, en daarmee kan de hand die haar vasthoudt ook macht kwijtraken of juist krijgen.' Ze haalde haar schouders op en lachte schuldbewust. 'Mijn man is een gepassioneerd kunstenaar en bestudeert allerhande wetenschappen. Hij beweert dat een goedgemaakte waaier veel meer kan zijn dan een mooie bagatel; dat de geometrie kan samenwerken met de hand om iets… volmaakts te creëren. Iets machtigs.'

Geen wonder dat mevrouw Mus zo te spreken was over mijnheer Nordén: ze waren gelijkgestemde zielen. 'Dus het gaat wél om magie. Gelooft u dit?'

'Eerlijk? Ik weet het niet zeker. Wat denkt u? Bent u nooit betoverd geraakt door een waaier in de hand van een dame?'

'Ik zou hem – nee, haar – graag willen zien,' zei ik. Margot maakte de etalage open en bracht de waaier naar me toe. Mijn vingers voelden als worstjes toen ik het tere voorwerp optilde om er beter naar te kunnen kijken. Het tafereel op de voorkant leek opeens somber; een begrafeniskoets en een leeg landhuis die misplaatst leken in de prettige sfeer in de winkel. Ik draaide de waaier om naar de sprankelende kant. 'Ik ben verbaasd over het lukrake patroon, gezien de details van de voorkant,' zei ik.

'Pardon, mijnheer. Er is niets lukraaks aan een werkelijk mooie waaier. De kunstenaar laat niets aan het toeval over,' merkte Margot op met een tikkeltje trots in haar stem. 'Dit is een kaart van de hemel, en de oorsprong van haar naam. Hier lag de focus van onze klant.'

Ik tuurde naar de waaier, en er was inderdaad een lovertje dat groter was dan de andere, de Poolster, enkele vingers lager dan het midden van het blad. Rechts boven de Polaris stond de Kleine Beer, Ursa Minor, en linksonder de zittende koningin. 'Cassiopeia, de hemelse W. Al is ze hier de hemelse M.'

Margot tuitte haar lippen en pauzeerde even. 'Cassiopeia zit voor altijd op haar troon in de hemel. Maar zoals u ziet, hangt ze nu ondersteboven aan de waaier die haar naam draagt. Een hoogst onwaardig lot.'

'Aan wie behoort ze toe? Misschien iemand wier naam met de M begint en die haar initiaal als een koningin aan de hemel wil zien prijken.'

'Dat mag ik u niet vertellen. Mijnheer Nordén blijft strikt vertrouwelijk met zijn clientèle. U begrijpt ongetwijfeld wel waarom.' Ze keek of er begrip op mijn gezicht te zien was. 'Jaloerse minnaars, sociale rivalen, roddelende matrones, bedrogen echtgenoten…' Zo was het ook bij mevrouw Mus. Margot stak haar hand naar de waaier uit, maar ik was nog niet bereid haar af te geven. Ik boog vorover om beter naar de sterren te kunnen kijken, en werd beloond met de geur van bloemen.

'Hoe kan het dat ik jasmijn ruik?' vroeg ik.

'Alle waaiers hebben minstens één geheim.'

'En ik weet zeker dat uw man me dat ook niet wil vertellen,' zei ik, en ik reikte haar de waaier aan. 'Het is opmerkelijk werk, mevrouw Nordén. Er is geen enkele speldenprik te zien in die hemel.'

Aan haar gezicht was duidelijk te zien dat ze in haar nopjes was met mijn lof en dat ze daar waarschijnlijk maar weinig van kreeg. Margot sloeg de waaier met een deskundige klap dicht en keek me indringend aan. 'Ik zie dat u zich tot deze waaier aangetrokken voelt, en verbondenheid is belangrijk bij het overwegen van een aankoop. Laten we terugkomen op u en uw vriendin.' Ze pakte Cassiopeia en legde haar in de kast, waarna ze terugkeerde met een arm vol waaiers in herfstige roest-, amber- en okertinten. Ze legde ze op de schrijftafel en trok een stoel bij, waarna ze tegenover me ging zitten en de waaiers een voor een openmaakte. 'Geluk is het doel van onze zaak, mijnheer: geluk, schoonheid en romantiek. Waar zijn waaiers anders voor, als ze dat niet kunnen bieden?'

'Ik zou niets kunnen bedenken,' zei ik en ik knikte dat ze door kon gaan. Ik vermoedde dat ik de eerste klant in lange tijd was met wie ze kon praten.

'Toen we in Parijs waren, werden die motieven nooit in twijfel getrokken, totdat ons werk opeens een symbool van onrechtvaardigheid werd.' Margot kreeg er een kleur van.

'Lieve dame, bent u de revolutie ontvlucht?' vroeg ik zacht. Ze kneep haar ogen dicht. 'En was u in groot gevaar, of had u ruimschoots de tijd om u voor te bereiden om… zo ver te komen?'

'Voor mij voelde het als een overhaast vertrek. Maar we hadden het geluk dat mijnheer Nordén een land had om naar terug te keren.' Ze keek naar me, haalde haar schouders op charmante Franse wijze op en zuchtte. 'We zullen zien of er geluk uit voortvloeit.'

Ze keek zo verloren dat ik niets anders kon doen dan haar handen vastpakken om haar te steunen. 'Alstublieft, Madame, als er iets is waarmee ik u kan helpen, hoop ik dat u bij me aanklopt. En uw man ook, natuurlijk,' zei ik er snel achteraan.

Ze glimlachte warm. 'Dank u, Sekretaire, voor uw lieve woorden. U bent een ongebruikelijke heer hier in de Stad, die prachtig is maar… in het geheel niet lijkt op het leven dat ik kende. Ik dank u oprecht voor uw vriendelijkheid,' zei ze, en ze keek me recht aan. 'Dat is voor mij een vorm van geluk en het helpt me te geloven dat ik me hier op een dag misschien thuis zal voelen.'

Ik stond op en boog stuntelig, waardoor mijn tas van mijn schoot viel, en daarna pakte ik haar hand. 'Ik sta tot uw dienst, mevrouw Nordén, en om te bewijzen dat het me ernst is, zal ik eerst een waaier kopen. Die geeft geluk aan zowel ons beiden als aan de ontvangster, uiteraard.' Dit leek tegelijkertijd het toppunt van waanzin en de nobelste daad die ik kon verrichten. Ik vergoelijkte deze uitspatting met de wetenschap dat ik binnenkort een kamer vol gretige jongedames zou binnenlopen en dat een van hen zich vast wel open zou stellen met een Franse waaier als geschenk.

'Hoe zouden we uw vriendin kunnen vergeten?' vroeg Margot, die onthutst leek door mijn galantheid. 'Deze najaarsschoonheden hier op tafel zijn tamelijk donker, wat in de mode is, maar een lichtere persoonlijkheid past wellicht beter bij haar. Misschien iets met blauw. Ik heb het gevoel dat uw dame blond is.'

'Ze heeft inderdaad buitengewoon… blauwe ogen,' zei ik, met een blik op Margots blauwe kijkers. 'Misschien kunt u voor me kiezen, ik denk dat mijn succes dan verzekerd is.'

'Ik wens u alle succes, mijnheer… Neem me niet kwalijk, ik ben het vergeten.'

'Larsson,' zei ik. 'Emil.'

'Emil. Een prachtige naam,' zei ze, waarna ze een waaier met benen van bewerkt sandelhout koos, die een mysterieus parfum afgaf. De voorzijde van het witzijden blad was bedekt met vlinders in gebroken wit en blauwtinten. In het midden stond een groot, lichtgeel exemplaar. De achterzijde was een schildering van één blauwe vlinder die bijna van de bovenrand van de waaier fladderde.

'Dit zijn uw landskleuren. En de afbeelding staat voor verandering en transformatie. Ik weet zeker dat uw vriendin haar hoogst inspirerend vindt.'

Ik knikte goedkeurend, wat op dit punt nog slechts een formaliteit was. Margot haalde een nachtblauwe doos uit de onderste kastla. Ze legde de Vlinder er zorgvuldig in, de dag in de nacht, en zette de waaierdoos op de schrijftafel. Het deksel was verfraaid met een piepklein kristallen bolletje, de Polaris, die boven een terugwijkend dek van stapelwolken schitterde. Het leek erop dat ze hun Franse problemen achter zich wilden laten en de Poolster volledig wilden omarmen.

Margot ging zitten, schreef de prijs op een stukje papier en gaf het aan mij; een bedrag dat ik nooit had kunnen bedenken en dat ik nooit zal onthullen. Beseffend dat ik zelfs geen fractie van die som geld in mijn zak had, wachtte ik even om mijn gedachten op een rijtje te kunnen zetten en het bloed dat door mijn oren suisde tot bedaren te brengen. Ik moest al mijn kaartspelervaring aanwenden om mijn gezicht in de plooi te houden, maar goddank sloeg de klok van de Jacobskerk. 'Is het al twee uur? O, mevrouw Nordén, ik schaam me om te moeten zeggen dat ik de tijd helemaal vergeten ben, en ik heb een afspraak met een collega om documenten af te geven. Ik ben binnen een kwartier, hooguit een halfuur terug. Wilt u me alstublieft verontschuldigen?' Ik zag haar blik van nauwelijks verholen ontsteltenis; ze hield me voor een wegloper, en daar zou ze op elk ander moment ook gelijk in gehad hebben. 'U hoeft haar niet uit de doos te halen,' zei ik vriendelijk.

Ze bloosde en wendde haar blik af. 'U kunt snel gezichten lezen, mijnheer. De zaken gaan langzaam, en de clientèle waar we op hoopten is nog niet gekomen. Degenen die wel komen, willen niet direct de kunstzinnigheid die wij maken. De waaiers zijn kostbaar, dat is waar, maar dat is niet het enige. We zijn niet... verbonden. Misschien zijn we te Frans.'

Ik schudde mijn hoofd ten teken dat ik het er niet mee eens was. 'Men kan niet te Frans zijn in het Stockholm van koning Gustaaf. U zult het zien.' Ik stond op en pakte mijn mantel, ervoor wakend me niet te haasten, en op dat moment van kalmte herinnerde ik me weer waarom ik hier was. 'Ik moet bekennen dat ik hier om meer dan één reden was, en hoewel ik blij ben met deze oogverblindende waaier en de boodschap die deze aan de door mij beoogde dame zal schenken, wilde ik eigenlijk dit bezorgen.' Ik haalde de brief tevoorschijn, die simpelweg aan M. Nordén geadresseerd was, en legde die op de schrijftafel naast mijn nieuwe aankoop.

Margot keek me nieuwsgierig aan en raakte de brief aan, maar pakte hem niet op. 'Monsieur Nordén komt later vandaag terug.'

'Ik hoop dat hij er is als ik terugkom. Ik zou vereerd zijn om zo'n kunstenaar te mogen ontmoeten,' zei ik, waarna ik een buiging maakte en vertrok. Twee winkels verderop bleef ik staan om een paar keer diep de koude lucht in te ademen; de intieme sfeer in de winkel had me op de een of andere manier beneveld. De zon deed een dappere poging om te schijnen, en door de schittering heen meende ik het Grijze meisje uit Het Varken te herkennen. Ze stond twintig passen verderop en het leek alsof ze naar me keek. Als het inderdaad het dienstertje was, had ze een hele verbetering ondergaan; ze had betere proporties en een kapsel in een modieuze stijl. Haar kleding was niet extravagant, maar heel iets anders dan haar oorspronkelijke, armzalige uitdossing. Ik stak mijn ene hand begroetend op en hield de andere beschuttend boven mijn ogen om haar beter te kunnen zien, maar ze draaide zich snel om en klom in een klaarstaand rijtuig met het wapenschild van een baron. 'Kleine sleutels openen inderdaad grote deuren!' riep ik haar na, terwijl ik me afvroeg wat ze had geopend om aanspraak te maken op zo'n mooie zitplaats.

Ik hoefde maar een paar huizenblokken door de Regeringsstraat om bij het kantoor te komen van een bankier die ik kende. Hij stond welwillend tegenover mijn situatie en schreef een promesse uit voor het totaalbedrag, dat hij Aphrodites Dwaasheid en het Losgeld van Venus noemde. Het was een vrouwendag, dat is zeker, want toen ik naar de Kokssteeg terugkeerde, werd mijn aandacht getrokken door twee opgewekte dames die buiten bij de winkel van

Nordén stonden. Ze waren moeder en dochter en ze gingen gekleed in iets te schreeuwerige kleuren van een iets te glimmende stof, terwijl hun stemmen een tikkeltje te scherp waren voor een bezoek aan zo'n verfijnd etablissement. Toch waren het twee schoonheden, de moeder verlept en de dochter in volle bloei, zij het misschien een dagje daaroverheen: mijn lievelingsbloem. Ik liep haastig naar hen toe met de bedoeling galant de deur open te houden. 'Ik heb zojuist het genoegen gehad hier zaken te doen,' zei ik, en ik voelde de gretigheid van de lieftallige dochter. Ze bestudeerde me met een zekere belangstelling en ik zweer dat haar lippen vaneenweken alsof ze me wilde begroeten, maar toen mengde haar moeder zich erin, haar lippen smakkend van opwinding terwijl ze sprak.

'Is de jonge mijnheer Nordén er vandaag?' vroeg ze.

'Pas later, maar mevrouw Nordén is beschikbaar en zij is een charmante eigenares,' bood ik aan. Ze zagen er in het geheel niet verheugd uit door dat nieuws, en ze liepen een paar passen bij de entree vandaan, waar ze fluisterend overlegden. Net toen ze op het punt stonden zich om te draaien en weg te gaan, ontwaarden ze een knappe kerel die vanuit de Tuinstraat in de richting van de winkel wandelde. Er kwam een opgewonden suizend geluid bij de dames vandaan, terwijl ze hun sjaals en rokken gladstreken, hun waaiers tevoorschijn haalden en een heuse cycloon veroorzaakten.

'Daar is mijnheer Nordén al,' sprak de oudste eerbiedig. 'Is hij niet op en top een cavalier?' Ik moest toegeven dat hij het toonbeeld van mode was, zoals hij doelbewust door de straat liep met zijn kastanjebruine cape en hoge, zwarte laarzen. Hij boog en nam zijn hoed af, waarbij hij geen pruik of coiffeur toonde, maar een mooie kop vol donkerbruin haar dat in de nieuwe, revolutionaire stijl op zijn schouders hing. Daardoor voelde mijn hoofd, met krullen vol poeder, aan alsof er een dood beest op lag, en ik nam me voor met mijn kapper te praten over het moderniseren van mijn verschijning, voor zover dat mogelijk was voor een regeringssekretaire.

'Mijnheer Nordén, ik bewonder het werk van uw etablissement zeer. Ik heb zojuist wat zaken gedaan met mevrouw Nordén en ik ben hier om de transactie te voltooien.' Ik stak hem mijn hand toe, maar de oudste van de dames werkte zich tussen ons in voordat hij kon reageren.

'Het is me een eer u te ontmoeten, mijnheer. Ik ben mevrouw Plomgren. En dit is mijn dochter, juffrouw Anna Maria Plomgren. We zijn hier van het Opera-atelier om te vragen naar de mogelijkheden van de aanschaf van verscheidene waaiers.' Nordén kuste met veel vertoon hun hand en maakte opmerkingen over hun kleurige kleding. Nieuwe handel ging duidelijk voor geld dat al binnen was. Nordén hield zijn arm op en moeder Plomgren schoof haar dochter een beetje naar voren zodat zij hem zou aannemen. Ik voelde een steek van jaloezie, maar die werd algauw vervangen door zelfvertrouwen: ik had het octavo, en de connecties die werden gevormd tussen De Uzanne en deze toeloop van dames gaf mij een voorsprong. 'Mijnheer Nordén, ik heb een brief voor u achtergelaten!' riep ik, meer om Anna Maria's aandacht te trekken. Ze bleef even staan en keek me aan voor ze naar binnen werd geleid: haar ogen waren ook blauw! Ik hoorde een ongeduldig kuchje en toen ik me omdraaide, zag ik dat moeder Plomgren stond te wachten tot ik haar arm nam, maar voor ik dat deed, zwaaide de winkeldeur open en stapte Margot naar buiten met het pakje in haar hand.

'Sekretaire!' riep ze. 'Uw verwachtingen hebben u van de wijs gebracht, of deze liefallige dames hebben u in de verleiding gebracht.' Ik draaide me iets te snel om en liet moeder Plomgren los, die bijna op de stoep tuimelde. Margot gaf me een donkerblauw doosje en zwaaide spottend met haar vinger. 'Uw vriendin zou diep teleurgesteld zijn geweest. Maar misschien ben ik wel te bang voor onmatigheid. Een douanebeambte als u zou nooit voorbijgaan aan de echte prijs.'

Ik bloosde en boog en bedankte haar, me verontschuldigend voor mijn domheid, en stopte de waaierdoos in mijn tas, waarna ik Margot het bankbiljet aanreikte. Ze duwde het discreet in haar lijfje en wendde zich tot moeder Plomgren, die ze in het Frans aansprak. Overrompeld perste moeder Plomgren haar lippen ontzet op elkaar en schudde haar hoofd. 'U zult verrukt zijn over de winkel,' zei ik tegen moeder Plomgren. 'En mevrouw Nordén spreekt uit-stekend Zweeds, maar misschien kunt u haar het accent van de Stad beter leren spreken. Ik hoorde dat u het over de Opera had, wat ongetwijfeld betekent dat u welbespraakt bent.' Ik boog en keek toe hoe Margot moeder Plomgren, haar trots intact, mee naar binnen nam om waaiers te kopen.

Het was nu bijna drie uur. Ik had de afspraak met de Superieur gemist en mijn collega's waren ongetwijfeld aan het koffiedrinken, dus ging ik op weg over de brug, langs een schorre menigte bij de ingang van het paleis, en liep over de Westelijke Langstraat naar De Zwarte Kat, terwijl ik me afvroeg welk excuus ik zou aanvoeren.

Een van de drie aanwezige Sekretaires klaagde over de dure ge-woonten van zijn vrouw, die met de mode mee wilde doen. 'Op zijn minst,' zei hij, 'tot ze tot volle bloei komt.' Hij maakte een ronde beweging over zijn eigen substantiële buik, en iedereen lach-te. Ik zei dat haar belangstelling voor mode hem toch wel te gronde kon richten, hoe groot haar buik ook mocht zijn. Ik gaf niet toe hoeveel mijn eigen extravagantie me had gekost, maar vertelde wel dat ik een bezoek had gebracht aan de winkel van Nordén, waar de aankoop van één waaier hem van een maandsalaris kon beroven. Allemaal uitten ze hun ongenoegen over zulke Franse uitspattin-gen, maar ik zei dat de waaierwinkel een plek was om mooie dames te ontmoeten. Dat was aanleiding voor een discussie over de Nor-déns, en ik kreeg te horen dat er twee mijnheren Nordén waren. Ik zette mijn kopje zo snel neer dat ik morste. De oudste broer was de kunstenaar. De jongste was een dandy en een knappe koopman waar de dames omheen dromden. Maar als ze broers waren en sa-men de zaak hadden, zou het misschien niet uitmaken wie van de twee de brief van mevrouw Mus kreeg. Ik moest op Margots oor-deel vertrouwen en zou mevrouw Mus vertellen dat haar boodschap was uitgevoerd.

'De broers Nordén vormen een uitmuntend team,' zei Sekretaire Sandell, 'en waarschijnlijk ook een prachtig team met die knappe echtgenote, een echte Française.' Er ging een luid gejoel op in de groep, en ik bloosde hevig. 'Wat is dit, mijnheer Larsson, waarom doet u ineens een rozenbottel na? Ik dacht dat u alles wel gezien en gehoord had, inclusief de heilige drie-eenheid.'

Ik begon te hoesten en gebaarde dat er een stuk gebak in het verkeerde keelgat was geschoten, maar daardoor werden de plaagstootjes alleen nog maar erger. Het gevoel bekroop me dat er écht iets in mijn keel zat, maar het was geen stuk koek. 'Mevrouw Nordén is niet iemand die beledigd moet worden. Jullie zijn wreed,' zei ik boos, en ik stond op om naar kantoor terug te gaan. Ze lachten me de hele weg naar de deur en tot op straat uit, maar ik liep als een kapitein van de Koninklijke Garde naar het kantoor in de Zwartmansstraat. Dat ik de behoefte voelde om Margot te verdedigen was absurd, maar het had iets plezierigs, zelfs iets eerbaars. De woorden van mevrouw Mus schoten me te binnen: er zou sprake zijn van een bepaalde aantrekkingskracht, een magnetisme dat op de aanwezigheid van de acht zou wijzen. Maar ik wreef met mijn handen over mijn gezicht om dat idee uit te wissen; ik had een vrouw nodig, geen maîtresse, en wat moest ik met een papist, hoe charmant ook?

Terug bij de Douane ging ik aan mijn bureau zitten met het verwaarloosde papierwerk van die ochtend, maar voor ik kon beginnen, verscheen de Superieur. Hij zei niets, maar zijn opgetrokken wenkbrauwen stelden de vraag. Ik maakte mijn tas open en haalde de doos van de Nordéns eruit. 'Ik heb een verlovingsgeschenk gekocht. Ik ben er bijna door geruïneerd,' zei ik. Hij knikte goedkeurend, zei dat hij blij was dat hem de moeite bespaard bleef om een vervanger voor me te vinden en voegde eraan toe dat hij zich verheugde op de aankondiging in de *Stockholmse Courant*, zo snel mogelijk. Ik zat een paar minuten nadat hij vertrokken was nog steeds het doosje te betasten en vroeg me af hoe ik mijn weg naar Anna Maria zou kunnen vinden, toen het me opviel dat het groter en dieper was dan ik me herinnerde. Erin, genesteld in een nachtblauw fluwelen bedje, lag de Vlinder, met een blauwsatijnen lint aan de zilveren ring in de sluitpin. Margot had er een feestelijk tintje aan gegeven: geluk, schoonheid en romantiek. Maar Margots woorden schoten me te binnen: *Een douanebeambte als u zou nooit voorbijgaan aan de echte prijs.* Als ik niet bekend geweest was met de werkwijze van smokkelaars, had ik er misschien nooit aan gedacht een briefopener van Sandells schrijftafel te pakken en die tussen het fluweel en de doos te steken. Onder de Vlinder in haar cocon lagen Cassiopeia en een stukje papier met twee regels in het kriebelige handschrift van mevrouw Mus:

Houd haar goed verborgen.
Ik zal u vertellen wanneer u haar weg mag sturen.

Hoofdstuk twintig

EEN DRIEHOEKSMETING IN DE WAAIERWINKEL

Bronnen: diversen, onder wie M. Nordén, L. Nordén, mevrouw M.,
medewerkers van de waaierwinkel, vader Johan D**, RC

DE DAGEN WAREN nu te kort en olielampen te kostbaar om na zes-
sen nog veel te kunnen werken, dus bleef alleen Margot in de achterkamer van de winkel. Het plafond was behangen met houten,
halfronde vormen, de mallen en de persen lagen netjes op de tafels
en de kachel in de hoek gloeide rood op door het traliedeurtje. De
warme ruimte was een bonus voor de medewerkers; de materialen
konden in de kou niet worden bewerkt. Toen Margot de deur van
de werkruimte hoorde opengaan, keek ze op van de walnoothouten
bladpers die ze aan het poetsen was.

'Je mag me feliciteren,' zei Lars, terwijl hij de geplooide manchetten die onder de mouwen van zijn jas uit kwamen gladstreek.
'Ik heb drie waaiers verkocht aan de Koninklijke Opera en een ar-
tistieke uitdaging voor mijn broer geregeld, en dat allemaal op één
middag.'

Margot trok geërgerd haar wenkbrauwen op; elke vouw van de
waaier was cruciaal, en een spikkeltje vuil of een drupje olie konden
een prachtig blad ruïneren. Maar toen lichtte haar gezicht op door
het goede nieuws. 'Drie verkocht? Aan de Koninklijke Opera?!'

Lars ging op de schilderskruk zitten. 'We zullen zien of mijn
broer de lof die ik hem heb toegezwaaid kan waarmaken. Drie
nieuwe waaiers. Identiek. Wat vindt u daarvan, mevrouw Nordén?'

Margots glimlach verflauwde. 'Christian maakt geen duplicaten.
En we hebben een kast vol waaiers die verkocht moeten worden!'

'Dat is zo. Maar daar zal dit drietal ons bij helpen, want daardoor zal er des te meer ruchtbaarheid worden gegeven aan het feit dat we bestaan. Ik denk dat dit de eerste van vele groepjes zullen zijn. Feitelijk zijn aantallen onze toekomst: waaiers produceren zoals fabrieken serviesgoed produceren.'

Margot kneep in de schoonmaakdoek, waardoor de geur van citroenolie vrijkwam. 'Geen enkele vrouw met stijl wil een hoed of een jurk dragen die hetzelfde is als die van haar buurvrouw. Waarom zou ze dan wel eenzelfde waaier willen?'

Lars speelde met een dun penseel van vier marterharen. 'Kopieën zijn veel minder duur om te maken en te kopen. Maar de hoofdredenen?' Hij gebaarde naar het kleine, geschilderde gezichtje van een dame op het waaierblad. 'Mode en haar zusje Afgunst. Die leiden tot geld uitgeven.'

'De Nordéns streven naar kunstzinnigheid, niet naar afgunst.'

'De Nordéns zouden naar winst moeten streven.' Lars legde het penseel neer en liet zijn kruk draaien om naar Margot te kijken. 'Ik weet dat de winkel het lastig heeft, maar zo hoeft het niet te zijn. We moeten ons aanpassen aan de tijd: waaiers die sneller gemaakt worden, goedkopere materialen, duplicaten. Er staat een nieuw tijdperk voor de deur. Denk je dat je de mars der vooruitgang kunt tegenhouden?'

'Ik heb gezien wat mensen de mars der vooruitgang noemen, lieve broer.' Margot hervatte verwoed haar poetswerk. 'Die moet worden tegengehouden.'

Lars liep langzaam de kamer door tot hij naast Margot stond. 'Een heer in een rode mantel, een Sekretaire, hield me buiten de winkel staande, maar ik had het druk met de dames Plomgren. Hij zei dat hij een brief voor mijnheer Nordén had achtergelaten.'

'De brief was voor mijn man,' zei ze, terwijl ze de lamp bijstelde.

Lars ging dichter bij haar staan. 'Ik bén mijnheer Nordén.'

Margot maakte zich zo lang als ze kon. '*Non.* Mijn man is de baas van de winkel. En jij geeft toch niets om de klant die de brief heeft geschreven: een oude, weinig bemiddelde vrouw die haar waaier heeft laten repareren.'

'Jíj hebt hem gelezen? Hoe durf je!'

'Natuurlijk heb ik hem gelezen. Christian en ik zijn getrouwd. We hebben geen geheimen.' Lars pakte haar pols, maar haar ogen bleven kalm. 'Als jij denkt dat je deze brief kunt lezen, voilà.' Margot haalde de brief uit haar rokzak. Lars vouwde het kleine vierkantje papier open, dat was beschreven in een kriebelig zwart handschrift. Hij bestudeerde het zorgvuldig, hield het vlak voor zijn gezicht, legde de brief toen met gemaakte onverschilligheid op de toonbank en liep naar de deur die naar de binnenplaats leidde.

'Jammer dat je jezelf er nooit toe hebt gezet om Frans te leren, monsieur,' zei ze zachtjes tegen de achterkant van zijn groenfluwelen jas. Margot veegde haar handen af aan een schone doek en streek de brief glad op de tafel, waar het lamplicht een warme kring maakte.

Mijnheer Nordén,
De bezorger van deze brief, mijnheer Larsson, is een vriend en compagnon van me, die sympathie koestert voor onze zaak. Hij moet de constellatiewaaier krijgen die u zo vaardig hebt aangepast. Sluit bijgevoegd briefje alstublieft bij de waaier in. Het is noodzakelijk dat deze affaire en de verblijfplaats van de waaier volstrekt onder ons blijven. Uw kunstzinnigheid, discretie en kennis zullen niet onbeloond blijven. Als blijk van mijn dankbaarheid heb ik tweemaal de afgesproken vergoeding bijgesloten.
Met groeten, M.

Margot vouwde de brief op tot een vierkantje ter grootte van haar handpalm en stopte het weer in haar zak, waar het als een gloeiend kooltje bleef zitten. Ze hield van Christian; ze kon hem niet kwalijk nemen dat hij door de opmars van de waanzin in de Stad was beland. Zijn leven draaide om waaiers, die hem in zijn tienerjaren naar Frankrijk hadden gebracht om als leerling bij de grote meester, Tellier, te dienen. Christian begreep wat raffinement was, tot aan de exacte spanning van de met edelstenen bezette sluitpin die de benen bij elkaar hield. Hij zou een stuk velijn weigeren vanwege een onregelmatigheid die geen enkele andere hand zou kunnen ontwaren. Hij kon een miniatuur schilderen waar zelfs de koninklijke waaiermeesters jaloers op waren. Maar hij miste de charme die zo belangrijk was voor hun handel. Als Christian in vrouwelijk gezelschap verkeerde, zou je denken dat hij verloren gewaande vrienden ontmoette – de waaiers, niet de dames. Hij maakte kennis met de waaierbezitster en toonde dweperig zijn verrukking, maar die was helaas tegen de waaier gericht. Hij kon een gesprek afbreken om snel een formule op te schrijven voor lijm waar hij aan werkte. Midden in een kaartspel kon hij opstaan en zich verontschuldigen, waarna hij bij de pier ging staan wachten op een binnenkomende scheepslading ivoren benen uit China. Tijdens een dansavond vond hij steevast de meest ongebruikelijke waaier, en dan drong hij aan op een introductie bij de eigenares, ongeacht haar leeftijd en of ze wel of niet getrouwd was.

Bij een dergelijke gelegenheid had hij Margot ontmoet. Christian was halverwege een zin in een gesprek met een dikke, oude douairière die toevallig een zeldzame cabriolet droeg – nogal uit de mode, maar van uitstekende kwaliteit – toen een jongedame hem een por gaf met haar waaier. Ze was klein en donker, had een puntige neus, en vroeg hem met haar te dansen voor een weddenschap met haar bazin. Margot opende haar waaier de hele avond niet, al had ze die als onderdeel van de weddenschap geleend en wist ze dat die buitengewoon waardevol was. Christian vroeg er niet eens naar. Voor deze ene keer had hij zijn aandacht bij iets anders dan bladen, benen, sluitpinnen en randen.

Hun haastige verbintenis bleek een heel gelukkige te zijn, en met hulp van Margot leerde Christian om met enige concentratie met de klanten van de winkel van Tellier te praten en vond hij vrienden met wie hij hele avonden zat te verliezen met kaarten en discussies voerde over de boze wereld die sidderend schuilging onder het schitterend versierde oppervlak van het Parijs van 1789. Toen werd de winkel van Tellier op een dag bezocht door een luidruchtige menigte die bedrukte waaiers – kopieën! op papier gedrukt! – wilde, die moesten dienen om het volk op te voeden. Monsieur Tellier was beleefd, maar woedend; hij zei dat hij niet bekend was met drukwerk of papier, hij was alleen bekend met kunst. Hij spuwde op de stoep nadat de bende was vertrokken, maar had een frons tussen zijn wenkbrauwen en klemde met zijn ene hand troostend de andere vast. Toen dit met toenemende regelmaat gebeurde, zei Tellier tegen Christian dat hij voor langere tijd naar België vertrok. Misschien dat Christian ook zou kunnen overwegen weg te gaan. Er zou een tijd komen wanneer het leven weer normaal zou zijn. Tot die tijd was atelier Tellier gesloten.

Toen Versailles geplunderd werd en de Bastille in juli 1789 werd bestormd, kondigde Margots werkgever, een rijke Hessische aristocraat, aan dat hij terugkeerde naar huis en dat zijn personeel per oktober ontslagen werd. De freule gaf hun allemaal een halfjaarsalaris mee, en aan Margot, haar lievelingetje, schonk ze bovendien enkele juwelen en een barokke Italiaanse *découpé*-waaier die een koningin waardig was. Margot naaide deze kostbaarheden prompt in de voering van een van Christians jassen, in het besef dat ze ze later nodig zouden hebben. Met tegenzin spraken ze over een verhuizing naar Christians geboortestad: Stockholm. In het najaar van 1790 gingen ze, bij gebrek aan werk en vooruitzichten, eindelijk de Noordster achterna.

De Stad was bij lange na niet zo barbaars als Margot gevreesd had; de inwoners waren hoffelijk en goedgekleed. Velen van hen spraken Frans. In het Bollhustheater werd Frans drama opgevoerd. De koning was werkelijk verlicht en stond zelfs rooms-katholieken toe hun geloof te belijden. Margot huilde van vreugde toen ze de eerste keer de mis bijwoonde, die werd gehouden in de vrijmetselaarsruimte in de Zuidwijk. Christian, die om praktische redenen terugkeerde naar het lutherse geloof, stond welwillend tegenover de vrijmetselaars; een groep die zo verlicht was dat ze dit gebruik van hun onderkomen toestond. Niet lang daarna sloot hij zich bij een vrijmetselaarsloge aan, en daar ontmoette hij meester Fredrik Lind. Als collega-kunstenaar drong meester Fredrik er bij Christian op aan om zijn winkel tot een baken van de Franse cultuur te maken, en hij beloofde hem te helpen bij het leggen van gunstige contacten.

Het spaargeld van de familie Nordén werd in de renovatie van de winkel in de Kokssteeg gestoken. Het was niet het meest begerenswaardige adres, maar wel een dat ze zich konden veroorloven, en boven de winkel hadden ze behoorlijke woonruimte. Christians broer Lars, die in de Stad was gebleven toen zijn oudere broer naar Parijs ging, werd in dienst genomen om de dames in te palmen. De Nordéns hoopten maar dat de gustaviaanse voorliefde voor alles wat mooi en Frans was ervoor zou zorgen dat ze een bloeiende zaak zouden opbouwen, maar nu, ruim een jaar later, wachtten ze nog steeds tot die hoop in vervulling zou gaan.

De kerkklokken sloegen acht toen Christian eindelijk thuiskwam. Hij kuste Margot en hield haar toen een armlengte van zich af. 'Wat is er?' vroeg hij, en hij keek haar steels aan.

'Ik zei niets.' Ze haalde haar schouders op.

'Maar ik heb het gevoel dat er iets is,' zei hij, terwijl hij zijn mantel afdeed en in zijn handen wreef om ze te verwarmen. 'Het spijt me dat ik zo laat ben. Ik was in de loge en heb fantastisch nieuws. Maar vertel eerst eens wat jou dwarszit.'

Margot haalde de brief uit haar zak, gaf hem aan Christian en ging op de schilderskruk zitten. 'Je broer hield vol dat hij voor hem was, maar ik wilde hem niet vertalen.'

'Juist, juist. Het is onze zaak en we mogen het vertrouwen niet schenden.' Hij vouwde het papier open en hield het in het licht.

'Je broer mag me niet.'

'Onzin, Margot, Lars is je niet kwaad gezind, hij is alleen buitensporig dol op zichzelf.' Hij las de brief en keek op toen hij hem uit had. 'Tweemaal zoveel! Deze Cassiopeia brengt ons uitzonderlijk veel geluk, Margot.'

'Dat is omkoping, liefje.'

'Nee, nee, het is dankbaarheid! Mevrouw M. heeft zo haar redenen.'

'En wat betekent dit: *die sympathie koestert voor onze zaak?*'

'Ach, onze mevrouw M. is afkomstig uit Reims. We hadden het over Frankrijk en over Gustaafs inspanningen om de koning te redden.' Christian staarde naar het plafond alsof hij terugdacht aan hun overhaaste vlucht naar het noorden, maar Margot nam zijn gezicht tussen haar handen en zorgde dat hij zijn aandacht weer op haar richtte.

'Politiek mag nooit jouw zaak worden. Onze zaak is romantiek en kunst.'

'Ik ben maar al te graag jouw klant op het gebied van romantiek, en nu hebben we een klant voor de kunst.' Christian nam haar hand in de zijne. 'Margot, ik ben uitgenodigd om een lezing over waaiers te houden,' zei hij, met van opwinding overslaande stem. 'Bij Madame Uzanne thuis.' Margot sloeg haar hand voor haar mond. 'Ja, Margot! Madame Uzanne, hét lichtende voorbeeld van de kunst, van míjn kunst, in de Stad. Ik zal haar klas van jongedames toespreken. We zullen honderden waaiers aan hen verkopen!'

Margot haalde haar hand voor de O van haar mond weg en gaf hem een kus. 'Hoe is dit wonder tot stand gekomen?'

'Via mijn broer,' zei Christian. Margot fronste haar voorhoofd. 'Niet mijn broer Lars, maar mijn logebroer, meester Fredrik Lind. Hij is heel hecht met Madame Uzanne en heeft beloofd ons in contact te brengen. Dit is ons moment, Margot. Eindelijk vinden we onze weg. Meester Fredrik stelde voor dat we haar een geschenk sturen. Ik dacht aan de Vlinder.'

'Maar ik heb de Vlinder vandaag verkocht. Aan de boodschapper. Contant betaald.'

Christian keek naar de voorkant van de winkel en de kast vol waaiers. 'Triest. Ik zal haar missen.'

'Triest?! Maar mijnheer Nordén, dit is eindelijk een dag vol goed nieuws.' Margot trok Christians kraag recht, hield toen op en legde haar handen op zijn schouders. 'Er waren vandaag twee dames van de Opera in de winkel. Ze hebben drie waaiers besteld. Drie identieke waaiers.'

Christian keek haar met een lege blik aan. 'Lieve hemel. Ik heb niets om aan te trekken.'

'Heb je gehoord wat ik zei?' vroeg Margot.

'Misschien kan ik een jas van Lars lenen; die is de laatste tijd echt een dandy geworden. De klanten zijn nogal over hem te spreken. Hij heeft een kort, scharlakenrood jasje, afgezet met zwarte tressen, heel koninklijk. Dat zou wel bij Madame in de smaak vallen.'

'Christian.'

Hij trok haar naar zich toe en kuste haar op haar hoofd. 'Ach, als ik Lars' groene jasje van vorig seizoen aantrek, is dat goed genoeg om bij Madame naar binnen te komen, maar niet zo goed dat de dames ervan ondersteboven raken.' Hij liet haar langzaam los, en zijn gezicht betrok. 'Ik heb je wel gehoord, Margot. Ik weifel.' Hij legde de penselen op de tafel recht.

Margot stak een blaker aan en blies de olielamp uit. 'Hebben we een keus?' Ze vergrendelde de achterdeur en Christian deed de luiken dicht. Ze gingen naar de voorkant van de winkel om de sloten te controleren; de gele strepen op de muren waren nu donker in de flakkering van de blaker. 'Misschien is het een teken. Goed nieuws komt in drieën: connecties, een opdracht en de Vlinder is weggevlogen,' fluisterde Margot.

Christian drukte zich tegen haar aan en blies de kaars uit. 'Eindelijk goed nieuws.'

Hoofdstuk eenentwintig

PELGRIMSTOCHT

Bronnen: E.L., stamgasten van Het Varken

HET NOVEMBERLICHT WAS slechts een grauwe laag en de lucht was vochtig, dus stak ik een kaars aan om het ochtend te maken en de zondag wat visuele warmte te geven. Ik werd wakker met een stampende hoofdpijn van een glas merkwaardige rum in Het Varken. Niemand daar wist waar het Grijze meisje was gebleven, hoewel de herbergier haar vervloekte alsof ze Satans dochter was en zei dat hij me zijn halve kist rum zou schenken als ik haar terug zou brengen, zodat hij haar een afranseling kon geven.

De Superieur was weer ongeduldig geworden en wachtte me na de zondagsdienst op om me in de kraag te vatten, met een paar knobbelige oude vrijsters in zijn kielzog. Mijn gebrek aan progressie begon onaangenaam te worden en het voortdurend verzinnen van uitvluchten werd een vervelend klusje. De Superieur was zo vastberaden om zijn dreigement dat hij me zou vervangen ook daadwerkelijk uit te voeren, dat hij er nu een datum aan gekoppeld had: 5 januari, Driekoningen. Dus had ik tijdens de zaterdagse koffie gezegd dat ik een mogelijke kandidate en haar familie zou ontmoeten en daarom niet in mijn gebruikelijke kerkbank zou verschijnen. In plaats daarvan wilde ik aan mijn octavo gaan werken. Het geluid van mevrouw Murbeck, die haar zoon beneden een verbale schrobbering gaf toen ze naar de kerk vertrokken, was een goed teken: ik zou minstens drie uur met rust worden gelaten.

Een stapel kleinfoliopapier die ik had 'gered' van kantoor lag op tafel, klaar voor pen en inkt. Ik pakte één vel en tekende de acht rechthoeken van het octavo rondom een vierkantje in het midden.

Ik schreef krachtig De Uzanne op als mijn Metgezel, onze verbondenheid nam toe. Haar geliefde waaier lag in mijn kamer, een hoge inzet om mee te spelen als de kaarten goed waren. De ophanden zijnde lezing op Gullenborg beloofde mogelijkheden, zo niet regelrechte antwoorden.

De Gevangene. Anna Maria zat in de val bij haar moeder en wilde vrijgelaten worden. Niets zou me meer plezieren dan haar te bevrijden of haar voor mezelf te houden. Dat we elkaar voor de waaierwinkel hadden ontmoet vlak voordat ik Cassiopeia in handen kreeg, was voldoende connectie met De Uzanne. Ik onderstreepte haar naam met een zwierige krul en een aantal lange strepen.

Leermeester: de instructieve meester Fredrik.

Ik overwoog de jongen van Murbeck als Boodschapper, maar besloot de rechthoek leeg te laten.

De Bedrieger? Zelfs zonder haar schakel naar De Uzanne was duidelijk wie ze was, aan de hand van het plaatje op de kaart. Ik kon me er niet toe zetten haar naam uit te schrijven, dus zette ik maar gewoon mevrouw M. neer. Maar hoe zou ik haar voor verdere doeleinden kunnen inzetten?

Toen ik het trio op de Eksterkaart bestudeerde, zag ik opeens Margot met de gebroeders Nordén! Natuurlijk liep er vanuit zo'n winkel een rechtstreekse lijn naar De Uzanne. Margot kende vast elke dame in de Stad, en ook hun rijper wordende dochters en nichtjes; alleen vrouwen met aanzienlijke middelen kochten hun koopwaar. En Margot zou zeker namens mij spreken. Ik schreef haar volledige naam op mijn tekening, gevolgd door een uitroepteken. Zij zou wel weten waar de Plomgrens woonden!

De Prijs was nog steeds een ergernis; de mannen van de loge leken op hun hoede vanwege mijn vragen naar hun ongetrouwde dochters. En geen van hen leek ook maar enigszins kunstzinnig. Ik zou meester Fredrik vragen; dat was per slot van rekening zijn taak als Leermeester.

De Sleutel, mevrouw Mus, opende een nieuwe wereld voor me met het octavo. Door haar banden met de koning en de aristocratische connecties van mijn Metgezel zou ik hoger kunnen komen dan ik ooit had kunnen dromen. Zoals het Grijze meisje had gezegd: kleine sleutels openen grote deuren. Zij was al over de drempel en liep over het gouden pad. Dat geldt binnenkort ook voor mij, dacht ik.

Hoofdstuk tweeëntwintig

EEN TREETJE OP DE LADDER

*Bronnen: diversen, onder wie L. Nordén, mijnheer en mevrouw Plomgren,
G. Tavlan, Rode Brita, twee kleermakers, een ongeïdentificeerde soldaat,
bewoners van de Ferkensteeg*

MOEDER PLOMGREN KLAPTE in haar handen. 'Schiet eens op, pruim-pje, toe. De première is volgende week en we moeten nog een heel knap drietal laten passen. Een korporaal, een man van het ministe-rie van Justitie en een zanger die bij de lantaarnopstekers in de Zuidwijk werkt.' Ze kneep in haar dochters wang. 'Doe wat rouge op, liefje. Die lantaarnopsteker mag je vergeten, maar die andere twee... wie weet, misschien willen ze wel een echtgenote bij het passen.'

'Ik weet het, en het antwoord is absoluut nee,' zei Anna Maria, die haar mouwen opstroopte en haar haarspelden goed deed. De Opera was geen plek voor bruidegoms. Op dit moment zag ze de verkreukelde broek en de blote benen van de hoofddecorschilder Gösta Tavlan achter het grote, hangende doek van een betoverd meer, en het geschilderde water trilde bij elke duw van zijn achter-werk.

Trouwen. Ze had het een keer gedaan, en het was niet goed ge-gaan. Moeder Plomgren dacht blijkbaar dat het de volgende keer anders zou lopen.

Anna Maria werkte met haar vader en moeder in het atelier van de Opera, waar ze kostuums en kleine rekwisieten maakten. Ze had ook de vaardigheden van een actrice aangeleerd, door te bestuderen hoe de patronen, de spelers en de rijke leden van het publiek in de loges zich gedroegen en hoe ze spraken. Ze wilde niets liever dan in operaloge drie op de grote ring zitten en wist dat deze vaardigheden de sleutel waren. Als ze exclusief gebruik zou mogen maken van operaloge drie, en daar in een vergulde stoel met wit brokaat zou zitten, hoog boven de zweterige menigte van de stalles, die tegen het eind van de eerste akte tegen het toneel aan geperst zou staan, zou ze precies weten hoe ze sereen naar hen moest glimlachen en een opmerking moest maken die zowel kameraadschap als minachting uitdrukte. Ze zou een garderobe hebben die niet bestond uit theatrale bric-à-brac die op een geverfde, vermaakte jurk uit de nalatenschap van een dode vrouw gelijmd was. Ze zou slechts een paar stappen verwijderd zijn van de koning, en ze zou zijn elegante aandacht beantwoorden met een goed geoefende glimlach en een nederige reverence waarin haar haat verpakt zat.

In haar jeugd dacht Anna Maria dat ze haar doel op de conventionele manier zou kunnen bereiken via een strategische liaison: ze keek zorgvuldig naar Sophie Hagman, een lieftallige danseres die gracieus in de armen van de jongste broer van de koning, Fredrik Adolf, trippelde. Juffrouw Hagman had een volmaakt leventje: een luxe appartement, meer dan voldoende middelen, en ze was vrij om een coryfee te zijn en om te gaan met allerhande mensen: van koningen tot kunstenaars. Sophie Hagman werd gerespecteerd, zelfs aan het hof, zonder met iemand getrouwd te hoeven zijn. Als bonus hield de knappe hertog Fredrik blijkbaar ook nog echt van haar; in alle opzichten een ideale regeling. Helaas leek het er voor Anna Maria op dat er, ondanks de duizelingwekkende stoet van mogelijke vrijers die door de rijkversierde deuren van de Opera kwamen en gingen, niemand geïnteresseerd was in meer dan een verfrissing in de pauze en wat lichamelijke verlichting. Dus trouwde ze maar met een soldaat en ondervond het drama van de oorlog.

Toen Anna Maria zeventien was, was het neefje van moeder Plomgren op bezoek gekomen, samen met een knappe kameraad uit zijn regiment, Magnus Wallander. Anna Maria herkende in hem een man die haar hitte kon absorberen, en ze werden onafscheidelijk; geen vuur laaide hoger op dan dat van hen. Er werd haastig een bruiloft gehouden en ze betrokken een klein stel kamers net om de hoek in de Ferkensteeg. De buren lachten om hun wellustige spelletjes, maar toen werden de spelletjes minder vrolijk. *Er komen geen christelijke woorden over hun lippen*, zei Rode Brita, een buurvrouw, tegen moeder Plomgren, *alleen gegil en gejank zoals alleen de drommel dat teweeg kan brengen. Ik vrees voor uw meisje, moeder P., ze heeft het humeur van een door de hitte bevangen bedoeien. Er zal hier iemand gewond raken, net als mijn eigen nichtje in Norrköping, die nu onder de groene zoden ligt, en haar drie jonge meisjes zitten in het armenhuis.*

Toen Magnus Wallander in 1789 door de koning werd opgeroepen om naar de oorlog in Finland te gaan, trok het stel met hun babydochtertje bij haar ouders in de Oostelijke Langstraat in. Anna Maria was blij met het vooruitzicht dat Magnus zou vertrekken, en ze was blij met de veiligheid en de nabijheid van haar ouders. Zo zouden ze geld besparen, en ze zou hulp en bescherming krijgen. Magnus was minder verheugd over de regeling. Zijn stijl, zijn manier van vechten en zijn manier van neuken raakten erdoor verkrampt, en zijn woede-uitbarstingen zouden hier nog eerder schade aanrichten. Van Anna Maria, die een kind van twee maanden zoogde, kon niet worden verwacht dat ze haar man in bedwang kon houden. Ze probeerde het, ze bewoog hemel en aarde, maar toen hij de baby als pion in hun spelletjes begon te gebruiken, was de oorlogsoproep van de koning het enige dat haar ervan weerhield een moord te begaan. 'Laat een Rus dat maar opknappen, of laat het maar gebeuren door een verdwaald schot van een boze kameraad,' zei ze tegen haar moeder. 'Verdrinking, een rattenbeet, cholera; alles is goed, als het maar gebeurt. Ik bid dat het snel en ver weg gebeurt, zodat ik hem nooit meer hoef te zien.'

Een jaar later zat ze in de onnatuurlijke stilte van haar ouderlijk huis, waarvan de ramen, de spiegel en alle meubels waren bedekt met dikke, zwarte doeken, en het leek er zelfs te klein voor een larvenfamilie; het was er donker en benauwd, met alleen de gloed van witte kaarsen die de weg naar de zitkamer verlichtten. Geen van de geluiden die het huis altijd hadden gevuld, was nu te horen: het schreeuwen, het slaan, de zachte uitstoot van lucht na een stomp in de maag.

Anna Maria's vader, die zich de tradities van zijn jeugd op het platteland herinnerde, stond erop dat er sparrenbomen werden gebracht om de deurstijlen te versieren. Dus die stonden daar met afgehakte toppen, en de afgesneden takken werden op de stoep en in huis gestrooid, waar ze een geurig tapijt vormden dat het kwaad uit de buurt hield en het geluid van schuifelende schoenen dempte. 'Op die manier kan er in de buurt geen twijfel bestaan over de aanleiding en kan er niet gefluisterd worden. Ze zullen zeker weten dat het eindelijk gebeurd is,' zei hij tegen zijn dochter. Ze wisten het al. Anna Maria vreesde het stokken van de gesprekken op de markt, de blozende gezichten bij de bakkerskraam, de neergeslagen ogen bij de slager, waar een geslacht kalf achter de esdoornhouten toonbank hing. Maar ze zouden allemaal komen, de buren en vrienden en ook vreemden, naar het huis met de sparrenbomen, en ze zouden de drie trappen beklimmen naar de verduisterde kamers, waar het rook naar lijkengeur, dennennaalden en saffraan-*kringlor,* de enorme broden in de vorm van een krakeling, die altijd werden geserveerd tijdens dodenwaken. Mensen sloegen zelden een uitnodiging af die het macabere combineerde met gratis eten en drinken, hoewel hun bezoek bekort zou worden door de hitte en de geur.

Anna Maria keek toe terwijl moeder Plomgren van vrienden geleende kop-en-schotels neerzette, aangezien Anna Maria het meeste familieserviesgoed had gebroken door het naar haar man te smijten. Dat was ook een spelletje dat ze ooit leuk hadden gevonden. Zijn ogen schitterden van pret bij zo'n furieus, ineffectief bombardement, tot ze naar gevaarlijker munitie greep. Hij was een militair en wist dat hij moest toeslaan als de vijand moe was, maar voordat die wanhopig werd. Dan overmeesterde hij haar en neukte haar meedogenloos; het einde van het conflict, dat eigenlijk het enige doel was. Ze vonden elkaar alleen in de strijd, en hun vijandigheid bracht een onweerstaanbare explosie teweeg.

Er viel een bord op de vloer, dat in stukken brak, en moeder Plomgren vloekte zachtjes. Anna Maria zat roerloos op de brede keukenbank die dienstdeed als haar bed, met een blos op haar wangen, en lippen die te rood waren voor de gelegenheid. Het zou niet juist zijn om er zo onaangedaan uit te zien onder deze omstandigheden, maar ze kon het niet helpen dat ze zo mooi was. 'Werk is een geneesmiddel, pruimpje, eerlijk werk.' Moeder Plomgren beroerde zachtjes haar arm. 'Ga wat fris water halen bij de wagen op het plein. De dienstmeid is naar de bakker en er zullen straks heel wat droge kelen zijn.'

Anna Maria knikte en stond op om de emmers uit de achtertuin te halen. Buiten in het felle zonlicht kneep ze haar ogen toe, want ze had uren in de donkere kamers gezeten. De kippen krijsten tegen een kat en ze zag één of twee buren van achter de gordijnen naar haar gluren. Ze keek uitdagend terug, met gebalde vuisten, alsof één woord genoeg zou zijn om ze af te ranselen. Ze pakte het juk en de emmers en liep het korte stukje naar het Koopmansplein, waar het leven gewoon verderging. Een groep militairen zat bier te drinken aan buitentafels. Ze lachten en zongen, blij om thuis te zijn, tot een van hen haar in het oog kreeg. 'Mevrouw Wallander?' riep hij in haar richting. Ze schuifelde met haar hoofd omlaag verder en vulde haar emmers bij de waterkar. 'Mevrouw Wallander?' Luider ditmaal.

Het had geen zin te doen alsof. Ze voelde de brandende woede in zich opborrelen, maar dwong zichzelf zo koel te blijven als de stenen onder haar voeten. 'Als u me aanspreekt, is het nu juffrouw Plomgren. Ik ben niet langer mevrouw Wallander. Maar ik heb haar wel gekend. En zij zegt dat u de man met die naam moet vertellen dat hij kruiperig duivelsgebroed is, en zijn met syfilis bedekte pik de pestilente staf van Satan. Moge hij verrotten in de hel, en moge zijn schedel keer op keer worden ingeslagen.' Ze spuwde en wachtte af, want deze mannen zouden Lucifer zelf nog verdedigen als die de kleuren van hun regiment droeg. Het enige antwoord was een windvlaag die de kleren die dwars boven de steeg hingen deed wapperen, en een meeuw die boven haar hoofd krijste. Anna Maria voelde het zweet op haar voorhoofd, en voor het eerst in dagen voelde ze dat ze leefde.

Eén man ging staan, een vlezige kapitein, zijn uniform nat van het bier. Hij maakte een vreemde halve buiging. 'U kunt maar beter niet zo over hem praten, mevrouw, juffrouw Wall... gren. Hij is gestorven, kapitein Wallander, maar als held. De koning heeft hem beloond met de majoorstitel. We drinken nu op hem, en daarna wilden we naar u toe komen met het nieuws en de onderscheidingen die hij heeft gekregen, maar waar hij zo'n groot offer voor heeft moeten brengen.'

'Het enige wat ik wil is zijn pensioen.'

De kapitein keek naar zijn laarzen. 'Als de pensioenen weer worden ingesteld, misschien. Geld voor dergelijke uitspattingen ligt op de bodem van de Golf van Finland, waar ook uw held ligt.'

'En geen cent voor mij? Zelfs zijn knopen niet?' De zon en de hitte en het nieuws en de meeuw die maar krijste en krijste, de in tweeën gehakte sparrenbomen en de saffraan-*kringlor* met hun slangenvormen die naar elkaar toe bogen als een acht op zijn kant, het serviesgoed, de brandy die ze bij het ontbijt had gedronken; die combinatie maakte Anna Maria aan het lachen. De lach van een helleveeg uit een nachtmerrie, of van een trol vermomd als schoonheid, de lach van iemand aan het eind van de wereld. 'Held, zei u? Held? Met pus gevulde puisten op een kont, wat een held!' Anna Maria liet de emmers vallen en rende op de dronken kapitein af, pakte zijn handen en trok hem mee. 'Jullie moeten allemaal onmiddellijk meekomen naar zijn huis om dit grote nieuws te vertellen. We wachten op jullie met versnaperingen, een koele en schaduwrijke ruimte om uit te rusten en te vertellen over zijn dappere daden tijdens de oorlog. Daarna zal ik u vertellen wat hij hier, bij zijn gezin heeft uitgespookt.' De mannen stonden op en volgden haar somber en bezorgd. Een van hen pakte de emmers. Anna Maria liep voor de stoet uit de hoek om en bleef voor de hangende sparrenbomen staan, waar de doorgang werd belemmerd door rouwenden. 'Hier is het werk van kapitein Wallander te zien,' zei ze met een zwierig gebaar naar de bovenverdieping van het huis. 'Zijn dochtertje van vier maanden oud, wier hoofd door zijn razende hand is ingeslagen en die hij bij mij heeft achtergelaten zodat ik haar naar de hemel kan leiden.' Ze wendde zich tot de soldaten bij de deur. 'Als hij niet al dood was, zou hij gegeseld worden op het IJzeren Plein, aan het spit geregen worden in de Koningstuin en daarna samen met het andere schuim der aarde in het massagraf op Rullbacken worden gesmeten. Held. Ik spuug op het woord en ik spuug op de achterlijke koning die hem zo noemt en zijn weduwe berooid achterlaat. Moge Zijne Duivelsneukende Sodomiserende Majesteit zich snel bij zijn held voegen, eerst in het pikzwarte water van de oceaan en daarna in de bodemloze, snikhete helleput.' Ze spuwde op de laarzen van de kapitein, draaide zich om en stapte over de drempel om de trap op te klimmen, waarbij ze het speeksel van haar wang veegde. 'Kom binnen, heren, en bekijk het heldendom van uw kameraad maar eens goed. Ze was een mooie baby, mijn Annika, tenminste, tot uw held haar op de grond gooide omdat ik niet aan zijn pik wilde zuigen.'

De mannen vormden een rij bij de witte, met gouden sterren versierde kist en staarden naar het kleine lijfje, waarvan het gezichtje was bedekt met een witlinnen doek en dat was omringd door maagdenpalm en bukshouttakken. Ze namen geen versnapering en vertrokken zwijgend.

Anna Maria ging met haar hoofd in haar handen op de stoep bij de voordeur zitten en zong tegen zichzelf tot mevrouw Plomgren haar naar binnen bracht om afscheid te nemen, want vrouwen gingen niet naar het kerkhof. De baby zou begraven worden bij de Jacobskerk, waar ze een kwart graf hadden gekocht van een gezin dat ook een kind had verloren, en ze hadden geluk dat ze het konden krijgen.

Mijnheer Plomgren spijkerde de witte kist dicht en legde een krans op het deksel. Anna Maria stond op en ging naast hem staan. 'Zijn haar benen vastgebonden?' Mijnheer Plomgren knikte; niemand wilde dat de doden weer zouden gaan lopen, zelfs niet een dode die nog nooit had gekropen. 'En welke kant ligt ze op, vader? Waar ligt haar hoofd?' Haar vader wees naar de kant het dichtst bij hem, en Anna Maria sloot haar ogen, opgelucht omdat hij het zo zeker wist. 'Zorg dat ze met haar voeten eerst het huis verlaat, vader, anders komt ze terug. Voeten eerst.' Hij knikte, want hij wist heel goed dat er gespookt zou worden in het huis waar een dode met het hoofd naar voren was vertrokken. Die zou geen rust hebben, en er was al ellende genoeg in dit huis zonder de geest van een baby die door geweld kapot was gemaakt. Er was al genoeg kapotgegaan.

Mevrouw Plomgren hield haar dochter dicht tegen zich aan. 'Je zult genezen, pruimpje. Ik zal ervoor zorgen dat je weer gelukkig wordt.'

En zo tilden mijnheer Plomgren en een kleermaker van de Opera de doodskist, die lichter was dan stof en wit als melk, op hun schouders de schitterend blauwe dag in. Ze liepen langzaam langs het kasteel, via het eiland van de Heilige Geest, over de brug en voorbij de Opera naar de Jacobskerk, waar ze haar begroeven. Het rook sterk naar de dampen van ontbinding en de mannen hielden takjes jeneverbes onder hun neus terwijl de priester de grafgebeden zei. Dat was twee jaar geleden. Nu was er een toekomst om naar uit te kijken.

Op de tweede verdieping van het Opera-atelier zat Anna Maria aan een toilettafel met een kleine spiegel, haalde een ronde etui uit haar zak, pakte er een roodgemaakt katoenpropje uit, spuwde erop en depte haar lippen ermee. Ze oefende verscheidene gezichten in de spiegel, tot ze achter zich een heer met een nachtblauwe doos in de deuropening zag staan, die zijn blik op haar liet rusten. Ze bekeek Lars een ogenblik in de spiegel. Een welgevormd lichaam, een knap gezicht. Hij droeg zijn haar in de nieuwste stijl, zijn kleding was elegant en goed gemaakt: een blauwwollen jas en broek, room-kleurige kousen zonder haaltjes en een fraaie bonthoed onder zijn arm. Ze stond langzaam op en draaide zich om. 'Kan ik u helpen?' vroeg ze, en ze hield glimlachend haar hoofd scheef.

Lars boog zwierig, legde de doos vlakbij op een tafel en pakte haar hand, die hij kuste. 'Een pakje, lieftallige dame. Van het Nor-dén-atelier.'

'Mijnheer Nordén? Bent u dat?' zei ze koket, en ze liet haar hand net even iets langer liggen.

'Dat ben ik,' zei hij met een buiging. 'De lelijke.'

'Dan zou ik de knappe weleens willen ontmoeten.'

'De knappe is getrouwd, en gelukkig ook, vrees ik. Maar een kikker en een prinses zijn ook een goed koppel.'

'Ik ben geen prinses en ik heb al een kikker gehad,' zei Anna Maria. 'Het gif is net uit mijn lijf. Ik zoek juist een prins, mijnheer Kikker, maar wees zo vriendelijk me uw voornaam te vertellen.'

'Nee, nee, lieve dame, voornaam ben ik niet, dat is mijn broer Christian, de knappe. Ik ben maar eenvoudig, en ik heet Lars.'

Anna Maria voelde een warme gloed langs haar hals en naar haar wangen kruipen, en hoewel ze haar uiterste best deed bleek te blijven, lukte dat niet. '*Enchanté*,' zei ze. Ze stak haar hand uit om het doosje te pakken, maar Lars greep haar hand.

'Nu moet u me ook vertellen wat uw voornaam is, anders is het niet eerlijk.'

Moeder Plomgren kwam aanstommelen met een geamuseerd gealarmeerde blik. 'Wat hebben we hier, lieveling, och, mijnheer, waarmee kunnen we u van dienst zijn? O! Mijnheer Nordén!'

Met tegenzin liet Lars Anna Maria's hand los en pakte die van haar moeder, om er een kus op te drukken. 'Ik heb instructies om mijn pakje in deze vaardige hand van u te leggen, mevrouw Plomgren.' Moeder Plomgren tuitte haar lippen en slaakte een gilletje. Ze trok haar hand terug en omklemde die met haar andere hand. 'Het pakje, dan, het pákje, ja! Daarin wachten zeldzaamheden.' Ze drukte het pakje tegen haar boezem alsof het een pop was, en leidde Lars en Anna Maria naar een werktafel bij het raam, waar ze voldoende licht zouden hebben.

'We hebben reikhalzend uitgekeken naar de komst van deze schoonheden, is het niet, pruimpje? Speciaal besteld door hertog Karel zelf, voor de voorstelling. Op aanbeveling van een zeer hoogstaande dame die alles van waaiers af weet,' fluisterde ze, waarna ze voorzichtig het deksel eraf haalde en naar binnen gluurde. Er steeg een subtiel parfum van citroenkruid op. Er lagen drie identieke blauwe dozen op de blauwfluwelen binnenvoering, elk met een piepklein kristalletje dat naar hen knipoogde. Moeder Plomgren knipoogde naar haar dochter. 'Kom, lieveling, laat mijnheer Nordén jouw kunst nu eens zien.'

Anna Maria koos één doos uit en haalde de waaier eruit, die ze in haar hand verwarmde. Die was heerlijk onheilspellend. Gesloten leek hij op een klein kromzwaard, want de buitenbenen waren gekromd en liepen spits toe, en ze waren bedekt met glanzend bladzilver. De sluitpin was versierd met een granaat. 'Ik ben het vergeten, moeder, maar wordt er een moord gepleegd in deze opera?'

'In alle opera's wordt een moord gepleegd, dom gansje,' vitte haar moeder.

Anna Maria opende de waaier geruisloos, vouw na vouw, een trucje waarop ze maandenlang geoefend had voordat ze het onder de knie had. Toen ze de laatste vouw met de kracht van haar pink had geopend, hield ze de waaier omhoog zodat haar moeder hem kon zien. Anna Maria hield haar ogen op haar moeders gezicht gericht, zich ervan bewust dat die van Lars op haar rustten. Moeder Plomgren boog zich naar de waaier toe en er verscheen een glimlach om haar lippen. Ze was in de ban van iets dat zo goed vervaardigd was, en toen ze haar ogen toekneep om beter te kunnen focussen, glansden ze door een waas van tranen. 'Precies waarop we gehoopt hadden, mijnheer Nordén, precies,' zei moeder Plomgren. 'Wat vind jij ervan, pruimpje?'

Anna Maria bracht de waaier op ooghoogte. Hij was zo gemaakt dat hij oud leek, en kon de volle honderdtachtig graden geopend worden. De benen waren van ivoor, stonden dicht op elkaar en waren slechts voor een kwart van hun lengte zichtbaar. De aandacht werd getrokken door het blad van de waaier. Dat was dubbelzijdig en de achterkant was zo beschilderd dat het bladmuziek leek, met zilveren lovertjes als noten. Ze draaide de waaier om en keek naar de voorzijde, die was beschilderd met een grotesk masker van verweerd steen. De mond stond vol afschuw open en in de ogen waren ovale openingen geprikt, die omrand waren met zwart gaas; kijkgaatjes waardoor iemand anoniem kon gluren.

'Haar gezicht is net een monster, mijnheer Nordén,' zei Anna Maria, die een ogenblik haar flirterige charme verloor.

'Het is de *Orfeo,* liefje. Ze is een van de drie Furiën die de poorten van de Hades bewaken,' zei mevrouw Plomgren. 'Laten we het drietal pakken, goed?'

Anna Maria maakte de tweede open en daarna de derde, en legde ze alle drie op tafel. Ze pakte ze een voor een op en vouwde elke waaier open, schijnbaar zonder haar hand te bewegen, en ze duwde tegen de vouwen en bewoog de sluitpin. 'Eén is iets uit balans en de pin zit te strak, waardoor de beweging niet is zoals ik zou willen. Maar afgezien daarvan zijn ze heerlijk om vast te houden en hebben ze een fijne grootte.' Lars' mond viel iets open bij dit vertoon van deskundigheid. 'Zeg maar tegen uw knappe broer dat hij een groot kunstenaar is en dat de dames van het atelier van de Koninklijke Opera voor hem applaudisseren.'

'En de lelijke broer van de kunstenaar? Krijg die ook applaus, vanwege zijn keurige bezorging?'

Anna Maria en haar moeder klapten plichtmatig, waarna moeder Plomgren zich weer omdraaide naar de waaiers. 'Laten we deze lieve meisjes naar bed brengen, waar we ze veilig opgeborgen houden.' Moeder Plomgren pakte de laatste waaier en klapte hem deskundig dicht. Ze legde ze alle drie in hun doosjes en wikkelde de doos in een doek.

'Let wel, mijnheer Nordén, we zullen ze straks alle drie nog eens goed bekijken en ze persoonlijk langsbrengen als er aanpassingen nodig zijn,' zei Anna Maria tegen Lars, en haar lippen vormden een glimlach die het evenbeeld van die van haar moeder was, maar dan veel jonger, veel vochtiger en veel, veel roder.

'De winkel van Nordén is een aangename wandeling van hieraf. Het zou ons een eer zijn als u langs zou komen.'

'Volgende week maandag dan, op de thee,' flapte moeder Plomgren eruit.

Lars boog naar beide dames en vertrok. Op de drempel keek hij nog eenmaal om.

'Een tweede akte, liefje, en nog wel zo'n mooie,' zei moeder Plomgren, die haar dochter tussen de ribben porde.

Hoofdstuk drieëntwintig

EN GARDE

Bronnen: M. Nordén, L. Nordén, moeder Plomgren (beneveld)

DE DAMES PLOMGREN schuifelden over de Regeringsstraat, waarbij ze zich vastklampten aan elkaars mouw en steun zochten bij de gebouwen, in een wanhopige poging zich een weg te banen over het dunne laagje ijs dat zich 's nachts gevormd had. Bij de winkel van de Nordéns aangekomen, zagen ze een door kaarsen verlichte etalage vol rood met gouden zijden waaiers, die verfraaid waren met kleine veertjes die tussen hun vouwen gestoken waren. Moeder Plomgren kneep in haar dochters arm. 'Hij haalt alles voor je uit de kast, echt. Doe lief, nu, doe lief.'

'Zijn mijn lippen te rood?' vroeg ze. 'Ik wil er niet uitzien als een taart.'

'Een heerlijke pruimentaart ben je, lieveling, heerlijk, en daar is niets mis mee. Je ruikt ook lekker. Lelietjes-van-dalen. Heel onschuldig,' voegde moeder Plomgren eraan toe, waarna ze discreet op het glazen paneel van de voordeur klopte. Lars verwelkomde hen met buigingen en zwierige begroetingen, en met de geur van citroen en gebak die in de warme winkel hing. Hij wenkte hen naar binnen en nam hun omslagdoeken en hoeden aan, waar hij zorgvuldig de sneeuw van afschudde. De gestreepte gele ruimte was schemerig op dit tijdstip, en het plafond was in duisternis gehuld. Hun schaduwen dansten op de muren doordat de lampen flakkerden door de tochtstroom die binnenkwam toen er een deur openging en zachtjes weer gesloten werd, en daar stonden Margot en Christian met volle dienbladen in hun handen.

'Zijn jullie er al?' vroeg Christian.

'Ach, hij bedoelt uiteraard te zeggen: welkom in onze winkel, dames, en onze verontschuldigingen dat we zo laat zijn met onze voorbereidingen voor jullie bezoek. We zijn verheugd jullie te zien,' zei Margot in het Frans. De dames Plomgren hadden een bevroren glimlach op hun gezicht.

'Zouden jullie het heel erg vinden om in het Zweeds te converseren, dames? Mevrouw Nordén moet oefenen. Is het niet, lieveling?' vroeg Christian, die het dienblad neerzette en zijn handen aan zijn broek afveegde. 'Zoals mevrouw Nordén al zei: het spijt ons dat we zo laat zijn.' Hij ging naar moeder Plomgren, kuste haar hand en stelde zich voor.

'Dus u bent de maestro?' vroeg ze.

'Ja, ja en dit is mevrouw Nordén,' zei Christian. 'We zijn enige tijd in Frankrijk geweest, dus weten we niet altijd zeker op welke manier we ons moeten gedragen en welke taal we moeten spreken. Ik hoop dat we u niet beledigd hebben.'

'O, nee, we werken in het theater, dus we zijn gewend aan de vreemdste manieren en het vreemdste taalgebruik, nietwaar, pruimpje?' zei moeder Plomgren opgewekt.

'We zijn grote bewonderaars van uw waaiers, mijnheer Nordén,' zei Anna Maria. 'We wilden met eigen ogen de bron van de magie aanschouwen.' Christian en Lars bogen na dat compliment, zeer tot Margots ontsteltenis, en ze morste een druppeltje room terwijl ze de thee klaarzette.

Lars ging naar Anna Maria en pakte haar hand. 'Ik heb mijn broer al verteld over úw magie, juffrouw Plomgren. We zien niet vaak dat onze waaiers zo vaardig bediend worden, en het doet pijn wanneer onze kunst dood in de hand ligt. Misschien kunt u mijn broer en zijn vrouw een demonstratie geven.'

Moeder Plomgren koerde instemmend. Christian pakte een waaier uit de vitrine en gaf die aan Anna Maria. 'Ze heet Diana. Ze is gemaakt voor vlugheid.'

Anna Maria opende haar langzaam, voelde het gewicht van de benen en zag het perkamenten blad met de kanten inzetstukken. De voorzijde was beschilderd met een jachtscène, een vrouwelijke jager die op het punt stond te schieten. Ze sloot de waaier tot de helft, toen tot een kwart en daarna tot een achtste. Haar publiek verwachtte dat ze haar ten slotte zou dichtklappen, maar in plaats daarvan sloeg ze haar wijd open, met een zoevend geluid, als een vogel die zijn vleugels uitslaat. Daarna wapperde Anna Maria met duizelingwekkende snelheid, waardoor ze een briesje teweegbracht dat het lamplicht deed flakkeren, en ze hield op en gaf de waaier aan Margot. 'Kant is een ongelukkige keuze voor een jageres,' zei ze, 'maar Diana kan elke bok aan, zelfs als ze omringd wordt door netten.' Moeder Plomgren en Lars applaudisseerden, maar Christian stond naar het plafond te kijken.

'Wie is uw lerares?' vroeg Christian ten slotte.

'Ik heb het mezelf aangeleerd,' zei Anna Maria.

'Je hebt het van de opera geleerd,' verbeterde moeder Plomgren, die met een plof ging zitten en zichzelf van een petitfour bediende.

'Er is een vermaarde lerares hier in de Stad. Madame Uzanne.' Christian bleef de kroonluchter bestuderen. 'Ik ben benaderd om half december bij haar thuis een lezing te geven.'

'Ik dacht precies hetzelfde, Christian!' Lars ging naast zijn broer staan en keek eveneens naar de kroonluchter. 'Ik stel me zo voor dat Madame Uzanne geïnteresseerd zal zijn in iemand met juffrouw Plomgrens vaardigheden. Ik kan me voorstellen dat juffrouw Plomgren je lezing een dramatische flair zou geven waardoor de jongedames nog meer in de ban zouden raken.' Margot keek Lars ongelovig aan.

'We denken helemaal niet hetzelfde.' Christian keek perplex. 'Ik zal het over de geometrie van de waaier hebben en wilde juffrouw Plomgren vragen wat haar theorieën daarover zijn.'

'Pfff!' Moeder Plomgren wuifde in de lucht, alsof ze het plan afkeurde. 'Jonge meisjes willen Venus, niet Apollo.'

'Misschien kan juffrouw Plomgren je als zodanig vergezellen?' opperde Lars.

Moeder Plomgren sperde haar ogen wijd open, alsof de deur naar de toekomst door deze woorden ontsloten werd. 'Ja,' fluisterde ze. 'Mijn pruimpje zal een geweldige aanvulling vormen. Ze zal doen wat haar gevraagd wordt.'

Anna Maria wendde zich tot Lars. 'Als dat het Nordén Atelier ten goede komt…'

Margot keek de twee met toegeknepen ogen aan. 'Ik ben niet zeker van de etiquette van deze uitnodiging. Alleen Christian is uitgenodigd.'

'De Stad lijkt op Parijs in die zin dat kunstenaars worden aangespoord, mevrouw Nordén,' zei Anna Maria. 'Gezelschap zou verwelkomd worden. Verwacht, zelfs. Wij hebben *egalité* zonder bloed en ongeregeldheden.'

'Is dat zo, Christian?' vroeg Margot.

'Geloof me, mevrouw Nordén. Mijn pruimpje is heel ervaren in de gebruiken van de Stad,' zei moeder Plomgren, waarna ze haar voorhoofd fronste. 'O, lieve hemel, we zullen een slee moeten huren.'

'Uiteraard reizen de dames Plomgren met ons mee,' zei Lars.

'Ga jij dan ook?' vroeg Margot.

'Natuurlijk! En mevrouw Nordén zal u gezelschap houden,' zei Lars tegen moeder Plomgren.

'Ik was niet van plan te gaan,' zei Margot, die haar man een paniekerige blik toewierp.

Christian haalde zijn schouders op en glimlachte, alsof hij een kleine inzet had verloren, die hem een grotere winst kon opleveren.

'Madame Uzanne zal dit niet leuk vinden,' mopperde Margot hoofdschuddend. 'Ik vind dit niet leuk.'

'Maar waarom dan niet?' vroeg Lars, die een stoel bijtrok voor Anna Maria. 'Neem een kopje voor mij mee, mevrouw Nordén. De Plomgrens en ik moeten elkaar beter leren kennen.'

Hoofdstuk vierentwintig

EEN AANVAARDE UITNODIGING

Bronnen: E.L, M.F.L.

MEESTER FREDRIK LEGDE de papieren die hij in zijn hand had snel neer en liep om de schrijftafel heen om me de hand te schudden. 'Madame zal zo verheugd zijn dat u bij haar lezing aanwezig bent!'

'Woorden schieten tekort om mijn dankbaarheid te betuigen, meester Fredrik,' zei ik. 'Ik heb het gevoel dat dit bezoek enorme gevolgen voor me zal hebben.'

'Voor ons allebei, mijnheer Larsson.' Mijnheer Fredrik had me in zijn werkkamer uitgenodigd – een zeldzame intimiteit – en stelde me aan mevrouw Lind voor als zijn broer. Hij zag er slordig en buiten adem uit toen ik binnenkwam, maar toen ik er een opmerking over maakte, beweerde hij dat hij zich altijd 'buitengewoon liet meeslepen' door zijn werk. Ik had meer raffinement verwacht in deze ruimte, maar de enige voorwerpen waaruit bleek dat hij een serieuze ambachtsman was, waren een fraaie spiegel in een rijkversierde gouden lijst die tegenover zijn schrijftafel hing en een grote, afgesloten kast die ernaast stond. Op de ingebouwde planken stonden keurig opgestapelde dozen mooi papier, inktflesjes, pennen, ganzenveren, messen, zegelwas in alle kleuren, vouwbenen en verscheidene instrumenten die bij zijn ambacht hoorden. De kamer rook vaag naar *eau de lavande*.

'U zult van onschatbare waarde zijn voor Madame, daar ben ik van overtuigd. Ik zal ervoor zorgen dat u fatsoenlijk wordt voorgesteld, maar laat mij eerst het woord doen om het pad te effenen.' Meester Fredrik leunde op de schrijftafel en zuchtte. 'Ze is als de zon aan het zomerse firmament, dat is waar, dus ik begrijp uw angst om verbrand te worden door haar felle straling. Maar vrees niet, mijnheer Larsson. Ik zal uw hemelse gids zijn.' Hij nam een mes uit een la, pakte een lange, witte veer en begon de pen bij te snijden. 'Heb ik het u al verteld? Madame heeft mijn voorstel aangenomen om tijdens haar eerste bijeenkomst licht te werpen op de mysterieuze geometrie van de waaier, onder leiding van onze broeder Sirius.' Meester Fredrik zag mijn verwarring; ik was vreselijk slecht in onze vrijmetselaarspseudoniemen. Hij rolde met zijn ogen vanwege mijn onwetendheid. 'Mijnheer Nordén uit de Kokssteeg. Een kunstenaar in het ambacht van waaiermaken. En tevens een vrijmetselaar van het derde of vierde niveau. Zeer bedreven. Maar Madames colloquium begeleid door een ambachtsman: is dat niet gewaagd? Jawel! Spreekt daar niet het esprit van dit tijdperk uit? Jawel! Denkt u dat de groep jongedames uitkijkt naar zijn eruditie? Welnee! Ze zullen de taal van de waaier verwachten, een en al Eros en Aphrodite, maar Madame mikt op Athena en Apollo. Dit zou uw enthousiasme om erbij te zijn alleen nog maar moeten aanwakkeren.' Ik bekende dat ik nieuwe kleding had gekocht. Hij lachte hartelijk. 'En als klap op de vuurpijl zal er hoogstwaarschijnlijk ook gekaart worden!'

'De slagroom op de taart!' zei ik.

'Nou en of, die jonge schepseltjes zullen nooit de hele middag blijven zitten voor een wetenschappelijke verhandeling, en de inzetten zullen bovendien hoog zijn. Deze meisjes hebben goedgevulde achterwerken en dikke portemonnees,' zei hij, en hij reikte over zijn bureau en kietelde me met de veer onder mijn kin. 'En Madame dekt een tafel zoals iemand van uw stand dat zelden zal zien.' Meester Fredrik bood me aan in zijn slee mee te rijden naar Gullenborg. Zo'n eerste schooldag is er nog nooit geweest.

Hoofdstuk vijfentwintig

DUN IJS

Bronnen: diversen, voornamelijk: M. Nordén, Louisa G.

DRIE NORDÉNS EN twee Plomgrens persten zich in de gehuurde slee voor de tocht naar Gullenborg. De lucht was kristalhelder blauw en een nieuwe laag wit poeder lag als een deken over het landschap. Het weer was twee weken geleden omgeslagen tot een ijzige kou en het ijs was nu zo dik als een paardenhoofd, maar Christian wilde toch graag de route over land nemen. De winterse gewoonte om over bevroren waterwegen te rijden vond hij maar beangstigend, maar ze waren laat doordat de dames uitgebreid toilet hadden gemaakt ter voorbereiding op deze gelegenheid, en het meer was de snelste route. De paarden steigerden één keer toen het ijs afschuwelijk kraakte door een onzichtbare scheur onder de oppervlakte, waardoor Christian en de dames bange kreten slaakten. Lars lachte. De verhalen van de koetsier over de ijzige verdrinkingen van de vorige winter, met paarden en al, hielpen niet bepaald. Margot hield Christians hand in de hare en ze leidden zichzelf af door liedjes te zingen op het ritme van de tuigbelletjes. Toen ook dat niet hielp, nam Anna Maria het woord.

'Mijnheer Nordén, waarom oefent u uw lezing niet op ons?' vroeg ze.

'Ja, dat kan ik misschien wel doen,' antwoordde Christian, die zijn ogen dichtkneep. 'Het is een overzicht van de geometrische elementen van de waaier, te beginnen met de cirkel, en het vereist een wiskundige...'

'Mijnheer Nordén, met alle respect, jongedames zijn niet geïnteresseerd in wiskunde,' zei Anna Maria.

Margot was ontstemd over Anna Maria's onbeschaamdheid, maar hield haar gezicht in de plooi. 'Welk onderwerp zou u dan willen voorstellen, juffrouw Plomgren?'

'Er komt slechts één onderwerp in aanmerking als het gaat om het gebruik van de waaier,' antwoordde ze.

'U bedoelt liefde?' vroeg Margot.

'Nee, mevrouw Nordén. Ik bedoel verlokking.'

'En wat te denken van schoonheid?' vroeg Christian, het ijs even vergetend. 'En van geluk, en kunst?'

'Dat zijn elementen van de waaier, maar niet het doel,' antwoordde Anna Maria.

'Ik dacht dat hij bedoeld was om vliegen te verjagen,' merkte Lars op.

Moeder Plomgren deed alsof ze hem een draai om zijn oren wilde geven. 'U bent hier de enige praktische van het stel.'

De slee kwam tot stilstand voor de deemoedigende grootsheid van Gullenborg. Op de stenen palen aan weerszijden van de trappen die van het meer naar het landgoed leidden, stonden toortsen, en lantaarns die in de sneeuw verzonken waren gloeiden op langs het pad, dat was ontdaan van elk spoortje winter en was bedekt met een nieuwe laag roze grind.

'U kunt het beste via de hoofdingang naar binnen gaan, mijnheer Nordén, want u bent de eregast. Als ongenodigden moeten wij de achteringang nemen en hopen dat we een zitplaats krijgen. Kom, pruimpje, kom, maar pas op voor het ijs,' zei mevrouw Plomgren opgewekt, en ze gebaarde dat de anderen haar moesten volgen.

Christian volgde het spoor van lantaarns naar de vooringang en aarzelde even voordat hij de koperen klopper optilde. Hij klopte op zijn schoudertas en zei een dankgebedje voor zijn logebroeder meester Fredrik. Niet alleen had hij dit bezoek mogelijk gemaakt, meester Fredrik had hem ook de formele introductie- en bedankbrief voor zijn gastvrouw ingefluisterd. Die dient vele doelen, had meester Fredrik geïnstrueerd: Madame Uzanne, die eerbetoon hoog in het vaandel heeft staan, zal erdoor geëerd worden; de dames die de hele tijd zitten te slapen of te praten krijgen er wat interessante feiten door te horen; en de locatie van uw etablissement wordt erin vermeld, waardoor klanten naar u toe zullen komen. Meester Fredrik was blijkbaar praktisch en kunstzinnig, een duale aard die zelden te vinden is bij de gewone man. Hij had op gewoon, wit papier in een eenvoudig mannelijk handschrift twee dozijn briefjes geschreven.

EEN LEZING

De geometrie van de waaier
Christian Nordén
Kokssteeg, Noordereiland, Stockholm

16 DECEMBER 1791
Opgedragen aan barones Kristina Elizabet Louisa Uzanne
Geïnspireerd door de Orde van de Waaier,
Gesticht door Hare Koninklijke Hoogheid Louisa Ulrika in het jaar 1744.

Liefste dames,
Het hier aanwezige gezelschap mag zich gelukkig prijzen zich de begunstigden te mogen noemen van de expertise van de onvergelijkelijke Madame Uzanne, middels privé-instructie. Zeer gelukkig! Charmante gastvrouw, elegante schoonheid, gewaardeerde dame van het hof,
en een van de grootste deskundigen en verzamelaars van vouwwaaiers.
Ik doe mijn best een waardig instructeur te zijn.
C.N., waaiermaker

Christian tilde de deurklopper op en liet hem neerkomen.

'Dit vertrek is absoluut naargeestig.' De woorden van De Uzanne echoden in de lege salon en Louisa, het dienstmeisje, ging meteen de blakers en de keramieken kachels aansteken. De Uzanne had haar les op een tijdstip ingepland waarop het licht exact naar binnen zou stromen wanneer ze het nodig had, maar op dit moment was de zon nog niet om het huis heen gekomen en vormde elke uitademing een klein, ijzig wolkje. De Uzanne keek kritisch naar de tien wit gelakte tafels met gracieus bewerkte poten, elk met vier stoelen met ronde rugleuningen. Er stonden nog meer stoelen en bankjes met kussens rondom langs de kant voor de onvermijdelijke extra gasten die er graag bij wilden zijn. Door deze opstelling konden de gasten gaan zitten voor de lezing en daarna naadloos overgaan tot het nuttigen van versnaperingen en het spelen van faro en Boston whist, indien de lezing te saai of de jongedames te dom zouden blijken. Het huishoudelijk personeel had gemerkt dat Madames belangstelling voor kaarten sinds de zomer sterk was toegenomen: eindeloze spelletjes en privélessen met dubieuze figuren duurden tot diep in de nacht. 'Dat is goed voor de meisjes, want kaarten moeten net zo zorgvuldig worden vastgehouden als welke waaier dan ook,' had De Uzanne tegen Johanna gezegd.

Een dienstmeisje dat voorbijsnelde met een emmer en een borstel om de entreehal nog een laatste schrobbeurt te geven, bleef staan en maakte een reverence, maar werd weggewuifd. De Uzanne zag een man, die aan zijn slecht passende, hoewel elegante jas zat te frummelen, naar de voordeur lopen. Ze kende de huurkleding en de struikelende haast om bij de rijken aan te kloppen maar al te goed. 'De deur, Louisa. De waaiermaker is gearriveerd,' riep ze. Ze keek in het oneffen spiegelglas om haar kapsel glad te strijken, trok één zilveren haar midden op haar hoofd eruit, klapte haar waaier open en ging rustig op de indrukwekkendste plek van de ruimte staan.

Christian maakte een diepe buiging om de blos op zijn wangen te verbergen. De Uzannes donkere haar was vol, krulde langs de kroon en was vastgezet met een glinsterende kam die eruitzag alsof hij los zou raken. Haar jurk was van een zeldzame kleur lichtgroen die soms bij zonsopkomst aan de horizon te zien is, en was gemaakt van zijde dat was afgezet met brokaten rozetten, het lijfje strak en laag uitgesneden, met rijen kant in een donkergrijze tint. De driekwart mouwen lieten haar slanke armen voordelig uitkomen, en hetzelfde grijze kant reikte bijna tot haar polsen. Haar handen waren volmaakt, haar nagels glanzend roze, haar vingers gestrekt. Haar linkerhand speelde met de geopende waaier, wat betekende dat hij naar haar toe mocht komen om met haar te praten.

'Madame, het is me een eer in uw aanwezigheid te verkeren.' Christian probeerde haar hand te kussen, maar net toen hij zijn droge lippen erop drukte, trok ze haar hand zachtjes los uit zijn greep. Hij rechtte zijn rug. 'Ik was er zeker van dat alleen u de gouden, halfronde waaier met zo'n opmerkelijke finesse kon bedwingen.'

De Uzanne knikte verheugd. 'Het was het volmaakte geschenk, mijnheer Nordén. Ik ben dol op een korte hals en het brede blad met de reliëfroosjes doet me denken aan een weelderige tuin. Ze is een waaier die gemaakt is voor de zomer, maar die ook 's winters een kamer kan verwarmen. Ik heb haar een naam gegeven die ik liever niet hardop wil noemen.' Christian deed zijn mond open om iets te zeggen. 'Mijnheer Nordén, als u nu alstublieft in de dienstgang zou willen wachten tot de jongedames gearriveerd zijn.' Christian voelde zijn gezicht gloeien en boog zo diep dat zijn neus bijna zijn knieën raakte. Hij hield deze positie vast tot haar voetstappen nog slechts klikjes in de verte waren.

Louisa wenkte hem door een paneeldeur in de wand naar de dienstgang met zijn smalle, houten stoel. Het rook er naar dennenhars en dode muis, en het volgende halfuur was het stil in het grote huis, op het geluid van haastige voetstappen na.

Hoofdstuk zesentwintig

DE GEOMETRIE VAN HET LICHAAM

Bronnen: E.L., diverse gasten en bedienden op Gullenborg, M. Nordén, L. Nordén, Bloem, Lt. R.J., mijnheer V***, M.F.L., mevrouw Beuk

MEESTER FREDRIK EN ik arriveerden stipt om één uur. Hij verkondigde dat hij wat zaken moest regelen, maar verzekerde me dat hij zou weten wat het juiste tijdstip was voor mijn introductie. Ik zei dat ik hem niet tot last wilde zijn en ging in een hoekje staan om de boel te observeren. Ik moet toegeven: Gullenborg vormde een intimiderende achtergrond. Het zonlicht dat door de ramen aan de noord- en de westkant scheen, maakte langgerekte rechthoeken op de parketvloer. Het kaarslicht schitterde in de spiegelende blakers en in de grote kristallen kroonluchter die midden in de kamer hing. Binnen enkele minuten veranderde het ingetogen grijze vertrek in een duizelingwekkende tuin, toen groepjes jongedames de salon in wervelden; hun kuise jurken vormden een kunstig pastelkleurig boeket en de zaal werd gevuld met de bedwelmende geur van hun lichte parfums en hun jonge lijven. Ze babbelden en fluisterden en pronkten met hun jurken. Allemaal, op één na. Zij was gekleed in een verfijnde jurk van kopergroen brokaat, afgezet met wijnrood lint. De jurk was iets te groot, alsof ze hem in de haast had geleend van een oudere zus, maar de vorm was elegant en subtiel. Ze stond enigszins afzijdig, sprak met niemand, maar observeerde de wervelende debutantes, die stuk voor stuk naïef leken in vergelijking met haarzelf; betoverend was ze. Ze draaide zich in mijn richting; haar albasten huid was voer voor schilderijen en gedichten. Maar toen er een lichtroze blos over haar bleke wangen kroop en haar ogen zich verwijdden toen ze mij zag, wist ik zeker dat ik haar eerder had ontmoet. Ik trof meester Fredrik, die verwikkeld was in een toestand rondom de naamkaartjes van de gasten, en vroeg of hij wist hoe ze heette. 'Ze vertoont een opmerkelijke gelijkenis met iemand die ik het afgelopen voorjaar heb ontmoet. In een taveerne op Skeppsholmen.'

'Onmogelijk, mijnheer Larsson,' zei hij, en hij stopte een handvol naamkaartjes in zijn zak. 'Ze is afkomstig uit het hoge noorden en stamt af van een adellijke familie met een indrukwekkende stamboom. Dit is juffrouw Johanna Bloem.'

'Juffrouw Bloem? Weet u dat zeker?'

'Twijfelt u aan me?' Meester Fredrik keek me waarschuwend aan. 'Juffrouw Bloem is Madames nieuwste protegee. Ik heb de jongedame zelf voorgedragen.'

'Dan heb ik haar op Koningseiland gezien, in de buurt van de Regeringsstraat. Ik weet het zeker.'

'Tja, dat is mogelijk.' Meester Fredrik dempte zijn stem. 'Madame stuurt haar zo nu en dan naar de Stad, zodat ze zich onder de inwoners kan mengen; Madame bereidt het meisje voor op een bepaald doel. Het verbaast me niet dat u zich tot haar aangetrokken voelt: Ouwe Kokkie gelooft dat ze een tovenares is en het is duidelijk dat Madame in de ban van haar is.'

Het gevoel dat ik dit meisje kende, in combinatie met het feit dat ze zo dicht bij mijn Metgezel stond, bracht een tinteling in mijn nek teweeg. 'Misschien kunt u ons aan elkaar voorstellen,' zei ik.

Hij legde vaderlijk zijn arm om mijn schouder en leidde me weg van Johanna. 'Ik zal het vragen, maar Madame is zeer beschermend ten aanzien van haar gezelschapsdames. Getroost zich heel wat moeite om een goede kandidaat voor hen te vinden, als u daar soms aan dacht. En het is een goede gedachte, mijnheer Larsson. Ik waardeer uw ambitie,' zei hij met een iets te hard kneepje. 'Maar zonder instemming van Madame, mag u juffrouw Bloem niet verleiden tot dwalingen. Wee haar! Er was hier niet zo lang geleden een meisje, een verrukkelijk schepseltje, dat in de... o, Madame roept. Ik vertel de schunnige details later wel.'

'Ik kijk ernaar uit,' zei ik. Hij had het uiteraard over Carlotta en ik kneep mijn handen samen, waarna ik ze weer ontspande; de tijd dat ik haar eer wilde verdedigen was lang vervlogen, en ik had gehoord dat ze heel gelukkig was en dat ze verliefd was geworden. In Finland! Hoewel Carlotta duidelijk niets met mijn octavo van doen had, dwaalden mijn gedachten toch naar het achttal af: ik moest nog plekken invullen en er moest nog een belangwekkende gebeurtenis plaatsvinden. Mevrouw Mus had gezegd dat ze zich rondom De Uzanne zouden verzamelen, en de elite van de Stad kwam nu rijendik de zaal binnen. Onder de werveling van begerenswaardige meisjes mengden zich ook moeders en chaperonnes in ingetogener kleuren, minstens een dozijn heren, en een even groot aantal jonge officieren die uit het regiment van hertog Karel 'geleend' waren om de jongedames te verlokken. De Uzanne had er een coterie van Franse acteurs uit het Bollhustheater aan toegevoegd voor een dosis enthousiasme en charmante gesprekken, en tevens enkele Russische diplomaten, zodat ze misschien te horen zou krijgen wat voor plannen keizerin Catharina met Zweden had.

Terzijde, bij de verste deur naar de gang, stond een handjevol mensen die eruitzagen alsof ze niet wisten wat ze nu moesten doen. Het duurde even voor ik ze herkende, alsof ik de vishandelaar tegenkwam bij het ballet. Het waren Margot Nordén, de knappe broer en de Plomgrens. Margot zag er moe en nerveus uit; van haar man was geen spoor te bekennen. De knappe broer leek daarentegen net een pronkerige haan, met zijn rode jasje en glinsterende ogen. Meester Fredrik had de Nordéns dit vlezige bot ongetwijfeld toegegooid, maar de aanwezigheid van de Plomgrens was me een raadsel. De prachtige Anna Maria zag er verlegen en verloren uit in dit onstuimige gezelschap en ze werd bij elke beweging die ze maakte in de gaten gehouden door haar moeder. Ik voelde een kleine tinteling in mijn borst: de Gevangene. Mijn octavo kwam hier bijeen.

Er klonk een felle klap van een waaier die geopend werd. Alle ogen waren op De Uzanne gericht, wier silhouet een slanke, groene streep op de grijze muren vormde. 'U bent van harte welkom, leerlingen, geëerde gasten. Neemt u alstublieft plaats.' De menigte stroomde naar de stoelen, waarbij de meest ambitieuzen streden om een plekje vooraan. De Nordén-kliek koos wijselijk voor een bankje bij de openslaande deuren en lieten de tafels aan de genodigden. Meester Fredrik kwam weer naar me toe en we vonden een plekje tussen de acteurs aan een tafel die gereserveerd was voor heren. Het werd stil in de zaal, afgezien van het gestage gewapper van tientallen waaiers. De Uzannes stem werd als warme honing over ons uitgeschonken: ze zag de jongedames van allerlei rangen en standen, complimenteerde hun chaperonnes en eerde de dappere officieren en de gedistingeerde heren. Toen bedankte ze de 'verrassings'-gasten, die de bijeenkomst een pikant tintje gaven. Aan Margots ineengedoken houding was duidelijk te zien dat de Nordén-groep niet was uitgenodigd. 'Ik ben bijzonder vereerd dat generaal Pechlin is gekomen,' zei ze. De chaperonnes en soldaten knikten en klapten, verheugd over de aanwezigheid van deze legendarische politicus; de meisjes keken niet eens zijn kant op; ze hadden geen idee waarom ze dat zouden moeten doen. 'Ik hoop dat de generaal onze les niet… langdradig zal vinden. U hebt me heel duidelijk laten weten dat u vrouwenwapens onvolwaardig acht.'

'Onze wederzijdse vriend hertog Karel staat erop dat ik dat in heroverweging neem,' zei Pechlin.

'Laten we dan beginnen.' De Uzanne sloot haar waaier tot een gouden staf. 'De eerste beweging die u moet begrijpen, is het belang van het openklappen.'

De sfeer in het vertrek werd vrolijker toen de jongedames opstonden om het openen en sluiten van hun waaier te oefenen. Er klonken onderdrukte giecheltjes en gefrustreerde uitroepen terwijl De Uzanne om hen heen liep en hen corrigeerde, complimenteerde en observeerde. De meisjes waren beeldschoon en waren er in alle soorten en maten, als de etalage van de banketbakker op de kroningsdag. Ik zag dat Johanna zich onder de meisjes mengde en het openklappen niet al te soepel oefende. De arme Anna Maria zat nog steeds naast haar moeder, in het oog gehouden door de Nordén-broer, en had haar waaier nog helemaal niet opengeklapt. De Uzanne bleef staan om met de chaperonnes te praten, wier gezichten straalden onder de warmte van haar aandacht. Tijdens de oefening werden er aan de herentafel drankjes geserveerd voor bij hun levendige conversatie, die draaide om het aankomende parlement en de vreselijke toestand van het land. Na nog een felle klap heerste er weer orde in de zaal.

'Ga zitten, dames.' De Uzanne keek verheugd vanwege hun prompte gehoorzaamheid, maar niet zo verheugd dat ze haar leerlingen liet ontspannen. 'U moet onthouden dat elke beweging een vorm schept en dat elke vorm een betekenis schept. Het besef van deze details is de eerste stap naar het meesterschap. Vandaar mijnheer Christian Nordén en de lezing van vandaag.'

Bij het woord 'lezing' betrokken de gezichten, en het subtiele gewapper van de waaiers en het gezucht brachten een kleine golf van protest teweeg die net boven de vloerplanken uitsteeg en nauwelijks hoorbaar was onder het beleefde applaus. Een dienstmeisje deed met een plotselinge luchtsuizing een paneeldeur in de verste muur van de salon open en gebaarde naar iemand daarachter. Er verscheen een keurig uitziende man in de kracht van zijn leven, die naar het voorste deel van de zaal liep en een stapel papieren op de zitting van een stoel naast hem legde. Ik zag dat de achterkant van zijn flesgroene jasje vlekkerig was van het zweet. Hij wachtte tot Madame het teken gaf dat hij mocht beginnen. In plaats daarvan wendde ze zich fronsend tot hem.

'Ik was zojuist verwikkeld in een verhitte discussie, mijnheer Nordén, en hoopte dat u het dispuut wilde beslechten.' Christian boog en wachtte. 'Ik geloof dat voor het gebruik van de waaier kennis en grondige studie vereist is. Zelfs de basistaal van de waaier bestaat uit strikt bepaalde bewegingen, zodat zowel dames als heren deze kunnen begrijpen. Maar mijn vriendin, mevrouw Beuk, stelt dat iemand net zo goed een waaier kan hanteren door de vloeiende principes van de inspiratie toe te passen. Wat is uw mening?'

Ik leunde naar meester Fredrik. 'Wie is mevrouw Beuk?'

'Ze werkt in de huishouding bij de Kleine Hertogin, de vrouw van hertog Karel,' fluisterde hij veelbetekenend. 'Dat daar is de dochter van mevrouw Beuk, die puisterige in het lavendelblauw.'

'De Beukjes hebben blijkbaar een ander doel dan het verspreiden van gratie en schoonheid.'

'Beuk is de spil in de machinerie van de liefde. Ze houdt de Kleine Hertogin uit de buurt,' zei hij knipogend. 'Kijk hoe Madame de radertjes smeert.'

Ik keek naar het delicate politieke spelletje dat voor onze neus werd gespeeld. De spieren van Christians gezicht trilden terwijl hij met zijn gedachten worstelde; zijn antwoord zou zijn bevordering tot leverancier van de aristocraten kunnen betekenen, of zijn terugval tot een marktkraampje. 'Ik ben bang dat ik het met u beiden eens moet zijn,' zei hij. Madame klapte haar waaier dicht. Mevrouw Beuk trok haar neus op. De tuin van schone dames hield zich zo stil als een rozenperk op een warme zomeravond voor een hevige storm. 'Ik zie het juiste hanteren van een waaier als een vorm van wiskunde. Geometrie, om precies te zijn,' vervolgde Christian. De Uzanne hief langzaam haar waaier en liet die zachtjes tegen haar rechterwang rusten: ja. Christians gezichtsuitdrukking transformeerde van die van een nerveus schooljongetjes tot het kalme, ernstige masker van de meestervakman die hij was. 'Geometrie is een tak van wiskundige wetenschap die regels kent die moeten worden gevolgd.' Hij knikte naar Madame. 'Maar daarvoor is wel verbeeldingskracht nodig.' Christian knikte naar mevrouw Beuk, wier onderkinnen waarderend schudden. Er klonk gefladder van waaiers die werden opengeklapt en in een afwachtende pose werden gehouden. 'Het hart van de waaier bestaat uit twee basale vormen: het vierkant en de cirkel. Dat is het mannelijke en het vrouwelijke, het stoffelijke en het eeuwige. Met de cirkel en het vierkant is elke vorm te maken: rechthoek, driehoek, achthoek, spiraal, en van daaruit oneindig veel duizelingwekkende combinaties.' Ik dacht meteen aan mevrouw Mus en haar Goddelijke Geometrie, en vroeg me af of Christian die wetenschap ook bestudeerd had. Het zou interessant zijn hem later te vragen naar de achthoek en de betekenis van de acht.

Christian ging verder. 'Ik heb het geluk me bezig te mogen houden met de bestudering van de geheimen van oude geometrie. Ik

heb de wetenschappelijke werken gelezen van…' De verwachtingsvolle blikken van de meisjes maakten plaats voor volslagen nietszeggende. 'Zoals u wellicht weet, heeft de grote puzzel van het recht
maken van de cirkel door de eeuwen heen tot nadenken gestemd.
Er is een theorie dat de voortplanting…' Gegiechel. Gegniffel. Ge-
ssttt. Christian zweette nu overvloedig en haalde een zakdoek tevoorschijn waarmee hij zijn voorhoofd afveegde.

Alleen De Uzanne leek zich oprecht te concentreren op wat hij
zei. 'Misschien kunt u dat op eenvoudiger wijze uitleggen aan de
jongedames?' Ze draaide haar lichaam langzaam naar haar leerlingen, die op slag stil waren.

Christian keek naar de nietszeggende gezichten van de meisjes
en daarna naar Margot, zijn gezicht een masker van wanhoop. Zijn
vrouw schonk hem zo'n lieve blik, zo vol liefde, dat zelfs ik me haar
filosofie herinnerde: de waaiers dienden om geluk, schoonheid en
romantiek te brengen. Christian schraapte zijn keel en dwong zichzelf te glimlachen. 'Deze hele theorie leidt slechts tot het voltooide
instrument, dat alleen tot doel heeft geluk, schoonheid en romantiek te brengen. De macht ligt bij de dame die het gebruik ervan
beheerst' – hij boog naar De Uzanne – 'want dit is de geometrie die
de tempel van Eros zal bouwen.' Met die stelling werden de ruggen
gerecht en ruisten de jurken instemmend. 'U zult de bewegingen
die de taal van de waaier vormen snel onder de knie hebben, maar
ik geloof dat uw ware instructie veel verder gaat dan dat: dit is de
geometrie waar ik het over heb. Die is niet star, zoals geometrie op
de bladzijden van een boek, maar ze is wel verbazingwekkend correct en even veranderlijk als de werkelijkheid om ons heen. Zij die
deze geometrie in de praktijk brengen, kunnen leren een volmaakte
cirkel te voelen. Ze kunnen met één gebaar een rechte lijn van elke
A naar elke B trekken. Driehoeken in alle soorten en maten worden
gemakkelijk en veelvuldig gemaakt. Parallellen, kruisingen en complexe figuren: ze zijn allemaal mogelijk. Dat is de geometrie van het
lichaam.'

'En wat kan die geometrie voor ons doen, mijnheer Nordén?'
vroeg De Uzanne.

'Madame Uzanne, ik geloof dat deze geometrie alles kan creëren wat u zich maar kunt voorstellen. Alles,' herhaalde hij. 'Het komt erop neer dat u zelf kunt kiezen welk gebouw u wilt neerzetten: een paleis of een gevangenis.'

De Uzanne glimlachte hem toe op een manier waardoor een toevallige observant zou kunnen denken dat er een gepassioneerde liefdesrelatie ophanden was. 'Ik ben van plan er van elk één te bouwen.' Er viel een ongemakkelijke stilte, en daarna applaudisseerden de gasten met beleefd enthousiasme. Nordén leek buitenproportioneel opgelucht en boog naar alle kanten. Maar het gloriemoment werd onderbroken toen een van de jongedames, een sappig abrikoosje met vlassig haar dat omhoog was gedraaid tot een onmogelijke creatie, haar waaier in de lucht stak.

'Madame Uzanne, alstublieft, wanneer leren we de taal van de waaier nu?' Er ging een dringend, instemmend gemompel op onder de meisjes.

Madame Uzanne sloot haar waaier en trok hem door haar hand, waardoor verscheidene oudere dames naar adem snakten. Dit gebaar was duidelijk geen compliment. 'Vergeef me dat ik ervan uit ben gegaan dat u verder gevorderd was dan u bent. We zullen bij het begin moeten beginnen. Er is vast wel een jongedame die de basisvaardigheden beheerst en samen met mij een demonstratie kan geven.'

Geen van de jongedames verroerde zich. Toen ontstond er enige agitatie aan de zijkant van de zaal, vlak bij de ramen, en er klonk geritsel van stof, een gefluisterde aanmoediging en daarna, vanaf het bankje, de stem van moeder Plomgren: 'Hier is er een die met u mee kan doen, Madame; een hand met een waaier die in de Koninklijke Opera heeft gewerkt. Juffrouw Anna Maria Plomgren, mijn dochter zoals ik tot mijn trots kan zeggen, en een schat.' Anna Maria was al opgestaan. Haar gezicht gloeide van opwinding, haar ogen schitterden fel onder haar neergeslagen wimpers. Ik had haar vurigheid onderschat.

Anna Maria liep naar De Uzanne toe, maakte een reverence en wachtte af, waarbij ze van de zenuwen op haar tenen op en neer schommelde, tot ze de afkeurende blik van De Uzanne opving. Ze was ineens zo roerloos als een bevroren meer; roerloos, op haar vingers na, die gretig in de gladde benen van haar waaier knepen.

'Juffrouw Plomgren, ik wil graag zien dat u uw waaier opent en me dan laat merken dat u klaar bent om mijn boodschap te ontvangen,' instrueerde De Uzanne. Het was een heel eenvoudig verzoek, een basismanoeuvre die alles zou zeggen. Anna Maria klapte haar waaier met een vakkundige klik open, verplaatste haar toen naar haar linkerhand en hield haar precies over haar hart geopend en stil. Elke heer in de zaal was plotseling net zo verrukt over de les als de meisjes, maar ze hadden geen tolk nodig. Anna Maria was haar eigen taal. Ik leunde naar voren en schraapte met mijn stoel over de vloer in de hoop dat ze mijn kant uit zou kijken, maar Anna Maria had alleen aandacht voor het gezicht van De Uzanne.

'Hoe laat verwacht u dat de drankjes worden opgediend?' Anna Maria sloot de waaier tot er nog maar drie benen zichtbaar waren. Ze gluurde niet eenmaal omlaag naar haar waaier, maar keek De Uzanne recht in de ogen met een glimlachje rond haar lippen.

'En hoe zou u aangeven dat u graag naast me zou zitten?' vroeg De Uzanne.

Anna Maria hield de deels geopende waaier omhoog, nog steeds met haar linkerhand, en bedekte er de onderste helft van haar gezicht mee, terwijl de glimlach nog steeds in haar ogen te zien was.

'Nu wil ik graag zien dat u afscheid neemt,' zei De Uzanne. Anna Maria sloot de waaier langzaam, hield haar bij het blad vast en beroerde haar lippen met de sluitpin. Dat gebaar had De Uzanne niet verwacht, en ze had het ook nog nooit van een vrouw ontvangen: *kus me.* De Uzannes ogen verwijdden zich enigszins, en haar wangen bloosden lichtroze onder het laagje poeder. Ze was als aan de grond genageld. In de salon barstte een waarderend applaus los, in niet geringe mate afkomstig van Lars, die *brava* riep. De Uzanne kwam weer bij zinnen. 'Jongedames, ziehier de beloning van nauwgezet oefenen en het effect van een ontwapenende slag. Juffrouw Plomgren, gaat u alstublieft verder met uw demonstratie, terwijl ik toekijk,' zei De Uzanne.

De meisjes schuifelden op hun stoelen en strekten hun halzen om elke beweging van Anna Maria te kunnen volgen. Ze liep sereen tussen hen door, beantwoordde hun vragen met een vleugje dedain en corrigeerde hun vingers met enige dwang. Lars volgde haar als een lakei, klaar om haar te dienen. Algauw stonden de leerlingen al babbelend te oefenen en richtten ze hun boodschap op verscheidene mannen. Johanna dook op in dit gemengde gezelschap; ze had een bezorgde blik in haar ogen en klemde haar waaier vast als een knuppel; ze herkende een rivale zodra ze er een zag, zelfs als die rivale tot het gewone volk behoorde. De Uzanne keek Anna Maria aandachtig aan. 'Juffrouw Plomgren, u hoort thuis op Gullenborg. Ik zou u graag in dienst nemen als assistente bij de wekelijkse oefensessies die tussen de formele lessen in gehouden zullen worden,' zei De Uzanne, die haar hand uitstrekte. Anna Maria bracht een reverence ten tonele die een toegift waardig was. Ik hoorde moeder Plomgren op haar bankje kirren vanwege deze onverwachte promotie van haar dochter, een promotie waar zij zelf profijt van zou hebben. 'Ga verder,' zei De Uzanne, en haar opmerking werd gevolgd door een gezoef van waaiers en opgewonden gebabbel.

Ik richtte mijn aandacht op Christian; ik wilde hem om een gunst vragen in het licht van mijn achttal. Nu de lezing achter de rug was, nam Christian aan dat hij kon gaan en hij raapte zijn extravagante introductiebrieven bijeen. De Uzanne ging naar hem toe, pakte een vel en las het. Hij wachtte stijfjes op haar reactie.

'Het doet me deugd dat u de moeder van koning Gustaaf eerde, wijlen koningin Louisa. Dat was een regentes die haar rol op het eind goed onder de knie had: een baken van cultuur, een dienares van de adel, een symbolische heerseres. Haar tijd werd het Tijdperk van de Vrijheid genoemd, mijnheer Nordén. Het Tijdperk van de Vrijheid. Ze verachtte haar zoon Gustaaf,' zei ze.

Margot had Christian nog zo gewaarschuwd de politiek erbuiten te houden. Hij knikte beleefd. 'Ik vrees dat ik dat niet weet, Madame. Ik ben zo lang in Frankrijk geweest.'

De Uzanne nam genoegen met zijn uitvlucht en pakte zijn arm.

'Ik ben geïntrigeerd door uw theorieën, mijnheer Nordén. Zowel alchemisten als filosofen hebben geometrie de verbinding tussen kunst en wetenschap genoemd, en dat is de waaier in één woord, nietwaar?' Christiaan beaamde het enthousiast. 'Vertel, denkt u dat de macht van de waaier in het instrument ligt of in de hand die haar bedient?'

'Een vrouw met uw vaardigheden en de volmaakte waaier zou de ideale combinatie zijn.'

Ze zuchtte gekunsteld en liet zijn arm los. 'Mijn ideale waaier is kwijt.' Ze zocht in zijn gezicht naar de kleinste trilling om zijn mond, de geringste frons van zijn wenkbrauwen. Meester Fredriks navraag in de waaierwinkels was op niets uitgelopen, maar zij kon wellicht op knoppen drukken die hij niet kon bereiken. 'Op haar voorzijde stond een zonsondergang met een zwarte koets, zo verlokkelijk dat een koning ervoor uit het bed van zijn eigen koningin zou komen. Ik zou er alles voor overhebben om haar terug te krijgen.'

'Ik begrijp uw passie, Madame,' zei Christian uiterst oprecht. 'Elke waaier die de winkel verlaat is als een sterfgeval voor me. Een vreselijke filosofie vanuit zakelijk oogpunt, ben ik bang.' Christian keek peinzend naar het plafond en botste tegen een tafel op. 'Wat was er zo bijzonder aan uw waaier waardoor u er nu zo naar verlangt?'

'U spreekt over mijn waaier in de verleden tijd, maar ze is alleen maar kwijt en ik zal haar vinden. Haar naam is Cassiopeia en ze behoorde eens toe aan een zeer invloedrijke vrouw, wier pad ik wens te evenaren.' Christian keek haar niet-begrijpend aan. 'Madame de Montespan, de eerste maîtresse van de Zonnekoning. Ze schonk hem verscheidene kinderen, als ik het goed heb, maar sommigen zeggen dat Montespans werkelijke krachten van duisterder aard waren.'

'Duisternis zou nooit een aspect van uw aard kunnen zijn, Madame.'

'Soms worden we tot duisternis gedwongen, mijnheer Nordén.' De Uzanne bleef staan en hield haar hand omhoog, waarbij ze mijnheer Nordén ditmaal toestond zijn lippen op haar huid te laten rusten. 'Het is cruciaal dat mijn waaiermaker mijn wensen precies begrijpt. Ik zie uit naar een lange, zinvolle samenwerking.' De Uzanne draaide zich om en liep naar de Russische ambassadeur, die verdiept was in een gesprek met generaal Pechlin.

Christian ging op een van de lege stoelen zitten en sloot even zijn ogen om te voorkomen dat er vreugdetranen in opwelden. Ik liep naar hem toe, maar hij keek nogal verstrooid om zich heen. 'Kan ik u helpen?' vroeg ik. 'We hebben elkaar nog niet eerder ontmoet, maar ik ben klant in uw winkel en heb mevrouw Nordén daar ontmoet. Ik ben Sekretaire Larsson.'

'Dank u, Sekretaire, voor uw aankoop en uw betrokkenheid. Aangenaam kennis te maken,' zei hij, en hij nam mijn hand in een warme greep. 'Neem me niet kwalijk voor mijn gedrag. Ik popel om goed nieuws met mevrouw Nordén te delen.'

'We hebben een aantal dingen gemeen, mijnheer. We behoren tot dezelfde loge en ik ben ook bevriend met meester Fredrik. Ik ken ook een zekere mevrouw M.' Hij keek zorgelijk; ik was op de hoogte van zijn strikte regels van vertrouwelijkheid. 'Ik vroeg me af of u zo vriendelijk wilde zijn me voor te stellen. Aan een andere klant van u. Juffrouw Plomgren.' Voor hij antwoord kon geven, gaf De Uzanne een teken om aandacht; haar silhouet stak donker af tegen de glinsterende sneeuw achter het glas van de openslaande deuren. Het werd stil in de zaal en de gasten kropen weer op hun plaats. 'Ik spreek u wel als de les voorbij is,' fluisterde ik.

'We waarderen juffrouw Plomgrens demonstratie van de taal van de waaier,' zei De Uzanne. Er klonk een voorzichtig applaus. 'Ze zal haar vaardigheden en kennis de komende maanden met u allen delen. Wanneer uw tijd op Gullenborg erop zit, zult u de taal volledig onder de knie hebben. Maar dat is kindergebrabbel in vergelijking met wat daarna komt. U bent hier om nog veel meer te leren.' Bij die woorden boog ze zich voorover, alsof ze een geheim deelde. 'Ik heb het over Verbintenis.' De jongedames knikten, alsof ze dat al wisten. De mannen konden alleen hun adem inhouden en staren.

De Uzanne stond stil en liet haar waaier ter hoogte van haar ribben wapperen. 'Verbintenis is de eerste fase van de strijd en in uw handen, jongedames, ligt een van de nuttigste wapens die u tot uw beschikking hebt. En een van de weinige.' Ze liep naar een herentafel rechts van me. Pechlin en drie andere mannen zaten naar elkaar toe gebogen, hun stemmen gedempt maar indringend, verdiept in een hartstochtelijk gesprek dat ze niet los konden laten. 'Verbintenis is een vaardigheid die elke taal overstijgt en die gebruikmaakt van aantrekkingskracht. De ware beheersing van deze Verbintenis kan onbeduidend lijken, maar als u wilt triomferen, moet u de aandacht opeisen van degene die u wilt verslaan.'

Nu raakte ook Pechlins tafel in haar ban, behalve een opvallende jongeman in een zwart-wit vest, die door bleef praten. Meester Fredrik boog zich naar me toe, zoals altijd de bron van de kennis. 'Dat is Adolph Ribbing, een heetgebakerde vijand van de koning bij wie Pechlin in de gunst tracht te komen. Ribbing heeft Gustaafs opperstalmeester doodgeschoten tijdens een duel om een vrouw, en Madame wil hem in haar kamp.'

De Uzanne sloot haar waaier en zette die tegen Ribbings wang, waarna ze zachtjes zijn hoofd naar zich toe draaide. Hij werd stil. 'Aandacht kan niet worden afgedwongen, maar wel worden aangemoedigd.' Zijn gezicht was ter hoogte van de lage ronding van haar buik en hij sloeg zijn ogen naar haar op. 'Geboeidheid is de eerste stap in de communicatie.' Zonder te knipperen liet ze haar waaier langs de zijkant van zijn nek glijden en boog zich toen over hem heen, terwijl haar borsten tegen het kant drukten. 'Bied mij iets interessants en u krijgt er iets voor terug.' Ze trok de waaier terug en begon met een ritmische, verticale streek voor zijn gezicht te wapperen. Haar wangen en lippen werden rood. Een haarlok sprong los en viel zwierig langs de volmaakte huid van haar hals.

'Waarmee kan ik u van dienst zijn, Madame?' vroeg hij.

'Daar moet men altijd onder vier ogen over spreken,' zei ze, 'maar voor mijn leerlingen zal ik het hardop zeggen. Verbintenis.'

De jongedames zuchtten. De jongeman trok aan zijn jas. 'Het huwelijk is een serieuze zaak, Madame,' zei hij stijfjes.

'Dan gaan we een andere verbintenis aan dan het huwelijk,' antwoordde ze, terwijl ze met langgerekte achtjes voor zijn gezicht wapperde. Ze hield haar lippen bij zijn oor en vulde dat met een persoonlijke boodschap. De zaal was betoverd, alleen het zwakke getik van de pendule trok ons voort in de tijd. De Uzanne draaide haar hoofd om en knikte de leerlingen toe. De jongedames beten op hun lip, gefrustreerd door hun gebrek aan kennis en ervaring. Desondanks pakten ze hun waaier op en wierpen ze de officieren en de heren bevallige blikken toe, terwijl ze hun de eenvoudigste basisboodschappen zonden. De moeders en de chaperonnes knikten goedkeurend en gebaarden dat ze wel wat gewaagdere acties mochten proberen. De meisjes grepen de uitdaging aan en draaiden zich om zodat hun figuurtjes voordelig uitkwamen, waarbij ze met hun blote onderarm hun boezem beroerden terwijl ze hun vingers net over de benen van de waaier gekromd hielden. Het gemompel en gefluister van de zenders, de ontvangers en de toeschouwers werd versterkt door schor gelach. Er werden fragmenten uit dubbelzinnige liedjes gezongen, en er klonk gekreun en gezucht. Waaiers werden opengeslagen, dichtgeklapt en naar voren gestoken. Dit alles nam in volume en tempo toe totdat de zaal was gevuld met geroezemoes en gegons waar geen woord in viel te herkennen. Het enige geluid was dat van verlangen.

'Madame, waar kan ík u mee van dienst zijn?' Meester Fredrik kreunde zachtjes en begon met zijn lage bariton een schunnig liedje te zingen. Christian ging op zoek naar Margot. Lars hing als een schaduw om Anna Maria heen en moeder Plomgren grijnsde stompzinnig. Johanna drukte zich tegen de muur aan met een haast paniekerig gezicht. Ik was blij dat ik aan een tafel zat, want mijn broek bolde op en ik zweette overvloedig.

Louisa stond bij de dienstdeur te wachten op een teken. 'Mijn gasten zijn duidelijk uitgehongerd. Ik denk dat het tijd wordt voor een hapje en een drankje,' zei De Uzanne. Toen de bedienden binnenkwamen met volgeladen zilveren dienbladen, werd de menigte bevangen door trek. Ze riepen om champagne en aardbeien, ijs en gesmolten chocola. Obers liepen af en aan om hun wensen te ver-

vullen met borden vol natte cake, rijp fruit, citroentaart en choco-
ladetruffels. De keukenmeisjes glipten vanuit de kelder naar boven
om bij te dragen aan de opwinding. Zelfs Ouwe Kokkie gluurde
door de deuropening om deze vraatzuchtige menigte te aanschouwen en hun plezier duizelde haar. De Uzanne liet haar hand lichtjes
op Ribbings schouder rusten en bekeek het tafereel met de starende
blik van een wetenschapper en de glimlach van een succesvolle
courtisane.

Toen de menigte geheel verzadigd was, klapte De Uzanne haar
waaier open in de neerdalende duisternis van de wintermiddag en
werd de zaal weer een parelgrijze salon vol beleefde, voorkomende
gasten. Alleen Pechlin leek volslagen onaangedaan, want hij gaapte
en stond op om op de klok te kijken. 'Ziet u hoe Verbintenis alles
kan veranderen?' vroeg De Uzanne. 'U zou de loop van de geschiedenis kunnen veranderen. Ervoor kunnen zorgen dat zelfs de grootste man… ontwapend zou worden.' Ribbing pakte haar hand en
kuste die. Ze trok haar hand langzaam terug en ging weer naar de
voorkant van de salon.

'Verbintenis is net als het openklappen van uw waaier: het biedt
vele geneugten, maar is slechts de eerste stap,' zei De Uzanne. 'Als u
er niet in slaagt het dichtklappen onder de knie te krijgen, kan alles
wat u verlangt van u afgepakt worden. De nasleep kan… pijnlijk
zijn.' Ze draaide haar hoofd en profil en boog haar lange nek vanwege een trieste herinnering. Een zachte fluistering omhulde de
salon en er werden meelevende blikken gewisseld door de moeders
en de oudere heren die haar Henrik hadden gekend. 'In maart zult
u klaar zijn voor uw debuut. U zult de taal van de waaier spreken
alsof het uw moedertaal is. U zult in staat zijn tot Verbintenis en
een triomferende climax. Maar u moet zich volledig aan mijn instructies houden. We zullen elkaar hier wekelijks onder minder formele omstandigheden ontmoeten, zonder deze knappe heren die u
afleiden of een lezing die u… ontgaat. Intussen moet u onophoudelijk oefenen, uw meerderen observeren en zo nodig om hulp vragen. En daarna nog meer oefenen, tot u uw hand niet meer om de
buitenbenen krijgt. U krijgt elke week een lijst met vaardigheden

die u moet beheersen. Ik stel voor dat u ook bedenkt hoe u uzelf wilt presenteren: u bent geen meisje. U bent een vrouw en moet uw macht opeisen.' Er ging een opgewonden gekwetter op onder de meisjes, dat verstomde toen De Uzanne verderging. 'Ik beloof dat uw debuut onvergetelijk zal zijn, maar ik moet u nu al vertellen dat het niet aan het hof zal plaatsvinden. Het hof is een leeg omhulsel.' Ze zweeg, maar er klonk geen ontsteld gefluister. 'Uw debuut zal plaatsvinden tijdens het laatste gemaskerd bal voor de vastentijd. Het debuut zal voor ons allemaal het begin van een nieuw leven inluiden.'

'Waar heeft ze het over? Is ze op zoek naar een nieuwe echtgenoot?' fluisterde ik tegen meester Fredrik.

Hij haalde zijn schouders op en fluisterde terug: 'Doet dat er iets toe?'

'Misschien niet.' Ik moet bekennen dat ik zeer in vervoering was geraakt. De Uzanne had contact leggen tot een spel gemaakt waaraan je wilde deelnemen, en dan ging het om een verbintenis in een veel bredere zin dan hetgeen de Superieur voor me in gedachten had. Zodra ze deze meisjes had opgeleid, zouden ze stuk voor stuk een uiterst gewiekste en interessante partner kunnen zijn; in gedachten zei ik een dankgebedje voor mevrouw Mus en het octavo, en voor mijn Metgezel, de Koningin van de Wijnkruiken.

De Uzanne sloot de glinsterende waaier en bracht hem omlaag, haar arm in een soepele kromming. 'Heren, het spijt me dat we geen tijd hadden om te kaarten, maar de jongedames zijn hier om te leren, niet om te spelen. U bent uitgenodigd om weer te komen op zestien januari, zodat u kunt observeren hoe het er halverwege hun transformatie voor staat en hoe ze kennismaken met de cruciale vaardigheden van het sluiten. Leerlingen en gewaardeerde gasten, de les van vandaag is afgelopen.' De Uzanne knikte naar de lakei, die de deuren naar de hal opende.

Meester Fredrik schoof zijn stoel naar achteren en stond op. 'Kom, mijnheer Larsson.' Hij trok me overeind, pakte mijn arm en leidde me naar de voorkant van de kamer, waar De Uzanne complimenten kreeg en afscheid nam van haar gasten. De drieste jonge

Ribbing stond vooraan in de rij, maar vreemd genoeg gedroeg hij zich eerder als een diplomaat dan als een paramour. Hij knikte hevig en legde zijn hand op zijn hart; een eed van trouw. Meester Fredrik draaide zich om en fluisterde: 'Ze heeft weer een nieuwe bondgenoot voor zich gewonnen in de strijd om de overheersing. Pechlin is niet blij met Ribbings afvalligheid, ziet u?' Meester Fredrik knikte in de richting van Pechlin, die haastig de aftocht blies. 'Ze is dol op spelletjes, mijnheer Larsson.'

Toen we dichterbij schuifelden, zag ik dat De Uzanne geflankeerd werd door de juffrouwen Plomgren en Bloem. Ze gluurden zo nu en dan naar elkaar, alsof een van hen het bestek van tafel had gestolen. Anna Maria werd vastgepind door haar stralende moeder en een bijna hijgende Lars. Ik deed een poging om Johanna's blik te vangen, maar ze keek niet mijn kant uit.

'Madame, subliem,' zei meester Fredrik met een zwierige buiging die een acteur niet zou misstaan. 'Sta me toe u voor te stellen aan mijn collega en logebroeder…'

'*Enchanté*.' De Uzanne stak haar hand naar me uit, maar keek naar mevrouw Beuk, die terugging naar hertog Karel. Ik nam haar gladde, glanzende hand in de mijne, verbaasd dat hij zo warm aanvoelde, en wachtte af, onzeker over wat er nu zou gebeuren. Meester Fredrik knikte en tuitte zijn lippen. Ik kuste haar hand en rook de vage geur van jasmijn toen ze hem terugtrok.

Meester Fredrik nam me bij de arm en duwde me dichter naar haar toe. 'Sekretaire Larsson werkt bij het douane- en accijnskantoor, Madame. Hij heeft zeer veel kennis van importzendingen en gaat bovendien uiterst discreet te werk.'

'Ik weet altijd de hand te leggen op de meest ongebruikelijke goederen,' zei ik. Mijn ogen dwaalden weer naar Johanna, die mijn blik eindelijk beantwoordde. Er was niet bepaald sprake van blijde herkenning. Integendeel. Ik bespeurde een tikkeltje angst en werd ineens getroffen door de gedachte dat ze misschien écht Johanna Grijs was. Als dat zo was, zou ik haar niet het hof willen maken, maar wilde ik graag weten hoe ze vanuit Het Varken via meester Fredrik de sprong naar het huis van een barones had weten te maken. Dat was een vaardigheid die ik kon gebruiken.

'Ongebruikelijke goederen? De Sekretaire is...' De Uzanne liet haar blik op me rusten en haar belangstelling was eindelijk gewekt. Ze zag waar mijn ogen naartoe waren gedwaald.

'... is ook nauw betrokken bij de politie, met wie hij hand in hand samenwerkt om te zorgen dat misdadigers voor het gerecht worden gebracht,' voegde meester Fredrik eraan toe.

'Een uitstekende connectie,' zei ze. 'En waarom bent u vandaag hier op Gullenborg? Heb ik een misdrijf gepleegd?' Ik maakte sprakeloos een buiging; mijn tong zat tegen mijn gehemelte geplakt.

'Ha ha, Madame. Uw enige misdrijf is uw volmaaktheid.' Meester Fredrik schoot me te hulp en boog zich naar haar toe. Hij zei zacht: 'De Sekretaire is hier op mijn uitnodiging. Hij schijnt gehoord te hebben over de vogelkooi in de Minderbroederssteeg en zal ons helpen uw gestolen goederen terug te krijgen.'

Madame Uzannes lippen krulden lichtjes omhoog. 'Meester Fredrik, u bent écht de geest in de fles. Wees ervan verzekerd dat u zelf ook drie wensen mag doen.' Ze wendde zich tot mij. 'En u, Sekretaire. Welke wens kan ik voor u in vervulling laten gaan?'

'De Sekretaire is niet getrouwd, Madame,' fluisterde meester Fredrik.

'U komt hier omdat u Verbintenis zoekt,' zei ze, nu met een warme glimlach. 'Dan kijk ik ernaar uit u op onze tweede openbare lezing te mogen begroeten, zo niet eerder.'

Hoofdstuk zevenentwintig

DE GODDELIJKE GEOMETRIE

Bronnen: E.L., M. Nordén, M.F.L.

CHRISTIAN STOND MET Margot in de gang van Gullenborg, vervuld van hoop, en deelde de brieven uit die iedereen eerst links had laten liggen, maar die nu uit hun handen vlogen. Er ging een golf van protest op toen de brieven op waren: alleen de waaiers van een meester waren nu goed genoeg voor de jongedames. Ik bleef in de buurt staan wachten en keek hoe de stoet van mogelijke partners in verleidelijke groepjes van drie of vier vertrok.

'U mag met mijn slee vertrekken wanneer het u uitkomt, mijnheer Larsson,' zei meester Fredrik, die met een stralend gezicht naast me kwam staan. 'Ik heb een palaver met Madame.'

'Zorg dat u uw broek aanhoudt,' zei ik. Hij gaf me een vriendschappelijke stomp en liep snel weg. Christian had ons gehoord en keek me niet-begrijpend aan. 'Ik heb geen idee waar hij het over had. Hij verzamelt onmogelijke woorden.'

'Sekretaire Larsson! Aangenaam u weer te zien,' zei Margot, die met een glimlach naar me toe kwam. 'Het spijt me dat ik u binnen niet kon begroeten! We hebben uw hulp nodig.'

Christian knikte fronsend. 'Als u het niet vervelend vindt.'

'Ons vervoermiddel terug naar de Stad schijnt verdwenen te zijn. Zouden we samen kunnen reizen?' vroeg ze.

'Bij voorkeur over land,' voegde Christian er duidelijk verlegen aan toe. 'Ik heb wel genoeg opwinding gehad voor vandaag.' Ik verzekerde hem ervan dat we de weg zouden nemen en dat hun gezelschap de tocht voor mij zou veraangenamen. De buitenlucht was een koude schok na de hitte in de salon en de hemel was slecht een blauw schijnsel, met wolken die al donkergrijs waren omdat de avond viel. Lars en de Plomgrens klommen in de slee van mevrouw Beuk, die Anna Maria om extra instructie voor haar dochter had gevraagd.

'Zo'n snelle opmars voor juffrouw Plomgren,' zei ik treurig. 'Nu zal ik haar nooit kunnen krijgen.'

Margot hield haar hoofd schuin terwijl we de mooie slee weg zagen glijden. 'U kunt maar beter niets vangen wat u niet terug kunt gooien.'

'Margot!' riep Christian verwijtend.

'Dus u denkt dat ik hoger kan mikken, mevrouw Nordén?' vroeg ik. Ze reageerde met een ernstig knikje. We kropen in de slee van meester Fredrik en sloegen de bontstola's om die op de zetels klaarlagen. De geur van gedroogd stro steeg op van de grond en vermengde zich met het parfum van mevrouw Nordén. De slee schoot vooruit met het gerinkel van koperen belletjes, en algauw waren we in de bossen. 'Mijn complimenten voor uw lezing, mijnheer Nordén. Een voortreffelijke werkdag, en het lijkt erop dat u er profijt van zult hebben.'

'Dat hopen we oprecht. De toekomst van onze zaak ligt in handen van de clientèle van De Uzanne.'

Mevrouw Nordén leunde tegen haar man aan. 'Het komt wel. Ik voel het.'

'Ik moet het u vragen, als deskundige in de waaierkunst: hoe is De Uzanne erin geslaagd de hele zaal zo...' vroeg ik.

'Geometrisch te maken?' vulde Christian aan. Daar moest Margot om lachen, en ze gaf een perfecte imitatie van De Uzanne ten beste, waarbij Christian de rol van de man met het gestreepte vest kreeg toebedeeld. We lachten met haar mee, hoewel Christian volhield dat geometrie de reden was dat de les zo compleet was geweest.

'Ik dacht dat het misschien een vorm van magie was,' gaf ik toe. 'U zag ongetwijfeld ook dat de heren, net als de rest van de salon, als betoverd waren. Het ene moment bewoog er niemand, het volgende ogenblik konden ze zich bijna niet inhouden van verlangen.'

Christian trok Margot iets dichter naar zich toe en trok de stola op tot haar kin. 'Wetenschap en magie liggen altijd vlak bij elkaar, mijnheer Larsson: de een achtervolgt de ander. Het onheil van vorig jaar wordt nu natuurkundig verklaard. De hemelen die ooit het rijk van de goden waren, blijken nu sterren en planeten te zijn die zich in exacte, wiskundige banen bewegen. En toch doen mensen dingen die niet te verklaren zijn: ze genezen van dodelijke ziekten, ze tillen bomen op die op hun strijdmakkers gevallen zijn, ze zien visioenen van de toekomst, ze sterven en staan weer op. We doen er verstandig aan ons voor beide open te stellen.' Daarna zwegen we, met de bossen als zwarte muren aan weerszijden van de glinsterende weg, terwijl de fakkels achter op de slee een spoor van blauwe rook achterlieten. Afgezien van de kreunende bomen hoorden we alleen het door de sneeuw gedempte hoefgekletter en het milde knallen van de koetsierszweep. In de buurt van het operagebouw stapten we uit de slee, en Margot vroeg of ik zin had om te komen eten. Dat verraste me, maar ik had geen plannen, dus ging ik met hen mee naar de Kokssteeg. Op de stoep stampte ik de sneeuw van mijn laarzen en stapte de donkere winkel binnen. Margot stak de blakers aan, die schaduwen op de gestreepte wanden en het met stof beklede plafond wierpen. Ze spreidde een kleed over een van de schrijftafels om een eettafel te maken, waarna ze drie gladde kaarsen van bijenwas neerzette en die aanstak. We aten een schapenragout die ze van tevoren had klaargemaakt en die geserveerd werd met dik brood en gekruide appels. We spraken over Parijs en de opschudding die daar gaande was en die zou kunnen leiden tot vooruitgang of ondergang. Ze vertelden me over hun werkgevers en vrienden, en over de bijeenkomsten die ze daar hadden: picknicks, gekostumeerde bals, diners op het dak van de winkel van monsieur Tellier. Ze gaven toe dat ze eenzaam waren in de Stad en dat ik tot hun rijtje van nieuwe connecties behoorde: ikzelf, meester Fredrik en nu De Uzanne. In gedachten telde ik de acht kaarten. Zeker een van de Nordéns maakte deel uit van mijn octavo.

'Ik moet steeds maar aan uw geometrie denken, mijnheer Nordén,' zei ik, terwijl ik mijn bord aan Margot gaf, die de tafel afruimde. 'Gelooft u werkelijk dat dat de basis van het leven is?'

'Wiskunde als geheel.' Christian veegde zijn mondhoeken af. 'Ik heb het gezien. Ik heb het gevoeld.'

'Onze wederzijdse vriendin mevrouw M. deelt uw belangstelling. Ze is vooral in de ban van de achthoek.'

Toen ik over de achtzijdige figuur begon, leunde hij achterover. 'Iedereen zou ervan in de ban raken, als hij goed keek, mijnheer Larsson. De achthoek behoort tot een reeks geometrische figuren die een vrijmetselaarsalfabet van structuur vormen. Er bestaat een methode voor het tekenen van de achthoek, die de Goddelijke Geometrie wordt genoemd.'

'Daar heb ik over gehoord.'

'Van de vrijmetselaars?' vroeg hij verrast.

Ik schudde mijn hoofd. 'Daar ben ik nog niet zo hoog doorgedrongen als u. Ik heb het gehoord van onze vriendin, mevrouw M. Zij gebruikt het als de basis voor een kaartlegging die het octavo wordt genoemd.'

'Het octavo is een mooie naam voor zo'n methode,' merkte Christian op, 'want dat doet denken aan de kleine, Italiaanse boekjes met diezelfde naam. Elk octavo bevat een verhaal.'

'Wat is de aard van uw zoektocht, mijnheer Larsson?' vroeg Margot.

'Liefde. En verbondenheid,' zei ik blozend.

'Waar de meeste zoekers zich mee bezighouden.' Margot stond glimlachend op en verliet de kamer met een blad vol vaat.

Christians gezicht lichtte op en verzachtte toen hij haar met zijn blik volgde, waarna hij zijn aandacht weer op mij richtte. 'Het cijfer acht resoneert op vele gebieden: muziek, poëzie, religie. Vrijwel elk doopvont in elke kerk heeft de vorm van een achthoek: ga zelf maar kijken.'

'Ik ben al gedoopt, dat kan ik u verzekeren,' zei ik.

'Ja, ja! Maar een jengelende baby die in het water van de achthoek wordt gedoopt is slechts het begin. De oorspronkelijke vorm is oneindig in elke richting. Wedergeboorte is altijd nabij.' Hij stond op van tafel. 'U moet dit zien, mijnheer Larsson!' Hij haastte

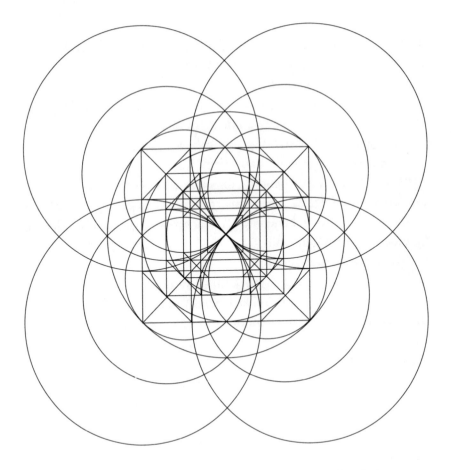

zich naar zijn werkkamer en toen hij terugkwam liet hij me een bladzijde zien uit een beduimeld, in leer gebonden notitieboekje.

'De vorm kan zichzelf uitbreiden; concentrische connecties die steeds groter of kleiner worden, een micro- of macro-universum, al naar gelang het doel van uw vraag. Ik zie in deze vorm een handtekening van het Opperwezen.' Christians gezicht glom van vreugde over dit wiskundige bewijs van het goddelijke. 'En weet onze vriendin ook dat de Goddelijke Geometrie het hart vormt van vele complexe structuren?' Hij bladerde snel door naar een reeks tekeningen. 'Er bestaat een theorie dat vele heilige gebouwen voortkomen uit de achthoek. Analyses van eeuwenoude tempels, bibliotheken, kathedralen tonen aan dat deze vorm de fundering van hun ontwerp is. Als u erop let, komt u de gecombineerde achthoek overal tegen.

Met de Goddelijke Geometrie zou u een stad kunnen bouwen, mijnheer Larsson. Een heilige stad.'

Ik staarde naar het notitieboekje en merkte dat ik mijn adem inhield. Hier stond een uitwerking van de theorieën van mevrouw Mus, gepresenteerd in het heldere licht van de wetenschap. 'Zou ik uw notitieboekje mogen lenen? Ik denk dat mevrouw M. deze inzichten zou koesteren.'

Christian aarzelde, boog zijn hoofd en kneep zijn ogen dicht, alsof hij een hemelse boodschap aan de binnenkant van zijn oogleden wilde ontcijferen. Uiteindelijk keek hij me vorsend aan. 'Slechts weinigen zijn werkelijk op de hoogte van de macht van deze wetenschap,' zei hij zacht. Ik knikte. 'Mevrouw Mus mag deze informatie met niemand anders dan u delen. Wilt u dat plechtig zweren?'

'Op het Heilige Boek en *Hemel en hel* van Swedenborg, zo u wilt,' zei ik, en ik stak mijn hand op.

Nordén legde zijn hand op mijn schouder. 'U bent een recipiënt van goddelijke kennis. Ik hoop dat u gereed bent voor de gevolgen.'

In mijn opwinding om het boekje te pakken stond ik half op van mijn stoel, met het gevoel alsof ik een belangrijke prijs in de wacht had gesleept. 'Dat is bijzonder genereus van u, mijnheer Nordén.'

'Zeg tegen onze vriendin dat ik er graag uitgebreid over wil discussiëren als ze het materiaal heeft bestudeerd, want ze heeft er ongetwijfeld haar eigen theorieën over,' zei hij, terwijl hij het boek met het zijden koord dichtbond.

'Inderdaad,' zei ik.

Nordén gaf me het boekje. 'Niemand anders mag dit zien.'

Ik hield het boekje voor mijn hart en stopte het in mijn jaszak. Margot was weer aan tafel komen zitten, maar haar gezicht zag bleek en vermoeid. 'Heb je geen honger, lieveling?' vroeg mijnheer Nordén, die naast haar ging zitten. Ze keek naar haar bord, dat nog vol met eten lag, en schudde haar hoofd.

'Voelt u zich wel goed, mevrouw Nordén?' vroeg ik.

'Ik zou het prettiger vinden als je mij Margot noemde en mijn man Christian. We zijn toch vrienden, *non*?' Ze leunde tegen haar man aan en sloot haar ogen, een glimlach om haar lippen. 'En ik voel me goed, Emil, maar ik moet bekennen dat ik erg moe ben.'

'Maar niet te moe om het glas te heffen met onze nieuwe vriend,' zei Christian. Hij ging weer naar het atelier en keerde terug met een scherp mes, drie glazen en een fles echte champagne waarvan hij zei dat ze hem bewaard hadden. 'Een toost op de kunst en het geluk, dan,' zei Christian.

'En de romantiek,' voegde Margot eraan toe.

'Ik voel me vereerd dat ik dit moment mag delen,' zei ik, en ik hief mijn glas. 'De Uzanne zal jullie geweldige winkel ongetwijfeld veel klandizie bezorgen.'

Ze keken elkaar met een intens verheugde blik aan. 'Dat klopt, Emil, maar dat is slechts een onderdeel van ons grotere geluk. We worden een gezin,' zei Christian. Ik stond met open mond te kijken, met het glas tegen mijn kin. 'Een baby. Volgend voorjaar. We hebben er heel lang op gewacht.'

We dronken de bruisende vloeistof die bijna te voortreffelijk was om door te slikken, evenals de emotie. Ik koester dat moment: de geur van citroenolie, de warmte van de geelgestreepte kamer in het kaarslicht, de heerlijke wijn, de goede manieren en het beeld van die twee, die verwezen naar een diepe verbondenheid met de wereld en alles en iedereen die daarbij hoorde: het octavo dat oneindig werd. Het stemde me zowel vrolijk als bedroefd. Misschien omdat het onnavolgbaar mooi was en omdat het iets was wat ik niet had. En misschien ook nooit zou hebben, als ik mijn achttal niet op tijd kon plaatsen. Ik leegde mijn glas, stond op en pakte mijn rode mantel van de stoel waar hij overheen hing.

'O, Christian, je hebt te veel de *philosophe* uitgehangen. Nu gaat Emil weg,' zei Margot.

'Integendeel, Margot,' zei ik. 'Alleen omdat ik me deze volmaakte avond tot in alle schitterende details wil herinneren, vertrek ik op dit tedere moment. Jullie gezelschap heeft me veel stof tot nadenken gegeven. Dank jullie wel, ik wens jullie een prettige avond.'

'Dan moet je volgende week weer komen en nog vele weken daarna,' zei Margot.

Ik vertrok en liep over de brug terug naar de Stad. Ik liep zonder nadenken de Minderbroedersteeg in, op weg naar mevrouw Mus, maar de deur was potdicht en elk raam was donker.

Hoofdstuk achtentwintig

VERSTOORDE SLAAP

Bronnen: diverse apothicaires, Bloem, Louisa G., M.F.L.

NADAT CASSIOPEIA VAN haar was weggenomen, waren De Uzannes dromen gevuld met chaos en werd ze beheerst door het spookbeeld van een geruïneerde natie die werd overgenomen door titelloze onwetenden. Slapen werd onmogelijk toen de zomer overging in de herfst en ze raakte in de greep van de vurigheid van haar patriottisme, waardoor ze tot diep in de nacht lange, verhitte monologen tegen de spiegel van haar toilettafel hield. Ze begreep dat ze actie moest ondernemen als ze wilde dat het land weer bij zinnen kwam. Ze begon met het aanknopen van betrekkingen op het hoogste niveau toen de novemberstormen op hun hoogtepunt waren: hertog Karel kwam bij haar in bed. Maar hij eiste nog meer van haar nacht op en die steeds toenemende staat van uitputting werd een belemmering. Ze moest op de top van haar kunnen zijn, ze moest slapen. In december was ze afhankelijk van haar nieuwste protegee.

'Juffrouw Bloem!' riep De Uzanne op een avond net na haar eerste lezing. 'Het poeder.'

Johanna haastte zich naar het donkere slaapvertrek waar alleen de nachtlampen waren aangestoken. De luiken klapperden in de huilende wind. Ze had een blauw, aardewerken busje bij zich, en de inhoud was het verfijnde resultaat van een aantal weken werk. Johanna had nog nooit een slaappoeder samengesteld, maar had toegekeken terwijl haar vader slaapverwekkende medicijnen maakte en wist welke ingrediënten effectief waren. Ze testte verscheidene versies op Sylten, de oranje cyperse kat van Ouwe Kokkie, door een snufje in zijn richting te blazen. Zijn kop en zijn snorharen werden er even door bedekt, maar daarna was het verdwenen. Bij de vierde variant lag Sylten binnen een paar minuten diep te slapen achter de kist met aanmaakhout. Ouwe Kokkie merkte na een dag dat hij zijn muizenplicht verzaakte en probeerde hem wakker te krijgen nadat een heel vers brood was aangevreten door ongedierte, maar Sylten was niet wakker te krijgen; hij was zo slap als een vochtig kussen en het duurde nog twee dagen voor hij weer helemaal bij zinnen was. De volgende keer dat Johanna het op Sylten uitprobeerde, werd hij na acht uur wakker, net op tijd voor het ontbijt.

Maar Johanna wist dat een kat geen goed proefkonijn was. Alleen op haar kamer goot ze een beetje fijngemalen poeder ter grootte van een cent in haar hand. Toen ze haar hoofd naar haar hand bracht en diep inademde, omhulde de geur van jasmijn haar gezicht. Na een minuut of twee ontspanden de strakke spieren in haar rug zich, werd haar blik zachter en lonkte de deken op haar bed. Toen ze wakker werd, was de kamer in nachtelijke duisternis gehuld en voelde ze een rust die ze niet meer had ervaren sinds haar vroege kinderjaren in Gefle, voor de dood van haar broers en voor het religieuze fanatisme van mevrouw Grijs.

In de weken daarna ging Johanna langs bij de huisbedienden en vroeg of ze haar poeder wilden uitproberen. Ze maakte notities van de ingrediënten en hoeveelheden, de manier van toedienen, de omvang van de proefpersoon en de aard en de duur van hun slaap. Ze paste het poeder aan tot iedereen die het geprobeerd had het nog een keer wilde. Louisa zei dat het net zo was als met de uitzonderlijke smaak van sinaasappelen: als je eenmaal begint met eten, wil je steeds weer een partje. De Uzannes verlangen werd elke nacht vervuld; ze had niet meer zo goed geslapen sinds de heerlijke nachten voor Henriks gevangenschap. Ze liet Louisa verhuizen naar een slaapkamer op de derde verdieping, zodat Johanna op de brede, gestoffeerde bank aan haar voeteneind kon slapen en haar op verzoek het poeder kon toedienen.

'Laat het busje maar op het nachtkastje staan, juffrouw Bloem, voor het geval ik vannacht weer wakker word,' zei De Uzanne, die toekeek terwijl Johanna de kussens met het naar jasmijn geurende poeder bestoof. 'Of als die geregelde bezoeker van mijn bed weer komt en me meer ellende dan genot bezorgt. Hij heeft een kort lontje en nog korter gereedschap.'

Johanna had het mooie rijtuig zien komen en gaan en de in een mantel gehulde figuur van hertog Karel opgemerkt, die soms te dronken was om zijn gezicht te verbergen. 'Als u wilt, kan ik ook nog wel een sterker poeder maken dan dit, Madame,' zei Johanna met een lach, terwijl ze het poeder dat nog op haar vingers zat aan haar rok afveegde.

'Een inspirerende gedachte, Johanna.' De Uzanne pakte een van de lampen die naast het bed stonden en ging aan haar toilettafel zitten, waar ze de spelden uit haar haar trok. 'Ik heb iets nodig dat sterk genoeg is om twaalf uur lang te kunnen slapen. Kunt u dat voor me maken?' De Uzanne stipte haar gezicht aan met een blekende pasta en smeerde die met haar vingers uit.

'Ja, Madame,' zei Johanna. 'Ik zou *Amanita pantherina* aan het poeder kunnen toevoegen,' vervolgde ze in haar ijver om deskundig over te komen. 'Dat is een paddenstoel die soms ook de Valse Blozer wordt genoemd.'

'Dat is een aanlokkelijke naam.'

'Hij staat in India bekend als de goddelijke soma. Hij veroorzaakt een op de dood gelijkende slaap, Madame, en visioenen van erotische aard,' zei Johanna, die zich probeerde te herinneren wat apothicaire De Leeuw nog meer had gezegd.

'Dat klinkt perfect.' De Uzanne hield haar ivoren haarborstel omhoog.

'Maar de Blozer is gevaarlijk, Madame, en moet met grote voorzichtigheid gebruikt worden. Ik ken zijn eigenschappen alleen wanneer hij gegeten wordt. Een poeder heeft misschien niet hetzelfde effect.'

'Ik vertrouw erop dat je daar snel achter komt, Johanna. Dit is belangrijk voor me.'

Johanna pakte de borstel en tilde De Uzannes dikke haar op, waardoor haar nek bloot kwam te liggen. 'Ik ga morgen naar De

Leeuw, maar ik sta erop dat ik de Blozer eerst op mezelf uitprobeer voordat u hem inneemt, Madame.'

'Nee, nee, jij bent veel te waardevol. En dit poeder is niet voor mij.'

Johanna ontspande haar schouders en borstelde De Uzannes haar met lange, gelijke slagen. Blijkbaar begon hertog Karel nu echt een lastpost te worden. 'Ik ben het met u eens dat u uw rust nodig hebt, Madame, en het zou prettig zijn als degenen om u heen dan vast zouden slapen.'

De Uzanne lachte. 'Nee, Johanna, dit is voor een andere man. Een die ik nog vollediger wil domineren.' De Uzanne keek haar protegee via de spiegel aan. Johanna's bezorgdheid bleek alleen uit een korte onderbreking van haar borstelslag. Ze wachtte op de vraag, die echter niet kwam, wat haar plezier deed. 'Ik heb nog een andere uitdaging voor uw deskundigheid op het gebied van de artsenijbereidkunde, juffrouw Bloem. Hertog Karel heeft geen erfgenaam. Hij heeft alle soorten behandelingen ondergaan – magisch en anderszins – maar ik vermoed dat de Kleine Hertogin onvruchtbaar is, en de balletmeisjes willen geen kinderen en gaan naar De Leeuw voor hulp. In verwachting raken van de hertog zou een... offer zijn waar ik toe bereid ben. Dat is iets wat generaal Pechlin hem niet kan geven.'

'Madame?' fluisterde Johanna, die nu helemaal ophield met borstelen.

De Uzanne draaide zich om op haar krukje en pakte Johanna's hand, waar ze net iets te hard in kneep. 'Ik zie uw ongelovige blik. U denkt dat ik te oud ben.'

'Nee, Madame, nee. U bent ongetwijfeld heel goed in staat om een kind te baren... maar misschien is de hertog niet... u en uw man hebben nooit...' Ze boog haar hoofd; dit onderwerp was zelfs voor een protegee veel te intiem en de gevolgen waren veel te onzeker.

'Henrik en ik maakten ons er nooit zorgen om dat we nog geen kinderen hadden; we hadden het gevoel dat we nog alle tijd hadden. Alle mogelijke vreugde werd me ontnomen door Gustaaf.' Ze liet Johanna's hand los. 'En wat hertog Karel betreft: er bestaan middelen, toch?' Johanna knikte, maar ze wist niets van deze geneeswijzen, afgezien van wat flarden van gedempte gesprekken die ze had opgevangen in de *officin* in Gefle. Ze vroeg zich af hoe ze een akelige discussie met de apothicaire van De Leeuw kon vermijden. 'Goed. Bereid ze dan maar.' De Uzanne bracht de blekende pasta op haar rechterhand aan en besteedde extra zorg aan een bruin vlekje dat die zomer onverwachts was opgekomen. 'Juffrouw Bloem, het zou me heel goed van pas komen als u nog iets wilt uitzoeken als u in de Stad bent.'

Johanna ging verder met borstelen. 'Ik ben heel blij als ik u van dienst kan zijn, Madame.'

'Meester Fredrik heeft een Sekretaire meegenomen naar de lezing. Ik denk dat hij u ook is opgevallen.'

Johanna boog haar hoofd om een onverwachte glimlach te verhullen, veinzend dat ze een niet-bestaande klit in De Uzannes haar wilde ontwarren. 'Hij zou me helemaal niet opgevallen zijn, ware het niet dat ik hem in de Stad heb gezien, Madame. Hij deed zaken met de waaiermaker, Nordén.'

'Het zou me deugd doen om meer over die Sekretaire te weten te komen. Maar u moet de informatie discreet vergaren.'

'Madame, ik kan mezelf onzichtbaar maken als u wilt.'

'Voor iedereen, behalve voor mij.' De Uzanne keek naar hun spiegelbeeld. 'U ziet er zeer damesachtig uit, Johanna. Het idee dat we uw bruiloft zouden kunnen regelen, kwam tijdens de lezing bij me op.'

'Ik… ik ben nog niet klaar voor die stap,' zei Johanna, die ervoor zorgde dat ze lange, gelijkmatige slagen bleef maken en haar gezicht in de plooi hield. 'Er valt nog zoveel te leren.'

'U moet leren dat strategische verbintenissen cruciaal zijn. We zullen de toestemming van uw ouders nodig hebben.'

Johanna legde de borstel op de kaptafel, vlocht zwijgend het donkere haar van De Uzanne en bond het op met een lint. 'Madame, wat u ook besluit, het zou hen onmetelijk veel vreugde bezorgen. Ik zal schrijven en om hun goedkeuring vragen.'

De Uzanne stond op en kuste Johanna licht op haar voorhoofd. 'En ik ook.'

Johanna sloeg haar handen achter haar rug ineen om te voorkomen dat ze trilden. 'Mag ik vragen wie Madame voor me in gedachten heeft?'

'Dat mag u vragen, maar ik zeg het nog niet. Intussen zal het u verheugen te horen dat uw zuster op Gullenborg zal verblijven tot het debuut.'

'Ik heb geen zuster,' zei Johanna zacht.

De Uzanne kroop in bed en rond haar hoofd steeg een vage wolk van geurig poeder op toen ze zich in de kussens liet zakken. 'Ik bedoel juffrouw Plomgren. Ze is hier toch elke week om de jongedames instructies te geven, en ik vind haar behoorlijk... fascinerend. U zou nog iets van haar kunnen leren.'

Hoofdstuk negenentwintig

HET STOCKHOLM OCTAVO

Bronnen: E.L, mevrouw M.

DECEMBER WAS GEWOONLIJK een melancholieke maand voor me, met de diepste duisternis die dan inviel, de valse opgewektheid van de feestdagen en de lange wintermaanden die nog volgden. Het zwarte water van de Norrströmmen stroomde onder het ijs als de Styx zelf en de heuvels van de Stad waren schier onbegaanbaar. Mijn activiteiten bij de douane namen af omdat er in de haven weinig te doen was en de pakhuizen leeg en koud waren. Maar toen het einde van 1791 naderde, voelde ik me oprecht energiek en opgewonden omdat het achttal in het spel kwam. Meester Fredrik had zijn kennis van de gastenlijst van De Uzanne grif gedeeld en ik stelde verscheidene introductiebrieven op voor een select aantal. Ik kon Margot raadplegen over mijn keuzes; door haar vogelachtige trekken wist ik zeker dat ze mijn Ekster was. Ik had een Boodschapper nodig om de brieven te bezorgen; hij zou echt de jongen van Murbeck kunnen zijn als zijn moeder, mijn Bedrieger, zich er niet mee zou bemoeien. Ik was ook van plan een beroep te doen op de Plomgrens, bij wie ik oprecht warmte ervoer, al was dat gezien hun gebrek aan rijkdom of titels zeer onpraktisch. Anna Maria paste perfect in mijn achttal als de Gevangene, en ik stelde me voor dat ik de held was die haar zou bevrijden. Of misschien was haar vader de Prijs en zou hij me zijn dochter schenken. Hoe het ook zij, Anna Maria beschikte over ambitie en schoonheid en zou het ver kunnen schoppen aan de arm van mijn Metgezel.

Dan was er nog Johanna, wier mysterie erom smeekte te worden opgelost. Haar bleke gezicht verscheen vaak in mijn gedachten en als ze echt de dochter van een adellijk huis was, zou het de moeite waard kunnen zijn haar het hof te maken. Zo niet, dan had ze iets te verbergen en hadden we iets uit te wisselen. De ervaring had me geleerd dat zulke hapjes een feestmaal konden worden, mits ze goed gebruikt werden. Ik bedacht dat deze uitwisseling van informatie zou kunnen betekenen dat niet Margot, maar Johanna mijn Ekster was. Er stond een jonge vrouw op die kaart, vergezeld van twee heren. Misschien was ik daar een van.

Die gedachten schoten door mijn hoofd toen ik op een december-middag bij de douane vandaan kwam, door de Zwartmansstraat liep, het Grote Plein overstak en mevrouw Mus in het oog kreeg, die zeer haastig liep terwijl haar donkerbruine sjaal achter haar aan zwierde. Ik volgde haar langs de marktkraampjes en door de Trång-sund, de nauwe doorgang tegenover de Grote Kerk. Haar vertrek-ken in de Minderbroederssteeg waren de afgelopen week vreemd donker geweest, zelfs de poort naar de binnenplaats had op slot gezeten, en ik popelde om haar te zien; ik wilde verslag uitbrengen van De Uzannes kostelijke les, het notitieboekje van Nordén met haar delen en meer dan wat ook haar advies inwinnen met betrek-king tot mijn octavo. Maar toen ik op de heuvel van de Grote Kerk aankwam, was ze verdwenen. Ik kon alleen maar raden dat ze de kathedraal in was gegaan en liep terug naar de deur.

De kerk was bitter koud en rook naar vochtige stenen en opge-brande kaarsen. Er kwam slechts weinig daglicht binnen en langs het schip stonden meerdere olielampen op enige afstand van elkaar te sputteren. Ik liep langzaam door het middenschip, aangetrokken door de fonkeling van het zilveren altaar. Het indrukwekkende beeld van Sint-Joris en de draak rees op vanuit de schaduwen en de massieve, uit goud gesneden kronen hingen over de kansels als re-kwisieten in een theaterpaleis. Boven op de bronzen kandelaar danste een vlam, zoals dat al vierhonderd jaar het geval was. Er was niemand. Mijn ademhaling was het enige geluid, tot er geschuifel van voetstappen en gekraak van ijs door het schip echode.

Ik liep naar het geluid toe en bleef bij elke massieve pilaar staan luisteren. Een druppend geluid voerde me naar de narthex, waar mevrouw Mus met haar handen voor haar gezicht over het stenen doopvont gebogen stond en het water bijna aanraakte.

'Ik heb u gezocht,' fluisterde ik. Ze hield zich geschrokken aan het bekken vast, maar haar schrik maakte plaats voor opluchting. 'Uw kamers waren meer dan een week donker. Was u ziek?' Ze schudde haar hoofd. 'En waarom bent u in een kerk?' vroeg ik.

'Ik ben geen vreemde voor de kerk, mijnheer Larsson, en ik geloof in heilige ruimtes. Ik was in de war door mijn octavo en ben hierheen gekomen om raad,' fluisterde ze, en ze veegde haar ogen met een hoekje van haar sjaal af. 'Tot dusver heb ik die niet gekregen.'

'Ik misschien wel. Om aan u te geven.' Ik haalde Nordéns notitieboekje uit mijn jaszak en gaf het aan haar. Mevrouw Mus sloeg het open en bestudeerde de diagrammen, terwijl ik haar vertelde over Nordéns theorieën over geometrie en verbondenheid, de verschillende en oneindige vormen van het octavo, en de constructie van een heilige stad. 'Er zijn aspecten van de Goddelijke Geometrie waarvan u niets mocht weten.'

'Tot nu toe,' zei mevrouw Mus. Haar ogen glansden en haar lippen trilden licht toen ze eindelijk opkeek. 'U bent een uitmuntende Boodschapper, Emil.'

'U noemde me bij mijn voornaam,' merkte ik verrast op.

Bij het altaar ging krakend een deur open en door het middenpad kwam haastig een uitgemergelde diaken aanlopen. Hij tuurde door het duister alsof we geestverschijningen waren en stoof toen naar voren, waarna hij bij de laatste rij kerkbanken bleef staan. Hij pakte het zijpaneel beet terwijl hij sprak, alsof dat als schild zou kunnen dienen. 'Ik ken u, vrouw. U bent de waarzegster van de koning en u bent hier niet welkom,' siste hij. De diaken keek naar mij. 'En wie bent u, in uw scharlaken mantel? Een Sekretaire van het Satanskantoor?'

'We zijn beiden kenners van het goddelijke, mijnheer.' Mevrouw Mus liep op de diaken af, die een stap achteruit deed.

'Ik betwijfel of u iets kunt weten over God de Almachtige Vader,' zei hij, en er ontsnapte een wolkje warme adem aan zijn lippen.

'We moeten gaan,' zei ik zachtjes tegen haar. Maar mevrouw Mus stond stijf van woede, hield haar handen gebald in haar zij en trok een grimas toen ik haar aanraakte. Ze bewoog niet, op haar mond na, die tekeerging alsof ze een stuk bedorven vlees had gegeten. Ze hield haar ogen dichtgeknepen en haar kaken op elkaar geklemd. Toen had ik een vermoeden. 'Mevrouw Mus,' fluisterde ik, en ik pakte haar stevig bij de arm en leidde haar naar een kerkbank, waar we dicht tegen elkaar aan gingen zitten.

'Niet naar me kijken,' fluisterde ze.

'Wat is dit?' vroeg de diaken, zijn gezicht bleek in de duisternis.

'Ze is ziek, ze moet zitten,' zei ik.

'Ik ben niet ziek.' Mevrouw Mus bevrijdde zich uit mijn greep en stond op om naar de diaken te kijken. 'Kom hier en zie een ziel die is overmand door de kennis van het Eeuwige Cijfer.' Ze ging weer zitten, legde haar handen ineengevouwen in haar schoot, hield haar lichaam stijf en volkomen stil en sloot haar ogen.

'Wat doet ze?' siste de diaken.

Ik draaide me om en keek hem aan. 'Ziet u niet dat ze ziek is?'

'Dit is geen ziekte, maar het kwaad,' schreeuwde hij, en hij kwam naar de kerkbank en pakte mijn mantel vast. Maar mevrouw Mus hield haar ogen nu wijd open en keek scheel naar het plafond. Haar mond stond open en haar tong hing naar buiten, richting haar kin, alsof hij zich los wilde maken van haar keel. Haar hoofd schudde met de kracht van het visioen dat haar schedel vulde en er kwam een vreemd gejammer over haar lippen. Het geluid was het ergste: als dat van een slapende die wordt gekweld door een toverkol uit een nachtmerrie, zonder hoop om ooit wakker te worden. Ik kon niet zeggen hoe lang deze stuiptrekking duurde, maar eindelijk gingen haar ogen dicht en liet ze haar hoofd omlaag hangen, naar haar borst. De diaken bleef geschokt staan. De stilte van het heiligdom vormde een scherp contrast en ik pakte mevrouw Mus' slappe hand, die klam was van het zweet. Ze tilde haar hoofd op en deed haar ogen open; haar pupillen waren zwart en glanzend.

'Gaat het goed met u?' vroeg ik.

'Ik zal mijn visioen delen.' Ze draaide opzij om naar de diaken en naar mij te kunnen kijken. 'Er verscheen een man, die beweerde kennis te hebben van universele wijsheid. Het was Hermes Trismegistus.'

'Hoe durft u hier de naam van een heidense tovenaar te noemen,' fluisterde de diaken.

Mevrouw Mus trok zichzelf omhoog en ging voor hem staan. 'Hij beweerde dat de ware lessen van de Goddelijke Geometrie hier in de Grote Kerk voor me geopenbaard worden: de concentrische ringen van de parheliumschildering, de driehoek boven de ingang, maar vooral de achthoek. En niet alleen die van het doopvont.' Ze wees, en de diaken en ik volgden de lijn van haar vinger naar het plafond. 'Zowel boven als onder,' zei ze.

De diaken keek alsof een of andere demon een onuitwisbare blasfemie in het gebouw had gekrast. Ik stond op om het beter te kunnen zien. Boven ons kwamen de ribben van elk gewelf bij elkaar, zodat ze de spaken vormden van een achtzijdig wiel, waardoor er een verbindingslijn van achthoeken ontstond, die het gewicht van de muren droegen en het plafond op zijn plaats hielden.

'U blijft hier, Sekretaire wie u ook mag zijn, en bewaakt deze heks tot de autoriteiten er zijn,' fluisterde de diaken.

Normaal gesproken was ik niet bang geweest voor een bezoek van de wijkpolitie, vooral omdat we niets verkeerd hadden gedaan, maar het was nooit verstandig om hen bij kerkzaken te betrekken; meestal kozen ze de kant van God. 'We gaan nu,' zei ik en ik trok mevrouw Mus door het pad, waarbij haar ene voet achter de kerkbank bleef haken. De diaken rende naar de klokkentoren om het alarm voor de politie te luiden. Mevrouw Mus was weer helemaal bij zinnen toen de klokken begonnen te slaan en we haastten ons naar de uitgang, de nauwe straat in.

'Loop met me mee naar huis, Emil. Ik moet u uitleggen wat dit visioen werkelijk betekent.' Ze klonk niet in het minst bevreesd en leek eigenlijk eerder op iemand die zojuist een spannend toneelstuk had gezien. 'En doe uw mantel binnenstebuiten; de donkere voering is niet zo gemakkelijk te zien.' Ik draaide mijn mantel om en sloeg mijn sjaal iets steviger om mijn nek.

Het daglicht was weg en het leek wel middernacht, al was het pas even na vijven. De sneeuw viel in grote, zachte vlokken omlaag en we haastten ons de heuvel van de Grote Kerk af, naar de Minderbroederssteeg, waar het wemelde van de mensen die naar huis gingen voor het avondeten. Geen van ons zei iets tijdens het lopen. Het sneeuwgordijn hield ons uit het zicht, maar ik haalde pas opgelucht adem toen we veilig op nummer 35 binnen zaten met de deur op slot. Mijn opluchting was slechts van korte duur. 'Wat is er hier gebeurd, mevrouw Mus?' vroeg ik, en ik keek naar de lege salon, waar alle stoelen door elkaar stonden, een hoopje gebroken glas op de grond lag en een tafel helemaal ondersteboven lag. Katarina was nergens te zien.

'Ik heb een week in het donker gezeten om de boel te laten bekoelen,' zei ze, terwijl ze de sneeuw uit haar sjaal schudde. 'Door de bezoekjes van de hertog is er een zijdeur opengegaan voor boze clientèle, voornamelijk patriotten. De politie grijpt niet meer in.'

'Maar u geniet bescherming van Gustaaf.'

'Er wordt getwijfeld aan mijn loyaliteit aan de koning.' Ze ontstak de lampen en ik zag dat haar gezicht vertrokken was van droefenis. 'Het is bekend geraakt dat ik contact onderhoud met hertog Karel en dat steeds meer patriotten hun weg naar mijn speellokalen vinden. Ik dacht dat ik de gevangenbewaarder van de hertog kon spelen om zo de koning te dienen, maar Gustaafs raadgevers interpreteren dat anders. Ik geloof niet dat Gustaaf zelf zijn vriendin zo slecht zou behandelen.' Toen verscheen er een sluw lachje om haar mondhoeken. 'Maar daar zullen wij verandering in brengen, Emil, want nu zie ik het,' zei ze, waarna ze haastig de gang in liep. 'Zet een tafel klaar. Ik ga de kaarten halen.'

Ik zette mijn favoriete hoektafel recht en plaatste de stoelen eromheen, waar ik voor twee personen kussens op neergooide. Er hingen koekkruimels en tabaksblaadjes aan de groene stof, die ik er zo goed mogelijk afveegde, waarna ik de lampen aan de wand ernaast aanstak. Mevrouw Mus kwam terug en legde een octavo, waarbij de kaarten door haar gretigheid van de stapel vielen.

'U hebt mijn octavo al eerder gezien. De gebeurtenis in het midden beschermt mijn Metgezel en dringt aan op de redding van de Franse koning. Ze bladerde snel door de stapel kaarten, haalde er nog vijf uit en herschikte het patroon. 'En hier bent u. Liefde en verbondenheid blijven uw centrale gebeurtenis.'

Ze schoof de resterende vijf kaarten uit haar legging naar boven, zodat ze tegen de mijne aan lagen.

'Mijnheer Nordén zei dat de Goddelijke Geometrie de heilige stad kon bouwen, maar Jeruzalem ligt ver weg. Wat ik hier zie is de Stad, en haar toekomstige vorm hangt af van ons beiden,' fluisterde ze. 'Die vorm is een acht, de combinatie van twee delen om iets van grotere waarde, misschien wel oneindige waarde, te creëren. Het Stockholm octavo.'

Ik staarde naar de plek waar de twee leggingen elkaar overlapten. 'Dus u zegt dat we wél drie van onze acht delen,' zei ik. 'Eerst dacht u van niet.'

'Ik begreep het eerst nog niet helemaal. Onze twee octavo's passen in elkaar als de gewelven van de Grote Kerk of, beter gezegd, als raderen in een grote klok.' Haar gezicht straalde van geestdrift over de openbaring. 'Kijk hier: Nordén is mijn loyale Bedrieger, hij hield iets voor me verborgen tot... voilà!' Ze sloeg Nordéns notitieboekje open op een bladzijde waarop met elkaar verbonden achthoeken stonden. 'Nordén onthult dat hij uw Prijs is. Hij gaf u zijn aantekeningen over een goedbewaard geheim. Die prijs was groot genoeg voor ons beiden.'

'Hij heeft me meer gegeven dan dat,' gaf ik toe, denkend aan zijn warme welkom en groothartige vriendschap. 'Maar de Koningin van de Wijnkruiken dan? Ik dacht dat u zei dat uw Leermeester de Kleine Hertogin was?'

Mevrouw Mus trommelde met haar vingers op Nordéns notitieboek. 'De Kleine Hertogin was een manier om de waarheid niet onder ogen te hoeven zien: De Uzanne heeft me iets te leren.' Haar vingers kwamen abrupt tot stilstand. 'Bent u naar Gullenborg gegaan voor haar lezing?' Ik knikte. 'Begin bij het begin. Ik moet alles leren wat ik kan.'

Ik probeerde de schoonheid van het geheel onder woorden te brengen; de overdadige hapjes en drankjes, de sensuele werveling van frisse meisjes en knappe mannen, en de voortreffelijke orkestratie van verlangen die De Uzanne met haar waaier bewerkstelligd had. 'Het was... betoverend,' zei ik.

'Werkelijk, Emil, heeft ze u aan uw voorhuid haar invloedssfeer in gesleurd? Iedereen kan lust opwekken.' Ze snoof. 'Voor het aanzetten tot die doodzonde is geen hulp van de duivel nodig, geen betovering, zelfs geen donkere kamer.' Ze leunde fronsend achterover. 'Uiteraard is het slechts een oefening voor de beduidend grotere zonden die ze vermoedelijk in gedachten heeft. Stelt u zich voor wat ze gedaan had als ze Cassiopeia in handen had gehad,' fluisterde mevrouw Mus.

Daar dacht ik even over na, en onwillekeurig trok ik mijn mondhoeken op tot een verdorven glimlachje. 'Daar zou ik maar wat graag bij willen zijn,' zei ik.

'Denk dit keer met uw hersens, alstublieft. Iedereen weet dat De Uzanne en wijlen haar man er in het geheim aan werkten om Gustaaf uit de macht te zetten, maar dat Henrik ten strijde trok. Wraak kan een lont ontsteken, en *verbintenis* is ook een militaire term.'

'Ik geef toe dat de jongedames ontwapenend waren,' merkte ik op.

'Was hertog Karel er?' vervolgde ze zonder acht op me te slaan.

'Nee, maar mevrouw Beuk van de huishouding van de hertog werd geïntroduceerd alsof ze zelf van adel was en zette aan tot speculaties over De Uzanne, die de man van haar buurvrouw zou begeren. Dat is toch een aanmerkelijke zonde.'

Mevrouw Mus leunde achterover. 'Dat is des te meer bevestiging van mijn achttal, en van de politieke aard van de gebeurtenis.'

'U moet uw theorieën over verraad overboord zetten,' zei ik. 'Generaal Pechlin was er ook, en die leek uitermate verveeld vanwege het gebrek aan politiek gekonkel. De Uzanne is alleen geïnteresseerd in de strijd tussen vrouwen.'

'Over de ware strijd tussen vrouwen wordt nooit geschreven en er wordt door mannen ook nauwelijks over gesproken, dus u hebt geen idee wat het is,' merkte mevrouw Mus op. 'De Uzanne is niet geïnteresseerd in de miezerige seksuele prestaties van hertog Karel. Ze is van plan Karel de kroon te geven.'

'Door die van Gustaaf van diens hoofd te wapperen?' grapte ik.

Mevrouw Mus streek haar rok glad en keek me aan. 'Kijk maar naar de kaarten. Dit is voor niemand een spel van terloopse liaisons.'

Maar ik liep naar het raam en trok het gordijn opzij. Een lantaarnaansteker wekte aan de overkant een lantaarn tot leven en trok een gouden streep langs de zijkant van het huis en op de besneeuwde straat. 'Wat vindt u dat ik moet doen?' vroeg ik.

Ze boog zich over de tafel en pakte de Koningin van de Wijnkruiken weer op. 'U moet dichter bij uw Metgezel komen, zodat u uw achttal sneller zult vinden. De volgende lezing van De Uzanne is al over twee weken. Observeer elke ontmoeting, merk elke gast op, luister gefluisterde gesprekken af. En stel u zo op dat u stevig in haar kamp staat. Houd haar de sleutel tot de smokkelwaar voor. Bied aan onderzoek te doen naar mevrouw Mus, die dievegge. Beloof dat u haar waaier zult vinden. En zorg dat Cassiopeia in veiligheid blijft. Wanneer het tijd is dat Cassiopeia terugkeert, want ze zál naar haar meesteres terugkeren, kunnen we alleen maar hopen dat de aanpassing voldoende was om haar kracht te neutraliseren.' Ze zag mijn gezichtsuitdrukking en schudde haar hoofd. 'U bent nog altijd sceptisch, maar Cassiopeia's duistere magie kan veel meer doen dan huiskamertrucs. Ik heb erover gelezen. Er is veel schade aangericht door de oorspronkelijke eigenares van de waaier: zwarte magie-rituelen, vergiftiging, gevangenschap, dood. De Uzanne heeft een energie in zich die Cassiopeia's duistere herkomst versterkt. Het zal zo blijven. Ze wil de koning neerhalen.'

Het was duidelijk dat de betekenis en de macht van deze waaier veel groter waren dan ik had gedacht. 'Ik heb Cassiopeia goed verborgen, mevrouw Mus,' zei ik, terwijl ik terugliep naar de tafel. In werkelijkheid stond het doosje vol in het zicht. Mevrouw Murbeck had het een keer opengemaakt en de Vlinder opengeklapt, hoewel ze het nooit over Cassiopeia had gehad, die eronder gevangenzat.

Mevrouw Mus tuitte teleurgesteld haar lippen. 'U bent uw onbewogen blik kwijt. Pas op uw hand, want u speelt nu mee in een groter spel, of u dat nu wilt of niet, en de inzet is hoger dan u wilt toegeven.' Ik staarde naar de geschakelde achthoeken en zag mijn lieflijke vooruitzicht van liefde en verbondenheid overspoeld worden, als een klein bootje dat tijdens een storm verpletterd wordt door hoge golven. 'Emil, u ziet eruit alsof u veroordeeld bent tot de strop,' zei ze.

'Ik was alleen van plan een gunstig verbond te verwerven, niet om betrokken te raken bij politiek verraad.'

'Is dat niet allebei hetzelfde?' Ze bedoelde het schertsend, maar zag mijn ongerustheid. 'U zult uw octavo krijgen. Het visioen van liefde en verbondenheid was echt.'

'Maar de combinatie van deze twee... uw visioen is zo groots...'

'Vindt u liefde en verbondenheid soms klein? U moet groter denken, Emil. Dit zijn de grootste schatten van het leven.' Ze pakte de twee Zoekers, de hare en de mijne. 'Ziet u het dan niet? Het ene octavo wist het andere niet uit. Integendeel, we versterken elkaars doelen. Net als het plafond van de Grote Kerk. Of, als u een wereldlijker voorbeeld wilt, als het samenwerken om iemand een zetje te geven in het speellokaal. Het lukt ons alleen samen en anders helemaal niet.'

Buiten op straat riep een klepperman dat het acht uur was, en zijn stem verdween heuvelopwaarts richting de Grote Kerk. Ik maakte aanstalten om te vertrekken, onder het voorwendsel dat ik zaken te doen had in de Zuidwijk. 'Zal ik langskomen met Kerstmis?' vroeg ik, in de veronderstelling dat ze net als ik alleen zou zijn.

'Heel aardig van u, maar nee. Op de dagen rond de zonnestilstand is de geleiding altijd heel sterk. Katarina laat wel horen wanneer u moet komen.' Ze veegde de kaarten met twee snelle bewegingen bijeen en tikte ze tot een nette stapel. 'Vrolijk kerstfeest, Emil. Maar houd in gedachten dat Nieuwjaar reden is voor feest: dan zullen we onze koning in veiligheid brengen en het Franse koningshuis erbij. En u zult het gouden pad vinden!'

'Fantastisch,' zei ik met de valse opgewektheid die ik tijdens de feestdagen altijd voorwendde. Ik liet mezelf via de voordeur uit en stapte langzaam de trap af naar de verlaten, met een witte deken bedekte straat. De winterlantaarns sputterden en leidden me van lichtpoel naar lichtpoel helemaal naar de Kleermakerssteeg. De ramen van de Murbecks waren donker en alleen de huiskat miauwde een begroeting. Boven stookte ik de kachel op om het vocht dat de kamer als een sluier omhulde te verjagen en ging zitten. Ik tekende het cijfer acht in de laag stof die op de tafel was neergedaald. Het leek onwaarschijnlijk dat er liefde en verbondenheid uit deze vorm zouden verrijzen, hoe goddelijk de inspiratie ook mocht zijn. Met de zijkant van mijn hand maakte ik er een brede veeg doorheen en ging in mijn eentje naar bed.

DEEL TWEE
1792

*Maar er brak een andere tijd aan. Het leek wel of
we zelf, moe van ons opperste geluk, niet in staat
waren het te verdragen; alsof dat heimelijke verlangen waardoor mensen hunkeren naar een verandering in hun omstandigheden ons niet toestond nog
langer van onze rust te genieten.*

Hoofdstuk dertig

DRIEKONINGEN

Bronnen: E.L, mevrouw M., Katarina E., mevrouw M.

JANUARI 1792 VLAMDE als een Romeinse kaars in een zwarte oude-jaarsavondlucht. Mijn herinnering aan die tijd is aangedikt – misschien maken we onszelf graag wijs dat we een vooruitziende blik hadden – maar ik zweer u, er was sinds mensenheugenis geen maand geweest met zo'n intense spanning. Het ijs op de vele heuvels was even verraderlijk, de sneeuw net zo platgetrapt en volgegooid met afval, en het hoesten, niezen en de koorts waren even aanhoudend. Maar er hing verandering in de lucht, en of die nu ten goede of ten kwade was, verandering versnelt altijd de polsslag en zet de zintuigen op scherp. Het was voor velen van ons het laatste gloeiende kooltje van een tijdperk voordat het tot as verging; de lege koets voor het mooie huis, de glinsterende stof neergedaald.

Het land was in tweeën gesplitst, met royalisten en patriotten die de gelederen vormden, en de hartstocht nam toe met de nadering van het parlement dat gehouden zou worden in het verre Gefle. Inwoners van de Stad waren ontsteld door de keuze voor die eenvoudige stad, maar door het parlement weg te halen van het thuisterrein van de patriotten, kon de koning de participatie in de hand houden en zijn oppergezag garanderen. Reizen was kostbaar en ellendig in januari. En aan de helft van de leden van het Huis van de Adel werden op dubieuze gronden reispassen geweigerd.

In de taveernes en de koffiehuizen werd gezegd dat Gustaaf van plan was de regering te herstructureren door de adel terug te brengen naar vierentwintig zetels en het gewone volk een echte meerderheid toe te kennen. De royalisten noemden dit verlicht leiderschap, maar de patriotten waren furieus. Ze zagen Gustaaf nu als een dodelijke bedreiging voor de stabiliteit van Zweden, die met alle noodzakelijke middelen verwijderd diende te worden. Er gingen geruchten over verraad.

De inwoners van de Stad verwachtten dat we overspoeld zouden worden door een opkomende revolutie of door onderdrukking, en het uitzicht vanaf de rand van de afgrond was adembenemend. De Stad schitterde des te meer door het gevaar, en de kaartspellen, bals, biljartfeesten, concerten, dansfeesten en diners kregen een koortsachtiger karakter, alsof elk feestje weleens het laatste kon zijn.

Het was drie uur op vier januari, Driekoningen, het eind van de kerstfestiviteiten en een laatste avond van pretmakerij voor de ernstige dienst van de Epifanie. De westelijke hemel was nog steeds een beetje lichtblauw, als een kleine toespeling op de seizoensverandering die nog enkele maanden op zich liet wachten. De dag dat ik met de Superieur over mijn huwelijk zou moeten praten was nabij, en het zou waarschijnlijk mijn laatste dag als Sekretaire zijn. Ik zette het raam op een kier om een vleugje frisse lucht binnen te laten en voelde de tocht om me heen blazen, toen ik in de gang beneden Katarina's stem hoorde. Ze kibbelde met mevrouw Murbeck en zei dat het briefje alleen aan mij persoonlijk mocht worden overhandigd. Ik deed mijn deur open en liep de trap af.

'Ik kan niet toestaan dat jongedames uw kamers in en uit gaan, mijnheer Larsson,' zei mevrouw Murbeck, die haar armen stevig over haar boezem kruiste.

'Mevrouw Murbeck, u bent het laatste bolwerk van mijn afbrokkelende reputatie, maar ik verzeker u dat deze jongedame slechts een boodschapper is voor een oudere vriendin.'

Mevrouw Murbeck schraapte gechoqueerd haar keel en smeet de deur achter zich dicht. Katarina sloeg haar hand voor haar mond, overmand door een hoestbui. Er hing een sluier van bezorgdheid over haar ogen en ze klemde haar lippen op elkaar. 'Mevrouw vraagt of u in burgerkleding wilt komen, niet als Sekretaire,' fluisterde ze, waarna ze me een kleine envelop gaf, een reverence maakte en vertrok. Op het briefje stond: *6 uur.*

Ik droeg mijn haar zonder opsmuk, trok een sjofel grijs jasje met een hoge kraag en een oude, marineblauwe wollen overjas aan en wikkelde een gebreide sjaal om mijn gezicht tegen de kou. De straten van de Stad waren overvol vanwege de feestelijke avond, maar ik voelde mijn schouders verstrakken naarmate ik dichter bij de Minderbroederssteeg kwam. In de zuilengang was het stil en op de trap echoden alleen mijn eigen voetstappen. Geen feestgangers hier.

Katarina deed de deur op een kier toen ik aanklopte en moest tweemaal kijken. 'Mijnheer Larsson?' fluisterde ze. Ik knikte en de deur ging net ver genoeg open om me door te laten, waarna ze hem weer dichtdeed. In de koude, lege gang kwam een zwak schijnsel uit de grote speelzaal.

'Geen spelers vanavond?' vroeg ik, en mijn stem weergalmde in de duisternis.

'Mevrouw zegt dat we tot het voorjaar klaar zijn met kaarten en dat is maar goed ook. Het gezelschap van de hertog heeft de sfeer volledig veranderd. Meer dreigementen dan weddenschappen,' zei ze en ze zweeg even om haar neus te snuiten. 'Maar mevrouw zegt dat ze de zoekers nog wel binnenlaat en daar ben ik blij om. Zonder klanten heb ik geen werk.'

We liepen naar de deuropening van de salon en Katarina knikte dat ik binnen mocht gaan. Aan een van de tafels staarde een vrouw uit het raam naar de toren van de Grote Kerk, waar de klokken zes uur sloegen. Ze zat met haar rug naar me toe en de kaarsen op tafel maakten haar vorm tot een silhouet. Haar pruik was gekapt in een stijl die ik sinds mijn kindertijd niet meer gezien had: belachelijk hoog en wit. Ook haar bleke, roomkleurige jurk was antiek, een mooi afgewerkte *robe à la française,* compleet met brede hoepels en een geplooide sleep die vanaf haar nek tot op de vloer viel. Een waaier lag geopend naast een leeg kristallen glas en een stapel papieren op tafel. Ik dacht dat het misschien een actrice uit het Bollhustheater was, die liefdesverdriet had en tussen de aktes zat te wachten op een sessie met mevrouw Mus.

'*Pardon... Mademoiselle?*' zei ik. In het gedempte licht was het onmogelijk te zeggen welke leeftijd de dame had. De vrouw draaide zich om met de stijve, trage bewegingen die baleinen en korsetten vereisen. Ze droeg een witte omslagdoek over haar borst en boezem. Haar gezicht was zwaar gepoederd en haar wangen waren helderrood gemaakt.

'Ga alstublieft zitten, Emil. We hebben maar weinig tijd,' zei mevrouw Mus, haar tanden glanzend in het ovaal van haar roodgeverfde lippen.

Ik staarde naar haar gezicht en zocht naar mijn vriendin onder dit masker. Ze leek net een oude courtisane wier jurk en manieren in vervlogen tijden waren blijven hangen; haar glorietijd of haar ondergang. Uiteindelijk ging ik zitten. 'Ik moet bekennen dat ik ervan schrik om u in deze... ongewone kledij te zien, mevrouw Mus.'

'Daar twijfel ik niet aan. Katarina heeft me geholpen met aankleden en herkent me nog steeds niet.' Ze veegde een kruimel van haar lijfje, waarbij de kanten slierten van haar mouwen achter haar handen aan zwierden. 'Ik heb straks een ontmoeting met mijn Metgezel.'

'Dus Gustaaf heeft eindelijk uw brieven beantwoord,' zei ik, en ik boog met een glimlach naar voren.

'Nee. Dat niet. Maar ik heb een les geleerd van mijn Leermeester, De Uzanne. Ik zal de wapens van mijn geslacht gebruiken en hem opzoeken in de Opera. De koning is daar bijna elke avond en als een dame die tot zijn kennissenkring behoort hem benadert, vereist de etiquette dat hij haar groet. Hij heeft altijd een zwak gehad voor vrouwelijke charme, zo niet voor de sekse. Ik heb slechts enkele ogenblikken nodig om mijn punt te maken.'

Ik knikte goedkeurend vanwege haar strategie. 'Welk punt wilt u dan maken?' vroeg ik.

Ze stond op uit haar stoel, opmerkelijk gracieus voor een vrouw die niet gewend was aan zulke extravagante en beperkende kleding, en manoeuvreerde tussen de tafels door. 'Dat hij onmiddellijk moet handelen om de Franse koning te redden. Ik heb naar mijn klanten geluisterd, en naar de weinige vrienden die ik nog bij de politie heb.

Gustaaf werkt onvermoeid aan het vormen van een leger vanuit heel Europa en is van plan in het voorjaar Parijs te bestormen; Oostenrijk en Pruisen hebben vorig jaar augustus een overeenkomst getekend om hem te steunen. Hij heeft spionnen gestuurd om mogelijke routes in kaart te brengen vanaf het invasiepunt in Normandië. Maar het kan zijn dat hij niet lang genoeg leeft om het mee te maken. De oppositiemachten in de Stad worden elke dag groter en wanhopiger.' Mevrouw Mus greep de rugleuning van haar stoel vast. 'Als Gustaaf het wil overleven, kan hij niet wachten tot het voorjaar. Axel von Fersen is klaar om te handelen, want hij wordt achtervolgd door de mislukking bij Varennes van vorige zomer; hij is in Brussel en heeft de middelen en de manieren om de Tuilerieën binnen te gaan en de gevangenen te bevrijden. Gustaaf moet dit plan sanctioneren vóórdat hij naar Gefle gaat, hij moet Fersen onmiddellijk naar Parijs sturen en de Franse koning bevrijden voor het parlement eindigt.'

'Maar hoe behoedt dit Gustaaf voor gevaar?'

'Door zo'n heroïsche daad wordt Gustaaf een legende en zijn naam onsterfelijk. Zijn vijanden zullen verschrompelen in het vlammende licht van zijn glorie. Europa zal gestabiliseerd worden, en de monarchie en de orde worden hersteld. En als dank zullen er miljoenen Franse francs de Stad in rollen. Dat laatste zal hier olie op de golven gooien en ervoor zorgen dat Gustaaf weer bij de adel in de gunst komt.'

'Aha,' zei ik. 'Dus het komt op geld aan.' Mevrouw Mus haalde met een pruilmondje haar schouders op, wat me aan Margot deed denken, en ging weer tegenover me zitten. 'Dus de gebeurtenis in het midden van uw octavo is nu… het redden van de Franse monarchie?' Ik voelde mijn gezicht warm worden terwijl ik het zei, zo oververhit was mijn stelling.

'De centrale gebeurtenis van mijn octavo is hetzelfde als voorheen: het redden van mijn dierbare vriend Gustaaf. De redding van Lodewijk XIV is een glorieus middel voor dat doel, nietwaar?' Ze pakte haar waaier op. 'Tot die tijd moeten wij beiden Gustaaf voor onheil behoeden.'

'Maar waarom ik?'

'Omdat onze octavo's geschakeld zijn; de ene gebeurtenis beïnvloedt de andere. Het kan niet anders. U hebt het gouden pad voor u en zult daar sneller komen wanneer we samenwerken.'

Ik voelde me opeens duizelig; door haar grote ambitie leek de grond onder mijn voeten weg te zakken en de sluipende ziekte die al dagen op de loer lag omhulde mijn hele lichaam. 'Ik denk dat ik een glas brandy nodig heb,' zei ik, en ik wrikte mijn kraag los.

'Ja, brandy. U zit al de hele avond uw keel te schrapen, Emil, misschien is hij wel ontstoken.' Ze riep Katarina, die ons twee schone glazen, een karaf water en een stoffige fles brandy bracht.

'Mag ik nu gaan, mevrouw Mus?' vroeg Katarina.

'Nog niet.' Ze zag hoe Katarina een reverence maakte en haastig terugging naar de keuken. 'Ze is bang. Geen wonder. Lege zalen en lege zakken zijn niets vergeleken bij wat er komen zal als de monarchie valt.' Mevrouw Mus schonk zichzelf een glas water in. 'U vraagt zich af waar mijn hartstocht voor de monarch vandaan komt, Emil, maar daar ben ik mee geboren.' Ze nam een grote slok uit haar glas. 'Onze familienaam was eigenlijk Roitelet, wat 'winterkoninkje' betekent. Het winterkoninkje staat bekend als de koning van de vogels, de kleine koning. Ik had graag gewild dat mijn naam ook hier in Zweden de vogelkoning was geweest, maar een onoplettende bureaucraat heeft hem verkeerd vertaald toen we uit Frankrijk hierheen kwamen, dus werd het Mus. Maar in mijn hart blijf ik altijd Winterkoninkje.' Ze sloot haar ogen. 'Mijn vader geloofde boven alles in de monarchie, zelfs nog meer dan in de kerk, en leerde mij dat credo ook. Hij zei dat al het goede dat in deze wereld tot ons was gekomen, afkomstig was van twee koningen: Lodewijk XVI en Gustaaf III, de Zon en de Poolster, de leidsterren van onze wereld. Deze periode van twintig jaar dat Gustaaf heeft geregeerd, heeft een bloei gekend die we misschien nooit meer zullen beleven. Hij verdient het om lang genoeg te leven om zijn visie bewaarheid te zien worden, en zijn nalatenschap mag niet de val van het grote Huis van Wasa zijn. En mijn nalatenschap mag niet die van een charlatan zijn.' Ze deed haar ogen open, pakte de kaart die tussen ons in lag en draaide hem langzaam om tussen haar vingers. 'Gustaaf heeft beloofd dat hij me altijd zou beschermen, maar dat lijkt hij de laatste tijd vergeten te zijn. Ik moet hem eraan herinneren dat het ongeluk brengt om een winterkoninkje schade toe te brengen, dat weet u wel, of niet? Daar komt onheil van. Iedereen weet dat het winterkoninkje op Sint-Stevensdag zegen brengt voor het nieuwe jaar.'

'Maar op Sint-Stevensdag gaan de jongens eropuit om het winterkoninkje te doden, en dan prikken ze het op een stok met de vleugels gespreid en gaan ermee langs alle huizen. De koning wordt geofferd voor het algemene goed.'

'Het Stockholm octavo brengt daar verandering in. We houden het winterkoninkje én de koning in leven in dit nieuwe jaar.'

Ik dronk mijn brandy in één teug op. Ik zag een kooi of, erger nog, een krankzinnigengesticht voor het winterkoninkje. Maar mevrouw Mus leek mijn zwijgzaamheid niet op te merken. Ze stond op en pakte een blaker, waarna ze me wenkte haar naar de hal te volgen. Ze stak een spiegelende muurblaker aan bij een zijtafel die bedekt was met zwaar damast tot op de vloer. Mevrouw Mus trok de stof er met een zwaai af en onthulde een houten, met eik en esdoorn ingelegde schrijftafel met een marmeren blad. Ze haalde een sleutel van een ketting om haar hals en maakte de onderste la open. Ik gluurde erin en zag keurig opgevouwen linnengoed en wat eronder lag. 'Zoveel geld!'

Mevrouw Mus pakte mijn kin beet en bracht haar gezicht heel dicht bij het mijne, met ogen die fonkelden als de munten in de la. 'Ja, inderdaad. Ik heb mijn hele leven hard gewerkt en wil het veilig opgeborgen houden. Als Gustaaf eenmaal naar het parlement is, zullen de patriotten in de stemming zijn om de hele stad af te breken. Ze zullen achter elke bondgenoot aan jagen die de koning heeft, zelfs een klein vogeltje.'

'Maar u kunt beide kanten bespelen,' zei ik. 'Vraag hertog Karel om bescherming.'

'Hertog Karel zou me aan een paal nagelen als dat zijn kroning zou bespoedigen.' Ze trok een stoel dicht bij de ene kant van de schrijftafel en haalde het linnengoed uit de la; het waren zakjes met een koordje. Ze ging zitten en begon er een te vullen. 'Wilt u me helpen of niet?'

Meer dan een dozijn propvolle zakken, een fortuin aan munten en papiergeld, vonden hun weg naar een houten hutkoffer die we uit een luik in de hal aan de achterkant haalden. Mevrouw Mus legde er als camouflage een dikke, met bont afgezette reismantel bovenop en deed het deksel op slot. 'Wat moet ik met al dat geld doen?'

'Kom nou, Emil, dacht u dat ú dat moest bewaren? Het is al genoeg dat u Cassiopeia in uw kamer hebt.' Ze deed de lege la dicht en sloot hem af, waarna ze het kleed weer over de schrijftafel hing. 'Het zal niet lang duren of u bent zelf ook een onderzoeksdoelwit. Uw kamers zullen niet veiliger zijn dan de mijne.'

'Onderzoeksdoelwit? Op welke gronden?'

'U bent mijn vriend. En dan is er nog de kwestie met de waaier.'

'Niemand weet van de waaier,' zei ik, al had ik zo mijn twijfels over de rondneuzende mevrouw Murbeck. 'Of wel?'

Ze keek me indringend aan. 'Cassiopeia weet het, en ze zal een manier vinden om terug te keren naar haar meesteres, als ze kan. Zo gaan die magische dingen. Kijk maar wat er aan het licht is gekomen sinds ik haar heb weggenomen.'

We zeulden de kist naar de deur van de diensttrap en mevrouw Mus riep naar Katarina dat ze een koets voor me moest halen. We wachtten een paar minuten en luisterden naar het gedempte getik van de hagel op de luiken. Eindelijk hoorde ik de slee aankomen.

'U moet de hutkoffer voor me afleveren en erop toezien dat hij veilig naar binnen gaat. Houd uw mond,' fluisterde ze, en ze gaf me een zakje munten. 'Om de koets te betalen, en de rest is voor de moeite.'

'Waar ga ik naartoe?' vroeg ik.

'Naar de Kokssteeg, naar mijn Bedrieger.' Ik voelde dat de vragen op mijn gezicht te lezen stonden. 'De Nordéns zijn mijn beste en enige keuze. Ze wonen op de bovenverdieping, boven de winkel, en zullen mijn geld veilig bewaren tot Gustaaf terug is.'

'Maar het is bekend dat ze royalist zijn, en Margot is buitenlandse en nog katholiek ook.'

'De Nordéns zijn momenteel bij De Uzanne in de gratie, dus zal hertog Karel zorgen dat ze niet worden lastiggevallen. En Christian en Margot zijn mijn vrienden. Ze zijn ook uw vrienden. We hebben geluk. Mevrouw Mus schonk me een duizelingwekkende glimlach vol hoop en opwinding. Dat herinner ik me nog heel goed, want het was een van de laatste die ik in lange tijd zou zien. 'We zullen dit spel winnen. Echt. De inzet is hoog: de winnende kaarten zullen de wereldkaart bepalen, eens en voor altijd. Hebt u daar wel bij stilgestaan, Emil? We spelen om het koninkrijk!' Daar moesten we allebei hartelijk om lachen, maar als ik erop terugkijk, had onze lach wel een subtiele ondertoon: bij mij hoog en nerveus, bij haar het donkere timbre van de waanzin.

'Nu moeten we allebei opschieten,' zei ze. 'Het doek gaat om negen uur op.'

We gingen naar de hal, waar ik mijn jas en handschoenen van Katarina aannam. De portier riep tegen de koetsier dat hij me moest helpen met de hutkoffer. 'Je kunt gaan, Katarina,' zei mevrouw Mus. Op het gezicht van het dienstmeisje verscheen een opgeluchte blik en we wachtten tot de duisternis haar snelle voetstappen in de richting van haar portier had verzwolgen. Mevrouw Mus pakte me bij de schouders en kneep met verbazingwekkende kracht in mijn armen. 'Ik weet niet zeker wanneer ik u weer zie. Mijn lokalen zijn niet langer veilig. Ik moet verdwijnen tot het parlement klaar is.'

'Dat kan maanden duren,' zei ik, en ik voelde dat mijn keel samentrok door een vreemd gevoel van verlies.

Ze knikte. 'Het is heerlijk om een Boodschapper te hebben die zoveel meer is dan ik ooit had kunnen denken.' Ze kuste me teder op mijn wang. 'Een zoon, eigenlijk. Dag Emil.'

Hoofdstuk eenendertig

DE BOODSCHAPPER

Bronnen: E.L., M. Nordén, anonieme koetsier

KOORTSIG STAPTE IK in de wachtende slee en riep mijn bestemming naar de koetsier. De koets rook naar natte wol en mannenreukwater en er steeg dennengeur op van het tapijt van takken die op de vloer waren gelegd om de sneeuw en de modder op te zuigen. Ik zette mijn voeten op de hutkoffer; de zilveren gesp van mijn linkerschoen ontbrak. In de hutkoffer zat een inkomen waar ik jarenlang zilveren gespen van kon kopen.

Het zou heel eenvoudig zijn om de koetsier als nieuwe bestemming Stavsnäs op te geven. Van daaruit kon ik naar Zandeiland gaan, contact opnemen met kapitein Hinken, aan boord stappen van de *Hendrik* en er met een klein fortuin vandoor gaan. Ik deed mijn ogen dicht en probeerde me een comfortabel leven in Kopenhagen voor te stellen, of misschien nog wel verder naar het zuiden, zoals Frankfurt, maar ik wist dat ik niet verder zou gaan dan de Kokssteeg. Ik was een man uit de Stad en dat zou ik altijd blijven, nu mevrouw Mus me hier had vastgepind met een moederlijke kus. Misschien was dat haar betekenis van liefde en verbondenheid.

De koetsier klakte en sloeg lichtjes met de teugels, en we ploegden door sneeuw en ijs over de Westelijke Langstraat, waar het wemelde van de Driekoningenvierders. Maar op de Brinken, de steile helling die naar het koninklijk paleis voerde, dunde de menigte uit tot een klein groepje. We passeerden de opdoemende kolos van de Grote Kerk en draaiden het plein van de kasteeltuin op. 'Geen licht in de vertrekken van Zijne Majesteit vanavond, ziet u?' riep de koetsier achterom. 'Misschien is de koning al naar Gefle vertrokken. Hij heeft zijn zilveren troon vooruitgestuurd op een slee die door zes paarden getrokken werd. Hij zal minstens drie, vier weken weg zijn. Misschien wel voorgoed, als ik de praatjes moet geloven,' zei hij.

'Wat voor praatjes zijn dat, koetsier?'

'O, er wordt van alles gezegd. Sommigen beweren dat Pechlin een patriottenopstand beraamt en dat hij de koningin als een mooie pop Gustaafs plek zal laten innemen.'

'Een Deense koningin? Nooit. En hertog Karel dan?'

'Inderdaad. De hertog wil de troon voor zichzelf, maar kan zijn broer er niet vanaf duwen. Ze zeggen dat hij zal zorgen dat de marine Gustaaf laat verdwijnen. Anderen denken dat het gewone volk uiteindelijk aan het langste eind zal trekken en dat we helemaal geen koning meer krijgen.'

'En wat denkt u?'

Hij spoog een kwak pruimtabak op straat, opeens wrevelig door al mijn vragen. 'Gustaaf is nog koning, hè?'

We reden zwijgend naar de Kokssteeg, waar de koetsier de paarden met een ruk tot stilstand bracht. 'Uitstekende tijd, en wat een vaardige rijstijl op dat verdomde ijs,' zei ik, en ik betaalde de rit en gaf een belachelijke fooi. Hij pakte de buit met een knikje aan en zijn mondhoeken gingen een piepklein stukje omhoog. 'Ik vroeg me af of u zo vriendelijk zou willen zijn me te helpen deze hutkoffer naar mijn oude tante hierboven te tillen. Ze is ziek geweest en heeft deze medicijnen en boeken nodig tijdens haar herstel.' Ik liet de munten in mijn zak rinkelen en hij sprong met een bons naar beneden en greep het handvat van de hutkoffer om hem eruit te trekken.

'Boeken en medicijnen? Dit ding moet vol zitten met stenen om die boeken van je tante te verzwaren en haar aan de drank te krijgen,' klaagde hij.

We haalden de hutkoffer met veel moeite uit de koets en liepen onhandig naar binnen. Het was donker in het trappenhuis, waar het sterk naar kookluchtjes rook en waar de gedempte geluiden van gesprekken, kindergelach en porseleingerammel te horen was. Op de vierde verdieping was ik nogal buiten adem, en we zetten de hutkoffer neer. 'Er kan niets op tegen eerlijk werk,' merkte de koetsier op, terwijl hij met zijn duimnagel tussen zijn tanden prikte. 'Dat zouden al die hotemetoten eens moeten doen, vindt u niet, mijnheer?' Ik knikte, want ik had niet genoeg adem om nog veel te kunnen zeggen. 'Wie hard werkt, verdient het om zijn zegje te mogen doen en beloond te worden, toch?' Ik wist niet zeker of hij een discussie over politiek wilde aangaan of op zijn fooi aasde, dus gaf ik geen antwoord. Hij tuurde de trap op. Op de bovenverdieping was geen teken van leven te bespeuren. 'Uw tante heeft die stenen misschien wel niet nodig; blijkbaar was ze het zat om op u te wachten en is ze al naar haar Schepper vertrokken. Kunnen we de hutkoffer hier laten staan tot na de begrafenis? Hij is verdomd zwaar.'

Ik liet de munten zachtjes tegen mijn been rinkelen alsof ik zijn suggestie in overweging nam en schonk hem toen een droeve glimlach. 'Ze zou gewild hebben dat we hem helemaal boven brachten.' We tilden de hutkoffer op voor de laatste trap, ik gaf hem veel te veel muntstukken en de koetsier liep snel de trap af. Ik ging op een plekje staan dat verlicht werd via een raam dat op de binnenplaats uitkeek en luisterde naar heel zachte geluiden achter de deur van de Nordéns: fluisteren en de zachte tred van blote voeten op de houten vloer. Ik dacht dat mevrouw Nordén open zou doen, dus trok ik mijn mouwen recht, deed mijn broekband goed en ging met mijn vingers door mijn haar, toen de deur met zo'n knal openzwaaide dat ik bijna achterwaarts de trap af kukelde. Daar stond Margot met een vleesmes in haar hand. 'Margot!' gilde ik met bonzend hart. 'Ik ben het, je vriend Emil!'

Ze tuurde in de duisternis en hield het mes nog steeds stevig vast. 'Lieve hemel! Emil! Neem me niet kwalijk. Ik ben *en garde* door al dat geklets van de laatste tijd!' Ik reageerde zelf ook met een gebrekkig, maar bloemrijke verontschuldiging, waarbij ik mevrouw Mus en haar hutkoffer meermalen noemde en zei dat ze erop had gestaan dat ik die onmiddellijk hierheen bracht, zonder waarschuwing vooraf, wat echt iets voor de barbaren van mijn land was, enzovoort, enzovoort. Uiteindelijk legde ze het mes op een bijzettafel in de gang en ontstak een olielamp, waarna ze me binnen vroeg. In het lamplicht kon ik zien dat haar gezicht voller was geworden en dat haar buik onder haar lijfje uitstulpte. In de hal rook het vaag naar gebakken vis en lavendel. De muren waren witgepleisterd en op de vloer met brede planken lag een gevlochten loper. Aan een muur hing een koperen kruis, net als in elk goed luthers of katholiek huis. 'Christian is een waaier aan het afmaken en ze moet absoluut volmaakt worden. Het kan zijn dat hij onaardig doet. Dat begrijp je wel, hè?' vroeg ze.

Ik knikte. 'Misschien kan ik hem heel even door de deur spreken…'

'Ik bedoelde niet dat hij je zou bijten,' zei ze lachend. 'Kom.'

We tilden de hutkoffer tussen ons in door de hal, de gang door, naar een kamer helemaal aan het eind. De deur stond iets open en een warm licht sijpelde de duisternis in. Margot knikte zacht en zei zangerig hallo, terwijl ze haar hoofd om de hoek stak. 'Wat is er?' vroeg een geërgerde stem binnen.

'We hebben bezoek,' zei Margot, en ze trok aan haar kant van de hutkoffer om me te laten merken dat ik veilig naar binnen kon gaan. Ze duwde de deur open met haar heup, zodat het felle licht uit de kamer kon ontsnappen. Ik had zelden zoveel kaarsen gezien om één kleine kamer te verlichten en ik moest even mijn ogen dichtdoen tegen de felheid. De citroenkleur op de muren was dezelfde als de strepen in de winkel beneden. Het leek wel of een half dozijn spiegels aan elk van de andere drie muren het licht oneindig heen en weer kaatste. Er stonden drie of vier niet bij elkaar passende kasten, en tegen een muur stond een bed met een gordijn ervoor.

We trokken de hutkoffer naar het midden van de kamer, tot onder de kleine reistafel waaraan Christian de sluitpin van een waaier onder een vergrootglas zat aan te draaien. De benen waren glad en van ebbenhout, en het blad was grijs, met dunne zilveren bandjes aan de bovenkant en langs elke vouw. Dat gaf het effect alsof er manestralen stroomden uit de hand die haar vasthield. 'Welke dame in de Stad heeft zo'n eenvoudige, elegante smaak?' vroeg ik.

'Ach, ze is elegant, maar ze lijkt alleen eenvoudig. Het geheim wordt onthuld in de hand van haar meesteres.'

'De Uzanne?' vroeg ik. Hij knikte. 'En wat is het geheim? Je vrouw vertelde me dat elke waaier er een heeft.'

Christian keek even op, met een open blik nu zijn werk onderwerp van gesprek was. 'Dat moet de dame zelf onthullen, maar ik geef je een aanwijzing,' zei hij. 'De vleugelveer in deze waaier zal haar vaardigheden tot grote hoogten brengen én degene die ze begeert vasthouden.'

Ik bekeek de waaier aandachtig. Er was geen veer te zien. 'Een mooi raadsel, Christian. Maar ik zou me zorgen maken als De Uzanne een te sterk wapen in handen krijgt. Na de demonstratie die ze gegeven heeft, is het duidelijk dat ze de koninklijke garde en de koning zelf aan zich kan binden en ze allemaal handig kan neerhalen.'

'De Uzanne zou inderdaad een regiment kunnen neerhalen, en onderweg een lange rij warm, verfomfaaid beddengoed achterlaten,' zei Christian, die de waaier opende en weer dichtdeed om de beweging uit te proberen. 'Ze is een soldaat van Eros, nietwaar?'

Margot ging achter haar man staan en keek uit dat ze niet tegen hem aan stootte. 'Onthoud dat kunst onze zaak is, man, niet oorlog,' zei ze.

'Ik ga ervan uit dat De Uzanne haar vrouwelijke regiment hierheen gestuurd heeft om zich te wapenen,' zei ik. 'De jongedames leken te popelen om hun techniek te perfectioneren.'

Christians glimlach leek geforceerd en hij keek naar Margot om de juiste woorden te vinden. 'De zaken gaan niet precies zoals we gehoopt hadden, maar we geloven dat de jongedames uiteindelijk het voordeel inzien van het bezitten van een Nordén-waaier en dat hun aankomende debuut ons door de winter zal slepen, op naar zonniger tijden.' Hij keek weer op, ditmaal met een oprechte glimlach. 'Er is een kind op komst, weet je.'

'Dat weet hij, Christian. Hij was de eerste die het wist!' zei Margot. Ik zag de mengeling van vreugde en angst op hun gezicht.

Christian sloot de grijze waaier, stond op en schudde me de

hand. 'Wat brengt jou hier op Driekoningen? Ik had gedacht dat je je wel onder de feestvierders zou begeven, jij jonge vrijgezel.'

'Misschien ga ik nog wel feesten, maar ik ben gevraagd om als boodschapper te fungeren voor onze wederzijdse vriendin,' zei ik.

'Hij is hier met de hutkoffer van mevrouw Mus,' fluisterde Margot.

'Aha,' zei Christian. Hij verstevigde zijn greep om mijn hand. 'Dus het komt naar de Stad.'

'Wat komt er?' vroeg ik.

Hij liet mijn hand los, maar bleef heel stil staan. 'Zo begon het in Frankrijk, Emil. Mevrouw Mus kwam vlak na Kerstmis bij ons langs, op Sint-Stevensdag. We spraken langdurig over de geometrie, over onze twee koningen, de manier waarop onze landen een front vormden, de duisternis die over Frankrijk valt. En we spraken een plan voor het geval dergelijke dingen hier in de Stad zouden gebeuren.'

'Wat voor plan?' vroeg ik. Margot en Christian wierpen elkaar een blik toe. Geen van hen zei iets. Dat mevrouw Mus me nog maar een uur geleden had gekust als haar zoon, maar haar ware plannen geheim had gehouden, zorgde ervoor dat mijn keel dichtgeschroefd zat als door een lus. Toch dwong ik mezelf te glimlachen. 'Tja, ze noemt jou haar Bedrieger, Christian, en door het te vertellen zou de grap verloren gaan.'

'Dit is geen grap, Sekretaire,' zei Margot. 'Dit is oorlog.'

Ik hoorde het woord en voelde dat mijn lichaam verstijfde, alsof het zich opmaakte voor een klap. Toen ik mijn mond opendeed om hun angsten te weerleggen, kon ik me alleen maar concentreren op mijn natte schoenen, die strak om mijn voeten zaten. 'Neem me niet kwalijk,' zei ik. 'Ik had mijn schoenen bij de deur moeten laten staan.'

Ze keken me aan met een mengeling van verbazing en medelijden. 'Je bent in de war,' zei Margot. 'Ik zal wat water voor je halen.' Ze snelde de kamer uit, gevolgd door Christians blik, en kwam terug met een kroes water dat zo koud was dat het pijn deed om het door te slikken. Mijn rauwe keel brandde nu echt en ik wikkelde mijn sjaal steviger om mijn hals. 'Je bent van harte welkom voor een laat diner hier bij ons, Emil,' zei Margot.

'Nee, dank je,' antwoordde ik snel; ik was te zeer in de war om te eten en wilde het niet meer over de ophanden zijnde storm hebben. 'Morgen is het Epifanie en ik wil vanavond feesten alsof het de laatste keer is.'

'Goed, Emil. De vastentijd komt gauw genoeg,' zei Christian en hij schudde mijn hand. 'We zien elkaar weer op de volgende lezing van De Uzanne.' Hij gebaarde naar de schrijftafel, waar de zilveren rand van de waaier glinsterde. 'Je zult zien dat ze helemaal niet eenvoudig is.'

Ik boog naar hem en kuste Margots warme, kleine hand, terwijl ik probeerde niet te laten merken hoe graag ik weg wilde. Ik worstelde om te blijven drijven in deze grote zee van gebeurtenissen die mijn kennis, ervaring of wensen te boven gingen. Ik stommelde haastig de trap af, de straat op, in de hoop een slee te vinden die me naar de Baggensstraat kon brengen, waar ik mezelf de vergetelheid in kon neuken.

Hoofdstuk tweeëndertig

OPERALOGE DRIE

Bron: J. Bloem

'GUSTAAF IS ER nog steeds niet, mevrouw, en de koninklijke loge blijft leeg,' zei Johanna, die haar toneelkijker liet zakken.

De Uzanne sloeg haar waaier dicht op haar stoelleuning. Het orkest begon te stemmen. Het publiek dwaalde terug naar hun stoelen, opgeleefd door de gesprekken en de verfrissingen tijdens de pauze. 'Er is vanavond niemand van stand gekomen. Alleen het gewone volk komt hier nog maar,' siste De Uzanne.

'Als alleen het gewone volk komt, waarom bent u dan gekomen, Madame?' vroeg Anna Maria.

'Zelfs de bitterste taart zal de aandacht van een hongerige man trekken, juffrouw Plomgren. Ik had gehoopt de blik van Zijne Majesteit op te vangen. Hij zou mijn aanwezigheid als een verzoeningspoging zien en nog hongeriger worden.'

'Een vreselijke gedachte,' zei Anna Maria, die vanuit de schaduw van haar stoel op de tweede rij naar voren leunde. 'Moeten we blijven voor de laatste akte?'

'De laatste akte is altijd de meest dramatische. En als Gustaaf wel komt, zal hij jou ook opmerken. Er zijn minder mooie dames bij hem in de gunst gekomen.'

'Ik verlang niet naar zijn gunst, alleen naar zijn verscheiden,' fluisterde Anna Maria.

'Juffrouw Plomgren, u moet leren dat verbintenis een cruciaal stadium van elke strijd is. Als u dichtbij komt en op uw verleidelijkst bent, kunt u het pensioen van uw man opstrijken als wraak.'

'Wraak op wie?' vroeg Johanna. Er viel een ongemakkelijke stilte. 'Er wordt gezegd dat Zijne Majesteit vreselijk verleidelijk is,' zei Johanna ten slotte.

'Verleiding is iets voor slangen. En ik ben al eens gebeten.' Anna Maria reikte tussen de stoelen en pakte De Uzannes vrije hand.

'Juffrouw Bloem heeft gelijk dat ze Gustaafs vaardigheden opmerkt. U moet zich te allen tijde bewust zijn van het voordeel van uw tegenstander, en verleiding is een cruciaal onderdeel van elk arsenaal, vooral dat van slangen en vrouwen. En laat me nu los, juffrouw Plomgren, u doet me pijn.'

Johanna legde haar hand zachtjes op de armleuning van De Uzannes stoel, ervoor wakend dat ze haar niet raakte. 'Madame heeft beloofd dat ze zich vandaag verre houdt van politiek. U weet dat uw slaap erdoor verstoord wordt.' Johanna tuurde door de toneelkijker naar het publiek. 'Dit is pas vermakelijk, Madame, beneden in de stalles: een oude vrouw gekleed in een *robe à la française*, alsof het 1772 is!' Johanna gaf de kijker aan De Uzanne. 'Ze kijkt omhoog alsof ze u kent.'

Lakeien in livrei doofden de lichten en draaiden de kousjes van de voetlichten hoger. Het publiek was in schaduwen gehuld. De Uzanne bestudeerde mevrouw Mus' donkere silhouet misschien wel een minuut lang. 'Een Franse emigrante op leeftijd, die hier ongetwijfeld om bescherming komt vragen. *Pathétique*,' zei ze, waarna ze de kijker langzaam op haar schoot liet zakken. 'Maar die oude vrouw zou zo een visioen van mijn toekomst kunnen zijn: de verloren aristocratie, die plaats moet maken voor de overheersing van het gepeupel.'

De donkere kroonluchter werd krakend naar het plafond gehesen, begeleid door handen in witte handschoenen die dikke, gouden touwen vasthielden. Het publiek ging er eens goed voor zitten, fluisterend en worstelend met jurken en stijve jasjes, in afwachting van het begin van het stuk.

'We kunnen niet wachten tot het gemaskerd bal,' vervolgde De Uzanne. 'We zullen in Gefle optreden als Gustav zijn parlement bijeenroept.'

'Hoe, optreden?' vroeg Johanna zacht.

De Uzanne richtte de toneelkijker op de lege koninklijke loge. 'De slang moet worden bezworen en veilig achter slot en grendel verdwijnen.'

'Ik zou het zo doen,' fluisterde Anna Maria.

De Uzanne hield de toneelkijker bij haar ogen vandaan, draaide zich om in haar stoel en staarde Anna Maria aan. 'Heus?'

'U weet dat ik het zou doen. Met plezier.'

'Dat is de beste manier,' zei De Uzanne. Ze stak haar hand uit en raakte Johanna aan door met haar warme, blanke vingers terloops haar pols te beroeren. 'Hebt u de Valse Blozer bereid, zoals ik u gevraagd heb?' Johanna knikte; ze was naar De Leeuw geweest en had de gedroogde paddenstoelen vermalen tot een fijn poeder. 'Uitstekend. En hebt u het uitgeprobeerd?'

'Nog niet, Madame.'

'Dat moet wel.'

'Is... generaal Pechlin degene die u wilt onderwerpen?' vroeg Johanna, die wel aanvoelde dat dat niet het geval was, maar hoopte dat ze het mis had.

'Wat ben ik toch dol op u, mijn naïeve Hooglandse.' De Uzanne glimlachte en richtte haar aandacht op het doek, dat opging voor de laatste akte. 'Maar nee, dat zal niet nodig zijn. Pechlin zal zichzelf verhangen als ik klaar ben.'

Hoofdstuk drieëndertig

DE BAGGENSSTRAAT

Bronnen: E.L., Lange Hans, kapitein H.

TOEN IK BIJ de Nordéns vandaan kwam, was de Kokssteeg verlaten, afgezien van een eenzame achterblijver die in elkaar gedoken in een deuropening stond te schuilen voor de scherpe, prikkende hagel. Het zou een ellendige wandeling van minstens een halfuur worden naar de Baggensstraat. Ik trok mijn sjaal rond mijn gezicht en hield mijn hoed vast. De klokkentoren van de Jacobskerk sloeg halftien. De achterblijver had blijkbaar moed verzameld dankzij mij, want hij volgde me helemaal naar de brug, waarvan de planken glibberig en zwart over het ijs eronder lagen. Ik trotseerde voorovergebogen de storm, deed mijn ogen dicht en hield de reling vast als geleide. Ik liep om het paleis heen over de kade en sloeg op de Kasteelheuvel af naar het Muntenkabinet, waarna ik via de Bolhuissteeg doorstak naar het Koopmansplein en uiteindelijk uitkwam in de Baggensstraat. Het bekendste huis in de smalle straat was goed verborgen: een sober, gedrongen, gepleisterd gebouw van drie verdiepingen met bruine dakpannen, dat bruinig oranje geschilderd was.

Hier bestierde Tantetje von Platen een *Freia*-huis met de bekoorlijkste hoeren van heel Scandinavië. De gladhouten deur had een bronzen klopper in de vorm van een putto die over zijn schouder keek, en zijn ronde achterwerk bolde op zodat de bezoeker hem kon vastpakken; de enige verwijzing naar de hemel die binnen wachtte. Ik legde mijn hand op het engeltje, klopte drie keer hard en wachtte. Het klepje voor het kijkgaatje knarste toen het opzij werd geschoven; ik werd getaxeerd op tekenen van rijkdom, wapens en syfilis. Hoewel de avond nog jong was en Tantetje pas laat op volle sterkte kwam, is een goede zaak altijd bereid tot handel, dus zwaaide de deur open. 'Sekretaire! Ik herkende u bijna niet! Wat is er met uw scharlakenrode mantel gebeurd?' Ik deed verbaasd een stap achteruit; ik bezocht Tantetje niet zo regelmatig dat ik herkend kon worden, dus duurde het een ogenblik voordat ik de schildwacht kon plaatsen. Kapitein Hinken stak zijn hoofd uit de deuropening en keek de straat af, en zijn oog viel ergens op. Ik volgde zijn blik en zag een figuur in de Duitse Schoolsteeg verdwijnen. Het is een donkere avond, maar toch hebt u een schaduw.'

'Ik ben niet gewichtig genoeg voor zo'n schaduw, Hinken, zelfs niet op de helderste dag.'

Hij lachte en wenkte me naar binnen. De foyer ademde de sfeer uit van een Turks paleis, met gladde, witte wanden die behangen waren met miniaturen waarop verscheidene pleziertjes stonden afgebeeld. Op de vloer lagen blauw met gouden tegeltjes, en de kroonluchter en de muurkandelaars waren van getrommeld koper uit Arabië. Er was een oosterse waterpijp en er stond een bewerkte leren poef, waarop Tantetje tijdens de drukste uren van de avond haar jongste hoer neerzette, gehuld in sluiers. De bedwelmende geur van jasmijn bezwangerde de lucht.

'Ik heb u niet meer gezien sinds Het Varken! Ik was ervan overtuigd dat u wel eerder zou komen voor uw beloning,' zei Hinken.

Ik keek naar de verlaten poef. 'Ik ben hier nu alleen voor...'

'Onvoltooide zaken en een borrel met een vriend!' Hij greep mijn arm stevig beet, maar in plaats van door het gordijn de wereld van gelukzaligheid te betreden, duwde hij een paneel in de achterwand van de hal open. 'Ga mijn kantoor binnen, mijnheer.' Achter de deur stonden een stoel, een kruik met water, een bezem, een glanzende houten knuppel en een ijzeren staaf. Hinken ging me voor door een onverlichte gang, waarna we bij een steile, ongelijkmatige trap kwamen. Drie verdiepingen hoger kwamen we eindelijk uit in een gang die flauw verlicht werd door een olieblaker en twee koekoekvensters. Hinken haalde een sleutelring van zijn riem, maakte de verste deur open en stak een kaars aan. 'Dit is de koninklijke suite, hoewel er hier slechts weinig koningen komen. Hoe het ook zij, ik moet er klaar voor zijn om de kamer van het ene moment op het andere te ontruimen,' zei Hinken, met een gebaar naar zijn hutkoffer en zijn ingepakte canvas duffel, die in een hoek stonden. Het was een ruime kamer, maar het plafond had onhandige uitsteeksels. De leegte deed me denken aan mijn eigen kamers. Hinken gebaarde dat ik in een grote, sjofele fauteuil mocht gaan zitten.

'U hebt ruimere vertrekken dan de hoeren,' merkte ik op.

Hij schonk twee sierlijke glaasjes aquavit in. 'Tantetje vindt dat de grotten van Venus zo intiem mogelijk moeten zijn,' zei Hinken, 'en door kamers in tweeën of in drieën op te delen... nou ja, reken zelf maar uit. Ik heb met de hutten aan boord van de *Hendrik* haar voorbeeld gevolgd, voor de tochten in het voorjaar; daar is zo'n vraag naar dat de bemanning in ploegendienst slaapt, en niemand lijdt eronder.'

'Waarheen, kapitein? Luilekkerland?'

'In zekere zin wel! Zodra de lente komt, zet ik koers naar het westen, naar de nieuwe republiek Amerika. Daar liggen kansen. Dus ter zake: ik heb een hut voor u, als u wilt. Ik ben van plan de Stad met een schone lei te verlaten, want ik kijk niet meer om. Ik zie het als een volledige terugbetaling van uw gunst aan mij.'

'Ik zal de Stad nooit verlaten, kapitein, maar laten we zeggen dat ik de hut mag verhandelen. Hoeveel kan ik vragen voor de tocht naar het westen?'

'Voor iemand als u? Vijfhonderd riksdaler. Voor een stevige matroos of een knappe vrouw zou ik u die vijfhonderd zelf betalen. En laat me u gratis een goede raad geven, wat ook de reden is dat we hier in de koninklijke suite zitten en niet beneden.' Hij boog zich voorover. 'Ga niet naar de hoeren,' fluisterde hij. 'Twee van hen zijn al naar het graf gebracht vanwege een vreselijke besmetting en er zullen er meer volgen. Tantetje wil niet dat de klanten het weten, maar wij zijn vrienden, mijnheer Larsson, nietwaar?'

'U kent mijn naam,' zei ik.

'Die heb ik van een vogeltje gekregen; ene mevrouw Mus is me komen opzoeken, op uw aanbeveling,' zei hij.

Ik kon me niet herinneren dat ik Hinken voor wat dan ook aan wie dan ook had aanbevolen, zelfs niet aan mevrouw Mus. 'Ze heeft graag een mooie voorraad geestrijk vocht,' zei ik. 'Maar wees eerlijk tegen haar, anders stuurt ze het donkere geestenrijk op u af. Ze is Zieneres, weet u.'

'Dat weet ik inderdaad, maar ze kwam niet om kaarten te leggen of gesmokkelde drank te kopen. Ze vroeg om een overtocht naar het noorden, naar Gefle. Ik zei dat ze in deze tijd van het jaar over land moest gaan. Maar die Mus van u deed een zeer genereus bod. Is ze een beetje van de kaart, misschien?' Hinken wachtte tot ik iets zou zeggen, maar dat deed ik niet. 'En hoe is het gegaan?'

'Wat?' vroeg ik.

'Die waarzeggende kaartlegging van Mus die vorige zomer zo dringend was? Het was een Chinese acht, toch? U zou gaan trouwen!' Hinken schonk ons ieder nog een glaasje in.

'Het was een acht, ja, maar die noemt mevrouw Mus het octavo. Ik zit er nog middenin,' zei ik, 'maar ik ben niet getrouwd. Nog niet.'

'Dus dát is de toekomst die u in de Stad ziet! Hoe heet ze? Dan kan ik op haar proosten,' zei hij.

'Het staat me nog niet vrij om dat te zeggen, ze heeft nog niet ingestemd.' Ik kon mijn eigen woorden nauwelijks geloven; ik hoefde niet tegen Hinken te liegen, maar het doel van liefde en verbondenheid was vreemd genoeg een eigen leven gaan leiden. 'Mijn octavo is nog niet compleet.'

'Op uw octavo, dan.' Hinken leegde zijn glas. 'Wat het ook mag zijn.'

'Op de acht.' Ik slikte de drank door, die mijn keel deed branden, zette het glas neer en stond op om te vertrekken, waarbij ik mijn hoofd stootte aan een uitsteeksel.

Hinken lachte. 'Verlies uw hoofd niet, mijnheer Larssen!'

Ik schudde hem de hand en liep de trap af, terwijl ik om me heen hoorde hoe het huis ontwaakte voor de handel: er werd geroepen om een wasbekken, er werd gekibbeld over muiltjes die kwijt waren en er klonk een liefdeslied. Er zat nu een jong meisje te wachten in de foyer; haar dunne, witte jurk was van haar schouder gegleden zodat er een borst te zien was, maar Hinkens waarschuwing had mijn lust getemperd; ik had nu alleen nog zin om te ontsnappen en dronken te worden, om zo duisternis en vergetelheid te bereiken.

Hoofdstuk vierendertig

OPRUIING

Bronnen: E.L., M.F.L., herbergierster van De Pauw

IK INSTALLEERDE ME in De Pauw, een kleine herberg bij de Duitse Heuvel die werd bestierd door een oudere weduwe met slechte ogen en nog slechtere oren. Dit was al een week mijn toevluchtsoord en schuilplaats, sinds Driekoningen. Mijn plan voor vanavond was hetzelfde als de afgelopen zeven avonden: me laveloos drinken en de ochtend in bed doorbrengen, terwijl ik me bij de douane ziek meldde. Tot dusver had de Superieur het nog niet nodig gevonden me te ontslaan. Ik had amper mijn tweede grogje besteld toen ik door de rokerige duisternis tuurde en meester Fredrik door de deur zag komen. 'Wat een duivelsweer, en ik zou eigenlijk thuis bij mevrouw Lind moeten zijn. Ze zal ongerust zijn,' zei hij verrassend ongekunsteld en hij schudde zijn mantel uit en ging aan mijn tafeltje zitten.

Ik bestelde nog een warme grog. 'Meester Fredrik, wat een verrassing.'

'Dit is inderdaad een ongebruikelijke buurt voor me.' Hij trok zijn handschoenen uit en streek zijn haar uit zijn gezicht. 'Maar niet voor u, de laatste tijd.'

Ik herinnerde me de schimmige figuur op straat bij de Nordéns, en daarna weer in de Baggensstraat. Ik had de hele week het gevoel gehad dat er ogen op me gericht waren, maar dat had ik afgedaan als irrationele angst die veroorzaakt werd door te veel drank en politiek. 'U hebt me gevolgd. U volgt me al sinds Driekoningen.'

Ik zag aan zijn gezicht dat het waar was. Hij dronk zijn grog en herstelde zich. 'U hebt de laatste tijd meerdere schaduwen gehad, en uw voortdurende staat van dronkenschap maakte u tot een eenvoudig doelwit.'

'Er valt niets interessants te ontdekken, meester Fredrik. En wie zou het iets kunnen schelen?'

'Integendeel, er zijn verschillende belangwekkende zaken. Madame heeft opdracht gegeven tot bepaalde naspeuringen.' Hij staarde naar een knoest in de tafel en sloeg de inhoud van zijn kroes achterover. 'Iemand is erachter gekomen dat u zeer nauwe banden onderhoudt met de goklokalen van ene mevrouw Mus, waar vorige zomer een schandelijke diefstal heeft plaatsgevonden. Eerlijk gezegd verbaast het me dat u uw nauwe betrokkenheid bij dat vogelhuis niet aan mij heeft onthuld. We zijn immers logebroeders en we hadden een soort verbond gesloten, of niet soms?'

'Ik heb bepaalde teleurstellingen niet genoemd, dat is geen misdaad. Het voelde niet goed om mijn innerlijke geheimen te vertellen aan iemand die ik net leerde kennen. Dan was u misschien vanaf het begin tegen me geweest.' Ik keek op in de hoop dat hij deze zalvende bekentenis zou slikken. 'We hebben allemaal onze zwaktes.'

'Inderdaad.' Meester Fredrik ving mijn blik en keek de andere kant op. 'En u hebt blijkbaar een zwakte voor vouwwaaiers. U bent meermalen in de winkel van Nordén in de Kokssteeg gesignaleerd.' Hij haalde een potje zalf uit zijn zak en smeerde er zijn handen mee in, wachtend tot ik hem nader zou inlichten.

Mijn gezicht werd zo roze als een gebraden varken. 'Het was voor een vrouw,' mompelde ik.

'Het wordt steeds interessanter.' Hij stond op, trok zijn overjas aan en deed een sjaal om. 'Kom, mijnheer Larsson. Laten we een stukje gaan lopen.'

'Nu?' vroeg ik.

Hij stond al bij de deur, dus pakte ik me goed in, en we liepen in een rustig tempo over de Kleine Nieuwstraat naar het noorden. Het was een rustige, aangenaam koude avond met een heldere sterrenhemel. Over een plein in de verte gleed een rinkelende slee en het geluid van de paardenhoeven werd gedempt door de sneeuw, waarna het helemaal stil werd. 'Het lijkt erop dat ik de minste van Madames spionnen was; ik kreeg de taak van boodschapper. Juffrouw Bloem daarentegen is nu uitgenodigd voor de opera,' zei meester Fredrik.

'Juffrouw Bloem?!' Mijn gezicht gloeide. 'Is zij me ook gevolgd?'

'Ze schijnt nogal geestdriftig in uw leven te willen wroeten.'

'Ik kan me niet voorstellen wat juffrouw Bloem van me wil.' Deze protegee van mijn Metgezel, zo bleek en stil, kon weleens gevaarlijker zijn dan ze leek, en het kwam in me op dat ze misschien wel een plek in mijn achttal kon innemen. 'Wat zegt ze, die kleine ekster?'

'U mag de lieftallige, slimme juffrouw Bloem zelf ondervragen, want Madame verlangt uw aanwezigheid op Gullenborg. 16 januari. Eén uur. Haar tweede lezing over het gebruik van de waaier. Madame heeft aangegeven dat ze ontstemd, úíterst ontstemd zou zijn als ik er niet in zou slagen u te overtuigen van de… urgentie die ze voelt ten aanzien van uw aanwezigheid.'

'Urgéntie?' vroeg ik en ik bleef abrupt stilstaan. 'Dat is een sterk woord. Ik was al van plan te komen, ze heeft me zelf uitgenodigd.'

'Madame wil gebruikmaken van uw talenten en wilde zich verzekeren van uw deelname.'

'Moet ik de jongedames instructies geven over de kunst van het kaarten?' vroeg ik, verbijsterd over deze plotselinge, onwelkome belangstelling voor mijn doen en laten. 'Trucjes leren?'

'Inderdaad, trucjes zijn precies wat Madame wenst, maar niet van haar meisjes.' Meester Fredrik pakte mijn arm en leidde me in de richting van de Minderbroedersbrug. 'Madame zoekt een man die de speellokalen van mevrouw Mus kan binnengaan en daar iets achterover kan drukken.'

'En wat voor iets mag dat dan wel zijn?' vroeg ik, hoewel ik dat al wist.

'Een waaier die Madame Cassiopeia noemt,' zei hij.

'Maar die waaier is al maanden weg!' riep ik en ik trok mijn arm terug.

'Madame wil haar waaier. Koste wat kost.'

'Ik kan niet begrijpen waarom een vrouw met tientallen waaiers…'

'Honderden waaiers,' verbeterde meester Fredrik.

'…waarom een vrouw met veel te veel waaiers zoveel moeite doet om er een terug te winnen die ze zelf vergokt heeft.'

Meester Fredrik sloeg zijn handen achter zijn rug ineen, als een groot filosoof die een inspirerend wandelingetje maakte. 'Madame Uzanne is kunstenares, mijnheer Larsson. De inhoud van de gereedschapskist van een kunstenaar is niet logisch te verklaren, maar zij heeft haar waaier nodig om haar werk te kunnen doen. Het vasthouden van Cassiopeia geeft haar een soort mysterieus zelfvertrouwen, een energiestroom. Dat is niet te bevatten voor iemand die er geen ervaring mee heeft. Maar als iemand mij mijn gereedschap zou afpakken, zou ik me bijzonder geschaad voelen en er ook alles aan doen om het terug te krijgen. Madame heeft mevrouw Mus herhaaldelijk een zeer ruimhartig aanbod gedaan. Ze heeft hartenkreten geschreven en erkend hoe onlogisch het is dat ze zo gehecht is aan de waaier, in de hoop dat Mus daardoor ontroerd zou raken. Ze heeft gedreigd hogere autoriteiten in te schakelen; ze heeft zelfs hertog Karel gesmeekt en overleg gehad met bisschop Celsius zelf, maar mevrouw Mus genoot bescherming. Kortom, Madame is van een koude kermis thuisgekomen.'

'Vroeg of laat verliest iedereen met gokken,' zei ik.

'Madame verliest nooit. Nooit. Als u Cassiopeia niet in het geniep kan terughalen, moet de vogel worden gekortwiekt. Madame zal u nadere instructies geven over de bijzonderheden.'

'Dus ze verlaagt zich om te overwinnen,' zei ik.

'Ze doet alles om te overwinnen.' Hij stopte zijn handen in zijn zakken en we liepen verder door de verlaten straat. 'Mag ik openhartig spreken?' Ik knikte. 'Madame heeft haar waaier geënt op een politieke tak, een interesse die ze heeft opgevat nadat haar man Henrik was overleden; tot grote opluchting van velen, mag ik wel zeggen. Men hoopte dat ze zich zou concentreren op meer… passende afleiding. Maar sinds de zomer wordt ze weer in beslag genomen door de politiek. Er gaan tweemaal per dag brieven over en weer tussen Gullenborg en het huis van hertog Karel in Rosersberg, en er rijdt minstens twee avonden per week een koets tussen hun huizen. Er staat een miniatuur hertog Karel op haar schrijftafel.'

'Dat lijkt een passende afleiding.'

'Het gaat hier niet om een eenvoudig hartenspel, zoals u zou vermoeden. Ik word bijna dagelijks naar Gullenborg ontboden sinds ik in augustus naar de Stad ben teruggekeerd. Het gezelschap daar bestaat volledig uit fanatieke patriotten. De gesprekken zijn... alarmerend door hun venijn tegen koning Gustaaf. Ze stelt opruiende pamfletten op en betaalt om die te verspreiden. Ze is geobsedeerd door de verbreiding van de revolutie vanuit Frankrijk en krijgt elke dag het laatste nieuws. Ze heeft spionnen, vermomd als stemmende leden van de clerus, aangenomen om naar het parlement in Gefle te gaan. Ze correspondeert met de Russische ambassadeur en pleit voor de gewapende interventie van keizerin Catharina.'

Ik bleef staan in de diepe schaduwen van de straatlantaarns van het postkantoor en keek of we alleen waren. 'Dit is verraad. Hoe weet u dit allemaal?'

'Ik ben haar hand,' fluisterde hij. 'Ik schrijf voor haar.'

'En waarom vertelt u het aan mij?' vroeg ik.

'We zijn vrienden, mijnheer Larsson, en ik ben niet vertrouwd met spelletjes met zo'n hoge inzet.'

We liepen zwijgend verder. 'Met kaarten,' zei ik, 'heeft elke speler iets waarvan hij denkt dat hij het kan winnen. Als het geen harten is, wat wil ze dan? Ruiten?'

'Klaver, denk ik, maar dan wel een giftige soort,' zei ik. 'Madame deelt een verraderlijk spel en legt de kaarten op hun plek. Wee degene die niet plat blijft liggen.'

'Wie krijgt de eerste slag?' vroeg ik.

'Ik.' Hij boog zich met een bleek, zweterig gezicht naar me toe. 'Toen ik suggereerde dat u misschien niet bereid was de taak van een dief en een beul te vervullen, bedréigde Madame me. Ze bedreigde míj, meester Lind, die haar al die jaren met hart en ziel heeft gediend en haar wezen in inkt is geworden! Ze heeft gedreigd me te ontslaan als ik er niet in slaag uw diensten af te dwingen. Dan zal ze rondvertellen dat ze niet tevreden over me is, waardoor mijn onderneming aan het wankelen wordt gebracht.' Meester Fredrik kreeg een smekende blik in zijn ogen. 'Ik heb een vrouw en twee zoons.'

Ik zag zijn angst en zijn verdriet, en ik moet bekennen dat ik bijna medelijden kreeg toen ik de deuk in zijn gewoonlijk blinkende pantser zag. Maar waren we vrienden? Tot nu toe hadden we alleen een ongemakkelijke band die gebaseerd was op wederzijds gewin. Maar als ik mijn gebeurtenis op de juiste plek wilde krijgen, had ik elke kaart uit mijn octavo nodig. 'Dus de troefkaart is een vouwwaaier? Dat lijkt een niemendalletje in het grotere spel dat u beschrijft.'

Madame ziet Cassiopeia als een aristocratische gevangene van het volk en denkt dat de adel zelf met uitsterven wordt bedreigd. Ze ziet haar rehabilitatie als noodzakelijk voor het toekomstige welzijn van het land.'

'Dus De Uzanne ziet de waaier als iets... magisch?'

'O, nee, mijnheer Larsson. Ze ziet de waaier als zichzelf,' zei hij, en hij trok zijn kraag tot over zijn oren.

En ik had haar op mijn kamer.

Ik voelde de energie in me opwellen die voorafgaat aan een gok met een hoge inzet. Als het eind dan toch kwam, kon ik er maar beter bij zijn. Ik tikte meester Fredrik op de schouder. 'Ik kan een goed spel niet weerstaan. Zeg tegen Madame dat ik tot haar dienst sta.'

Meester Fredrik greep met beide handen mijn vrije hand beet. 'Geweldig, geweldig. Dit is de ware broederschap!' Hij haalde diep adem en liet zich, slap van opluchting, op een stenen bankje zakken dat uitkeek over het kanaal van Riddereiland, een pad van zwart ijs met krassen van ijzers en glijders.

Ik ging naast hem zitten en spande de achterkant van mijn benen aan tegen de kou, terwijl mijn keel brandde als het lontje van een Romeinse kaars. 'Ik kan u niet beloven dat ik plat voor haar ga liggen, meester Fredrik, maar ik ben een speler en kan u wel beloven dat ik kan liegen,' zei ik.

Hoofdstuk vijfendertig

PATIËNT

Bronnen: E.L., mevrouw Murbeck, M. Murbeck, mijnheer Pilo, diverse apothicaires en dokters in de Stad

'DIT IS VOLGENS de medische encyclopedie een hevige pestaanval!' riep Pilo uit, en hij kneep zijn ogen toe in het licht van de olielamp die hij omhooghield, terwijl het vergrootglas glad en vreemd koel aanvoelde tegen mijn gloeiende wang. 'Een vreselijke, puisterige infectie die zich heel goed, heel gemakkelijk, kan uitbreiden naar de gehoorgang, daar vast kan komen te zitten en zich uiteindelijk een weg kan banen naar de hersenen.'

Mevrouw Murbeck snakte achter haar zakdoekje naar adem en deinsde achteruit, terwijl ze haar blik afwendde alsof ze al besmet kon raken door alleen maar naar me te kijken. Mijnheer Pilo (ik kan hem onmogelijk dokter noemen) had een heel lange, knolvormige neus die deed denken aan een rood, giftig reptiel dat voor mijn ogen kronkelde terwijl hij dichterbij kwam en zijn vergrootglas dieper in mijn mondholte duwde. Ik rook de alcohol onder de pepermuntgeur van zijn adem, want hij zoog voortdurend op Engelse pastilles die hij een voor een uit een blikje haalde. 'We moeten er meteen iets aan doen,' zei hij. 'U moet mijn zeldzame tonsilelixir innemen.'

'Ja,' kraakte ik, want ik had bijna geen stem meer. 'Ik word over drie dagen verwacht op Gullenborg en moet herstellen.' Ik zweette, had koorts en voelde me belabberd, en het enige wat ik wilde was een balsem om mijn brandende keel te verzachten en mijn koorts te temperen. Ik had zelden medische hulp nodig, maar door mijn uiterlijk, mijn stem en het feit dat ik voor de deur was flauwgevallen, had mevrouw Murbeck alarm geslagen. Met haar zoon, Mikael, had ze me de trap op gedragen naar mijn kamers. Ik zei dat ze me alleen moest laten, dat zij en haar gezin spijt zouden krijgen van hun vriendelijkheid, maar ze gaf me een stevig standje en liet haar zoon de huisarts halen.

'Geen soirees voor u, mijnheer. Niet over drie dagen. Misschien wel nooit meer,' zei Pilo opgewekt, waarna hij om pen en papier vroeg, zodat hij een recept kon uitschrijven dat direct naar De Leeuw moest worden gebracht. Mevrouw Murbeck trok haar neus op toen ze die naam hoorde, maar ze was niet iemand die een man van de wetenschap in twijfel trok, vooral niet als dat ook nog haar zwager was. En ondanks het late uur en het feit dat het zondag was, zou De Leeuw de winkel opendoen zodra hij het eerste tikje van een stevige munt op de ruit hoorde.

'Een wonderbaarlijk elixir, hoor,' zei Pilo, die het recept zwierig ondertekende. 'U zult veel slapen, maar als u wakker wordt, bent u genezen en opgefrist en is de ellende uit uw keel verbannen, terwijl de nachtschade uw lichaamssappen en uw pijn kalmeert. Gunstige bijkomstigheid is dat gezwellen in de milt erdoor slinken.' Hij gaf het recept aan mevrouw Murbeck en zei dat er geen tijd te verliezen was. 'Intussen,' zei hij tegen mij, 'moet u elk uur gorgelen met het heetste zoute water dat u kunt verdragen. Drink thee met brandy en honing, zoveel u kunt slikken. U mag niet uit bed komen, behalve om uw blaas en darmen te legen en om uw beddengoed te verschonen als dat doorweekt is. Maar de ware genezing zal plaatsvinden door dit recept van mij.' Hij knipoogde toen hij me zijn exorbitante rekening voor verleende diensten gaf, en als ik niet zo ziek was geweest, had ik zeker hevig geprotesteerd.

Pilo pakte zijn tas in en verliet de kamer met mevrouw Murbeck. Ik hoorde hun stemmen weerklinken in de voorkamer, waar hij haar een gruwelijk verhaal over een patiënt met een soortgelijke ziekte vertelde, die hij onlangs met zijn tedere zorgen uit de armen van de Dood had gered. Algauw werd ik overmand door slaap, een sidderende sluimering waarbij het beddengoed als banden om me heen kronkelde en ik steeds angstig wakker werd in het donker, terwijl mijn keel in brand stond en elke haar op mijn hoofd pijn deed. Ik was dankbaar dat mevrouw Murbeck een korte kaarsstomp in een blauw glas op mijn nachtkastje had laten branden; die fungeerde als votiefkaars en als baken, voor als ik wakker zou worden en zou denken dat ik dood en in een hel terechtgekomen was die zo was ingericht dat hij op mijn slaapkamer leek.

Enige tijd later hoorde ik de deur krakend opengaan en zag de schimmige vorm van mevrouw Murbeck binnenschuifelen, die in zichzelf mompelde over de prijs van medicijnen en de onoprechte hoffelijkheid van apothicaire De Leeuw. Ze droeg een blad met daarop een glas en een grote, bruine fles, en ze schonk naast mijn bed een drachme van de donkere siroop in. Ik kon het glas niet stilhouden, dus hield ze het voor me vast. 'Drink dit op en ga slapen, mijnheer Larsson. U kunt nooit weten wat de Heer na vandaag voor u in petto heeft, en het lijkt erop dat Zijn plan nu is dat u moet rusten en bidden. Of het eeuwige rust wordt, weten we over een dag of twee.' Ze tilde me met één arm op zodat het waardevolle medicijn niet verspild zou worden. De geur van de ham die ze voor het avondeten had gebakken hing nog in haar jurk en vermengde zich heerlijk met de brandy en de anijsgeur van het elixir. Haar goede zorgen troostten niet alleen mijn fysieke pijn en maakten me huilerig.

'Mevrouw Murbeck, ik dacht al die jaren dat u tegen me was. Maar u hebt me om de tuin geleid. Een welwillende Bedriegster. Kent u mijn Metgezel, De Uzanne?'

'Tut, tut, u kraamt onzin uit. Drink uw medicijn op. Goed zo, brave jongen.'

Het was een weeïg zoet drankje, pijnlijk om door te slikken, maar ik deed mijn best. Mevrouw Murbeck liet me alleen met een koude, natte lap op mijn voorhoofd en toen ze de kamer verliet, begon ze weer te mompelen. 'Arme kerel, helemaal alleen, zo alleen,' zei ze telkens weer, tot ik niets anders meer hoorde dan het gezoem van koorts en daarna niets meer.

Hoofdstuk zesendertig

OVERHEERSING

Bronnen: M.F.L., J. Bloem, M. Nordén, L. Nordén, moeder P., Louisa G., diverse heren en officieren, bedienden op Gullenborg, anonieme jongedames uit de Stad.

'IK BEGRIJP HET niet...' zei ze. Er viel een lange stilte. Meester Fredrik keek naar zijn ingevette zwartleren schoenen, die zelfs op dit moment van schande nog vrolijk glansden. '...*mijnheer* Lind,' besloot De Uzanne. Deze nederige beleefdheidstitel voelde als de laatste hamerslag van de terechtstelling van een veroordeeld man.

Meester Fredrik opteerde voor een halve waarheid. 'Madame, ik verzeker u dat ik slechts drie dagen geleden met mijnheer Larsson gesproken heb. Hij was verrukt over de kans om u te dienen, Madame, verrukt. Hij beweerde dat het de hoogste eer in zijn miezerige...'

'Ik dacht dat mijnheer Larsson vandaag zou deelnemen aan de demonstratie van juffrouw Plomgren,' interrumpeerde ze.

Meester Fredrik opperde de tweede helft van de waarheid. 'Misschien is hij ziek geworden.'

'Ik heb duidelijk gezegd dat zijn aanwezigheid hier uw verantwoordelijkheid was. U hebt mijn plannen geruïneerd.' Ze liet haar waaier door haar rechterhand glijden en bewoog zich om meester Fredrik heen alsof hij een berg drek was die op haar pad lag, en zweeg even. 'Verder heb ik kennisgenomen van bepaalde persoonlijke voorkeuren van u. Ik ben bang dat deze walgelijke onthullingen me zullen beletten u bij hertog Karel aan te bevelen voor een sociale promotie.'

'Wat voor voorkeuren? Van wie hebt u dergelijke verachtelijke verkeerde informatie gekregen?'

'Van onze juffrouw Bloem,' zei ze.

'Juffrouw Bloem kent me niet, Madame,' zei hij met bevende stem.

'Maar u beweerde dat u haar kende, ú hebt haar aan me voorgesteld. Daar vertrouwde ik ook op, mijnheer Lind.' En zonder ook nog maar een blik in zijn richting te werpen liep De Uzanne weg om haar gasten te verwelkomen.

Meester Fredrik speurde de zaal af, op zoek naar Johanna, en hij klemde zijn handen ineen bij de gedachte aan haar slanke, witte hals, maar hij kon haar niet vinden in de menigte van zinnelijke vrouwen. Waren de jongedames in december nog tedere bloesems geweest, nu waren ze gerijpt tot verleidelijke vruchten. Hun waaiers vormden nu verlengstukken van hun handen en armen, die de gratie van aristocratische training hadden gekregen. De boodschappen die ze zonden waren snel en zeker. De stof van hun jurk was nu donker brokaat of fluweel, strakker en lager uitgesneden, vragend om een aanraking. Hun parfum was muskusachtig en mysterieus, hun lippen en wangen bloosden van opwinding en door de rouge. De heren die door de zaal liepen, hadden de uitstraling van gekooide dieren. De acteurs van het Bollhustheater waren ditmaal afwezig omdat ze 'te Frans' bevonden waren, en hun lege plaatsen waren ingenomen door de getaande vrienden van de Russische consul. De uitgenodigde Zweedse officiers waren al begonnen met schnaps drinken. Meester Fredrik haastte zich om een plek tussen de mannelijke gasten te bemachtigen en ging juist zitten toen de scherpe klap van De Uzannes waaier de menigte tot zwijgen bracht en snel liet plaatsnemen.

De fletse winterhemel die door de ramen te zien was, was een paar tinten donkerder dan het parelgrijs van de wanden van de salon. De kroonluchter was niet aangestoken. Dienaars snelden door de zaal om de kousjes van de olielampen lager te draaien en de draperieën neer te laten; in de zaal werd het nacht. Alle ogen waren op De Uzanne gericht. Ze was een slanke zuil van bosgroen fluweel, en een roomkleurige doek om haar lijfje weerkaatste het licht van de blaker die ze vasthield. In dit gedempte licht, in de vage kilte van de zaal, had ze een engel kunnen zijn die aan het bed van een stervende stond. 'In onze eerste formele lezing leerden we van een ware kunstenaar welke geometrie er schuilgaat achter de waaier.' Ze hield haar hoofd schuin naar de blozende Christian. 'We leerden haar taal van romantiek van een onverwachte gast met natuurtalent, die sindsdien een van onze favoriete leraressen is. Ze hield haar waaier bij haar hart en keek naar Anna Maria, die vlak bij haar klaarstond. 'En ik besloot de lezing met een demonstratie van Verbintenis: de macht van de waaier om te betoveren. Sedert die dag bent u ijverige leerlingen geweest, en het is me duidelijk dat uw leertijd een heel eind gevorderd is. Maar we kunnen het niet bij Verbintenis laten. We moeten verder met Overheersing.'

Er werd naar adem gehapt en gegiecheld, en een officier die achter in de zaal rondhing riep luid: 'Is dat niet de natuurlijke gang van zaken, Madame? Eerst verloven, dan trouwen?' Dat bracht een hoop gejoel en gelach teweeg.

De Uzanne glimlachte toegeeflijk naar de officier, maar reageerde niet. 'Uw doel gaat verder dan iemand boeien. Uw doel is iemand boeien en daarna met hem doen wat u wilt. Vandaag zal ik een vorm van Overheersing laten zien waarmee u een koning zou kunnen boeien.'

Het werd stil in de zaal. De Uzanne gaf een schier onwaarneembaar knikje. Johanna, die zo roerloos had gestaan alsof ze op een doek was geschilderd, kwam nerveus tot leven. Ze stond op van haar stoel en liep snel naar een kabinet onder een grote spiegel, waar ze zelf in werd weerkaatst. Haar bleke gezicht boven de zeegroene jurk werd ontsierd door een fronsrimpel. Ze zette de spanning van zich af. De la piepte in de stilte toen Johanna hem optrok. Hij was leeg, op één voorwerp na: een korte waaier met een dubbel blad van kippenleer, gemaakt van de kalfjestweeling die ze de zomer ervoor in de schuur geslacht had zien worden. De huid was duifgrijs geverfd en afgezet met zilveren bandjes. De benen waren zwart en glad, gemaakt van gelakt hout, en de keel was slechts twee vingers breed. De middelste vouw op de achterzijde van het blad was afgewerkt met een zakje met aan weerszijden ultradun gaaswerk, een flapje waarmee de onderkant was dichtgemaakt, en een lus en een ivoren kraal om het vast te zetten. In het zakje zat de afgehaalde, bijgeknipte slagpen van een zwaan, die door meester Fredrik was aangeleverd. Deze specifieke veer was de pen van de meesterkalligraaf, en de holle schacht was ideaal om inkt in te bewaren. Nu zou hij gebruikt worden voor een boodschap met geparfumeerd poeder.

Christian had in Parijs vele waaiers met 'finesses' gemaakt en had beloofd dat de prestaties van de waaier onberispelijk zouden zijn en dat de zwanenpen de inhoud veilig binnen zou houden, totdat de hoek van het blad en de druk van de adem precies goed zouden zijn. De geur van jasmijn ontsnapte aan de vouwen, evenals een fijn poeder dat over haar vingers verstoof. Johanna's handen hadden getrild toen ze de pen die ochtend had gevuld. De Uzanne wilde dat deze demonstratie perfect zou verlopen: het slaappoeder moest een onmiddellijke reactie van volstrekte ontspanning en rust teweegbrengen. De Valse Blozer was een heel gevaarlijke paddenstoel. Voor het eerst was Johanna echt bang.

Johanna had het nieuwe poeder viermaal getest. De eerste keer was op Sylten geweest, de kat van Ouwe Kokkie. Ouwe Kokkie was ontroostbaar geweest toen zijn verstijfde lijfje onder de onderste plank van de voorraadkast werd aangetroffen, en ze had Johanna het teken van het boze oog gegeven. Johanna paste de ingrediënten aan. De tweede en derde test had ze op zichzelf uitgevoerd. De eerste keer moest ze overgeven, waarna ze drie uur onder zeil was geweest. De tweede keer sliep ze twaalf uur lang en werd ze geplaagd door nachtmerries en zweetaanvallen. Voor de vierde test had ze een vrijwilliger: Jonge Per, de stalknecht, was ingetrokken in het grote huis en wilde Johanna maar wat graag helpen. Ze leerde hem schrijven en hij had naar haar medicijnen gevraagd. Johanna was opgelucht omdat ze zo aan een andere beproeving ontkwam en nog opgeluchter toen Jonge Per zeven uur lang sliep als een roos, waarna hij uitgehongerd en uitgerust wakker werd. Maar Johanna wist niet wie vandaag het beoogde slachtoffer was en kon de dosering niet inschatten.

Johanna hield haar adem in terwijl ze door de kamer liep en de hakken van haar nieuwe schoenen in de stilte tikten. Ze gaf de waaier aan De Uzanne en veegde onwillekeurig haar handen af aan de donkere stof van haar rok. Johanna verwachtte een blik of een reprimande, maar die kwam niet; De Uzanne observeerde haar publiek, dat op het puntje van hun stoel zat. 'Hertog Karel zei eens tegen me dat vrouwen gewapend zijn met waaiers zoals mannen met zwaarden. Weet u nog, generaal Pechlin?' De oude man keek haar uitdrukkingsloos aan. 'Misschien is uw geheugen tanend,' zei ze. 'Maar de hertog komt erachter dat het waar is en ik zou graag een nieuwe methode demonstreren die ik heb bedacht.

Dit is vandaag voor velen van ons een test. Laten we eerst eens kijken of mijn waaiermaker me van een goed wapen heeft voorzien.' De Uzanne klapte de waaier een stuk of zes keer open en dicht. 'Ideaal gewicht. Uitmuntende afwerking. Volmaakte werking,' zei ze tegen Christian. De opluchting straalde van zijn schouders af. 'Staat ze op scherp, juffrouw Bloem?' Johanna knikte met neergeslagen ogen. 'Te wapen, dan, juffrouw Plomgren. We zullen ook testen hoe ver uw vaardigheden reiken. U valt de overwinning ten deel… of de schande.'

De Uzanne gaf Anna Maria de grijze waaier en wachtte tot de zaal weer tot bedaren was gekomen. 'Verbintenis is de dans van de aantrekkingskracht,' zei De Uzanne. 'Van daaruit gaan we over op Overheersing.' Aan een van de meisjes ontsnapte een nerveus gegiechel, maar ze werd met strenge blikken het zwijgen opgelegd door haar medeleerlingen. 'Helaas is Sekretaire Larsson er vandaag niet,' zei ze en ze keek de verduisterde zaal rond alsof hij puur door haar wilskracht ineens zou kunnen verschijnen. 'Maar Nordén junior, u lijkt meer dan bereid u over te geven aan de macht van juffrouw Plomgren. Bent u er klaar voor?' Lars stond gretig op. 'Misschien moet u na de les nog even blijven. Misschien moet u hier zelfs de nacht doorbrengen.' Dat bracht onderdrukt gelach en gefluister teweeg. 'We hebben een plek nodig waar mijnheer Nordén comfortabel kan zitten.' Pechlin stond op en liet verscheidene officiers naar een aangrenzende kamer gaan, waar ze een met stof beklede stoel haalden, die ze naar de salon brachten. Pechlin bleef in de hal staan.

De Uzanne gebaarde dat Lars moest gaan zitten. Anna Maria vatte dat op als teken dat ze mocht beginnen en opende haar waaier bijna pijnlijk traag. 'Stelt u zich voor dat u iemand aan u hebt verbonden die uw diepste hartstocht aanwakkert: van liefde of van haat.' De Uzanne zag het pafferige gezicht van Gustaaf voor haar geestesoog. 'Als u de verbintenis eenmaal tot stand hebt gebracht, moet u de overheersing bewerkstelligen. U kunt het vuur doen oplaaien door te wapperen of een verkoelend briesje sturen om het te doven. Vandaag gaan we het laatste bekijken.' Ze knikte en Anna Maria ging dicht bij Lars staan. 'Het is gemakkelijker bij iemand die naar onderwerping verlangt.' Gustaaf wilde wanhopig graag aandacht van zijn geliefde aristocratie, vooral de dames van het hof, die hij adoreerde en die hem uit de weg gingen. 'Ga zo dicht naar de door u beoogde persoon toe als u kunt.' De Uzanne zou naar het parlement afreizen, waar alleen al haar aanwezigheid een sensatie teweeg zou brengen, als een olijftak die werd aangeboden aan de koning. 'Laat uw waaier schuin omlaag bewegen en laat de intieme achterzijde zien. Breng haar dan langzaam omlaag en omhoog en houd oogcontact, waardoor u vertrouwen wint.' Ze zou aan de arm van hertog Karel naar Gustaaf toe gaan; Gustaaf achtte zijn broer niet in staat tot verraad. 'Wanneer u zijn aandacht gevangen hebt, blaast u een zachte, voorzichtige kus langs het middenbeen om de belofte van toekomstige hartstocht te bezegelen.' De Uzanne zag het voor zich: ze zou het poeder vrij laten komen en Gustaaf zien vallen. Ze zou een geschrokken kreet slaken en daarna zouden de mannen van hertog Karel de slapende monarch in een grote reiskoets leggen. Gustaaf zou niet eens merken dat de kroon van zijn hoofd werd getild. 'Houd zijn blik vast tot hij verdwijnt en de Overheersing is compleet.' De koets zou Gustaaf naar een boot brengen met bestemming Rusland. Keizerin Catharina, zijn niet en gezworen vijandin, zou hem daar houden. Hertog Karel zou regent worden. De Uzanne zou de eerste maîtresse worden, en de verlosser van haar land. 'Nu,' zei ze.

Anna Maria richtte de waaier op Lars, die aandachtig rechtop zat. Ze liet haar waaier omlaag kantelen en daarna omhoog, naar zijn glimlachende gezicht, terwijl haar geverfde lippen zacht over de middenplooi bliezen. Johanna hield haar adem in en voelde dat haar maag ineenkromp van angst; ze zag het poeder uit het gazen zakje ontsnappen en een vaag wolkje vormen ter hoogte van zijn neus. Lars ademde in en haalde zijn schouders op, alsof hij wilde beduiden dat het hem nog niets deed. Maar toen verzachtte zijn blik en begon zijn hele lijf te verslappen. 'Ik ben uw gevangene,' zei hij tegen Anna Maria, waarna hij zuchtte en achteroverviel, met één hand op zijn schoot. De jongedames moesten hun lippen op elkaar persen om niet in lachen uit te barsten; de officiers hoonden luid. De andere gasten babbelden nerveus na deze pantomime, zeker wetend dat het was ingestudeerd. Maar de glimlachjes en knipoogjes verflauwden toen ze zagen dat Lars zich niet verroerde. Zijn hoofd gleed naar één kant en zijn ogen rolden naar achteren, zodat het oogwit zichtbaar was onder de halfgesloten oogleden. Boven zijn hoofd werd naar adem gehapt en gefluisterd. Johanna leunde tegen de muur en voelde zich misselijk. Zelfs De Uzanne verstijfde even en deinsde terug bij de aanblik van Lars' nietsziende blik. Anna Maria klapte haar waaier dicht en hield haar oor bij zijn borst. 'Hij slaapt,' verkondigde ze met fonkelende ogen. 'En hij droomt heerlijk,' voegde ze eraan toe, met een knikje naar zijn schoot.

De Uzanne tikte met de bovenkant van haar waaier op haar open handpalm. 'Juffrouw Plomgren: meesterlijk gedaan. Ik bewonder uw zelfbeheersing.'

Anna Maria maakte een reverence. 'Dank u, Madame.'

'Laten we de andere gasten eens nader laten kennismaken met Overheersing.' De Uzanne stak haar hand uit naar de grijze waaier, en ze liepen de zaal rond, waar ze tafel voor tafel, beginnend bij de mannen, het vuur temperden – zo niet dat van de passie, dan toch dat van scepsis en angst. De vage geur van jasmijn zweefde door de lucht. De jongedames ontspanden zich op hun stoel en hun muiltjes vielen met een zachte bons van hun voeten. Waaiers lagen geopend op de witte tafels, handen streelden de sluitbenen. Zelfs de heren die op de banken aan de zijkant van de zaal zaten, kalmeerden door deze handelingen en leunden met hun ogen half dicht tegen de muur. De Uzanne, Anna Maria en Johanna verzamelden zich bij de deur naar de hal, waar door een open raam een koel briesje naar binnen waaide. In de salon was het stil, afgezien van het ritme van de rustige ademhaling, en de gasten leunden als poppen tegen elkaar aan; sommige lieten hun hoofd op tafel rusten, met hun gekruiste armen als kussen.

'Juffrouw Bloem: een uitstekend mengsel,' zei De Uzanne.

'Dus zíj zit achter de kunst van de Overheersing,' zei Anna Maria, die Johanna nog eens goed bestudeerde.

'Maar, Madame, het is onmogelijk om een hele zaal met één waaier te laten inslapen,' fluisterde Johanna.

'Hoe hebt u dat gedaan, Madame?' vroeg Anna Maria gretig. 'Dat zou ik graag leren.'

'U zou het moeten weten van het theater, juffrouw Plomgren. De ware kunst is mensen erin te laten geloven. De rest is toneel-kunst,' zei De Uzanne, wier opwinding gloeide onder de laag poe-der op haar gezicht. Ze wendde zich tot Johanna. 'Mijnheer Nor-dén wordt toch wel voor morgen wakker, juffrouw Bloem?' Johanna knikte en staarde naar de grond. 'Ik hoop het. Ga nu naar beneden en zeg tegen Kokkie dat ze extra sterke koffie zet voor bij de taart. Ik wil niet dat deze hele menigte hier blijft tot de avond valt en dan om een laat souper vraagt.' De Uzanne pakte Anna Maria bij de arm en draaide zich om.

Slechts twee gasten waren niet bezweken voor de Overheersing. Pechlin was gekomen om zijn rivale in de strijd om aandacht van hertog Karel te observeren en zag dat ze inderdaad een waardige tegenstandster was. Maar hij bleef niet om zijn gastvrouw te bedan-ken. Toen De Uzanne met Anna Maria aan de arm naar de hal liep, maakte hij rechtsomkeert, nam zijn stok en zijn hoed van Louisa aan en liet zichzelf uit door de voordeur.

De andere toeschouwer bewoog zich in de salon. Ze had haar ogen dicht en hield haar adem in toen De Uzanne met haar waaier voorbijkwam, al was haar woede haar ware verdediging. Ze wachtte tot de pendule driemaal zachtjes sloeg, en daarna stond Margot op en volgde Johanna via de dienstgang naar de keuken.

Hoofdstuk zevenendertig

VERHITTE GESPREKKEN

Bronnen: M. Nordén, J. Bloem, Lil Kvast (keukenmeid), M.F.L., Louisa G.

MARGOT TROK JOHANNA onder aan de keldertrap aan haar mouw. 'Ik wil u even spreken, juffrouw Bloem.'

Johanna trok haar arm terug en haastte zich naar de keuken. 'Ik moet aan het werk.'

'Het is juist uw werk waar ik naar wil vragen,' zei Margot, die Johanna nog net bij de pols wist te grijpen. Ouwe Kokkie verkneukelde zich toen ze zag hoe lastig Johanna het had.

'Kokkie,' zei Johanna ferm, 'misschien moet u deze dame de deur wijzen. Ze is per ongeluk in de keuken terechtgekomen.'

'Ik neem geen bevelen van u aan.' Ouwe Kokkie draaide zich om en besprak haar dringende behoefte aan uitgerolde marsepein met de keukenmeid.

'Wat jammer dat de gasten in slaap zijn getoverd en niet van uw heerlijke taartjes kunnen proeven,' zei Margot.

'In slaap getoverd!' Ouwe Kokkie keek geschrokken op. 'Er is er maar een hier in huis die kan heksen, en nu slaapt mijn Sylten voor eeuwig.' Ze hief haar hand naar Johanna en duwde haar duim tussen haar wijsvinger en haar middelvinger als beschermend teken. Johanna trok wit weg. 'Ik zag het poeder tussen zijn snorharen, en dat hebt u gedaan,' zei Ouwe Kokkie.

'En mijn zwager? Wordt hij nog wakker?' vroeg Margot, die weigerde haar gevangene te laten gaan. Johanna knikte. 'Wanneer?'

'Vanavond nog. Hooguit morgenochtend.'

'Of misschien wel nooit,' zei Ouwe Kokkie. 'Als de dame niet zo dol op haar zou zijn, zou ik...'

'Laat mij haar maar aanpakken, mevrouw de kokkin.' Margot duwde Johanna achteruit tot buiten gehoorsafstand, tegen het ruwe hout van de kelderdeur. 'Wat bent u aan het bekokstoven, samen met uw bazin?'

Johanna slikte en wendde haar blik af. 'Ik weet het niet. Echt niet. Madame wilde dat ik die slaappoeders maakte. De kat was een vergissing,' fluisterde ze.

Margot bestudeerde Johanna's gezicht; het meisje was bang en van streek. 'Laat dat dan uw laatste vergissing zijn geweest, juffrouw Bloem.' Ze sprak langzaam in haar eenvoudige Zweeds. 'Mijn man is waaiermaker, een kunstenaar. Hij heeft een... *bienfaitrice* – o, hoe zeg je dat – nodig; iemand die een goed woordje voor hem kan doen, die hem kan steunen. Maar als er iets ergs gaat gebeuren met de waaiers van de dames, moet u me dat nu vertellen. De naam Nordén mag daar geen deel van uitmaken. Begrijpt u dat?'

Johanna sloeg haar ogen neer en knikte weer, terwijl ze haar arm wegtrok. 'Ik weet niets van haar plannen,' fluisterde ze in het Frans.

'Dan kunt u maar beter zorgen dat u erachter komt,' zei Margot, die Johanna's kin vastpakte. 'Als mijn zwager boven iets is overkomen, gaat u de gevangenis in. Maar als u de goede naam van Nordén te gronde richt, zult u nog veel erger lijden.' Margot liet haar los en wendde zich weer tot Ouwe Kokkie. 'Mevrouw de kokkin, uw bazin wil graag sterke koffie in de salon om het gezelschap te wekken. We moeten het werk van de duivel bestrijden waar we kunnen.' Margot liep een paar treden op en draaide zich nog eenmaal om naar Johanna. '*Réveillez-vous, Mademoiselle.* Word wakker.'

De geur van koffie en het gekletter van porselein op de serveerwagentjes deed de gasten ontwaken, behalve Lars, die vredig verder snurkte in zijn fauteuil. De bedienden gingen van raam naar raam en trokken de gordijnen opzij, zodat de zwarte silhouetten van de bomen tegen het gesluierde licht van de winterse zonsondergang te zien waren. Het gezelschap deed zich te goed aan de overvloed op de tafels, maar de gesprekken waren gedempt en werden afgewisseld met stiltes en bezorgde blikken in de richting van Lars. De moeders vreesden voor het welzijn van de jongeman, de jongedames vroegen zich af of zij ooit zo vaardig zouden worden en de heren verzekerden elkaar dat zij nooit zo hard zouden vallen. Maar door de sterke koffie en de zoetigheden waren ze algauw weer verkwikt, en binnen een uur was de ernst verdreven door gelach en wapperende waaiers. Meester Fredrik keek zwijgend toe en wachtte tot Johanna zelf een kop koffie nam en met trillende hand de suiker erdoor roerde. 'Juffrouw Bloem!' riep meester Fredrik scherp en hij liep snel naar haar toe, waarbij zijn schoenen als twee kevers over het parket trippelden. 'Ik wil u even spreken, juffrouw Bloem.' Meester Fredrik leidde haar naar twee stoelen die tegen de muur stonden. Ze gingen zitten, maar hij liet haar arm niet los. 'Juffrouw Grijs, bedoel ik.' Ze keek hem geschrokken aan. 'Ik zie dat u zich uw echte naam herinnert.' Meester Fredrik pakte haar hand en kneep er hard in. 'Er is een verachtelijke roddel over mij verspreid, juffrouw Grijs. Zo verachtelijk dat mijn promotie erdoor in gevaar komt.' Hij boog zich voorover en siste in haar oor: 'Madame beweert dat u haar informant was!'

Johanna verstarde. 'Ik heb u veelvuldig op het IJzeren Plein gezien, waar u tweedehands jurken kocht die duidelijk voor uzelf bedoeld waren. Het was duidelijk te zien dat u er behagen in schepte. Mijn verhalen waren gewoon grappig bedoeld.'

Meester Fredrik was wit weggetrokken en de aderen op zijn slapen begonnen te kloppen. 'Wat gaat het u aan wat ik koop? Ik heb een vrouw, hoor, u domme kwaadspreekster!' Hij kneep in het velletje op haar hand. 'Vergeet uw schulden niet, juffrouw Grijs. Bent u de heer soms vergeten die u heeft gered, eerst uit Het Varken en daarna van de reis naar huis die u zo wanhopig wilde vermijden? Ik heb u gered, juffrouw Grijs! Ik!'

'Ik ben me ervan bewust dat ik bij u in het krijt sta, meester Fredrik,' zei Johanna, die ineenkromp door het gemene kneepje, terwijl ze voelde hoe haar mooie beschermende mantel met elk woord verder ontrafeld werd.

'Denk niet dat ik zelf geen speurwerk heb verricht, juffrouw

Grijs,' siste hij. 'Ene mijnheer Stenhammar is nog steeds op zoek naar zijn verloofde. Hij schijnt van plan te zijn haar een passende straf te geven nadat hij haar naar zijn vuile bed heeft meegesleurd.'

'U bent echt een heer, meester Lind, omdat u juffrouw – is het juffrouw Grijs? – van een onheilige verbintenis hebt gered.' De Uzanne, arm in arm met Anna Maria, stond voor hen. Beide vrouwen gloeiden van plezier nu ze deze kostbare juweeltjes van informatie hadden vergaard. 'Maar het lijkt erop dat u nu ruzie met haar hebt.'

'Dat klopt.' Meester Fredrik stond op, verstevigde zijn greep op Johanna's hand en trok haar overeind. 'Dit Grijze meisje heeft mijn goede naam bezoedeld.'

De Uzanne boog zich naar zijn oor en plooide haar lippen tot een glimlach, alsof ze hem een heel gevoelige roddel wilde vertellen. 'Iedereen heeft gezondigd, meester Lind. Sommigen erger dan anderen. Ik weet zeker dat juffrouw Bloem absolutie kan krijgen. Van u weet ik dat niet zo zeker.' De Uzanne bevrijdde Johanna uit de greep van meester Fredrik. 'Ik wijs u erop dat juffrouw Bloem bij mij in dienst is en dat u haar niet meer mag aanraken.' Ze haakte haar arm in die van Johanna en liep naar de andere kant van de zaal. Anna Maria volgde. Meester Fredrik bleef staan en sloeg zijn trillende handen voor zijn gezicht. Ze roken naar de zalf van bijenwas die hij gebruikte om ze zacht te houden, en hij bleef een paar minuten zo staan, zich ervan bewust dat De Uzanne hem boven de afgrond liet bungelen.

De Uzanne ging met Johanna op een bankje aan de voorkant van de salon zitten en klapte haar waaier open om de aandacht te vragen. Het geprat hield op, kopjes werden neergezet, vorken werden op tafel gelegd en als antwoord klonk het zwiepende geluid van waaiers die werden opengeklapt. 'Ons debuut lijkt misschien nog een verre droom, maar ik verzeker u dat die droom vervuld zal worden op een avond die u nooit zult vergeten. Gustaafs parlement in Gefle blijkt zoveel van hem te vergen dat hij niet bij onze plechtigheid aanwezig kan zijn, maar wees ervan verzekerd dat hertog Karel heeft beloofd u te zullen ontvangen.' Opgewonden commentaar werd van waaier tot waaier doorgegeven. Lars bewoog in zijn stoel en kreunde, maar van genot. Er klonk zwak applaus en hoerageroep voor de dappere vrijwilliger. 'Nu al wakker, mijnheer Nordén?' vroeg De Uzanne met een ondertoon van schrik in haar stem. Hij knikte en viel weer op de stoel neer, waarna hij opnieuw in slaap leek te vallen. Ze wierp Johanna een waarschuwende blik toe.

'Maar Madame,' vroeg een nerveuze leerling, 'hoe kunnen we tegen die tijd ooit de Overheersing onder de knie hebben?'

De Uzanne wendde zich weer tot haar leerlingen. 'Jongedames, u moet de komende weken ijverig oefenen. En u moet een waaier hebben die uw opleiding waard is. Geen bedrukt papier, geen goedkope souvenirs uit Pompeji; over het algemeen zijn Italiaanse waaiers te gewoontjes. Spaanse waaiers worden in Frankrijk gemaakt, dus die kunnen ermee door. Franse waaiers zijn de beste en de waaiers van Nordén zijn het beste wat er hier in de Stad uit Frankrijk te vinden is. De duifgrijze waaier waardoor u mijnheer Nordén vandaag veroverd zag worden is een volmaakt voorbeeld. Ik denk dat de Nordéns voor elke leerling zo'n waaier zouden moeten maken.' Christian boog blozend. Margot zat naast hem met een verwarde frons. De jongedames slaakten een gilletje vanwege hun eigen, verheugde interpretatie van deze onverwachte vrijgevigheid.

Lars was nog slaapdronken, maar wel wakker genoeg om handel te ruiken. 'En wat voor soort waaier mogen we voor u maken, Madame?'

'Er is maar één waaier voor mij, mijnheer Nordén, en die hebt u niet: Cassiopeia.'

'En wie is Cassiopeia?' vroeg Lars, terwijl het blije gebabbel om hem heen weer aanzwol. De Uzanne beschreef haar waaier tot in detail en vertelde over haar verdwijning en over de droefenis en de woede die haar afwezigheid teweegbracht. Lars krabde aan zijn nek, zijn gezicht peinzend vertrokken, en wendde zich slaperig tot Christian. 'Maar broer, hadden we afgelopen zomer niet zo'n waaier in de winkel? Dat weet je vast nog wel.'

Christian keek naar Margot, die haar lippen tuitte en nauwelijks zichtbaar haar hoofd schudde. Hij schraapte zijn keel. 'Lieve broer, volgens mij droom je nog.'

De Uzanne moest al haar ervaring aanwenden om langzaam en beheerst te spreken en gracieus naar Lars toe te lopen. 'Denkt u dat mijn waaier bij u in de winkel is geweest?' Hij haalde zijn schouders op en knikte slaperig. 'Maar wie heeft haar daar dan gebracht? En wie heeft haar weggehaald?' vroeg ze.

Margot stond op en maakte een reverence. 'Madame, ik herinner me vaag een oude, Franse waaier die door een boodschapper werd gebracht. Ze was er maar even, voor een kleine reparatie, en is meteen weer verzonden, ik dacht naar een dame in de Elzas. Ik kan niet met zekerheid zeggen of het uw Cassiopeia was.'

De Uzanne ging naast Lars zitten en pakte zijn hand. 'Voor uw winkel zou het lonen als u het wel zeker wist.'

Lars keek naar De Uzanne, gespannen van verwachting. Hij zag de ontsteltenis op Christians gezicht en voelde Margots priemende blik. Toen zag hij Anna Maria, die hem met glanzende ogen van opwinding taxeerde in zijn familiestrijd om overheersing. 'De waaier die u beschrijft is inderdaad even bij ons geweest voor een kleine reparatie. Ik was niet aanwezig toen ze arriveerde, maar ik was er wel op de dag dat ze werd opgehaald. De klant was Frans. Hij, of zij misschien, had een brief gestuurd die alleen ondertekend was met de letter S, maar in de brief werd ook een Monsieur... Larsson genoemd.'

De Uzanne klapte haar waaier dicht en hield haar stevig vast om het trillen van haar hand tegen te gaan. 'En kunt u die mijnheer Larsson voor me vinden?'

Lars probeerde op te staan, maar dat lukte niet. 'Madame, ik zal de kwitanties nakijken voor verdere informatie,' zei hij, terwijl hij zittend een buiging maakte.

Ze streek met de rand van het waaierblad langs Lars' wang. 'De Nordén-winkel heeft dus toch een handelsgeest,' zei ze, waarna ze opstond om haar onrustige leerlingen toe te spreken. 'Juffrouw Plomgren zal met u aan de volgorde van de Overheersing werken tot het tijd is om te gaan.' Anna Maria knikte en klapte haar waaier open om de aandacht op te eisen. Het gezoef van de waaiers vergezelde De Uzanne terwijl ze schijnbaar nonchalant door de zaal liep.

'*Mijnheer* Lind!' riep ze. Meester Fredrik keek op van een bord met koekkruimels dat hij op schoot had, en er bleef een stukje taart in zijn keel steken. De Uzanne ging voor hem staan, en hij stond op en boog. 'Mijnheer Nordén beweert dat iemand met de naam Larsson weet waar mijn waaier zich bevindt. Denkt u dat dit dezelfde mijnheer Larsson kan zijn aan wie u mij in december hebt voorgesteld?' Haar gepoederde, kleurloze gezicht was een wit laken waarop kille woede was getekend. 'Een gokker die tijdens een weddenschap misschien een waaier heeft gepakt van mevrouw M.?' De stilte zei genoeg. 'U moet hem nú voor me halen!'

Meester Fredrik veegde zijn mond af met een servet. 'Madame, ik durfde het u niet eerder te vertellen, maar er is bevestigd – ik heb een boodschapper gestuurd om het zeker te weten – dat mijnheer Larsson ernstig ziek thuis is; hij heeft de winterpest,' zei hij met een hoge, toegeknepen stem. 'Zijn buurvrouw, mevrouw Murbeck, denkt dat hij op de rand van leven en dood zweeft. Ze is op zoek naar zijn naaste familie.'

De Uzanne wendde zich van meester Fredrik af en tikte met haar gevouwen waaier in haar handpalm. 'Heeft ze die gevonden?'

Hij schudde plechtig zijn hoofd. 'Mijnheer Larsson heeft alleen zijn logebroeders: ikzelf en waaiermaker Nordén.'

De Uzanne keek meester Fredrik opnieuw aan en haar flauwe glimlachje gaf hem een glimpje hoop. Ze kwam onaangenaam dicht bij hem staan. Hij voelde haar adem op zijn gezicht en rook jasmijn vermengd met rozenpommade. 'U gaat nu onmiddellijk naar uw broeder. Als hij mijn waaier aan een of ander liefje heeft gegeven, koopt u haar met uw eigen geld terug. Als hij de waaier verkocht heeft, spoort u haar op en steelt haar. Als hij Cassiopeia om wat voor reden dan ook nog heeft, zorgt u dat u haar terugkrijgt, koste wat kost. Is dat duidelijk?' Meester Fredrik knikte. 'U mag pas terugkeren naar Gullenborg als u geslaagd bent.' Meester Fredrik knikte weer, met één hand op zijn keel. 'U hebt al eerder uw plicht verzaakt, mijnheer Lind, en de verwondingen die u oploopt na een val in een frivole jurk en op hoge hakken zal u fataal worden.' Meester Fredrik verschoot van kleur. 'O, ik weet een heleboel over u, mijnheer Lind. Juffrouw Bloem is een uiterst vakkundige spion gebleken. Maar er is één ding waar ik nog niet achter ben: wat gebeurt er met jonge legerofficieren wier vader perverse geheimen heeft? Vraag het uw zoons, mijnheer Lind, of hun bevelhebbend officier. Ik betwijfel of het hun beter vergaat dan de pederast zelf.'

Het porseleinen bord glipte uit meester Fredriks handen en viel in gruzelementen op de vloer, maar geen van de aanwezigen hoorde het gerinkel van gebroken serviesgoed; ze waren volledig verdiept in hun conversatie, gebruikmakend van de taal van de waaier.

Hoofdstuk achtendertig

EEN DELIRIUM EN EEN BEKENTENIS

Bronnen: E.L., M.F.L., mevrouw M., Mikael M., Pilo

TOEN MEESTER FREDRIK aan mijn bed verscheen, was ik net ontwaakt uit een achtentwintig uur durend delirium – het gevolg van het drinken van een half theekopje van Pilo's brouwsel – dat vervuld was van de razende geesten van de levenden en de doden. Mevrouw Murbeck was er voortdurend: ze liep dag en nacht in en uit, zo teder en zorgzaam alsof ik haar eigen zoon was. Tijdens een van haar bezoekjes arriveerde meester Fredrik, die zichzelf voorstelde als mijn broer.

'O, de Heer zij geprezen; eindelijk een familielid om mijnheer Larssons afscheid van deze wereld te begeleiden. Ik heb stad en land afgezocht,' zei mevrouw Murbeck, die meester Fredriks beetpakte en hem de trap op trok.

'We zijn alleen broeders in onze loge,' zei meester Fredrik, die haar op haar warme, zachte hand klopte, 'maar het lijkt erop dat ik voorbestemd ben hier te zijn voor zijn overlijden.'

Mevrouw Murbeck slaakte een zucht van opluchting. 'Ik was al bang dat hij zou sterven zonder dat iemand het zou merken, behalve ikzelf en de Gebedsvereniging voor Dames waar ik voorzitter van ben. Ik heb het ook al gemeld op zijn werk, maar alleen de Superieur heeft geantwoord, en toen hij hoorde dat mijnheer Larsson een besmettelijke ziekte had, durfde hij niet langs te komen.'

'Was u niet bang voor uw eigen veiligheid, mevrouw Murbeck?' vroeg hij.

Ze schudde haar hoofd. 'Net als u heb ik het gevoel dat het mijn christenplicht is. Als God ons alleen dood wil, zal Hij dat laten gebeuren.'

Meester Fredrik knikte ernstig. 'Misschien doet Hij dat inderdaad wel.' Hij trok zijn overjas en zijn handschoenen uit. 'Mag ik mijnheer Larsson even onder vier ogen spreken?'

Mevrouw Murbeck liet meester Fredrik binnen en bood aan thee te brengen. Hij nam plaats in de enige stoel naast mijn bed en mijn nachtkastje, wat het totale meubilair in mijn tweede kamer vormde. Vreemd genoeg herinner ik me niet wat meester Fredrik die dag aanhad. Ik zag alleen zijn gezicht, dat meestal koel en scherp was, maar nu overschaduwd werd door bezorgdheid, met zijn wenkbrauwen in een gealarmeerd boogje. Hij wachtte met praten tot hij haar voetstappen op de trap hoorde.

'Ze is misschien niet de vrolijkste verpleegster, maar in elk geval wel een toegewijde,' zei hij plompverloren, zonder zijn gebruikelijke bloemrijke bewoordingen. Ik knikte slechts; spreken deed pijn. 'Mijnheer Larsson, het ziet er beroerd voor u uit. Is er iemand met wie ik namens u contact moet opnemen? Een laatste wens? Onvoltooide zaken, wellicht?'

Ik beduidde dat ik rechtop wilde zitten, want ik moest bewegen nu de stijfheid in mijn ledematen permanent leek te worden. Meester Fredrik ging staan, pakte me onder mijn oksels en tilde me met gemak op, met opmerkelijk sterke handen en armen voor iemand met zijn verwende uiterlijk. Mijn oksels deden zeer, maar ik voelde dat mijn longen zich in deze positie beter konden vullen. Meester Fredrik ging naast de stoel bij mijn bed staan. Zal ik de gordijnen opendoen? Het is hier zo donker als het graf.'

Ik nam een slokje water om te voelen hoe het met mijn keel gesteld was. Het ging veel beter, dus dronk ik het hele glas leeg en waagde een paar woorden. 'Laat het maar donker. Mijn ogen prikken en ik heb geen behoefte om uw gezicht beter te zien. Ik ken u goed genoeg.'

'Goed genoeg?' Daar lachte meester Fredrik bitter om, en hij ging zitten. 'Dat denken we, mijnheer Larsson, dat denken we. Maar toen ik hier vandaag naartoe reed, realiseerde ik me dat we alleen verbonden zijn door een dun laagje omstandigheden en wat logerituelen.' We zaten even zwijgend over deze waarheid te peinzen. 'Ik heb gisteren gehoord hoe ernstig u eraantoe bent. Ik was in de Duitse handschoenenwinkel en hoorde mevrouw Murbeck praten over de miserabele toestand van haar buurman, een ongetrouwde heer van het douane- en accijnskantoor, een eenling die vaak 's avonds uitging. Ik informeerde later naar de naam van die man. Toen de handschoenenmaker Emil Larsson zei, beweerde ik dat ik die persoon niet kende.'

Ik schraapte mijn keel. 'Ik zou hetzelfde gedaan hebben, op het informeren na. Maar u bent hier nu toch om een of andere reden.'

Meester Fredrik keek naar het plafond, alsof er daar een geest rondwaarde die aandrong op zijn bekentenis. 'Ik zal het maar rond-uit zeggen. De Uzanne gelooft dat u iets hebt dat haar toebehoort of dat u op zijn minst weet waar het is. Cassiopeia.' Meester Fredrik keek aandachtig naar mijn gezicht, maar ik sloot mijn ogen en leunde tegen het hoofdeinde.

'Waarom denkt De Uzanne dat ik een waaier zou hebben?' vroeg ik.

'Nordén zei het.'

Het plaatje van de kaart, Stempelkussens Vijf, schoot me te binnen: twee mannen en een vrouw. De Nordéns. 'De Ekster!' fluisterde ik. Meester Fredrik keek gealarmeerd, alsof ik ijlde. 'Christian Nordén.'

'Niet Christian. Het was zijn broer, Lars. Hij wilde bij De Uzanne in het gevlij komen. En indruk maken op de rijpe pruim, ongetwijfeld,' zei hij.

Ik was er te laat achter gekomen en de Ekster had me gedwarsboomd. 'Ik had nooit aan Lars Nordén gedacht,' zei ik, en ik liet me terugzakken.'

'Niemand heeft aan Lars Nordén gedacht. Tot nu toe,' zei meester Fredrik. Hij keek langzaam om zich heen in mijn schaars gemeubileerde kamer. 'Dus, Emil, wat weet je van die Cassiopeia?'

Het leek nu dwaas om het helemaal te ontkennen. 'De waaier werd verloren in een kaartspel bij mevrouw Mus. Er wordt in gokkringen om het verhaal gelachen: zo'n rijke dame die zo'n armzalige verliezer is.'

'En heeft Mus haar nog?'

'Nee. Ze dacht dat de waaier op de een of andere manier behekst was.' Ik kuchte en schonk nog een glas water in, want ik merkte dat ik uitgedroogd was. 'Maar ik kan er misschien wel achter komen waar ze is.'

'Dat zou in het voordeel van ons allebei zijn,' zei meester Fredrik met bevende stem.

'Wat is de beloning?'

'De beloning? De beloning is dat er meerdere levens door gered zullen worden: het mijne bijvoorbeeld, en dat van mijn vrouw en kinderen.'

'Gaat ze de Linds vermoorden voor een waaier?' Ik lachte, maar werd meteen weer overmand door een hoestbui.

'Als ik er niet in slaag die waaier terug te halen, word ik ontmaskerd. Ontmaskerd en te gronde gericht.'

'Ontmaskerd als wat?'

Meester Fredrik stond op en keek tussen de gordijnen door omlaag naar de straat, alsof De Uzanne hem gevolgd kon zijn. 'Ik ben de meest vooraanstaande kalligraaf van de Stad. Ik heb er jaren over gedaan om mijn kunst te perfectioneren en mijn methoden zijn onorthodox.' Ik haalde mijn schouders op, want dit leek me niet bepaald een reden om te gronde gericht te worden. 'Aan het begin van mijn carrière kostte het me moeite om consistent te blijven in de loop van een opdracht, die soms wel uit tweehonderd kaarten of uitnodigingen bestond. Terwijl de eerste tien volmaakt vrouwelijk en licht waren, nam mijn mannenhandschrift daarna toch de overhand, zodat ik gedwongen was opnieuw te beginnen. Dus ontwikkelde ik een strategie en stelde me voor dat ik de opdrachtgever was: de gastheer of gastvrouw, eigenlijk. Ik stelde me voor waar ze zaten en wat ze dachten, aten en aanhadden. Het was magie, mijnheer Larsson, en mijn kunst bloeide op.'

'Het gebruik van fantasie kan nauwelijks als onorthodox beschouwd worden voor een kunstenaar,' zei ik.

'Klopt, maar in mijn zoektocht naar meesterschap begon ik de gewoonte aan te nemen om de boel aan te kleden. Dat begon nogal eenvoudig: ik droeg mijn beste pruik en een mooi jasje om een heer te zijn en gebruikte wat sieraden van mevrouw Lind als ik een dame wilde worden. Maar naarmate ik meer cliënten van stand kreeg, werd het proces beter uitgewerkt en belangrijker voor mijn succes. Ik ben jarenlang De Uzannes toegewijde dienaar geweest. Ik heb haar wezen vertaald naar inkt op papier, de bladzijden geparfumeerd, de enveloppen bevochtigd en verzegeld en haar brieven zo nodig zelf bezorgd. Ik zag het als mijn taak om haar te wórden. Mevrouw Lind plukte alle vruchten van deze passie en moedigde me aan om net zo volmaakt in mijn verschijning te zijn als elke letter op de bladzijde. Ik kocht een uitgebreide garderobe vol hemdjes, baleinen, hoepelrokken, petticoats, robes, jurken, rokken, jassen, vesten en verscheidene accessoires, die mevrouw Lind vermaakte. Ik bewaar ze in een kledingkast in mijn werkkamer, achter slot en grendel.' Hij begon nu met zijn handen achter zijn rug te ijsberen, alsof hij in de Academie aan het debatteren was. 'Ik werk nu alleen nog maar in kostuum. Ik draag uniformen en hofkleding, ik heb zelfs de hand gelegd op een oude senaatstoga. Maar ik draag ook dansschoenen met linten en hoge hakken, verf mijn lippen rood en smeer schoonheidsvlekjes op mijn kin, zet pruiken op, trek hoepelrokken aan en verstuif *eau de lavande* in de kamer. Het is het onderdompelen van de geest.'

Ik dacht aan het plaatje van zijn octavo-kaart, de man en de vrouw die samen onder de bloeiende boom zaten. 'Ik vond die grote kast in de werkkamer al zo gek,' zei ik. 'En de grote penantspiegel.'

'U hebt er ook een!' riep hij uit, en hij gebaarde naar de voorkamer.

'De mijne gebruik ik om te oefenen met kaarten. Dat is de beste manier om het te leren,' zei ik.

'Ziet u?' Hij schudde met zijn vinger. 'U hebt ook vrouwengereedschap voor uw werk.' Ik was te zwak om te lachen of beledigd te kijken, al wilde ik dat eigenlijk allebei en dat zag hij aan mijn gezicht. Ik had in de tavernes heel wat schunnige parodieën gezien waarin de meest onwaarschijnlijke 'meisjes' optraden, en deze praktijken werden verwelkomd op de meest verfijnde maskerades. Om nog maar te zwijgen van wat ik in de kamers in de Baggensstraat had gezien. 'Dit is niet pervers,' zei meester Fredrik ferm. 'Het is het geheim van mijn genialiteit.'

Het leek me een persoonlijke, onschadelijke methode; zelfs mevrouw Lind was op de hoogte. Toch zouden velen het afschuwelijk vinden, vooral degenen die er zelf heimelijk dergelijke praktijken op na hielden. De gevolgen zouden ijzingwekkend zijn. 'Het is niet mijn zaak hoe u die van u aanpakt,' zei ik. 'Maar waarom vertelt u dit aan mij?'

'Zodat u op de hoogte bent van de valse gronden van De Uzannes dreigement, dat via mij ook mevrouw Lind en onze jongens aangaat, en zij hebben geen weet van mijn methoden.' Hij ging weer zitten en boog zich dicht naar me toe. 'En ik neem u in vertrouwen omdat men tegen een stervende nu eenmaal alles kan zeggen.'

Een kilte bezorgde me kippenvel op mijn armen en ik zag dat het licht van de votiefkaars een dansende schaduw op de muur wierp. Ik kon mijn ogen niet van de schaduw afhouden, die de vorm van een jongedame aannam die soepele, sierlijke bewegingen maakte. De schaduw kwam naast mijn bed tot stilstand en ging zitten, als op een onzichtbare stoel, wachtend tot ik iets zou zeggen. Ik ging weer op het kussen liggen, overmand door rillingen. De schimmige figuur stond geschrokken op van haar onzichtbare stoel, terwijl een zwerm van kronkelende schaduwen haar te pakken probeerde te krijgen. Ik was te laat. Ik had mijn achttal niet gevonden. Ik schreeuwde het uit en probeerde uit bed te stappen, maar werd overweldigd.

'Verlaat me niet, mijnheer Larsson! Nog niet,' zei meester Fredrik, die zo snel opstond dat zijn stoel achterover op de grond viel. 'Ik haal mevrouw Murbeck en de dokter.'

'Nee, nee,' zei ik met trillende ledematen. 'Kom bij me zitten, alstublieft. Kom gewoon zitten.'

Meester Fredrik knikte ernstig en zette de stoel overeind, maar ging niet zitten. Hij boog zich over me heen met een gezicht waaruit angst en bezorgdheid sprak. 'Hebt u nog een laatste wens?'

De schim ging weer zitten en streek haar rokken glad, waarna ze vervaagde toen de kaars opeens opflakkerde. 'Zeg tegen haar dat ik er niet in ben geslaagd mijn achttal te vinden en dat het me spijt,' fluisterde ik.

'Tegen wie?'

'Mus.'

Ik doezelde een onbestemd aantal uren weg. Het streepje licht achter de gordijnen werd zwart en daarna steeds helderder blauw, waarna het weer vervaagde. Er was een kort ogenblik waarin de ramen open werden gegooid om de kamer te luchten en de po te legen. Mevrouw Murbeck kwam binnen met thee en avondeten en ontbijt, want de dienbladen stonden er als ik wakker werd. Een groep acrobaten sprong uit de hoek en ging aan de blakers hangen terwijl mijn nachthemd werd verschoond. Een bruin vogeltje vloog rondjes rond de gepleisterde rozet in het midden van het plafond, die opbloeide tot een bleek, waakzaam gezicht. Toen zonk dit visioen in zichzelf weg en liet een donkere, schuimachtige achthoek achter. De votiefkaars op mijn nachtkastje groeide uit tot een lantaarn en daarna tot een straatlantaarn. De schim van het meisje keerde terug en ging eronder zitten, zichzelf koelte toewaaiend met mijn Vlinder-waaier. Ik zag dat meester Fredrik naast haar stond en dat hij de waaier vasthield. Ik kuchte en riep zijn naam, en zowel de schim als de waaier verdween. Hij draaide zich snel naar me toe, zijn ogen rood en waterig – door ziekte of omdat hij gehuild had, dat kon ik niet zeggen. 'Welke dag is het?' vroeg ik.

'De negentiende.'

'Bent u drie dagen bij me gebleven?'

Meester Fredrik snoot luid toeterend zijn neus en ging weer naast me zitten. 'U mag verbaasd zijn over mijn wake, Emil. Het was geen verstandige keus, maar ik voelde me genoodzaakt; eerst door de hoop dat ik De Uzannes waaier zou kunnen terugkrijgen en mijn eigen hachje kon redden. Daarna door het besef dat ik tijd nodig had om precies te bedenken wat, of wie, ik wilde redden.' Hij pakte een boek van het nachtkastje. 'Mevrouw Murbeck heeft haar bijbel hier achtergelaten. Zal ik een verhaal voorlezen?' vroeg hij.

Ik pakte het glas water, dat ik dankbaar leegdronk, en sloot mijn ogen. 'Ik geef de voorkeur aan iets opbeurends.'

'Goed dan. Ik moet bekennen dat ik de afgelopen drie dagen heel wat heb nagedacht over Carl Michael Bellman.'

Ik leunde achterover op het kussen. Een schunnig taveernelied zou een vrolijk alternatief zijn voor *De Heer is mijn herder*.

'Op een zomeravond, vele jaren geleden, nodigden twee nieuwe kennissen me uit voor een overdadig middernachtsouper op de Strandweg en ik wilde indruk op hen maken,' begon meester Fredrik. 'We wachtten op de Skeppsbronkade een uur op een boot en eindelijk kwam er een roeibootmevrouw aan die voor de verandering in een goed humeur was; haar boot schommelde aangenaam op het blauwe water. De lantaarn die aan de boeg hing knipoogde naar zichzelf in het water en de lucht was koel en verfrissend. We stonden op het punt af te varen toen een groepje van vier mannen "hallooo" riep om te kijken of ze met ons mee mochten, omdat het laat was en er slechts weinig boten waren.

De roeibootmevrouw begon te vloeken en zei dat de lading te zwaar was en dat ze ons nog niet met de hulp van tien duivels naar de overkant zou kunnen roeien. Ik wilde niet dat mijn keurige vrienden zouden worden blootgesteld aan die volkse groep dronkaards en schaarde me in uiterst grove bewoordingen achter de roeimevrouw. Een van de indringers, een dronken man van ondefinieerbare leeftijd, stak zijn snuit tegen mijn gezicht, waarbij er een walm van rumdampen uit zijn open muil ontsnapte. Hij had een citer onder zijn arm en hield zich staande door mij bij de schouder te pakken. "Ik ben de troubadour van de koning zelf," zei hij, "en als betaling zal ik een lied voor u componeren."

Mijn metgezellen waren nog snobistischer dan ik, maar leken wel geamuseerd door deze dronken muzikant. Ze scharrelden genoeg geld bij elkaar om de roeimevrouw tevreden te stellen en we propten onszelf in de boot, die eerst zo scheef ging hangen dat hij bijna kapseisde. Na een tijdje vonden we ons evenwicht en gleden over het water in stilte, op het ritmische geplens en gekraak van de riemen na. De van rum doordrenkte man begon zijn citer te stemmen en toen de trillende snaren de juiste tonen vasthielden, begon hij te spelen en te zingen. Zijn stem werd versterkt door het water en de luchtvochtigheid; elke noot was als een ster in de fluwelen nacht. Zelfs de roeibootmevrouw stopte om te kunnen luisteren, en we deinden in de maat van het lied. Op een gegeven moment vielen we allemaal in en creëerden we een harmonie zoals ik sindsdien nooit meer gehoord heb. We keken op naar de hemel van het blauwe uur, de zomerzon zweefde aan de horizon, de boot hing in zijn eigen universum en de muziek werd in een geheime plek in mijn hart gekerfd.'

'Dit is beter dan welke psalm ook,' zei ik.

'Een van mijn metgezellen fluisterde me toe dat deze man werkelijk de troubadour van de koning was, de grote Bellman. Ik stond op om hem de hand te schudden en zei: "Ik hoop uw muziek op een dag in beter gezelschap te horen." Hij keek me eigenaardig aan en zei: "U bent met vrienden. Dat is het beste gezelschap dat er is." Toen zei hij dat hij een lied voor me zou zingen, zoals beloofd.' Meester Fredrik schraapte zijn keel.

Een zanger met een dronken kop
Zat in 't bootje bij een snob
Liet 'm drijven in het ruime sop
En zei: niets is wat het lijkt... – toet toet –
Grijp de hand die men u reikt.

'Toen duwde hij me uit de boot. Ik wist zeker dat ik zou verdrinken, maar Bellman en zijn maten trokken me snel uit de inktzwarte diepte. Daar heb ik de afgelopen drie dagen over zitten piekeren.'

'Verdrinken?' vroeg ik, beseffend dat mijn lakens zo nat waren dat het leek of ik zelf overboord was gevallen.

Meester Fredrik veegde een pluisje van de zoom van zijn jas. 'Ik dacht dat Bellman bedoelde dat ik mijn kans op promotie moest grijpen. Hij was zelf een schoolvoorbeeld van dat soort gedrag, liep altijd achter koning Gustaaf en andere aristocraten aan, bedelend om gunsten en geld. Dus ik knoopte zijn lesje in mijn oren en was mijn hele leven bezig met het beklimmen van de toren van de sociale superioriteit; via de buitenkant, helaas, want ik had geen toegang tot de trap. Talent was een keg in de muur, net als gedienstigheid, vleierij, een laagje opvoeding, een rappe tong en grote oren. Ik gebruikte de werktuigen die ik eenvoudig kon aanscherpen en klom ook nog aardig hoog. Maar sinds die doop heb ik Bellman altijd gevolgd. De Stad heen en weer, naar herbergen en taveernes met stro waarop gepist werd en meisjes met pokkenlittekens die plakkerig waren van ranzige seks, waar de menigte dronken en onbehouwen was. Ik had misschien het gevoel dat ik iets gemist had. Telkens wanneer ik Bellman hoorde optreden, ging ik in gedachten terug naar die zomernachtzee en bekroop me een intens gevoel van verbondenheid. Tijdens deze drie dagen aan uw bed drong tot me door dat dat de boodschap was die hij voor me had.'

'Liefde en verbondenheid,' zei ik.

'Ik weet niet welke handen me nog gereikt zullen worden. Die van mevrouw Lind en van mijn jongens, goddank. En die van u, hoop ik, Emil.' Ik zag de blauwe waaierdoos op het nachtkastje liggen. Meester Fredrik volgde mijn blik en bloosde. 'Ze is niet degene die De Uzanne zoekt. Vindt u het vreemd dat ik heb gezocht zonder het te vragen?' Ik schudde mijn hoofd, want ik wist heel goed dat ik hetzelfde had gedaan, maar dan waarschijnlijk eerder. 'Een dode heeft niets aan een waaier, tenzij hij van plan is naar de hel te gaan, en gisteravond dacht zowel mevrouw Murbeck als ikzelf dat u op het punt stond te overlijden.'

'Ik heb besloten dat ik andere plannen heb,' zei ik met mijn ogen dicht, nadenkend. 'Maar eerst moet ik weten wat De Uzanne van plan is.'

Meester Fredrik boog zich voorover en sprak zacht. 'De Uzanne is een of andere duistere gebeurtenis aan het voorbereiden, zoveel is zeker. Ik was tijdens haar recente lezing getuige van de repetitie van het verraad: ze noemde het de Overheersing. Lars Nordén speelde de rol, maar eigenlijk was u de beoogde ontvanger. En juffrouw

Bloem gebruikte haar apothekerskennis bij het vervaardigen van een verraderlijk damessnuifpoeder.'

'Ik? En wat is dat over juffrouw Bloem?' Ik voelde een tinteling langs mijn schedel trekken.

'Straks meer over de valse Bloem,' zei meester Fredrik, met een waarschuwend duister gezicht. 'Er zat een krachtig snuifmiddel in een zakje van een vouwwaaier, dat in het gezicht van het slachtoffer werd geblazen, waardoor hij in een schijnbaar dodelijke slaap viel. De Uzanne heeft het poeder op haar bedienden uitgeprobeerd en Kokkie beweert dat haar dierbare Sylten daarbij gedood is. Maar De Uzanne mikt op iets veel hogers dan een kat.' Hij dempte zijn stem. 'Ik vrees dat ze van plan is de koning te verlammen, zijn geest te beïnvloeden of hem afhankelijk te laten worden van een of ander medicijn. Ze heeft hertog Karel in haar macht. Zij pakt de teugels en ze is dol op de zweep,' zei hij.

'Heeft niemand de politie geroepen?' vroeg ik.

Hij rolde met zijn ogen alsof ik krankzinnig was. 'Wie zou dat durven? En niemand zou het geloven, de koning nog het minst. Gustaaf zou De Uzanne met open armen verwelkomen, zo graag wil hij verzoening met zijn aristocratie. Die omarming zou het eind van Gustaaf betekenen, en het eind van het beetje stabiliteit dat Zweden nog heeft.'

'Maar wat kunnen wíj daaraan doen?' vroeg ik.

'Ik zou graag net willen doen of ik dat niet weet en zeggen dat het in Gods handen ligt. Maar wij moeten ervoor kiezen om die handen te zijn, Emil. De duivel floreert door onze onverschilligheid.' Meester Fredrik stond op; zijn kleren waren bevlekt en gekreukeld. 'We moeten erachter zien te komen wat ze precies van plan is en wanneer. Misschien kunnen we ons verbond voortzetten, maar nu zal het een... edeler doel dienen.' Hij glimlachte om zijn eigen grapje.

'Het is waar dat de kansen worden vergroot met een partner,' zei ik.

'Het zou verstandig zijn om tijd en gunst te winnen, maar er is slechts één betaalmiddel dat De Uzanne accepteert.'

Ik had diezelfde behoefte om tijd te winnen; ik had tijd nodig om contact te zoeken met mevrouw Mus om te vragen wanneer de waaier mocht worden verstuurd en waarheen. En meester Fredriks ernst leek oprecht, maar er bestond geen garantie voor de duur ervan. Misschien was hij eerder geneigd het lesje *God helpt degenen die zichzelf helpen* in de praktijk te brengen.

'Een promesse, wellicht,' zei ik tegen meester Fredrik. Hij fronste zijn voorhoofd. 'Laat De Uzanne weten dat u de afgelopen drie dagen bij mij hebt gezeten, wat uiteraard een groot risico voor u persoonlijk was, en dat u mijn belofte hebt gekregen haar waaier onmiddellijk in zekerheid te stellen. Maar toen de grote dokter Pilo u aan mijn bed aantrof, legde hij ons beiden een korte quarantaine op uit angst voor verspreiding van de besmetting. Zeg dat u naar Gullenborg komt zodra het veilig is. Intussen zal ik de waaier terughalen en probeert u meer te weten te komen over haar duistere zaakjes.'

'Uitmuntend! Zelfs De Uzanne zal deze winter niet voorbij de quarantaine komen; de doden liggen als een barrière van ijzige takkenbossen buiten in de Zuidwijk te wachten om begraven te worden.' Hij trok zijn overjas en zijn handschoenen aan en wikkelde een sjaal om zijn nek.

'Nog één ding,' zei ik en ik greep hem bij zijn mouw. 'Hoe zit het met juffrouw Bloem?'

Hij keek me scheef aan, alsof er in mijn vraag een toon doorklonk die hij nog niet eerder van me gehoord had. 'Nou, ze is niet Johanna Bloem, maar Johanna Grijs, en ze mag dan slim zijn, maar ze is absoluut niet van adel – in de verste verten niet. Ik heb misbruik gemaakt van haar angst, moet ik toegeven. Haar moeder houdt er fanatieke religieuze overtuigingen op na en heeft het meisje opgeofferd voor een belachelijk huwelijk. De bruidegom was een gewelddadige bruut en de buren leken teleurgesteld omdat ze de afranselingen verder zouden mislopen.' Hij huiverde. 'Juffrouw Grijs liep weg en kwam afgelopen augustus bij mij aanzetten met de listigste verhalen. Heb medelijden met haar, Emil; ze beklimt nu de toren, net als ik ooit deed, en ze is weliswaar binnen, maar beseft niet dat er voor een vrouw geen ontsnappen mogelijk is.' Meester Fredrik stond langzaam op en rekte zich uit. 'Nu moet ik naar huis, naar mevrouw Lind. Het heeft te lang geduurd en zij is mijn rots in de branding. Het is cruciaal dat ik bij haar in een goed blaadje blijf staan.'

Ik duwde mezelf op één onderarm overeind. 'Meester Fredrik, ik ben u dankbaar voor uw bezoek.'

'Om een of andere reden zijn we samen in deze gebeurtenis beland, alsof we geen keus hadden,' zei hij. 'Mensen worden soms door de omstandigheden tot vriendschap gedwongen, maar dat maakt de vriendschap niet minder.' Met die woorden boog meester Fredrik en vertrok, waarbij zijn schoenen op de vloer tikten. Hij bleef in de voorkamer staan en draaide zich naar me om. 'Grijp de hand die men u reikt, Emil Larsson.'

Hoofdstuk negenendertig

GELOOF

Bronnen: E.L., mevrouw M., Mikael M.

NA EEN HERSTELPERIODE van bijna drie weken was mijn gezondheid grotendeels hersteld, maar ik vreesde een terugval, dus bleef ik in bed. Ik ontwaakte met een vierkantje blauwe lucht in het raam en de aanblik van mevrouw Murbeck, die over me heen gebogen stond met een brief die met de vroege post was gekomen. 'Dit zou uw herstel moeten bezegelen. Ik heb nog nooit zulk papier gezien, zulke was!' riep ze uit.

'Laten we hem openmaken,' zei ik, wel wetend dat ze nooit zou weggaan zonder op zijn minst de naam van de afzender te weten. Ik pakte de envelop op om het handschrift te bekijken. Ik had gehoopt op een bericht van mevrouw Mus, maar ik kende haar kriebelhandschrift en dat had ik in geen weken gezien. Ik snuffelde aan de klep om te kijken of er misschien een kenmerkend parfum uit opsteeg, maar dat was niet zo. Een zegel was in erwtgroene zegelwas gedrukt, maar het was alleen een parelvormige rand om een lege cirkel. Ik maakte de klep open, waarbij de was scheurde, en haalde de kaart eruit. Het briefpapier was zacht, sneeuwwit met zilver, en de randen waren geschulpt. Het had een frisgroene rand, maar bevatte geen boodschap. 'Leeg,' zei ik, en ik hield de kaart omhoog. 'Hij ís toch leeg, hè, mevrouw Murbeck? Ik hoop dat ik niet weer aan het ijlen ben?'

Ik gaf haar de brief en ze keek er goed naar, waarna ze haar wijsvinger eroverheen liet glijden. 'Hier is iets scherps overheen gegaan,' zei ze. Ze pakte het blauwe glas van de votiefkaars en hield het papier vlak bij de opening. 'Ik ben eens in het theater geweest – let wel, slechts één keer – en wat ik me kan herinneren, is een donkere, lege muur die tot leven kwam toen de lampen erachter werden aangestoken.' Ze tuurde naar het papier in haar hand. 'Ik kan een lijn onderscheiden. Nee, twee.'

'En wat staat er?'

Ze hield het papier dichter bij de votiefkaars. 'O! De hitte van de vlam zorgt dat de letters verschijnen. Niet veel letters, mijnheer Larsson. Er staat Bezoek. Een datum, even kijken, acht februari. Vandaag! Het tijdstip kan ik niet lezen. Daar komt het, daar komt het: *Wacht op me*, staat er, en dan… ik kan de volgende paar woorden niet lezen. Dan initialen. Ik denk een C, of misschien een G. Nee… een C met een krul.'

'Carlotta!' zei ik blij, en op dat moment vatte de brief vlam. Mevrouw Murbeck gilde en liet het papier op de grond vallen. Ik sprong uit bed, pakte de fles met Pilo's siroop en doofde de vlammen: het dikke elixir smoorde het vuurtje. Mevrouw Murbeck stond met haar hand op haar hart naar adem te happen.

'U hebt het huis gered,' zei ze met tranen in haar ogen. 'En daarvoor hebt u uw kostbare elixir gebruikt.'

'Kom, kom, mevrouw Murbeck,' zei ik, en ik leunde tegen het bed. 'Dat stelt weinig voor, vergeleken bij wat u allemaal voor me gedaan hebt.'

Ze kalmeerde zichzelf door diep adem te halen. 'Maar de brief is weg,' zei ze.

'Geeft niet,' zei ik, en ik pakte haar hand en kuste die galant. Ik had het gevoel dat de brief de gedachten had aangewakkerd die als kooltjes in een stoof lagen. 'De C zegt me genoeg; het betekent dat ik herboren word!'

'Maar waarom zou Carlotta ervoor kiezen in geheimtaal te schrijven?' vroeg mevrouw Murbeck opeens argwanend.

'Ze is op zeer wrede wijze uit de Stad weggestuurd en wil niet dat haar kwelgeest weet dat ze terug is. Misschien heeft het bericht over mijn ophanden zijnde dood haar bereikt in haar ballingschap,' zei ik, en ik dacht aan mijn octavo, dat zichzelf invulde. Mevrouw Mus had me gemaand geduld te hebben en nu was Carlotta toch de ware! Ze zou me mijn oude ik teruggeven: mijn rode mantel was verzekerd, ik zou zorgeloze kaartavondjes beleven en het bed zou kraken. 'Laat het dienstmeisje komen om mijn kamer te schrobben, mevrouw Murbeck. Zet water op voor een bad; ik ben zo smerig als de ketel van vorige week en ruik al net zo ranzig,' zei ik, en ik sleepte mezelf voorgoed uit mijn ziekbed. 'Als er op de markt witte narcissen te koop zijn, laat het meisje er dan een grote bos van meenemen. En een bos wilgentakken. Het wordt hier voorjaar.'

Ik zwaaide de ramen open en luchtte mijn kamers zo dat het er ijskoud werd, terwijl ik me klaarmaakte voor mijn bezoek. Het beloofde een heldere, zonnige middag te worden. De narcissen die het meisje bracht, zorgden niet alleen voor schoonheid, maar ook voor een heerlijk frisse geur. Mevrouw Murbeck kwam telkens binnenvallen, alsof ik haar tweede zoon was en ze op het punt stond mijn aanstaande te ontmoeten. 'Mijn luie stoel staat hier heel mooi. Ik denk dat u hem maar hier moet houden voor uw bezoekers, nu u er daar een paar van hebt. Ik heb mijn mooiste paisley omslagdoek meegebracht om eroverheen te leggen en een zacht kussen. Het is maar goed dat u een spiegel hebt. Een dame vindt het altijd prettig om er een in de kamer te hebben. Ik heb snel zandtaartjes gemaakt en er staat room klaar. Die zal ik kloppen zodra ik haar naar uw kamer heb gebracht. Zal ik mijn zoon naar boven sturen om te waarschuwen? Hij klimt met drie treden tegelijk de trap op en kan zich op de overloop verbergen.'

Ik schudde mijn hoofd. 'Hoeft niet, hoeft niet, mevrouw Murbeck. Ik ben er klaar voor en u hebt meer dan genoeg gedaan om me te helpen.' Ik zweeg. Misschien was het een clandestien bezoekje. Carlotta zou niet willen dat De Uzanne wist dat ze terug was. 'Mevrouw Murbeck, eigenlijk zou het het beste zijn als u de room nu zou kloppen en het dienblad hier zou zetten, zodat ik mijn gast alleen en zonder onderbreking kan ontvangen.'

'O. Ik begrijp het.' Ze zweeg en stond even zo roerloos dat ik het gevoel had dat ze vervloekt was. 'Tja. Goed dan, mijnheer Larsson.' Ze knipperde met haar ogen en draaide zich naar me toe. 'Ik geloof dat u een eerzaam man bent, maar als hospita moet ik u vragen plechtig te beloven dat u niet van plan bent de reputatie van dit huis te bezoedelen met ongeoorloofde liaisons.'

'Nooit, lieve dame. Ik heb geen idee van het doel van het bezoek van mijn vriendin. We hebben op dit moment geen romantische betrekkingen,' zei ik, hunkerend naar een ongeoorloofde liaison.

'Goed, goed, want ik wil geen roddels,' zei ze ferm, waarna haar gezicht teleurgesteld betrok en ze een diepe zucht slaakte. 'Ik moet bekennen dat ik, naar aanleiding van dat beeldschone papier met die lentegroene was, hoopte dat God u met een romance zou verblijden.'

'Het ene ogenblik moet ik gekastijd worden en het volgende ogenblik moet Cupido langskomen. Wat wilt u eigenlijk, mevrouw Murbeck?'

'U bent al veel te lang vrijgezel en zult binnenkort te verzuurd zijn voor iedereen behalve een betaalde verpleegster. Misschien kan uw damesbezoek u dat treurige lot helpen besparen.'

'Misschien wil ze alleen een handschoen teruggeven die ik ooit in haar vaders winkel heb laten liggen.'

'Niemand stuurt een geheime brief voor een handschoen,' antwoordde mevrouw Murbeck, die naar de trap liep. 'Ik zal de room kloppen zodra ik de deur hoor, en mezelf voorstellen als ik het dienblad kom brengen. Dat bespaart ons de kletspraatjes.'

Uiteraard was mevrouw Murbeck de enige die zou kletsen, giechelde ik bij mezelf. De klok van de Duitse Kerk had al elf gebeierd, en ik ging in mijn leunstoel zitten wachten, waarbij ik fluisterend verschillende begroetingen uitprobeerde en me afvroeg hoe Carlotta haar haar nu zou dragen en of ze nog steeds die pommade gebruikte die naar sinaasappel rook. Ik vroeg me af of ik ooit nog een sinaasappel zou kunnen eten. Ik had er slechts één gegeten: een kerstgeschenk van de tafel van mijnheer Bleking. Ik had zo in de schil gebeten, en de bittere smaak was een scherpe, maar niet onplezierige verrassing. Mijnheer Bleking lachte en sneed de schil er in één lange strook af. Ik at de vrucht en bewaarde de schil, die ik in het raam hing. De geur bleef maanden hangen, tot het gewoon een droge, bruine krul werd. Ik was zeker even ingedommeld door de herinnering aan de sinaasappel, want ik werd wakker door een straaltje kwijl op mijn kin en een zachte klop op de deur. Aan het licht in de kamer zag ik dat het laat in de middag was, maar het was niet mevrouw Murbeck aan de deur, want die bonkte er meestal op als een baljuw. Ik stond op, veegde mijn gezicht af en liep naar de deur om Carlotta te begroeten.

Hoofdstuk veertig

HOOP

Bronnen: M.F.L., Louisa G. keukenmeid

'EN UW BROEDER Larsson?' De Uzanne zat aan de andere kant van de kamer aan de grijze waaier te frunniken, die geopend op haar schrijftafel lag. Ze had haar bovenlichaam omgedraaid en hield een zakdoek over haar mond en neus.

'Hij belooft dat hij langskomt zodra de puisten op zijn gezicht en nek genezen zijn, want ze kunnen elk moment openbarsten en de ziekte verspreiden,' zei meester Fredrik ernstig vanonder zijn grote bontmuts, terwijl de onderste helft van zijn gezicht in donkere zijde gewikkeld was.

'Heeft hij mijn Cassiopeia gevonden?' Ze draaide haar hoofd om hem aan te kunnen kijken.

Meester Fredrik sloot zijn ogen, alsof ze een Gorgo was. 'Ja, dat hopen we wel.'

'Hoop is voor de zwakkelingen, meester Fredrik.' De Uzanne draaide zich weer naar haar schrijftafel. 'Ik verwachtte dat u zou bezwijken en heb al besloten iets sterkers aan te wenden. U bent niet langer in quarantaine, dus maak uzelf nuttig.'

'Hoe kan ik u precies van dienst zijn?' vroeg meester Fredrik.

'Ik wil bij de ochtendpost drie proefuitnodigingen voor het debuut ontvangen,' zei ze. Meester Fredrik haalde hoorbaar adem; papier en inkt waren onschuldig. 'Ik moet meteen kiezen, aangezien ik over een paar dagen afreis en ze klaar moeten zijn bij mijn terugkeer.'

'Waar gaat u naartoe in deze troosteloze maand, Madame?'

'Ik heb zaken af te handelen bij het parlement in Gefle,' zei ze.

Meester Fredrik hield zijn hoofd scheef, alsof hij het niet goed gehoord had. 'Ga nu, meester Lind. U hoeft niet meer naar Gullenborg te komen... tot ik u nodig heb.'

'Ik wens u een veilige, succesvolle reis, Madame.' Hij boog nogmaals en verliet de kamer met een van de zenuwen rommelende maag.

Er kwam een dienstmeid voorbij met een theekarretje waar de geur van warme rijstpudding van opsteeg. 'U kunt maar beter naar de keuken gaan om uw buik tot bedaren te brengen, meester Fredrik. Kokkie wil niet dat iemand hier in huis honger heeft,' zei ze en ze verdween in de studeerkamer.

'Ja, natuurlijk,' zei hij. 'Kokkie!'

De keuken rook naar vanille en melk, vermengd met de scherpe geur van een opgehangen konijn dat schuin op een groot, esdoornhouten blok lag. Bij Ouwe Kokkies elleboog stond een glas met een laagje helderrode vloeistof, waarin één witte bloem was ondergedompeld, die naar boven kwam drijven.

'Ik ben weer betoverd door uw culinaire vaardigheden en werd omhuld door de geur van uw pudding, die in de hal langs me heen zweefde. Gunt u me een reizigersportie zodat ik onderweg niet flauwval?'

Ouwe Kokkie lachte proestend. 'Hoeveel voegen heeft u om uit te barsten?' Ze veegde haar handen af aan haar schort en lepelde toen een berg pudding en wat huisroddels op, in ruil voor de muntstukken die meester Fredrik haar altijd gaf. 'Madame is zo woedend als een trol sinds ze over het parlement heeft gehoord en ze eet niets meer, dus u mag best nog een portie, als u wilt. Ze is alleen maar druk aan het doen, gaat er haastig vandoor om de hertog te zien en komt dan op elk willekeurig tijdstip van de dag weer binnenstormen. En ze laat haar Bloem allerlei toverdranken brouwen.' Ouwe Kokkie werd overmand door een hevige, raspende hoestbui en meester Fredrik schoof zijn pudding opzij; zijn eetlust was opeens weg. Ze leegde haar glas en slaakte een zucht van opluchting. 'Ik ben nog steeds beducht voor de medicijnen van dat Bloemkind, wat dacht u, na wat er met Sylten is gebeurd, maar Madame wil van geen laster horen en heeft het meisje dit spul eerst laten drinken, zodat ik kon zien dat het geen kwaad kon. De rest van het huis neemt alles in wat ze hun maar geeft. Ik denk dat ze Jonge Per een liefdesdrankje heeft gegeven; hij zou nog paardenstront en zaagsel eten als zij het vroeg.' Ouwe Kokkie trok een doorzichtige fles met een rood tonicum erin achter de waterton vandaan, schonk haar glas vol en nam weer een mondvol. 'En het hele huis smeekt om haar nachtpoeders.' Ouwe Kokkie keek om zich heen en fluisterde: 'Ik weet waar ze een of twee doosjes verborgen heeft.' Ze knipoogde naar meester Fredrik. 'Als u hulp nodig hebt in bed, kunt u me wel overhalen.'

'Nee, nee, ik neem zelden elixirs en nooit inhaleringsmiddelen, zelfs geen snuiftabak meer,' zei meester Fredrik, die opstond en achteruitschuifelde. 'Maar het doet me deugd te horen dat uw gezondheid vooruitgaat, Kokkie. Ik ben uw keuken zeer toegewijd.' Hij gooide zijn pudding in de afvalemmer terwijl ze zich omdraaide om een pan te zoeken. 'Waar is onze kleine apothicaire nu? Mevrouw Lind heeft krampen en ik hoopte dat zij een tinctuur voor me zou kunnen bereiden.'

'O, dat Bloemkind is een uur geleden vertrokken met een mand. Bedoeld voor mijnheer Larsson in de Kleermakerssteeg.'

'Ik geloof dat hij een broeder uit mijn loge is,' zei meester Fredrik met overslaande stem.

Ouwe Kokkie liep naar meester Fredrik toe met het hakmes in haar hand en boog zich dicht over hem heen; haar hete adem rook naar vlierbessenschnaps. 'Ik geef toe dat het kind geneeskundige kennis heeft als het haar zo uitkomt, maar pas maar op voor uw broeder. Ik heb nog nooit zoveel liefdadigheid gezien voor een zieke: kruimeltaart, heerlijke paté, een vette worst, zachte witte bolletjes met een laag boter...' Ze likte haar lippen af en hakte het konijn met deskundige halen aan stukken. 'Maar dan waren er nog de medicijnen. Juffrouw Bloem nam twee flessen: Madame was erbij toen ze de eerste vulde, een mooie, gouden siroop in een blauwglazen fles. De tweede vulde juffrouw Bloem alleen, maar ik keek stiekem mee.' Ouwe Kokkie legde het hakmes neer en haalde een koperen pan van het pannenrek, waar ze het rauwe vlees met een blote hand in schoof. 'Het leek op mijn eigen, rode tonicum, maar daar kunnen we niet zeker van zijn, hè?'

'Inderdaad niet,' zei meester Fredrik, die zijn jas en sjaal pakte. 'Dank u, Kokkie. Ik sta bij u in het krijt, zoals altijd.' Hij liet een handjevol muntstukken achter en haastte zich de trap op, naar zijn wachtende slee. 'Naar het onderste deel van de Kleermakerssteeg, op hoge snelheid,' zei meester Fredrik tegen de bestuurder, en hij trok zijn jas stevig om zich heen in de klamme, ijskoude koets.

De koetsier draaide zich om. 'De slee kan niet helemaal in het onderste deel van de Kleermakerssteeg komen. Door de smederij boven aan de heuvel smelt alle sneeuw.'

'Ga dan zo ver mogelijk,' zei meester Fredrik. Hij trok de deken van de koets op en hield zijn handen eronder, zenuwachtig wriemelend. De rechterhand stond erop dat hij meteen naar Emil Larsson moest gaan, maar de linkerhand duwde hem naar de postpapierwinkel. Olafsson zou de deur stipt om halfvijf dichtdoen. Als hij ook maar een minuut te laat was, kon hij zijn werk niet op tijd afkrijgen voor de ochtendpost en Madame had maar een klein zetje nodig om hem te ruïneren. 'O, mevrouw Lind, jongens van me, jullie hebben niets verkeerd gedaan!' riep hij uit. Hij leunde naar buiten en riep naar de koetsier: 'Als u me voor halfvijf in de Koninginnestraat afzet en om vijf uur een boodschap afgeeft bij huize Murbeck in de Kleermakerssteeg, verdubbel ik uw tarief.' Meester Fredrik hoorde de zweep knallen en werd tegen zijn stoel gedrukt toen de paarden er snel vandoor gingen.

Hoofdstuk eenenveertig

LIEFDADIGHEID

Bronnen: E.L., mevrouw M., Mikael M., J. Bloem

ER KLONK NOG een zacht tikje op de deur, maar ditmaal dringender. Dat Carlotta langs mevrouw Murbeck was gekomen, getuigde van haar verlangen! Met een blik in de spiegel om mijn haar glad te strijken liep ik naar de deur en deed hem langzaam open, glimlachend bij het vooruitzicht van Carlotta's verrukkelijke honingkleur, de geur van haar sinaasappelpommade, haar abrikooskleurige lippen die smeekten om een kus. En daar stond ze... maar alleen in mijn verbeelding. Op de overloop stond heel iemand anders: het meisje met het bleke ovale gezicht, een streng asbruin haar die uit haar kapje ontsnapte en rode wangen van de kou. Ze was in het grijs gekleed en leek veel meer op het meisje uit Het Varken dan op De Uzannes aristocratische protegee. Mijn gretige glimlach verflauwde tot een O van ongeloof. 'U?!' vroeg ik grof. 'Ik heb maar weinig tijd, juffrouw... Bloem. Ik verwacht belangrijk bezoek.'

'Mijnheer Larsson,' zei Johanna bedaard. 'Ik ben uw bezoek.'

'Nee, er kwam vanochtend een brief die was ondertekend met een C.' Mijn stem sloeg over van teleurstelling.

'Die brief heb ik gestuurd.'

Ik boog me naar haar blozende gezicht. 'O, maar er is me verteld dat u juffrouw Bloem bent. Hebt u misschien nog een andere naam?'

'Die kent u al, mijnheer Larsson. Mijn naam is Johanna Grijs, maar die heb ik om goede redenen achter me gelaten.' Ze wendde haar gezicht af. 'Het verbaast me dat u het niet verteld heeft.'

'Ik hou niet van loze kletspraat, wel van praktische.' Ik boog me over de balustrade om te zien of er iemand bij de trap stond, maar alles bleef stil. 'Wat was het doel van uw geheime boodschap?'

'De kans bestond dat iemand anders hem zou bezorgen. Het was heel belangrijk dat u op me zou wachten voor u zou toegeven aan uw trek, Sekretaire. Het briefje was ondertekend met de G van Grijs. Het was beter dat u niet wist wie er zou komen, anders had u me geweigerd.'

'Dat kan ik nog steeds doen,' zei ik en ik legde mijn hand op de deur. 'Wat is precies de reden van uw komst?'

'Een liefdadige.' Johanna keek naar de mand die ze bij zich had en die bedekt was met een witgesteven doek die de geur van versgebakken waar niet tegen kon houden. 'De Uzanne heeft van uw ongerief gehoord en nu wil ze... een eind maken aan uw ziekte.'

'O. Tja.' Ik zweeg even om mijn plan aan te passen. Misschien wilde De Uzanne, aangespoord door de ophanden zijnde terugkeer van haar waaier, mijn genezing bespoedigen. Het plan om tijd te winnen werkte. En misschien wilde Johanna wel informatie uitwisselen. Ik gaf haar een knikje en stak mijn hand uit naar de mand, maar ze hield hem stevig vast en verroerde zich niet. Ik hoorde de zachte klik van de deur beneden: mevrouw Murbeck stond te luisteren. Johanna fronste haar voorhoofd.

'Ik moet u even spreken. Onder vier ogen,' zei Johanna.

'Even dan, maar niet lang. U bent maar een bleek aftreksel van de juffrouw C. die ik hoopte te zien,' zei ik en ik greep haar arm niet al te zachtzinnig beet en trok haar naar binnen. Johanna leegde de mand op het dressoir. Er waren kleine potjes met verse boter en jam, een rijke paté en een glanzende worst, twee verse broden en een aantal in doeken gewikkelde taarten. Het water liep me in de mond. 'Ik waardeer Madames bezorgdheid om mijn welzijn.'

Johanna haalde twee glazen flessen met een kurk en een wassen zegel onder uit de mand. 'Dit bezoek heeft niets met uw welzijn te maken. Wel met het hare.'

'Ze heeft medicijnen gestuurd,' zei ik en ik pakte de blauwe fles. 'Maar laat ze u geneeskunst bedrijven of zwarte magie?'

Ze bleef even staan na mijn aantijging, waarna ze zachtjes de tweede fles op tafel zette. 'Ik ben apothicaire. Als u mijn aanwijzingen opvolgt, zult u beter worden. In de doorzichtige fles zit een tonicum dat bitter is, maar uw genezing zal bespoedigen. De blauwe flacon is op verzoek van De Uzanne bereid. Die is heerlijk verzachtend en daarna hebt u niets meer nodig. Ik raad u wel aan niet alles in één keer op te drinken.'

Ik hield de blauwe fles proostend omhoog. 'Dan zal ik hiermee beginnen,' zei ik, en ik pakte een mes om het zegel door te snijden. Het drankje rook naar honing met een vleugje nootmuskaat, vermengd met de beste cognac.

Johanna hield de flacon tegen toen ik hem aan mijn lippen zette. 'U staat in de Stad bekend als een roekeloze man uit de taveerne; niemand zou raar opkijken als u de hele fles leegdrinkt. De Uzanne zei dat het niemand iets zou kunnen schelen.'

Ik glimlachte. 'Het zou niemand iets kunnen schelen of ik dronken was?'

'Het zou niemand iets kunnen schelen of u dood was.'

Ik zette de fles terug op tafel en deed een stap opzij. 'Wilt u niet even gaan zitten en koffie met me drinken, juffrouw Bloem?' Ik ging naar de deur en deed hem open, en zag dat mevrouw Murbeck er zo dicht tegenaan stond dat ze bijna naar binnen tuimelde.

Ze zette het dienblad neer en gaf me een briefje. 'Dit is net bezorgd, het komt van uw broer Fredrik,' fluisterde ze. 'En de jongedame, is dat haar?' Ik schudde verwoed mijn hoofd en stopte het briefje in mijn zak. Ik stelde de twee haastig aan elkaar voor en wees mevrouw Murbeck de deur met een snel rukje van mijn hoofd. Ze trok gealarmeerd haar wenkbrauwen op, alsof dit hoogst ongepast zou zijn, en begon druk koffie in te schenken en taart te snijden, terwijl ze naar Johanna knikte en glimlachte. Eindelijk ging ze weer naar haar afluisterplekje in de gang en ik trok de zware gordijnen voor de deur om het gesprek te dempen.

'U en uw bazin willen iets van me, behalve nieuws over mijn verscheiden,' zei ik.

Johanna staarde in het niets. Ik zag dat ze had geleerd haar gevoelens goed te maskeren. 'Madame beweert dat u een voorwerp hebt dat haar toebehoort,' zei ik.

'Via meester Fredrik Lind is doorgegeven dat ik dat voorwerp zou bezorgen zodra ik beter ben,' zei ik.

'Madame wenst niet te wachten.'

'En hoe zou u die waaier van me moeten afnemen als ik weigerde?'

'Dat was slechts een kwestie van tijd geweest als u het drankje had opgedronken. Uw kamers zijn niet zo groot of zwaar gemeubileerd.'

'Een domme boodschap, juffrouw Bloem. U zou de schuld van mijn dood krijgen en in de gevangenis belanden.'

Johanna keek naar me op met een ondoorgrondelijke blik. 'Ik zou nergens de schuld van hoeven krijgen; u zou uw dood zelf in de hand hebben gewerkt. En De Uzanne wil me op Gullenborg omdat ik nuttig ben. Maar uiteindelijk zal ik gedwongen worden te vertrekken.' Ze deed een klontje suiker in haar koffie en roerde langzaam, waarbij het getinkel van haar lepeltje op het porselein opeens luid klonk toen ze zweeg.

'Waarom zou u een nest verlaten dat met zulke schitterende veren is bekleed?'

'Het blijft een kooi.' Ze keek naar haar spiegelbeeld en deed de wollen sjaal af die om haar nek gewikkeld zat.

'En wat geeft u ervoor om vrijgelaten te worden?'

'Ik heb u uw leven gegeven, mijnheer Larsson. Ik denk dat het mijn beurt is om een gunst te vragen.'

Ik keek eens goed naar Johanna. Ze had een gezicht dat ik graag wilde lezen, maar dat lukte niet. Ik stond op en zette het raam op een kier, denkend dat een zuchtje kille februarilucht mijn gedachten zou opfrissen. 'Dus? Welke prijs had u in gedachten?'

Johanna kwam naar het raam toe en ging naast me staan. Ze rook naar jasmijn en op haar vingertoppen zaten vage rode vlekken. Haar oppervlakkige ademhaling verried haar zenuwen. 'Ik begrijp dat u bij de douane werkt en ook bekend bent met de scheepvaart. Ik moet een oversteek hebben. Ik heb geld.'

'Betaalt u zelf uw kaartje? Mijn leven is wel goedkoop.'

'En misschien heb ik een schuilplaats nodig tot het schip veilig kan uitvaren.'

'Is dat alles?' Ik draaide me om en zag dat haar gezicht vlak bij het mijne was.

'Hebt u de waaier?' vroeg Johanna.

Ik aarzelde, maar het kon weinig kwaad haar de waaier te laten zien. Het was nog steeds mijn bedoeling met mevrouw Mus te overleggen voor ik afstand zou doen van Cassiopeia. Ik ging naar de slaapkamer, kwam terug met een opgevouwen mousseline overhemd dat niet bijzonder waardevol was en gaf het kledingstuk aan Johanna. Ze haastte zich niet, maar ging zitten en vouwde het zorgvuldig open, alsof ze een huismoeder was die haar strijkwerk inspecteerde. Toen de blauwe waaierdoos voor haar lag, veegde ze haar handen af aan haar rok voordat ze het deksel eraf haalde. Johanna opende de Vlinder en bestudeerde haar met een gelukzalige blik. Toen keek ze op. 'Ze is beeldschoon.'

'De Vlinder. Ze was bedoeld voor mijn verloofde.'

Ik zei niets meer en ze drong niet aan, maar vouwde de waaier dicht en legde hem op tafel. 'Elke vrouw zou zo'n waaier koesteren. Elke vrouw, behalve één.'

Ik pakte het doosje op en maakte de fluwelen voering voorzichtig los met behulp van een vork, waarna ik Cassiopeia in Johanna's hand liet glijden. Ze opende haar en bestudeerde de voorkant met het plechtige tafereeltje van de lege koets. 'Wat een treurig ding,' zei Johanna, waarna ze de waaier omdraaide om naar de achterkant te kijken; de indigoblauwe zijde met de glinsterende lovertjes en kristallen kraaltjes. Ze staarde er enige tijd naar voor ze iets zei. 'Híér is Cassiopeia, onder de Poolster,' zei ze, en met een verheugd gezicht liet ze haar vinger langs vijf kristallen kraaltjes glijden. 'De waaiermaker is heel voorzichtig geweest met haar sterren. Hier is Cassiopeia's man, koning Cepheus, en helemaal onderaan staat haar dochter Andromeda. De buik van Draco, Camelopardalis, Triangulum en hier is Perseus, de redder van de dochter.'

Haar oog voor detail was indrukwekkend. 'Ik was nooit zo goed in klassieke talen,' mompelde ik.

Ze lachte. 'Denkt u dat ik klassieke talen heb geleerd, mijnheer Larsson? Mijn vader was apothicaire en had een assistente nodig die hij kon vertrouwen. Mijn moeder hield zich alleen bezig met bidden en mijn broers waren dood, dus had hij alleen mij nog.' Ze vouwde de waaier dicht en weer open. 'Soms vertelde hij me de oude Griekse mythen als we aan het werk waren in de winkel en dan liet hij me 's nachts hun tegenhangers aan de hemel zien.' Johanna liet haar vinger weer langs de W glijden. 'Koningin Cassiopeia offerde haar dochter Andromeda aan een afgrijselijke slang. Ze ketende haar aan een rots.' Johanna schoof ongemakkelijk op haar stoel. 'De koningin was een wrede moeder en de vader deed niets.'

'Dat is niet ongebruikelijk,' zei ik.

'Nee,' zei ze, en ze keek fronsend naar de geopende waaier op haar schoot.

'Dus bent u weggelopen,' zei ik.

'Ja. Ik wil niet geofferd worden, of geketend.'

'En hoe loopt het verhaal af?'

'De dochter werd gered.'

'En koningin Cassiopeia kreeg een troon in de hemel.'

Ze keek op en haar frons verdween. 'Dat geloven veel mensen, omdat kaarten van de sterren statisch zijn. Maar de koningin werd gestraft voor haar wreedheid en arrogantie en werd aan de Noordster geketend, waar ze eindeloos rond de pool cirkelt. Misschien is er zelfs voor mij nog hoop.' Ze staarde weer naar de sterrenwaaier en door de vreugde van de ontdekking lichtte haar gezicht nog meer op. 'In deze hemel is een vergissing gemaakt. Opzettelijk, lijkt me. Cassiopeia staat ondersteboven.'

Ik besefte nu dat mevrouw Mus deze omkering had bedoeld om Cassiopeia's magie te doorbreken en de koningin ondersteboven en machteloos te tonen. Maar ik wilde horen wat Johanna te zeggen had. 'Waarom zou dat zijn?' vroeg ik.

Ze perste haar lippen allercharmantst op elkaar en plooide ze langzaam tot een glimlach toen ze haar gedachten op een rijtje had. 'Het is een subtiele belediging, zou ik zeggen, om de naamgenote van de waaier ondersteboven te hangen. Misschien was het een spel tussen dames.'

'Dat is het ook, maar niet het soort spel dat ik me had voorgesteld.' Ik stak mijn hand naar de waaier uit, maar Johanna liet haar niet los. 'En ook niet het soort spel dat ik had willen spelen, als ik het geweten had.'

'Ik ook niet,' zei ze eenvoudig en ze keek me recht aan.

'En De Uzanne, wat zegt die over deze hemelse lucht?' vroeg ik.

'Alleen dat die blauw en glinsterend is en een duister geheim bevat. Misschien was zij ook nooit zo goed in klassieke talen, mijnheer Larsson.' Johanna beroerde de lege schacht die langs het middenbeen liep. 'Ze is van plan haar eigen geschiedenis te schrijven. Ze reist naar het parlement in Gefle,' zei ze, en haar kalme manier van doen werd nu ondermijnd door een subtiel optrekken van haar schouders, die gespannen waren van angst. 'Ze wil haar waaier hebben wanneer ze de koning ontmoet.'

'Ik heb haar lezing over Verbintenis bijgewoond. Het lijkt erop dat er geen schade is aangericht, behalve dan misschien het opwekken van zondige gedachten. En meester Fredrik heeft de demonstratie van vorige week beschreven. Ook hij was bang, maar het deed mij eerder denken aan de magie in een reizende kwakzalversvoorstelling.

'In Gefle zal ze niet zo onderhoudend zijn, mijnheer Larsson. Ik ken de details nog niet, maar ze is een samenzweerder met de ideale vermomming: niemand verdenkt een aristocratische dame van iets anders dan onbenulligheden.'

'En bent u van plan De Uzannes medeplichtige te spelen?'

'Te spelen, ja,' zei ze. 'Als ik mijn rol niet speel, hoe kan ik dan ooit meer leren? Daarom moet u mij de waaier geven.'

Op de gang hoorde ik mevrouw Murbecks schoenen over de grond schrapen toen ze anders ging staan. 'En wat gebeurt er als u zonder Cassiopeia terugkeert?' vroeg ik.

Johanna staarde naar de geschilderde zwarte koets en de oranje lucht en vouwde de waaier dicht. 'Dan verslindt de slang het meisje. De koningin komt u halen. En dan vallen er ongetwijfeld doden; en hun dood zal veel grotere gevolgen hebben dan die van ons.'

Ik dacht aan het Stockholm octavo, twee geschakelde vormen, waarvan de een de uitkomst van de ander veranderde en die machtiger werden als ze gecombineerd werden. 'Bestaat er een dood waarvan de gevolgen klein zijn?' vroeg ik. Ze gaf geen antwoord, maar legde de waaier weer in de doos. 'Juffrouw Bloem, als u met lege handen terugkeert, is de uitkomst zeker duister,' zei ik. 'Kunnen we daaruit concluderen dat Cassiopeia's terugkeer het tegenovergestelde effect heeft?'

Ze keek me nieuwsgierig aan en hield haar hoofd scheef, zodat de lage zon een gouden streep door haar haar trok. 'Wat zou dat dan zijn?'

'Hoop,' zei ik, 'op een wedergeboorte.'

'Er is altijd hoop.' Johanna zag het reepje papier dat, roomkleurig op de fluwelen voering, onder Cassiopeia lag. Ze trok het eronderuit en las hardop: *Houd haar goed verborgen. Ik zal u vertellen wanneer u haar weg mag sturen.* Wat betekent dat?'

Opeens zag ik de Aas van de Stempelkussens: een engelengezichtje boven twee koninklijke leeuwen, klaar voor de strijd op een wapenschild. En vlak bij het engelengezicht een vogeltje dat een boodschap fluisterde. Er trok een vreugdevolle gloed door me heen: mijn Gevangene! 'Het betekent dat een Mus me een dringende boodschap heeft gestuurd,' zei ik. 'U bent een van mijn acht.'

'Acht wat?'

'Acht mensen. Het is een vorm van waarzeggerij die het octavo wordt genoemd.'

'Ik herinner me dat woord. U had het er die avond in Het Varken over,' zei ze. 'U zou gaan trouwen.'

Ik bracht het koffiekopje naar mijn lippen en dronk, al was de koffie koud en teleurstellend. 'Het is niet volgens plan verlopen.'

'Wat voor toekomst voorspelde de Zieneres?' vroeg ze.

'Een gouden pad.' Ik zei niet liefde en verbondenheid, want ik dacht dat dat dwaas klonk en ik was bang dat ik al te veel had gezegd. 'Wat zo merkwaardig is, is dat mijn octavo begon met de eis dat ik moest trouwen, mijn eigen wens ten spijt.'

Ze boog zich naar voren en knikte, haar ogen vol medelijden.

'Net als mijn vlucht naar de Stad. Die afschuw voor het huwelijk hebben we blijkbaar ook gemeen.'

'Ja. Was dat de reden dat u hierheen kwam?'

Ze vertelde me over haar grijze leven in Gefle, haar verloving met weduwnaar Stenhammar, haar ontmoeting met meester Fredrik, haar werk in Het Varken en het feit dat ze daarna juffrouw Bloem werd. Ze vertelde dat Gullenborg aanvankelijk een paradijs van kleur en sensueel genot was geweest, maar daarna een plek van ijver en nut. 'Maar niets is wat het lijkt en binnenkort zit ik in de val.'

'U bent de Gevangene van mijn octavo en ik ben voorbestemd u te bevrijden,' zei ik en ik pakte zachtjes haar warme hand en bracht die naar mijn lippen.

Ze krulde haar vingers rond mijn hand. 'Maar de anderen die De Uzanne binnenkort gevangenneemt dan?'

'Ik zal uw hulp nodig hebben, Johanna, maar samen kunnen we de loop van grotere gebeurtenissen veranderen en De Uzanne helemaal buitenspel zetten.'

Hoofdstuk tweeënveertig

EEN VERBOND VAN TEGENSTANDERS

Bronnen: M.F.L., J. Bloem

Nu of nooit, zonder verdere omhaal. HIJ moet verantwoordelijk worden gehouden! HIJ heeft het land verkeerd bestuurd en gezorgd dat de mensen kapot werden gemaakt. De Eerste van het Rijk, die een oorlog van dieven aanstichtte en onze mensen aan de Turken verkocht, verplichtte hen tot dictatorschap, de Laffe Arrogante Schoft!

MEESTER FREDRIK RAAPTE de vertrapte kennisgeving van de stoep en liet haar toen weer vallen alsof het een gloeiend kooltje was. 'Lieve hemel, De Uzanne behangt de Stad met opruiende teksten!' zei hij. De verraderlijke kennisgeving werd door een voorbijkomende windvlaag opgetild en over de daken gezwiept, waar ze omlaag dwarrelde zodat een andere lezer in een andere straat zich eraan kon branden. Meester Fredrik liep haastig verder met zijn pakket kraakhelder briefpapier en enveloppen met scherpe, driehoekige klepjes, op weg naar de Kleermakerssteeg, biddend dat de koetsier zijn eerlijke plicht had gedaan. Hij bleef even staan bij de etalage van een bakkerij, die vol stond met volmaakte rijen carnavalsbollen, goudbruine koepels van zoet kardemombrood dat bestoven was met een dot poedersuiker. Meester Fredrik zocht in zijn zak naar een munt en liep naar de winkeldeur, toen zijn oog op een weerspiegeling in de ruit viel, van een meisje in een grijze mantel met een mand. 'Ik word belaagd door de duivel, vermomd als dit met room gevulde gebakje,' zei hij tegen zijn spiegelbeeld, waarna hij zich omdraaide en tegen het meisje riep: 'Juffrouw Bloem!'

Johanna versnelde haar pas en meester Fredrik draafde zo hard hij kon achter haar aan. 'U bent toch juffrouw Bloem?' vroeg hij buiten adem, en hij greep haar cape. 'Ik begrijp dat u bij mijnheer Larsson bent geweest.' Even flitste er een schaduw van angst over haar gezicht, maar toen knikte ze. 'Is mijn briefje bezorgd?'

'De hospita kwam een briefje brengen, ja.' Johanna trok haar kapje lager.

Meester Fredrik slaakte een diepe zucht van opluchting. 'Dus u werd uit liefdadigheid gestuurd?' Johanna knikte en meester Fredrik trok haar dichterbij. 'Ze heeft je gestuurd om haar waaier te halen.' Johanna gaf geen antwoord. 'Ik zou de waaier zelf gaan brengen, samen met mijnheer Larsson.'

'Madame kon niet wachten tot een man een vrouwentaak verrichtte,' zei Johanna, die zich los probeerde te trekken.

'Uw handschoenen zijn beeldig,' zei meester Fredrik, die haar cape losliet. 'Praktisch en mooi. Het donkergroen verbergt het vuil, maar het borduurwerk laat zien dat dit een nette hand is. Ze zijn van haar, hè?'

Johanna keek hem aan alsof hij gek geworden was. 'Ik moet terug naar Gullenborg, meester Lind.'

'U verpleegt de zieken, juffrouw Bloem. Dat kost tijd.' Hij pakte zachtjes haar hand en volgde een lijntje borduurwerk op haar handschoen. 'Onze bazin verzamelt alles wat zowel praktisch als mooi is. Haar vouwwaaiers zijn daar het sprekende voorbeeld van. Maar Madame verzamelt ook andere dingen; mensen die zowel nuttig als mooi zijn, zoals wij. Nou ja, ik ben nuttig, maar kan mezelf nauwelijks mooi noemen. God weet dat ik het probeer.' Hij lachte, maar hield op toen hij Johanna's gekwelde blik zag. 'Maar ik *creëer* het nuttige en het mooie. Ik vraag me af of u ook het gevoel hebt dat u bij de verzameling hoort: u woont in haar weelderige huis, draagt haar prachtige handschoenen, u wordt steeds mooier en u bent haar zo cruciaal van dienst.'

'Ik had een betrekking nodig. Het was niet mijn bedoeling om tot een collectie te gaan behoren.'

'Aha, maar toch is dat gebeurd. Dat weet ik, omdat ik daar lange tijd zelf ook zat vastgeprikt.' Meester Fredrik boog zich naar Johanna en zei fluisterend: 'We worden zo stevig vastgeprikt dat we geloven dat we niet als wezens met een vrije wil kunnen functioneren. Toch moet dat.' Meester Fredrik verstevigde zijn greep op haar hand. 'Welk medicijn moest u van De Uzanne naar mijnheer Larsson brengen?'

'Hoe wist u wat ik mee moest nemen?' vroeg Johanna.

'De keuken van een groot huis is de provisiekamer van de geheimen, juffrouw Bloem,' zei meester Fredrik, 'en Kokkie lepelt ze op wanneer het haar behaagt.'

'Ik beloof u dat hij beter wordt, wat Kokkie ook zegt. Ik zou nooit...' zei Johanna.

'Nooit wat?'

Johanna keek meester Fredrik recht aan. 'Ik zou nooit een onschuldige kwaad doen. Het is juist mijn taak dat te voorkomen.' Haar huid werd vlekkerig door de tranen.

Meester Fredrik maakte zijn vingers los, maar liet haar hand niet gaan. 'Het is ijskoud, juffrouw Bloem, en het is woensdag. Mevrouw Lind heeft een hete pan soep en verse pannenkoeken gemaakt voor het diner. We moeten elkaar in vertrouwen kunnen spreken. Zelfs de bitterste vijanden kunnen in tijden van oorlog verbonden vormen.'

Hoofdstuk drieënveertig

CASSIOPEIA KEERT TERUG

Bronnen: Louisa G., J. Bloem

JOHANNA HOORDE IN de verte het tikken van hakken die haar kant op kwamen. Aan de manier van lopen, bijna een gavotte, was duidelijk te merken dat De Uzanne op de hoogte was van haar succes. Johanna haalde een paar maal diep adem en keek naar haar schoenen, die nog vochtig waren van de sneeuw, tot ze de stem hoorde.

'Uw kleding past bij uw vroegere naam. Bent u van plan die weer aan te nemen?' De Uzanne lachte om Johanna's onthutste gezicht.

'Ik hoop het niet, Madame,' antwoordde ze, en ze glimlachte naar ze hoopte een tikje ondeugend. 'Ik was van plan om te verdwijnen.'

'U bent voorbestemd om te bloeien,' zei De Uzanne en ze draaide zich om, waarbij ze beduidde dat Johanna haar moest volgen. 'Louisa, breng ons iets te eten. Iets heerlijks,' riep ze naar het dienstmeisje, toen ze langs haar liepen. De Uzanne ging voor een paneeldeur staan en pakte een sleutel die aan haar armband hing, waarna het slot openklikte. Het was de eerste keer dat Johanna het hart van de collectie zag, en haar hart ging tekeer toen ze de bedompte ruimte binnenstapte. Het leek eerder een drakenhol dan een archief voor honderden verfijnde waaiers; een allegaartje van schrijftafels, houten kisten en kabinetten, met op elk oppervlak stapels kaarten, brieven en rekeningen. Langs de onderste helft van drie wanden stonden smalle ladekasten, en boven elke kast was een halfronde alkoof gemaakt, waarin achter een afgesloten glazen deurtje een waaier hing. De middelste vitrine was leeg en De Uzanne bleef voor deze holte staan. Ze sloeg haar lege handen telkens weer ineen in nerveuze afwachting. 'Hebt u haar?'

Johanna maakte een reverence en gaf haar de doos, die in een sjaal was gewikkeld. 'Ik moet bekennen dat het me verheugt dat ik hem aan u mag geven. De waarzegster zei tegen mijnheer Larsson dat deze waaier magische krachten heeft.'

De Uzanne zette het pakje op haar schrijftafel en plukte aan de knoop als een gretige minnaar aan een lastig rijgsnoer. Ze bracht de ivoren sluitbenen naar haar lippen en keek toen met glinsterende ogen naar Johanna. 'Gelooft u in magie, juffrouw Bloem?'

Johanna aarzelde en vroeg zich af of dit weer een test was. 'Wat voor soort magie?'

'Elke soort; die van een waaier, bijvoorbeeld.'

'Er zijn dingen die niet door de wetenschap verklaard kunnen worden. Of door de kerk,' zei Johanna.

'Precies,' zei De Uzanne, die de waaier openklapte en haar telkens opnieuw open en dicht vouwde. 'Een jaar geleden had ik dat niet durven toegeven, maar kijk nu eens hoe Cassiopeia zich een weg naar me terug heeft gevonden, net op het moment dat ik haar het hardst nodig had. Ze popelt om de taak te volbrengen waarvoor ze gemaakt is. Net als wij.' Louisa klopte op de deur, kwam binnen met een dienblad vol amandeltaartjes en gekonfijte sinaasappelpartjes en zette het neer, waarna ze vlak bij de deur ging staan luisteren.

'Was het moeilijk om haar te pakken te krijgen, Johanna?' vroeg De Uzanne.

'Helemaal niet, maar wel tijdrovender dan ik wilde. Hij was ontroerd door uw liefdadigheid en praatte veel te veel. Ook hij leek betoverd door de waaier.'

'En de medicijnen?'

'Mijnheer Larsson pakte meteen een mes om de blauwe fles open te maken, maar dronk niet in mijn bijzijn. Dat vond hij onbehoorlijk,' zei Johanna.

'Hij had manieren, mijnheer Larsson, en een fraai uiterlijk. Zonde, eigenlijk. Hij had best nuttig kunnen blijken en ik beschouwde hem korte tijd als een goede partij.'

Johanna was blij dat de wind haar wangen ruw had gemaakt, waardoor het nu niet opviel dat ze een kleur kreeg. 'Voor wie, Madame? Geen van uw leerlingen zou genoegen nemen met een Sekretaire.'

'Nee? Ik dacht dat mevrouw Plomgren een huursoldaat zou prefereren boven een modepop. En de jonge Nordén loopt te kwijlen, maar hij heeft geen idee hoe afgelikt die pruimentaart is. Of hoe oud.' Johanna zette grote ogen op van verbazing en De Uzanne lachte. Ze liep naar het raam om haar schat te bekijken in het vlakke noorderlicht dat door het bovenraampje naar binnen viel. Ze raakte nu beide zijden van Cassiopeia's blad aan en liet haar wijsvinger langs elk been gaan, als een moeder die voelde of een kind dat kwijt was geweest verwondingen had opgelopen.

'Ik neem aan dat uw waaier in perfecte toestand verkeert, Madame?' vroeg Johanna, en er parelde een zweetdruppel op haar haargrens.

De Uzanne draaide de achterzijde naar zich toe en de constellaties fonkelden zwakjes, terwijl de omgekeerde koningin nauwelijks zichtbaar was in het gedempte licht. 'O, de waaier is niet veranderd. Het verschil zit hem erin dat ik nu begrijp hoe machtig ze werkelijk is en dat ik bereid ben die macht te evenaren met mijn besluitvaardigheid. Daarin ligt de magie.' Ze zette Cassiopeia met de voorkant naar buiten in de alkoof, sloot het glazen deurtje en deed het op slot. Het dienstmeisje, dat zich tegen de muur aan had gedrukt om af te luisteren, kon een kuch niet onderdrukken en De Uzanne draaide zich om en staarde haar aan. 'Louisa. Heb je Kokkies onzin geslikt en kom je nu spioneren? Ga naar boven en begin met inpakken.' De Uzanne wachtte tot het dienstmeisje zich uit de voeten had gemaakt en sloot de deuren van de studeerkamer achter haar. 'En u moet naar beneden, naar uw provisorische officin, Johanna. Ik heb een sterker slaappoeder nodig dan ik dacht: een middel dat een volle dag en nacht slaap garandeert voor een reiziger die overzees gaat. Hebt u de benodigdheden voor die taak?'

'Ik… dat weet ik niet zeker. Dat is een lange tijd slapen en daar is een test voor vereist.'

'Dat klopt. Mijnheer Nordéns dutje tijdens onze les duurde veel korter dan u had verwacht.'

'Het zou helpen als ik wist hoe groot die reiziger is,' zei ze.

De Uzanne trok een grimas. 'Hij lijkt erg op hertog Karel, maar dan ouder en dikker.'

Johanna aarzelde. 'Madame, u kunt het me wel vertellen. U bedoelt zeker generaal Pechlin. U klaagt al zo lang over zijn bemoeienis met uw liaisons met de hertog.'

'O, nee. Deze man is veel gevaarlijker dan Pechlin.' De Uzanne liep terug naar haar schrijftafel en speelde met haar grijs met zilveren waaier. 'Zijn hoofd is te dik geworden voor zijn kroon. Hij moet verantwoordelijk worden gehouden, Johanna. Hij dient te worden weggestuurd.'

Ze sloeg haar handen ineen om te zorgen dat ze ophielden met trillen. 'Madame?'

'Jonge Per is niet het ideale proefkonijn, maar hij is blijkbaar dol op u. Bied hem een gulle dosis als beloning voor zijn toegewijde onderzoek. Ik wil dat het poeder getest is voor we vertrekken.'

'Waar gaan we naartoe?' vroeg Johanna.

De Uzanne sloot haar waaier en legde haar hand tegen Johanna's wang. 'U zult met me meekomen naar Gefle. Het zal een debuut voor u alleen zijn, bijna alsof u… mijn dochter bent. We vertrekken overmorgen bij het ochtendgloren. En zorg dat u uw mooiste spullen inpakt,' zei De Uzanne, alsof deze gruwelijke reis om deel te nemen aan hoogverraad een picknick op het gras was. 'Nog één ding, Johanna: Kokkie heeft een grote bak laster gebrouwen en u bent het hoofdingrediënt. De rest van het huishoudelijk personeel is niet te vertrouwen.'

'Ik kan geen letter meer zien vandaag, juffrouw Bloem,' zei Jonge Per. Hij zat gebogen over de tafel in de donkere kelderkeuken en at een kom gele erwtensoep.

'Je hebt heel hard gewerkt, Jonge Per, en het is bijna tien uur. Je verdient een heerlijk lange nachtrust.' De stem klonk zacht en lieflijk.

'Madame!' zei Johanna, die zich omdraaide naar de trap. Jonge Per sprong op van zijn stoel en ging stijf rechtop staan.

'Juffrouw Bloem.' De Uzanne keek om zich heen en zag dat ze alleen waren. 'Ik hoopte u aan het werk te kunnen zien met uw leerling, maar ik ben blijkbaar te laat.' Jonge Per grabbelde naar zijn lei, maar De Uzanne schudde haar hoofd. 'Het is tijd om te gaan slapen, en juffrouw Bloem heeft een nieuw poeder dat ze wil uitproberen.'

Jonge Per glimlachte en knikte. 'Goed.'

Johanna legde haar boek op tafel. 'Ik… ik ben nog niet helemaal klaar. De verhoudingen zijn…'

'Kokkie vertelde waar u het potje bewaart, juffrouw Bloem. Breng het hier.'

Johanna pakte een kruk en ging de provisiekamer in. Ze strekte haar arm uit naar de bovenste plank, reikte helemaal naar de vochtige stenen muur en voelde de gladde zijkant van de pot. Ze wachtte even, slaakte een luide kreet en gooide hem op de grond. Bleek en trillend kwam ze weer tevoorschijn. 'Het spijt me, Madame. Het spijt me.'

De jongen sprong op. 'Kom, ik help u wel, juffrouw Bloem. Hier is een schone kom en een mes om uw poeder op te scheppen. Ik doe het wel.'

'Dank je, Jonge Per,' zei De Uzanne. De twee vrouwen stonden in de deuropening en keken toe terwijl Per de troep opruimde, de scherven tussen het poeder uit viste en het grijswitte gruis in een schone, nieuwe pot zeefde.

'Klaar,' zei hij, en hij hield de pot omhoog voor De Uzanne.

'Neem eerst zelf een royale portie. Dan zul je vannacht lekker slapen en hoef je morgen je taken niet uit te voeren.' De jongen boog en goot een wit bergje poeder in zijn hand.

'Madame, ik…' zei Johanna. 'Het is nog niet volledig getest.'

'Daar gaat het toch ook om?'

Hij bracht zijn hand naar zijn neus en haalde diep adem. 'Het ruikt erg lekker,' zei hij. 'Net als u, juffrouw Bloem.'

'Niet zo veel, Per, alsjeblieft,' smeekte Johanna.

De Uzanne legde haar hand stevig op Johanna's arm. 'Laat hem zoveel nemen als hij wil.'

Binnen een kwartier lag hij diep in slaap op de grond. Toen De Uzanne en Johanna bijna twee dagen later in de koets naar Gefle stapten, werd Jonge Per naar de stal gedragen, bewusteloos maar in leven, zijn gelaatstrekken onherkenbaar gezwollen. De dokter wist niet zeker hoe hij er straks aan toe zou zijn, áls hij al zou bijkomen. De Uzanne installeerde zich in de koets en trok de bontdeken op. 'Goed gedaan, Johanna. Bijna zesendertig uur! Hij had al halverwege Sint-Petersburg kunnen zijn.'

Hoofdstuk vierenveertig

WERKPLEZIER

Bronnen: M. Nordén, L. Nordén

'CHRISTIAN, LAAT JE waaiers voor de Nordéns spreken, niet De Uzanne,' pleitte Margot.

Christian keek haar niet aan. Hij pakte met een pincet een geslepen kristal vast en hield die omhoog voor een vergrootglas dat aan de lamp was bevestigd. 'Er zit een zwak plekje in,' zei hij.

'Christian, we moeten niets met haar plannen te maken hebben. We moeten niets met háár te maken hebben.' Margot stond op en keek hoe hij de onvolwaardige steen probeerde te vervangen, waarna ze de kamer verliet en de deur achter zich dicht smeet.

'Daar is het nu te laat voor, lieveling.' Christian keek op. 'En kijk eens wat een werk we eraan overgehouden hebben.'

'Te veel werk?! Is dat wat haar dwarszit?' vroeg Anna Maria, die de deur opendeed en het atelier binnenstapte, op de voet gevolgd door Lars. Ze bleef staan bij de rij grijze, zijden waaiers die naast elkaar op een bedje van wit linnen lagen, strak achter hun ebbenhouten sluitbenen. 'Kopieën! Eindelijk!' zei ze blij tegen Lars.

'Alle jongedames uit je Overheersingsles hebben om dezelfde waaier gevraagd, pruimpje van me.'

'Kopieën? Nee, juffrouw Plomgren, wij maken geen kopieën,' zei Christian. 'Deze zijn niet exáct hetzelfde.'

'Met nog drie dozijn extra en een advertentie in *Nog nieuws?* de dag na het debuut, kunnen we drie keer de kostprijs vragen,' zei Anna Maria, die Lars bij de schouders pakte.

Christian keek op van zijn werk en schold op het onwillige nageltje in het sluitbeen van de waaier. 'Drie dozijn extra! Deze hier hebben me al bijna geruïneerd. Meester Fredrik is alleen al van de ganzenveren rijk geworden.'

'We schrappen de finesse!' zei ze. 'Eenvoudige, maar volop verkrijgbare kopieën zullen een stormloop teweegbrengen.'

'Een stormloop is niet het doel van het Nordén Atelier, juffrouw Plomgren,' zei Christian, die zich concentreerde op het inzetten van een kleine, met juwelen bezette sluitpin. 'Kunst is het doel.'

Anna Maria klapte de zijden waaiers een voor een open. 'Slechts weinigen verdienen uw kunstenaarstalent en velen zullen voor minder betalen. Dat is de kunst van geld verdienen.'

Christian legde de laatste waaier bij de andere op het linnen en legde haar recht, net zo lang tot ze exact parallel lagen en zijn handen waren opgehouden met trillen. 'En de ziel die er in het werk zit dan?'

Anna Maria opende de waaier die Christian zojuist voltooid had, hield haar loodrecht op haar gezicht en liet de benen omlaag wijzen. 'In het linkersluitbeen zit een klein medaillon. Dat is toch nauwelijks een ziel te noemen, en trouwens, die koeien hebben geen van allen genoeg ziel om dat op te merken.'

Christian legde zijn gereedschap in een nette rij op tafel en was extra voorzichtig met een scherpe priem. 'Juffrouw Plomgren, u werkt in de Opera. Bent u weleens naar een voorstelling geweest?'

'Vorige week zat ik in loge drie,' zei ze en ze hield haar hoofd schuin alsof ze voor het voetlicht trad. '*Orfeo.* Met Madame Uzanne.'

'En zag u dat alle mensen uit het publiek de nuances van de muziek begrepen? De betekenis snapten? De passie van Orpheus voor zijn Eurydice voelden?'

'Nee.' Ze haalde lachend haar schouders op. 'Twee of drie, misschien. Maar de meesten sliepen. Keken op hun zakhorloge. Lazen het programma. Aten snoepjes. Praatten. De rest zat naar elkaar te kijken. Naar mij!'

'En hadden de zangers daarom voorbij moeten gaan aan de bedoeling van de componist, aan de poëzie van het libretto? De hoge noten moeten missen? Hun mond moeten opendoen om te balken als ezels?'

Anna Maria wendde zich tot Lars. 'Wat hebben ezels in hemels-naam met waaiers te maken?'

Lars' oog viel op een waaierblad dat Christian voor mevrouw Von Hälsen aan het beschilderen was. 'Is dit kippenleer? Christian, ben je gek? We gaan bankroet!'

Anna Maria sloeg met haar vuisten op de werkbank. 'In naam van de puisterige kont van de duivel, wat hebben kippen hier nou weer mee te maken?'

Hoofdstuk vijfenveertig

HET LAATSTE PARLEMENT

Bronnen: lakei van Gullenborg, J. Bloem, mevrouw M., kapitein J***
van de Noordelijke Stadspoort

EEN ZWARTE REISKOETS met glijders stond bij de noordelijke poort van de Stad, met dampende paarden onder wollen dekens. Een stevige koetsier, gehuld in een dikke winterjas, tikte op het raam, waarop aan de buitenkant ijsbloemen stonden en dat aan de binnenkant beslagen was door de adem van de passagiers. De deur ging op een kier open en hij vouwde zijn hand om de opening heen om wat warme lucht op te vangen. 'Madame Uzanne, ze zeggen dat het nog uren kan duren voordat er een officieel antwoord komt. We kunnen het beste terugkeren naar de Stad en daar op reispapieren wachten.' De deur ging met een klap dicht en alleen de met bont gevoerde handschoenen van de koetsier voorkwamen dat hij zijn vingers brak. Hij brulde een aantal vervloekingen en ving toen een glimp op van een bleek gezicht achter het raampje, luisterend en wel. 'Die trut mag doodvriezen en daarna in de hel ontdooien,' mopperde de koetsier, die terug glibberde naar de soldatenhut, 'en dat kreng ook.' Er was al een heel pad door de sneeuw gemaakt, want de sleeën hadden vele mannen en opsmuk noordwaarts getrokken sinds het parlement bijeen was geroepen. De koetsier stampte de sneeuw van zijn laarzen en ging de hut binnen, waar het stonk naar vochtige wol, ongewassen soldaten, gekookte kool en karwijzaad. 'Ze beweert dat hertog Karel haar aanwezigheid in Gefle geautoriseerd heeft en dat de papieren hier moeten liggen.'

'De hertog is twee dagen geleden langsgereden en de Kleine Hertogin was bij hem.' De kapitein spuwde in het vuur, waardoor de kooltjes sisten. 'Er zullen hier geen Satanspapieren liggen. De Kleine Hertogin tolereert de balletmeisjes, maar geen hertogin.'

'Gaat u het haar dan maar vertellen, vriend, want ik wil mijn hoofd graag houden en naar huis gaan,' zei de koetsier, die zich bij de kachel warmde. 'Ze is gemaakt van ijs en zal hier blijven rondhangen als er geen warme, strenge hand is om haar te verjagen.'

Ze ruzieden over wie de boodschap zou brengen. Er werden strootjes verzameld, die ze net wilden gaan trekken toen de belletjes van een andere slee duidelijk maakten dat er nog meer reizigers langs wilden. 'God allemachtig, wie is er nu weer?' gromde de kapitein. Hij trok zijn handschoenen aan, zette zijn hoed op en liep naar een kleine slee, die eerder geschikt was voor korte ritjes in de Stad dan voor een tocht van vierentwintig uur. Een bleke, slanke hand stak door de kier van de nauwelijks geopende deur en gaf de kapitein een met rode was verzegelde brief. Hij staarde er een ogenblik naar en scheurde hem toen open, waarbij hij steeds meer rechtop ging staan. Toen hij klaar was met lezen, keek hij op en gaf de brief met een buiging terug. 'Het staat u vrij te gaan, mevrouw Mus. Veel geluk.'

De koetsier van mevrouw Mus' rijtuig liet de teugels vieren, en de niet bij elkaar passende paarden – een zwart en een bruin – gingen ervandoor richting Uppsala en dan door naar Gefle. Het gerinkel van hun belletjes echode vrolijk in de koude lucht, maar de gil die uit de open deur van De Uzannes zwarte reiskoets kwam, was genoeg om zelfs de kapitein en zijn mannen geschrokken te laten omdraaien. De Uzanne stond op de onderste tree van de koets.

'Waarom mag die gewone koets wel doorrijden en ik niet?'

'De reiziger had een brief die door koning Gustaaf zelf verzegeld was,' riep de kapitein zonder dichterbij te komen.

'En hoe luidt de naam van die reiziger?'

'Dat is de zaak van de koning, niet die van u,' zei hij. De Uzanne staarde hem aan alsof hij een andere taal sprak. 'U kunt maar beter terugkeren naar uw mooie huis en uw waaiers, Madame Uzanne. Het parlement is niets voor een dame.'

Hoofdstuk zesenveertig

MASKERS EN JURKEN

Bronnen: L. Nordén, M.F.L., Louisa G.

LARS HAASTTE ZICH naar De Uzanne en kuste haar hand op de manier van een hoveling, in de wolken vanwege dit intieme onderonsje in haar boudoir. Dat was een duidelijk teken dat zijn invloed groter was dan die van Christian. Hij was blij dat hij zijn nieuwe brokaten jasje had aangetrokken en zijn schoenen glanzend had gepoetst. 'Madame, ik ben uw toegewijde…'

'Toegewijde,' echode Anna Maria vanaf de canapé.

'…dienaar. Uw reis, Madame? Ik neem aan dat die de moeite waard was?' vroeg Lars.

'De moeite waard? Nee, mijnheer Nordén, verre van dat,' zei ze en ze trok haar hand terug. 'Hertog Karel en ik hadden een dapper en genadig plan om het land weer bij zinnen te brengen. Maar het recht op reizen werd me ontzegd.' Ze beende van haar toilettafel naar het raam en bleef staan om naar Jonge Per te kijken, die over het roze grind hobbelde, één been achter zich aan slepend. 'Ik heb vele verslagen uit Gefle gehoord. Edellieden zonder ruggengraat. Goddeloze geestelijken. Infantiele burgers. Dronken boeren die hun steekpenningen op elke hoek van de straat uitkotsen. Gustaaf is weer triomfantelijk in de Stad teruggekeerd en bereidt nog meer zogenaamde hervormingen voor, een complete uitholling van de Eerste Stand. Het zal het einde van Zweden betekenen.' Ze liep langzaam naar haar toilettafel en pakte een wit masker met lovertjes op. 'Dus mijn reis was uitermate… inspirerend. Ik ben bereid besluitvaardig te handelen waar vierhonderd patriotten en hertog Karel daar niet in slaagden.'

Meester Fredrik stopte met zijn gefrunnik aan de bleekgroene franje van het gordijnkwastje en boog. 'Madame, ik vraag me af of u ons wilt vertellen...'

'Zwijg, mijnheer Lind. U bent hier op proef,' zei de Uzanne, die aan haar toilettafel ging zitten. 'Uw aanbod om boete te doen in de vorm van het maken van de debuutuitnodigingen verzekert u nog niet van de voortzetting van uw verblijf hier.' De drie bezoekers keken zwijgend toe terwijl De Uzanne het masker opzette en zichzelf in de spiegel inspecteerde. 'Het debuut van de jongedames op het gemaskerd bal zou een viering van historische gebeurtenissen in Gefle worden, maar nu zal het debuut zelf de historische gebeurtenis worden, zoals ik eerst van plan was. En een veel dramatischer gebeurtenis dan aanvankelijk de bedoeling was.'

Anna Maria kneep in Lars' hand. 'Ik hoop dat we erbij mogen zijn,' zei hij.

De Uzanne kwam dichterbij en trok een riempje om de mouw van de jas van Lars strakker. 'Dat is precies waarom u hier bent. En we hebben nog iemand in onze entourage. Juffrouw Plomgren, ga juffrouw Bloem eens halen.'

Anna Maria keek naar de dienstmeid die in de hal stond te dralen, maar hield de protestkreet die ze er bijna uitflapte binnen en verliet de kamer. Het was onmogelijk haar bulderende stem niet te horen, en algauw kromp Johanna verlegen ineen onder de gezamenlijke blik van het gezelschap.

'We bespraken het debuut.' De Uzanne legde twee vingers rond Johanna's onderarm en kneep. 'U bent lekker vol geworden in Kokkies keuken, juffrouw Bloem. Uw kostuum zal perfect passen.' Ze knikte naar de wachtende Louisa, die haar post verliet en terugkeerde met een jurk in haar uitgestrekte handen. 'Trek hem eens voor ons aan. Ik weet zeker dat de heren dat zeer zullen waarderen.'

Toen Johanna terugkwam uit de kamer aan de andere kant van de gang, met een blozend gezicht en haar haar opnieuw opgestoken, stokte het gesprek. Ze staarde gebiologeerd naar haar eigen reflectie in de grote spiegel. Het was net alsof alle zachte kleuren van het voorjaar over haar waren uitgegoten. Een bleek lichtgroen vormde de ondergrond van de jurk. Het strakke lijfje was een wonder van borduurwerk: lange, zwierige strengen zilverdraad hielden roze en koraalrode knopjes vast, die op het punt van bloeien stonden, met de belofte van zoete, rijpe bessen. Het decolleté was diep genoeg om de volheid van haar borsten te tonen, en de roomkleurige kanten randjes verhulden net de rand van haar roze tepels, die omhoog werden geduwd door baleinen. De rok, golvend onder een zee van onderrokken, was kriskras bedekt met roomkleurige linten. Op de snijpunten van de linten zaten boeketjes van piepkleine zijden bloemetjes in lila, roze, koraal, crème en paars. Een vier vingers brede strook van diezelfde wonderbaarlijke bloemetjes liep langs de onderkant van de jurk. De bijpassende jas was nauwsluitend van de hals tot het middel, waarna hij uitwaaierde naar de grond, zodat de zijden voering met lichtblauwe en roomkleurige strepen zichtbaar werd. Blauwzijden linten hingen op enige afstand van elkaar aan de voorkant, alsof ze een sluiting vormden, hoewel het niet de bedoeling was dat ze zouden worden vastgestrikt. De wijd uitlopende mouwen van de jas reikten tot onder de elleboog, waarna een waterval van kant tot op de pols viel. Johanna staarde in de spiegel, niet naar zichzelf, maar naar de jurk, die alle kleuren had waar ze ooit van gedroomd had. Ze raakte de rand van haar mouw aan alsof ze zeker wilde weten dat die echt was.

'U... u bent getransformeerd, juffrouw Bloem,' stamelde Lars. Meester Fredrik applaudisseerde enthousiast.

'Goed.' Anna Maria wendde haar blik van haar rivale af. 'En wat voor kostuum krijg ik, Madame?'

De Uzanne wendde zich tot Anna Maria. 'De Venetiaanse domino is dit seizoen het patriottenkostuum.'

Er kwam bijna stoom uit Anna Maria's oren. 'Word ik een... jóngen?'

'Niet zomaar een jongen; een studentenprins. U zult aan mijn zij staan om te bestuderen en te leren. En Gustaaf heeft oog voor schoonheid van beide seksen, dus ik weet zeker dat u opgemerkt zult worden.' Ze hield haar grijs met zilveren waaier omhoog. 'Zij zal die avond van u zijn. Als u het goed doet, mag u haar een naam geven en voor uzelf houden.'

'Een aandenken dat een koningin waardig is!' Lars ging naast de tot bedaren gekomen Anna Maria staan. 'En als de pruim een cavalier wordt, moeten uw echte cavaliers dan een jurk aan?'

'Het idee om u in een jurk te zien staat me wel aan, mijnheer Nordén. U bent er knap genoeg voor. Wat zegt u ervan, mijnheer Lind? Dat is vast een droom die uitkomt.'

Meester Fredrik haalde diep adem. 'Madame, ik hoop dat u tegemoet wilt ko...'

'Tegemoet wilt komen aan uw vreemde voorkeuren, mijnheer Lind? Ja, hoor,' zei De Uzanne met een spottende frons. 'Maar wat uw vraatzucht betreft, kunt u de vastentijd beter iets eerder laten beginnen, als u in uw jurk wilt passen.'

'Worden uw jongedames ook domino's?' vroeg Lars. 'Ze zullen diep teleurgesteld zijn als ze hun attributen niet mogen laten zien, en dat geldt ook voor de aanwezige heren.'

'Nee, mijnheer Nordén. Hun taak is het bepalen van de sfeer in de zaal: ze hebben ieder een van Gustaafs mannen toegewezen gekregen om de Verbintenis en de Overheersing tot stand te brengen. Ze zullen zeer zeker vrouwen zijn.' De Uzanne ging naast Johanna staan en keek naar hun spiegelbeeld. 'U staat nu in volle bloei, Johanna, en u wordt de ster van de avond. U zult de ongemaskerde prinses zijn, die één stap achter me loopt. Maar u zult niet dansen en evenmin flirten met de heren die om u heen zwermen. U zult op slechts één man gericht zijn.' De Uzanne duwde een losse lok van Johanna's haar achter haar oor. 'U zult de koning ontmoeten, juffrouw Bloem. Als u uw taak goed verricht, mag u de jurk houden.'

'Wanneer moet ik die dan daarna dragen?' vroeg Johanna, terwijl alle kleur uit haar gezicht stroomde.

De Uzanne trok een los draadje van Johanna's lijfje en streek het kant bij haar mouw glad. 'Er zal uiteindelijk een nieuw hof komen. Maar eerst het gemaskerd bal. Gustaaf zal de boodschap krijgen die ik hem in Gefle had willen bezorgen, maar ditmaal met meer passie.'

'Wat voor boodschap is dat dan?' vroeg Lars, met een gezicht vol lichtzinnige onnozelheid.

De Uzanne stond op en liep langzaam naar de ramen en terug, terwijl ze Cassiopeia dichtvouwde en weer openvouwde. 'Dat er voor de ware patriotten geen offer te groot is voor de liefde.' Het werd stil in de kamer, op de windvlagen die de ramen deden klapperen na. Er blonk een flikkering van begrip in Anna Maria's ogen. Ze bloosde en kneep haar ogen toe van plezier. 'Juffrouw Bloem, de slee komt over een kwartier. Trek uw gewone straatkleding weer aan en ga naar de Stad om die boodschap te doen,' zei De Uzanne. 'Mijnheer Lind, de debuutuitnodigingen en de kaarten dienen binnen twee dagen met de post mee te gaan, en de kaarten voor de viering van na het bal binnen een week. U hoeft pas na de feestavond weer naar Gullenborg te komen. Meester Fredrik fronste, maakte een buiging en ging haastig weg. Zijn verbond met Johanna zou lastig in stand te houden zijn van een afstand. 'Mijnheer Nordén, ik wil graag dat u juffrouw Bloem naar de Stad vergezelt en ervoor zorgt dat ze veilig terugkeert.' Lars sprong gretig op en boog. 'Begeleid haar naar haar kamer als u terugkomt en laat Louisa de deur op slot doen. Een staljongen heeft aan mijn medicijnvoorraad gezeten en zijn hebzucht werd hem bijna fataal. De bedienden geven juffrouw Bloem de schuld en Kokkie wil haar hoofd op het hakblok.' Anna Maria sprong verheugd op en pakte Lars bij de hand. 'Juffrouw Plomgren, u blijft hier om de maten van uw broek te laten opmeten.' Anna Maria liet zich op de canapé zakken, roerloos als een slang in de zon, en zag Johanna de kamer verlaten met de sleep van de jurk achter zich aan als een rivier van geplukte lentebloemen.

Hoofdstuk zevenenveertig

JOHANNA IN HET HOL VAN DE LEEUW — II

Bronnen: J. Bloem, L. Nordén, anonieme medewerker van De Leeuw

JOHANNA STOND VOOR de toonbank van De Leeuw en staarde naar de stoffige, glazen apothekersfles die gevuld was met een heldergroene vloeistof. De eigenaar kwam uit de officin en keek haar verlekkerd aan. 'U bent ontloken, juffrouw Bloem. Hoofden worden nu omgedraaid. De zaken gaan blijkbaar goed.'

Johanna keek hem aan met een gezicht dat zo wit en uitdrukkingsloos was als krijt. 'Ik heb een krachtig sedatief nodig dat tot poeder vermalen kan worden. Het krachtigste dat u hebt.'

'Was de Valse Blozer niet voldoende?' vroeg hij. Johanna gaf geen antwoord. 'Poeder... poeder... krachtig.' De man trommelde met zijn vingers op de toonbank en hield toen op om wat vuil onder zijn duimnagel weg te krabben.

'Hebt u antimonium?' vroeg ze. De apothicaire gaf geen antwoord; alleen iemand die de dood beoogde zou zoiets vragen. 'Er loopt een wolf rond op het terrein.'

'Een wolf, hè? Tja, ik kan het me voorstellen, liefje.' Hij sloeg op de toonbank en lachte. 'Nou, een wolf slikt waarschijnlijk geen antimonium vanwege de bittere smaak... Maar ik heb wel bepaalde morieljes die smakelijk kunnen zijn in een laatste stoofpot.'

'Bedoelt u voorjaarskluifzwammen?' vroeg Johanna. Hij knikte. 'Kunnen die tot poeder worden vermalen?'

De apothicaire haalde zijn schouders op. 'Ik heb het nog nooit geprobeerd, maar u kunt ze testen op uw wolf.'

Het kon gevaarlijk zijn om dit giftige poeder te bereiden; alleen al het inademen van de dampen in een afgesloten ruimte kon ziekteverschijnselen teweegbrengen. Maar krachtig was het zeker: het eten van voorjaarskluifzwammen was fataal. Het inhaleren van het fijne poeder zou dat ongetwijfeld ook zijn. De Uzanne zou ditmaal zowel het experiment als het slachtoffer zijn. 'Hebt u ze hier in de winkel?' vroeg ze.

'O, ik heb altijd wel een kluifzwam voor een juffertje als u,' zei hij. 'Maar dan moet u even mee naar achteren komen en uw mond wijd open doen.' Hij gaf met zijn hoofd een rukje richting de deur van zijn werkruimte.

Johanna boog zich over de toonbank en keek hem recht aan. 'Er wacht een escorte op me in de koets. Hij zou het niet erg vinden u tot bloedens toe te slaan en daarna de politie te roepen. En Madame Uzanne zou het vreselijk vinden om het gilde erbij te moeten halen.'

Het gezicht van de apothicaire stond nu ernstig en hij sloeg zijn handen welgemeend in elkaar. 'Neem me niet kwalijk, juffrouw Bloem. Ik dacht dat u naar de Baggensstraat was verhuisd, waar de meeste meisjes van Gullenborg uiteindelijk terechtkomen. Zeg tegen Madame dat ik tot haar dienst sta, zoals altijd.'

'Doe de kluifzwammen in een keramieken pot met een stevig deksel en breng ze meteen hierheen,' zei Johanna. 'En ik neem ook een royaal pak antimonium, voor het geval het beest niet van paddenstoelen houdt.'

Hoofdstuk achtenveertig

EEN DIKKE BUIDEL

Bron: L. Nordén

'IK WEIGER EEN jurk te dragen, punt uit,' zei Lars, wiens brede lijf de vergulde stoel in de lege Nordén-winkel volledig in beslag nam. De luiken waren dichtgetrokken en slechts het licht van één kaars scheen in de geelgestreepte ruimte. 'Ik zal de robe van een sultan dragen die zijn harem beveelt de meest onbeschrijfelijke daden te verrichten.'

Anna Maria deed de kast met waaiers open, trok de laden eruit en inspecteerde de waar. 'Ik heb gehoord dat de Venetiaanse domino het toppunt van mode is en dat je alleen al door dat uniform in de gratie raakt.'

'Een saai uniform voor carnaval, pruimpje. Ik heb liever kleur,' zei Lars, die opstond en zichzelf van achteren tegen Anna Maria aan drukte.

'Dus je denkt dat ik er saai uit zal zien?'

'Jij bent verleidelijk in elk kledingstuk. Of geen enkel.'

'Lars, waar is de laatste grijs met zilveren waaier? Die had ik voor mezelf opzijgelegd.' Het was lang genoeg stil om te zorgen dat ze zich aan zijn greep ontworstelde. 'Heb je haar verkocht?' Lars bukte om zijn kous op te trekken. 'Of haar weggegeven als aandenken?'

'Je had niet gezegd dat die waaier voor jou bestemd was. Ik... ik heb haar verkocht.'

'Aan wie?' Anna Maria streek met haar hand door zijn haar en greep het vast om hem eraan overeind te trekken. 'Je nieuwe vriendin, juffrouw Bloem? Heb je haar na haar bezoek aan De Leeuw soms jóúw atelier even laten zien?' Lars probeerde zijn gezicht af te wenden, maar dat lukte hem niet. Anna Maria drukte zich dicht tegen hem aan. 'Wat heb je daarop te zeggen, mijnheer Nordén?'

Hij pakte haar hand stevig genoeg vast om de druk van haar smalle botten te voelen. 'Het was maar een waaier, pruimpje. Doe niet zo boos.'

'Ben jij nooit boos?' vroeg ze.

'Ik ben niet zo gauw boos, liefje,' zei hij, en hij duwde haar arm achter haar rug.

'Dan moet ik je de voordelen van die verhoogde emotionele staat bijbrengen,' zei ze, en ze trok zo hard aan zijn haar dat hij ineenkromp. 'Die gaat gepaard met macht.'

'Ik geef de voorkeur aan de macht van geld,' zei Lars, die haar tegen de muur zette zodat ze zich niet meer kon bewegen.

'Jammer dat je dat niet hebt, noch de middelen om het te krijgen. Ik geef de voorkeur aan een man met een inkomen, zoals een hooggeplaatste Sekretaire.' Anna Maria glimlachte en voelde zijn versnelde ademhaling, die de hare evenaarde.

'Ik zou je nog weleens kunnen verrassen, juffrouw Plomgren, met mijn emoties en mijn buidel.'

'Laat die buidel dan maar eens zien,' zei ze en ze trok net zo lang aan zijn broekband tot de knopen op de grond kletterden.

Hoofdstuk negenenveertig

EEN SCHANDELIJKE AANPASSING

Bronnen: M.F.L., mevrouw Lind

'ZE ZIJN MIJN mooiste werk, mevrouw Lind. Ik heb eindelijk haar ware karakter weten te vangen,' zei hij en hij bekeek zichzelf in de spiegel.

'Ja, o, ze zijn prachtig, Freddie, en verdorven.' Mevrouw Lind boog zich naar hem toe, maar haar lippen raakten zijn onberispelijk gepoederde wang niet aan.

'Dank je, duifje,' zei hij en hij controleerde de uitnodigingen voor het gemaskerd bal een voor een: de tijd, de plaats, de kledingvoorschriften, de datum. De datum. 'Hoe eenvoudig om een zes en een negen te verwisselen. De jongedames zullen ietsje te laat zijn.'

'Drie dagen, mijnheer Lind!'

'Dat zal Uzanne niet weerhouden, maar haar wel afleiden, als een bijensteek.'

'Mensen kunnen doodgaan aan zo'n steek, hoor,' zei mevrouw Lind.

'Dan zou ik de bijenkoningin zijn!' Hij kneep in haar wang en begon zijn groene borstlap uit te trekken. 'Zijn de jongens vandaag weg?'

'De hele dag en de hele nacht en dan weer een hele dag. Ze zijn naar het garnizoen in Norrköping.'

'Wil jij dan met me spelen?'

'Freddie, lieverd, wat ben je toch een stoute man,' zei ze en ze liep om de schrijftafel heen en ging op zijn schoot zitten.

Hoofdstuk vijftig

VASTENAVOND

Bronnen: E.L., M.F.L., de Superieur, Walldov, Sandell, Palsson en verscheidene stamgasten van De Zwarte Kat

IK WAS HALF februari bleek en mager weer aan het werk gegaan bij de douane, en ik voelde me net als de narcissen die mijn kamer sierden: hun kopjes verdord, de geur volkomen verdwenen. Elke middag om drie uur ging ik met mijn collega's koffiedrinken in De Zwarte Kat en dan bestudeerde ik de vijf of zes mannen die daar elke dag, jaar in, jaar uit bijeenkwamen. Ik wist vrijwel niets van ze. Een of twee hadden geprobeerd vriendschap met me te sluiten en ik vroeg me af of ik deel uitmaakte van een van hún octavo's en dat hun gebeurtenis nu dankzij mijn onverschilligheid was veranderd. Ik besefte dat het tijd werd om er meer van te maken. Ik kwam er-achter dat de vrouw van Palsson zojuist van een tweeling bevallen was, dat Walldov af en toe in de opera zong en dat Sandell verzot was op het lezen van Engelse romans. Toen ik aan de beurt was om iets te zeggen, ketste ik hun vragen voor de verandering nu eens niet af, maar gaf toe dat ik vreesde voor de terugkeer van mijn goede vriendin mevrouw Mus; haar lokalen zaten potdicht. Ik sprak mijn bewondering uit over koning Gustaaf en zijn voorne-men om het land te hervormen tot een moderne mogendheid. En ik bekende dat ik gevoelens had voor een meisje van wie ik wist dat ze gevangen werd gehouden door een wrede meesteres en dat ik 's nachts lag te bedenken hoe ik stiekem haar gevangenis kon betre-den. Tot dusver was ik er niet één keer in geslaagd en ik durfde geen brief per post te sturen uit angst dat we beiden gestraft zouden worden. De Superieur knikte meelevend en zag mijn trillende handen. Hij zei dat hij mijn zorgen begreep. De verontwaardigde aanmoedigingen en zachte klopjes op mijn rug van mijn collega's deden mijn ogen prikken en tranen.

Vreemd opgevrolijkt door dit alles ging ik terug naar mijn kamers en kroop in bed, met de bedoeling een paar uur te slapen voor ik aan mijn nachttaak moest beginnen. Ik bevond me in de toestand tussen waken en slapen toen er hard op de deur werd geklopt. Ik stommelde mijn bed uit en deed de deur van het slot.

'U ziet er heel goed uit, Emil. Veel beter, zoals juffrouw Bloem al zei. Wilt u een Vastenbroodje?' Meester Fredrik ging zitten en maakte het pakje van de bakker open dat hij als een breekbare schat op tafel had gelegd.

'Mevrouw Murbeck zou het niet goedkeuren. Ze bewaakt mijn dieet tegenwoordig streng, en ik heb trouwens weinig eetlust.' Ik deed met hem mee. 'Maar hoe zit het met juffrouw Bloem?'

'Een goede vrouw. Ze heeft u gered; mevrouw Murbeck, bedoel ik. En juffrouw Bloem.'

Ik ging tegenover hem zitten. 'Dat is het meisje dat u nog niet zo lang geleden de valse bloem noemde.'

'Ze is een zeldzame bloem die ik niet volledig op haar waarde schatte.' Hij trok zijn jas uit en hing hem aan de rugleuning van de stoel. 'Juffrouw Bloem en ik hebben een verbond gesloten.'

'Wat voor verbond?'

Het opgewekte humeur van meester Fredrik verflauwde. 'Een verbond tegen De Uzanne. Juffrouw Bloem en ik denken dat ze de Overheersing tot de climax van het debuut wil maken. Toen u en ik vermoedden dat de Overheersing duister van aard was, konden we niet bevroeden hoe donker. Juffrouw Bloem beweert dat De Uzanne een moord beraamt.'

'Ze bedoelt waarschijnlijk dat daarover gesproken wordt,' zei ze. 'Ik hoor het in elke taveerne.'

'Nee, Emil. De Uzanne heeft juffrouw Bloem opdracht gegeven een dodelijk poeder te maken. Dat wordt Gustaafs ondergang.'

'Als het waar is,' zei ik, onwillig om dit als een echte bedreiging te accepteren.

Meester Fredrik schudde zijn hoofd om mijn ongeloof. 'We moeten handelen alsof het waar is, en we zijn voornemens De Uzannes plan op elke mogelijke manier, hoe klein ook, in de war te schoppen. Ik heb ervoor gezorgd dat de jongedames afwezig zullen zijn en ben van plan die avond nog meer afleiding teweeg te brengen. Wat juffrouw Bloem betreft...' Meester Fredrik haalde zijn schouders op. 'Ze wilde niet zeggen wat ze bekokstooft, uit angst dat ze me medeplichtig maakt, of misschien om te voorkomen dat ik het in een zwak moment verklap. Een wijze strategie, daar ben ik zeker van. Maar juffrouw Bloem zal ons allemaal redden, denk ik. Ze zit dicht genoeg bij het vuur om schade aan te kunnen richten. Ze heeft ermee ingestemd om ons te vertellen wat er op Gullenborg gebeurt. Helaas word ik daar geweerd tot het gemaskerd bal voorbij is.'

'Ik kan naar haar toe gaan,' zei ik, en ik maakte al aanstalten om op te staan.

'Nee, dat kan niet.' Afwezig pakte hij een vastenbroodje en deed zijn mond open om een hap te nemen, maar stopte. 'De Uzanne denkt dat u dood bent.'

'Dan zeg ik toch dat ik op wonderbaarlijke wijze gered ben...' zei ik.

'Uw redding is gekocht...' Meester Fredrik wees met het broodje naar me.

'...door de medicijnen die ze gestuurd heeft.'

'...met een vouwwaaier.' Nu viel het gesprek stil. Meester Fredrik nam een flinke hap van het broodje en likte met zijn tong de zoete, witte room op die in zijn mondhoeken was blijven hangen. 'Juffrouw Bloem heeft me het verhaal verteld. En ik vergeef u, Emil. Het is beter zo. Als ik niet zo lang boven de afgrond had gebungeld, was ik misschien nooit bij zinnen gekomen. En op deze manier bevindt juffrouw Bloem zich in een betere positie om de aanval in te zetten.' Hij pakte een zakdoekje en depte zijn lippen. 'De terugkeer van Cassiopeia heeft het meisje stevig met haar bazin verbonden. Ze hebben een onverbrekelijke liefdesband.'

Ik pakte een broodje en legde het terug op het papier. 'Liefde?'

'Inderdaad. De Uzanne houdt van juffrouw Bloem als van een dochter.' Hij legde zijn half opgegeten broodje neer en keek naar mijn gezicht. 'O! U koestert zelf ook gevoelens.'

Ik voelde me betrapt door die opmerking, en verward, want ik wist helemaal niet zo zeker wat ik voelde. 'Ze is een fascinerende jongedame,' zei ik. Hij keek me zo lief meelevend aan dat ik me een dwaas voelde, en ik probeerde uit te leggen dat ze eigenlijk alleen deel uitmaakte van een groter mechanisme dat mijn leven bepaalde: het octavo. 'Die vorm van waarzeggerij is een ontdekking van mevrouw Mus, maar misschien kent u de vrijmetselaarstheorieën waarin het de Goddelijke Geometrie wordt genoemd.'

'Die ken ik niet, maar hoe kan mevrouw Mus geheimen van de broederschap doorgronden waar ik nog geen weet van heb?'

'Ze heeft verscheidene leermeesters gehad, van wie de meest recente Christian Nordén is. Ze zijn vrienden en hij zit een aantal treden hoger dan u in de loge,' zei ik.

'En gelooft u in dit octavo?'

'Ik weet zeker dat het bestaat, want het heeft mijn leven volledig veranderd. Waar ik nog aan twijfel, is aan mijn vermogen het in mijn voordeel te gebruiken.'

'En wat zal het u brengen?'

Ik vertelde meester Fredrik over de zoektocht naar mijn achttal en dat ik de centrale gebeurtenis gunstig zou kunnen beïnvloeden als ik mijn acht zou vinden. 'Door u in de positie van mijn Leermeester te plaatsen, besteedde ik bijvoorbeeld veel aandacht aan wat u te zeggen had. En u wilde een gretige, bewonderende leerling graag helpen zijn doel te bereiken. Zonder de aanwijzingen van het octavo had ik misschien wel nooit contact met u gezocht.'

'Praktische magie,' zei hij. 'Ik kan wel warmlopen voor deze octavotheorie. En wat is de centrale gebeurtenis?'

'Liefde en verbondenheid.'

'Dus juffrouw Bloem,' zei hij grijnzend.

Tot mijn verbazing protesteerde ik niet tegen zijn aanname, maar stemde ik er ook niet mee in, en hij bleef maar absurd naar me glimlachen. 'Het ligt gecompliceerder dan dat.' Ik legde uit hoe het zat met het Stockholm octavo, mijn band met mevrouw Mus en de nu zeer reële bedreiging van Gustaaf. 'Het geeft me hoop dat we het verraad dat De Uzanne beraamt misschien echt kunnen voorkomen. Op dit moment, hier in deze kamer, schragen we het Stockholm octavo samen.'

'Dat biedt een bijna duizelingwekkend gevoel van mogelijkheden!' zei meester Fredrik. De winterzon scheen door het raam en verlichtte mijn onaangeroerde vastenbroodje. Meester Fredrik keek ernaar en zijn vingers plukten rusteloos aan elkaar, alsof ze elkaar uitdaagden het weg te snaaien.

Ik pakte het broodje en snoof de rijke geur van kardemom op, nam een hap, duwde het brood in mijn mond en zoog aan het midden om de zoete room en marsepein te proeven. 'Ik kom naar het gemaskerd bal.'

'Wat gaat u daar doen? *Brand!* roepen of mij helpen De Uzanne tegen de grond te slaan?'

'Ik zou van alles kunnen doen,' zei ik. 'Maar één ding is zeker: ik zal mijn Gevangene, juffrouw Bloem, bevrijden en dan zal het octavo op zijn plek vallen.'

Hoofdstuk eenenvijftig

DE KOEKOEK

Bronnen: E.L., mevrouw Mus, Katarina E., R. Ekblad

OP DE ZESDE dag van maart vertrok ik van huis om naar mijn werk bij de douane te gaan, toen mevrouw Murbeck haar hoofd om de deur van de gang stak. 'Er is gisteravond een briefje bezorgd, maar u was erg laat thuis. Was u weer naar Gullenborg?' Ze klakte met haar tong en schudde treurig haar hoofd. 'Ik vind het niet verstandig dat u 's avonds voor het huis van uw dame gaat staan in de hoop naar binnen te mogen. Hoogst ongepast, mijnheer Larsson. U zou beter een eerlijk beroep op haar beschermster kunnen doen.'

Ik was al weken elke avond in allerlei vermommingen naar Gullenborg gegaan in de hoop haar naar buiten te krijgen of iemand te vinden die ik ervoor kon betalen, tot nu toe zonder succes. Maar de roddels over Johanna sijpelden door de kieren naar buiten: de bedienden waren bang voor haar kennis en wezen naar Jonge Per. Ouwe Kokkie wilde haar in het gevang zien, wat in feite al het geval was: De Uzanne hield Johanna in haar buurt of veilig achter slot en grendel. Ik bestudeerde het vriendelijke, lelijke gezicht van mevrouw Murbeck dat straalde van bezorgdheid en zo oprecht betrouwbaar leek. 'Misschien kunt u namens mij een eerlijke oproep doen,' zei ik.

'Wat? Ik?'

'De bazin van juffrouw Bloem zou misschien kunnen inzien dat het gunstig zou zijn om Johanna te omringen met de geest van christelijk berouw,' zei ik. 'De Uzanne is goed bevriend met bisschop Celsius, en u kunt de honneurs waarnemen namens de Grote Kerk en de Gebedsvereniging voor Dames.'

Mevrouw Murbeck rechtte haar rug toen ik haar kerkgroepje noemde. 'Ik ken elk gebed uit mijn hoofd.'

'Ja, en u zou haar nieuws over mij kunnen brengen.' Mevrouw Murbeck trok haar neus op vanwege deze overduidelijke misleiding. 'Als u ermee zou willen instemmen als spreekbuis te fungeren voor zowel de Heer als voor mij, zou onze erkentelijkheid groot zijn.' Ze sloeg haar armen over elkaar en klemde haar handen stevig onder haar oksels, alsof ze mijn steekpenningen zonder haar toestemming zouden weggrissen. 'Ik dacht dat ik u misschien meer zou kunnen leren lezen en schrijven dan de verplichte catechismus. En uw zoon ook, hoewel ik misschien romans moet gebruiken om hem te inspireren. Het is een kleine prijs voor de Murbecks, in ruil voor de hele wereld.'

Eerst dacht ik dat ze me niet hoorde of dat ze niet wilde leren, maar toen begon ze met haar handen te wapperen. 'Mijn jongen en ik, geletterd? Vrijgevige God!' Ze omhelsde me en haar gezicht was vlekkerig van dankbaarheid en tranen. 'Ik ga elke avond naar Gullenborg als u wilt. We zullen meer redden dan alleen juffrouw Bloem.'

Ik stak mijn hand uit om de zaak te bekrachtigen, maar ze pakte me vast in een warme omhelzing die me aan het lachen maakte. Ze veegde haar ogen af en gaf me eindelijk het briefje dat was bezorgd. Ik herkende het spinnenhandschrift meteen. Ze was teruggekeerd uit Gefle.

'We beginnen vanavond nog met onze uitwisseling van diensten,' zei ik, terwijl ik haastig de deur uit ging. Mevrouw Murbeck zoog haar adem naar binnen, wat onmiskenbaar een ja betekende.

De straten waren sneeuwvrij op de plekken waar de zon bij kon: een teken dat er verandering op til was. In de Minderbroederssteeg rende ik vol verwachting de trap van het huis met de puntgevel op en bleef op de donkere stoep staan, huiverend van de kou en vol gespreksstof en vragen. Ik klopte aan met een speels tikje. Er kwam niemand, dus klopte ik nogmaals, nu met een zakelijke hand. Nog steeds niets. Ik probeerde het nog een keer, ditmaal met de luide, opdringerige volharding die meestal is voorbehouden aan wetsovertreders. De sloten werden eindelijk geopend met een hele reeks klikken en de deur ging open, maar Katarina was niet degene die me kwam begroeten.

Mevrouw Mus droeg een peignoir van blauw fluweel die was aangevreten door motten, en daaroverheen een heleboel sjaaltjes. Het zag eruit alsof ze die kledingstukken al een week aanhad, een veronderstelling die werd bevestigd door hun doordringende geur. Haar bruine haar was naar achteren getrokken in een knot, maar dan plat langs haar hoofd en glanzend van de olie, met hier en daar grijze plukjes. Haar gezicht was magerder geworden en zag zo wit als pleister, maar ze glimlachte breeduit en in haar grote, bruine ogen fonkelde een fanatiek vuur. Ze hield haar altijd zo beweeglijke handen ineengeslagen voor haar borst. 'Emil! U bent zo dun als een geest!' zei ze, en haar stem klonk tenminste als die van haarzelf.

'Mevrouw Mus, ik ben doodziek geweest, maar ik kom wel weer aan. Hoe is het u vergaan?'

'Ik ben op pelgrimstocht geweest, Emil, een heilige. Een vruchtbare. Kom binnen, kom binnen!' Ze trok aan mijn arm om me mee naar binnen te nemen, terwijl mijn adem nog steeds wolkjes in de lucht maakte. De donkere hal werd alleen verlicht door het beetje daglicht dat tussen de dikke gordijnen door kwam, die een beetje scheef hingen. In de kille lucht hing een zwakke geur van bedorven eten, gedragen kousen en een nachtspiegel.

'Waar is Katarina? Is ze in haar huwelijksbed gekropen en er nooit meer uit gekomen?' vroeg ik.

'Wat? O, Katarina. Ja, ik heb gezegd dat ze meteen weg kon gaan om te trouwen. De acht stonden op hun plek en ik heb haar… ik heb haar… ik weet niet meer waar ik haar naartoe heb gestuurd. Ze huilde, dat weet ik nog wel. En ze zei dat ze terug zou komen. Ik hoef het alleen maar te vragen.'

'Dat moet u dan maar gauw doen, als u weer weet waar ze is; u kunt geen gasten ontvangen als het huis er zo uitziet.'

'Ik ben klaar met gasten, Emil. Ik heb ze niet meer nodig.' Mevrouw Mus liep door de hal en ik volgde haar. Ze bleef abrupt bij een walnoothouten kastje staan en trok een vierkant en een cirkel in het vuil, waarbij de stofwolken dansten in de bundel licht die door een raam naar binnen viel. Ze bleef even naar deze vorm staan kijken en leek te zijn vergeten dat ik er was.

'Maar u hebt mensen nodig om te overleven,' zei ik ten slotte.

Ze keek me aan met de blijdschap van een krankzinnige. 'Dat ik dat van u moet horen!' Ze veegde de tekening uit en schudde me de hand, alsof we elkaar voor het eerst ontmoetten. 'Wilt u samen met mij een glas brandy drinken, mijnheer?' vroeg ze plechtig. 'Misschien staat er nog een fles in de grote salon,' zei ze.

'Dat zou ons allebei weleens goed kunnen doen,' zei ik en ik liep naar de grote gokzaal. Toen ik de deur opendeed, kwam me een windvlaag tegemoet die zo koud was dat mijn ogen ervan traanden en mijn longen er pijn van deden. De ramen stonden wijd open en er was sneeuw naar binnen gedwarreld, zodat er bergjes wit poeder tegen de plinten lagen. Stoelen waren omgevallen, glazen waren gebroken, karaffen water waren gebarsten door het ijs. Bij de schoorsteenmantel stonden rijen po's van zeven, acht dagen – vol, maar gelukkig bevroren – waaruit bleek dat Katarina al een week weg was en er sindsdien niemand binnen was geweest. Ik zag een fles armagnac op een buffetkast staan, en pakte hem op met een linnen servet dat op de grond lag.

Mevrouw Mus was weg toen ik terugkwam, maar ik zag licht flakkeren in haar slaapkamer verderop in de hal. De kachel was aan en de kamer was warmer, en gelukkig rook het er sterk naar stijfsel en kamfer. Op het nachtkastje brandde een kaars die een zacht schijnsel wierp op een lichaam dat plat op bed lag. Het bed stond heel hoog boven de grond en er stond een bibliotheektrapje voor om erin te komen, dus klom ik erop en zag dat het mevrouw Mus was, die erbij lag als een of andere opgebaarde bleke bisschop. Ze was gekleed in een fris, witlinnen nachthemd en een bijpassende peignoir, die extravagant was afgezet met kant. Ze droeg een nachtmutsje met satijnen linten, dat geborduurd was met sneeuwvlokjes. Haar voeten waren gehuld in de prachtigste witte, tricot muiltjes, afgezet met geribd zijden lint en geborduurd met vogels en takken.

Ik trok een stoel met een rechte rug bij haar bed en ging zitten, maar ze bleef stil. 'Wat een prachtige nachtkleding,' flapte ik er uiteindelijk uit.

'Lang geleden had ik een visioen dat ik in bed zou sterven,' zei ze prozaïsch, nog steeds met haar ogen dicht. 'Ik wil goed gekleed zijn als ik gevonden word.'

'Bent u ziek, mevrouw Mus? Moet ik een arts halen? Of een priester?' Ik klom omhoog om haar pols te voelen.

Ze ging zitten en pakte mijn hand. 'Ik ben niet ziek, Emil. Ik ga elke avond zo naar bed, want elke avond kan mijn laatste zijn. Maar in werkelijkheid ís vanavond het einde van iets: mijn octavo is compleet en de gebeurtenis is in gang gezet.' Ze vertelde dat het op Driekoningen op zijn plek begon te vallen, toen ze eindelijk aandacht besteedde aan haar Leermeester: haar rijkelijk gekostumeerde bezoek aan de Opera opende de deur naar Gustaaf, die was gearriveerd voor de laatste scène en haar in de koninklijke loge ontving. Gustaaf nodigde haar uit voor het parlement in Gefle, waar ze zouden overleggen. 'De sledetocht duurde twee lange dagen en voerde door een leeg, wit landschap dat het Inzicht inspireerde. Ik werd vervuld van visioenen; het noorderlicht danste in patronen die ik elke avond ontcijferde, en de wind fluisterde in de lege, zwarte takken over de oneindige acht. Maar Emil, wat er op dat mystieke landschap volgde, was een test voor mijn besluit om mijn Metgezel te bereiken. Ik ging dagelijks naar de ijzige kamers waar de gedelegeerden bijeenkwamen, langs ijspegels van bevroren braaksel die aan de ramen van de ziekenhuiszalen hingen. Er waren maar weinig vrouwen, behalve prostituees en dienstmeisjes. Ik werd veracht en bespuugd, ik werd met aanhouding bedreigd. Op straat zag het zwart van de soldaten die gespannen over moord spraken. Ik was verdacht en werd vastgezet. Maar eindelijk zag hij me. Hij zag me. En we werden herenigd.' Ze deed haar nachtmutsje goed en veegde over haar ogen, waaruit tranen van blijdschap rolden. 'Gustaaf heeft beloofd dat hij het tot het eind toe zou volhouden.'

'Welk eind?' vroeg ik.

'Het eind van mijn octavo. Mijn Sleutel is op weg om de deur te openen! Gustaaf heeft Axel von Fersen bevel gegeven uit Brussel te vertrekken met de papieren van een diplomaat die naar Portugal moet. Von Fersen zal de Tuilerieën binnengaan en naar buiten komen met de koning en de koningin van Frankrijk.'

'Zoals u het zegt, lijkt het kinderspel,' zei ik, 'zelfs als Von Fersen het met de dood moet bekopen.'

'Von Fersen is de ideale Sleutel. Liefde opent alle deuren.'

'Is dat zo, mevrouw Mus?' Ik stond op en deed de deur dicht om de warme lucht binnen te houden. 'En de bedreigingen voor Gustaaf hier in de Stad dan? De patriotten, hertog Karel, De Uzanne? De geruchten over moord gaan maar door en ik ben op de hoogte van een plan dat zou kunnen slagen voor Von Fersen Parijs bereikt.'

'Des te meer reden voor haast,' fluisterde ze. 'U moet de laatste van uw acht vinden en ze op hun plek zetten. Dan is het grotere geheel compleet.' Ze ging weer achteroverliggen en sloot haar ogen. 'Ziet u nog steeds niet hoe onze octavo's verbonden zijn? Het Stockholm octavo zal alles veranderen.'

Na een paar minuten stilte nam ik aan dat ze sliep. Ik pookte de kachel op, ging naar de studeerkamer en schreef een briefje voor mevrouw Murbeck met het verzoek de dienstmeid onmiddellijk naar de Minderbroederssteeg te sturen en stevige soep en donker brood mee te nemen uit de herberg op de hoek. Ik floot uit het raam naar een jongen die over de binnenplaats liep, en hij was binnen een mum van tijd de diensttrap op gerend, graag bereid het briefje te bezorgen voor een paar centen. Daarna ging ik naar de keuken. De waterton was vol en rook fris genoeg om te drinken. Katarina had een olielamp, een tondel en hout voor een klein vuur in de haard achtergelaten. Ik stak de lamp en het vuur aan en zette de ketel op de zijplaat van de haard om water te koken. De warmte en het licht hielpen de angst uit mijn gespannen schouders en nek te doen smelten. Het was makkelijk om de theepot, de kopjes, de schoteltjes, de lepeltjes en de borden te vinden, want de keuken was zo georganiseerd als een scheepskombuis. De deur van de voorraadkast zat niet op slot, en ik vond theebladeren, suiker, een mousseline zak met kastanjes in een tinnen potje met gaatjes, in papier gewikkelde harde broodrondjes in een la, en een verzegelde pot met

vossenbessenjam. Toen de thee getrokken was en de kastanjes geroosterd waren, zette ik het ontbijt op een zilveren dienblad dat op
een plank dof lag te worden, en keerde terug naar mevrouw Mus.

Het leek wel of er tijdens mijn afwezigheid een late winterstorm
door de kamer was gewaaid, die haar papieren her en der had neer-
gesmeten. Ze was van haar lijkbaar af geklommen en zat naast het
kleine bedtafeltje, voorovergebogen in de kring van licht. Ze had
haar aandacht volledig bij een vel papier dat vol stond met tekeningen, en mompelde er zuchtend en sabbelend tegen. Ik werd er bijzonder nerveus van. 'Mevrouw Mus, u moet eten, anders komt
Magere Hein straks bij u aan tafel zitten,' zei ik op de boze toon die
mevrouw Murbeck altijd tegen haar zoon aansloeg. Ik schonk met
trillende handen thee in, waarbij ik met de kopjes rammelde en op
de schoteltjes morste, deed vijf suikerklontjes in het kopje van mevrouw Mus en gaf het aan haar. 'De kasten zijn bijna leeg; dineert
u soms in De Zwarte Kat?'

Mevrouw Mus hield het kopje voor haar gezicht en ademde in
de stoom. 'Ik heb helemaal niet gegeten. Het oneindige octavo
overweldigt het lichaam en zijn behoeften.' Ze zette haar thee onaangeroerd neer. 'Ik wil dat u het octavo ziet zoals ik het zie, Emil.
Ik heb het op alle mogelijke manieren in kaart gebracht. Ze stond
op en scharrelde door de kamer, verzamelde papieren en liet ze weer
vallen, waarbij ze om de zoveel tijd met de stapel op tafel tikte om
hem netjes te houden. 'Ziet u, het octavo verbindt in vele richtin-
gen, maar in het midden staat de koning van Frankrijk. Kijk hier,
kijk,' drong ze aan, en ze gooide me een handvol papieren toe,
waarna ze de rest maar door elkaar bleef schuiven, alsof het een
groot spel kaarten was. De bladzijden stonden vol met achthoeken
in fantasierijke combinaties: vierkanten, kruisvormen, rechthoeken, piramiden, alle geometrie kwam samen in een spel van vreemde diagrammen. Terwijl ik door de verzameling bladerde, pakte
mevrouw Mus de resterende papieren en begon opgewonden te
praten. 'Het maakt niet uit hoe de octavo's worden samengesteld.
Daar is de kruisvorm en u ziet de Franse koning in de dwarsbeuk.
In het kompas is hij het middelpunt. Alle koninkrijken lopen

straalsgewijs van hem af. Ah, de spiraal. De bron. Och, er zijn zoveel vormen, Emil. Hoe kunt u dat niet zien? Dit is de Goddelijke Geometrie en welke vorm we ook maken, de Franse koning blijft de sleutel. Hij is het middelpunt van het middelpunt. We draaien om hem heen als planeten rond de zon. En in het midden van het universum van koningen staat de koning van Frankrijk. Dit is de wereld. Dit is de wereld nu en voor eeuwig. Als de Franse koning heengaat, gaat de wereld met hem mee. En nu lijkt dat te gebeuren; de wereld verlaat zijn door God gegeven baan en we zullen allemaal losgeslagen raken.' Ze liet haar papieren vallen en begon plotseling verwoed aan haar hoofd te krabben; aan haar gekke gedachten of aan talloze luizen, dat wist ik niet.

'Misschien zijn er binnenkort wel helemaal geen monarchen meer,' zei ik, en ik raapte de papieren op.

Ze hield prompt op en pakte haar kopje, dat ze schuin hield zodat er een straaltje thee over haar nachthemd drupte. 'De wereld is nog niet klaar om zichzelf te regeren.'

'Dan hebt u weinig vertrouwen in de mensen.'

Daar dacht ze even over na en enkele ogenblikken staarde ze naar het vervaagde blauw van de maartse hemel. 'Ik heb veel meer nuchtere tijd in hun gezelschap doorgebracht dan u. Mensen willen leiders. Ze hebben leiders nodig.' Ik merkte op dat het verlangen naar hervormingen door Europa raasde en dat Gustaaf zelf van plan was de oude aanpak te veranderen. Mevrouw Mus schudde haar hoofd. 'Het doet er niet toe wat wij denken. Het octavo vormt zich toch wel en er zal iemand regeren, kroon of niet. De beste hoop voor het land ligt bij de Franse koning.' Ze duwde de rest van de papieren die ze op schoot had op de grond en fluisterde in zichzelf: 'De Franse koning. De Franse koning.'

Ik pakte het kopje uit haar hand en schonk het weer vol, liet de suikerklontjes er langzaam in vallen en zorgde dat het ronddraaien van het lepeltje ons allebei kalmeerde. Ze nipte van haar thee en we zwegen een minuut of twee. 'U moet eten, mevrouw Mus. U hebt uw kracht nodig als u een troon in stand moet houden,' zei ik zachtjes.

Ze lachte kakelend om mijn grapje, net als de voddenraapster op het IJzeren Plein, en begon toen te hoesten. Haar ogen werden vochtig van inspanning en ze veegde ze af met haar mouw. 'Waar is Cassiopeia?'

'Moeten we het daar nu over hebben? U voelt zich niet goed,' pleitte ik.

'Ik ben uw Sleutel. Ik moet het weten.' Haar handen fladderden nu rond haar gezicht, bij haar wangen en mond. Dus vertelde ik mevrouw Mus wat er tijdens haar afwezigheid gebeurd was: mijn ziekte, de Overheersing, het gebabbel van mijn Ekster Lars, de hulp van Christian en Margot; ik beschouwde hen beiden als mijn Prijs. Als laatste vertelde ik haar over de pogingen van mijn Leermeester en daarna van mijn Gevangene om de waaier te pakken te krijgen. 'En?' vroeg ze, en ze boog zich gespannen naar voren.

'Juffrouw Bloem had een… overtuigender argument. Toen las ze uw woorden aan me voor en die klopten zo goed dat ik haar de waaier heb gegeven. Ik had het gevoel dat u in gedachten bij me was.'

Ze bracht haar handen naar haar mond, fluisterde tegen haar vingertoppen, boog zich voorover om een aantal papieren op te rapen en hield ze vlak bij haar gezicht. 'Cassiopeia is teruggekeerd naar De Uzanne. O ja, o, daar is ze. Kijk! Ik heb ons schema vergroot, Emil. Ik heb de rest van het kaartspel om ons heen gelegd. Uw Gevangene is de Leermeester van De Uzanne,' zei ze. 'Wat een prachtig tapijt, niet? Ziet u, hier is uw Metgezel. Haar Leermeester heeft zich tegen haar gekeerd en uw Gevangene zal worden vrijgelaten. Ze keek opeens op en haar adem stokte. 'U hebt uw Boodschapper nog niet genoemd. Of uw Bedrieger.'

'Ik heb één persoon die beide kan zijn.' Ik legde haar uit welke rol mevrouw Murbeck had gespeeld tijdens mijn recente herstel; dat ik dacht dat ze mijn tegenstander was, maar ze juist een engel bleek te zijn. En nu had ze ermee ingestemd een boodschapper voor me te worden. 'Kan ze beide zijn?'

'Murbeck?' vroeg mevrouw Mus. 'Uw Bedriegerkaart toont een ordinaire vrouw met een scherpe tong, die een geïntimideerde man een uitbrander geeft. Is dat echt haar aard?' Ik gaf toe dat mevrouw Murbeck veel te aardig was en dat ze haar zoon weliswaar achter de vodden zat, maar dat ze van hem hield en hem goed wilde opvoeden. 'En uw Boodschapperkaart laat een man zien, het is absoluut een man. Misschien is mevrouw Murbeck gewoon uw vriend.' Ze greep mijn mouw en trok me naar zich toe. Ik rook haar ranzige adem en haar ongewassen lijf. 'U moet die laatste twee vinden, en snel! Een schijnbaar onbeduidende keuze van een van uw achttal kan het hele landschap veranderen. Liefde en Verbondenheid hangen in de weegschaal en de kroon staat op het spel. Toen ik naar haar hoofd keek, zag ik een grijze luis in haar haar wegkruipen. We hebben de Franse koning nodig,' mopperde ze. 'En had ik niet om brandy gevraagd?'

Ik hoorde een zwak geklop, trok mijn mouw los uit haar knokige vingers en ging naar de voordeur. Het was mevrouw Murbeck zelf. 'Dus dit is het hol van de zonde dat moet worden opgeknapt,' zei ze met nauwelijks verholen vreugde. 'Waar is de waarzegster?'

Ik loodste mevrouw Murbeck eerst naar de keuken, waar ze haar manden en pakjes neerzette, en stelde haar toen voor aan mevrouw Mus, die haar niet de minste aandacht schonk. Toen we naar de keuken terugkeerden, zette mevrouw Murbeck haar plan uiteen, dat begon met het behandelen van de hoofdluis en verder bestond uit bidden, hymnen zingen en mevrouw Mus leren breien, zodat ze een nuttige bezigheid zou vinden. Ik gaf haar geld om de voorraad op peil te brengen, en ze beloofde me later verslag uit te brengen. 'Ik ben op tijd terug voor mijn les, mijnheer Larsson, en om het goede nieuws aan uw vriendin te brengen.'

Mevrouw Mus keek niet op toen ik gedag zei. Ik pakte mijn scharlakenrode mantel van de stoel in de hal en wilde net de grendel voor de deur weghalen toen ik de stem van mevrouw Mus hoorde. '*Vive le roi!*'

DEEL DRIE

HET EIND VAN DE EEUW

De dood is een geduchte beer,
Voortdurend wil hij incasseren.
Hij eist betaling, telkens weer,
Geen leven zal hij ooit kwiteren.
Met minder is hij niet tevree. (2x)
Maar Bacchus lacht, en ik lach mee.

- CARL MICHAEL BELLMAN, 'FREDMANS LIED NUMMER 19'

Hoofdstuk tweeënvijftig

HET GAAT OM JUFFROUW BLOEM

Bronnen: J. Bloem, Louisa G.

OUWE KOKKIE LIET het bord met onaangeroerd avondeten op de vloer van de studeerkamer vallen, waar het mooie porselein in smalle, scherpe scherven brak. Stukjes vlees en jus spatten op haar schoenen, en spruitjes die vet waren van het spek rolden in de haard. 'O, Madame, neem me niet kwalijk, maar mijn handen zeggen dat ik moet praten.' Ouwe Kokkie maakte geen aanstalten de troep op te ruimen, maar wrong zich de handen en veegde ze af aan haar schort. 'Het gaat om juffrouw Bloem.'

'Ja, Kokkie,' zei De Uzanne, opkijkend van haar brief.

'Ik weet dat u dol op het meisje bent en Louisa zegt dat ze voor ons op Gullenborg veel goeds heeft gedaan. Maar ik heb mijn twijfels, Madame. Ernstige twijfels.'

'Hoe komt u daarbij?' De Uzanne stond op en liep om de schrijftafel heen.

Ouwe Kokkie grimaste en hurkte neer om de scherven van het kapotte bord op te rapen. 'Allereerst is er Jonge Per.' Ouwe Kokkie durfde niet over Sylten te beginnen; een dode kat betekende niets voor haar bazin. Maar de jongen was een ander verhaal; die was nog steeds niet volledig hersteld. 'Het meisje gaat de laatste tijd erg vaak naar De Leeuw en verbergt verdachte pakketjes diep achter in de kastjes. Ze wil niemand in haar buurt hebben als ze aan het werk is. Ik zag dat ze een sjaal om haar neus wikkelde om niet in te ademen wat ze aan het vermalen was.'

'Misschien zijn haar longen ontstoken en gevoelig. U weet heel goed hoe vervelend dat kan zijn. En Jonge Per heeft zelf verteld dat hij onvoorzichtig is geweest, maar toch geeft u juffrouw Bloem de schuld.'

'Madame, ik wil gewoon niet dat u kwaad wordt berokkend, noch iemand anders op Gullenborg.'

'Uw bezorgdheid zet me aan tot daadkracht, Kokkie.' De Uzanne legde haar hand op de schouder van de vrouw. 'Laat de rommel maar liggen. We gaan naar de keuken om dit af te handelen. Ik wil geen meningsverschillen meer.'

Ouwe Kokkie kwam langzaam overeind en haar zware ademhaling klonk nu piepend. Hun voetstappen echoden in de lege hal toen ze naar de kelderdeur liepen. Het was stil op Gullenborg; het meeste personeel was al naar bed. Ouwe Kokkie deed de deur van het slot en aarzelde voor ze hem opendeed. 'Waarom zou ze anders opgesloten zitten, als ze geen gevaar was?'

'Ik sluit haar op omdat ik denk dat zíj in gevaar is. En daar hebt u aan bijgedragen.' De Uzanne pakte de oude vrouw bij de elleboog en gaf haar een zacht duwtje in de richting van de trap. Ouwe Kokkie keek een paar maal om naar De Uzanne terwijl ze naar beneden liepen, maar kon haar gezicht niet zien in het donker.

Johanna stond stijfjes naast het hakblok te wachten. De lamp boven de tafel brandde en de ketel begon te stomen. 'Zet wat thee voor Ouwe Kokkie, juffrouw Bloem. Ik ben hier om te zorgen dat jullie eindelijk vrede sluiten.'

Ouwe Kokkie trok haar stoel bij het vuur, bezorgd maar op haar gemak in haar eigen koninkrijkje, waar ze durfde te gaan zitten terwijl haar bazin stond. De vrouw boog zich naar voren. 'Waarom noemt u me ineens Oúwe Kokkie?'

'Breng me de grijs met zilveren waaier, Johanna. Ik neem aan dat u hem in gereedheid hebt gebracht zoals ik u gevraagd heb?'

'En de thee dan?' fluisterde Johanna.

'Ziet u hoe attent juffrouw Bloem is, Ouwe Kokkie?' vroeg De Uzanne, die op het puntje van de keukenbank ging zitten. 'Uw gemak gaat voor.'

Het was volkomen stil in het vertrek, het enige geluid kwam van het water dat werd ingeschonken en het getinkel van een lepeltje in een kroes. De geur van kamille doordrenkte de lucht. Het zetten van de thee gaf Johanna precies genoeg tijd om zenuwachtig te worden. Nu het mengsel klaar was, had Johanna nog maar weinig waarde en was ze een blok aan het been. De Uzanne wilde het poeder testen en had Ouwe Kokkie meegebracht om haar onder de duim te houden. En ze kon nergens heen. Als ze de waaier tegen De Uzanne wilde gebruiken, zoals ze van plan was geweest, zou Ouwe Kokkie bereid zijn te sterven voor haar bazin. Johanna deelde de kopjes rond en de drie vrouwen bliezen op de hete thee en nipten ervan, terwijl Ouwe Kokkie haar hardnekkige hoest probeerde te onderdrukken.

'Ik wil dat u Ouwe Kokkie vertelt wat u voor me aan het bereiden bent, juffrouw Bloem,' zei De Uzanne. 'Ze denkt dat u kwaad in de zin hebt.' Johanna keek haar met grote ogen aan. 'Of beter nog, ik wil dat u Ouwe Kokkie laat zien wat dit mengsel teweegbrengt.' Johanna verroerde zich niet. 'Het is heel belangrijk dat we de lucht eens en voor altijd kunnen klaren.'

Johanna zette haar kopje op het hakblok en diepte uit haar zak de waaier op, die stevig in een servet gewikkeld was.

'Dat is mijn mooie linnengoed!' riep Ouwe Kokkie uit.

De Uzanne stond op en ging bij Johanna staan. 'Ouwe Kokkie komt bijna volmaakt overeen met het doelwit: leeftijd, lengte, gewicht... en volledig gebrek aan testikels,' zei ze zacht. 'Doe het, Johanna. U hebt mijn lessen gevolgd en juffrouw Plomgren zegt dat u al haar bewegingen nadoet. Ik weet dat u hebt geoefend.'

'Madame, ik...' Johanna pakte de waaier langzaam uit en zorgde dat ze geen poeder morste. 'Moet ik haar zo houden?' Ze opende de waaier stuntelig en draaide haar met de voorzijde omhoog, waarbij het bovenste sluitbeen op de laatste drie benen rustte.

'Is dit weer zo'n slaapmiddeltje van u?' Ouwe Kokkie zette haar kopje op de grond en duwde zichzelf omhoog. 'Ik wil geen hekserij meer in mijn keuken.'

'Míjn keuken,' zei De Uzanne en ze griste de waaier uit Johanna's hand. Met twee snelle bewegingen zwiepte ze de achterkant omhoog en blies onder in de holle schacht, waardoor het poeder in het gezicht van Ouwe Kokkie terechtkwam. Die hoestte en proestte en wapperde met haar handen, maar hield toen op en bleef staan. Johanna hield haar adem in, niet wetend wat de ingeademde kluifzwammen zouden doen. Er gebeurde niets. De Uzanne lachte alsof het één april was. 'Ziet u wel, Ouwe Kokkie? Het is gewoon een licht kalmerend middel,' zei De Uzanne met een blik op Johanna. 'Ga nu maar zitten en drink uw thee op. Juffrouw Bloem blijft bij u tot u naar bed gaat. De oorlog is voorbij.'

Ze zagen De Uzanne de trap op gaan en hoorden dat de kelderdeur op slot werd gedaan. Syltens opvolger was ontwaakt uit zijn dutje en kwam spinnend bij Ouwe Kokkie op schoot zitten. Maar afgezien van de incidentele hoestbuien en het gescharrel van een muis was er verder geen geluid te horen. Binnen een halfuur lag Ouwe Kokkie te snurken.

Johanna stond op en liep op haar tenen naar de trap, maar de deur bovenaan bleef gesloten. In de verte tingelde een pendule elf uur. Ze keerde terug naar de keuken en ging op de bank liggen, terwijl haar woelige gedachten om voorrang streden. Misschien waren de kluifzwammen schoongespoeld, of waren ze te oud, of waren ze gewoon niet effectief in poedervorm. Ze zou antimonium moeten gebruiken, maar hoe zou ze kunnen zorgen dat De Uzanne alleen met haar was? En wat zou Ouwe Kokkie doen als ze wakker werd? Ze keek naar de kooltjes, die rood opgloeiden tegen de zwarte muil van beroete stenen en dacht voor het eerst aan de hel. Hoe was ze toch op zo'n koude, kille plek beland die ongetwijfeld het portaal van de duivel was, en waar ze Ouwe Kokkie zelf ook als proefkonijn zag en waar haar kennis en kunde werden aangewend om schade aan te richten?

Uiteindelijk werd Johanna overmand door slaap, maar een paar uur later schrok ze wakker van het gezicht van Ouwe Kokkie vlak bij het hare. Het haardvuur was gedoofd, maar Johanna zag haar opengesperde ogen en open mond. Ze rook vaag naar chocola door de kluifzwammen; een wrede grap van de natuur. 'Ik voel me niet goed, juffrouw Bloem,' fluisterde ze. Ouwe Kokkie smakte een paar keer met haar lippen en ging een glas water uit de ton halen. De kat, die ruw uit zijn slaap was gerukt, rekte zich uit en sprong op Johanna's borst. Ouwe Kokkie dronk, liet de gietlepel vallen en greep met beide handen naar haar maag. Ze draaide zich om en rende naar de toiletemmer in het achterkamertje, en het geluid van haar darmen die zich van hun inhoud ontdeden klonk oorverdovend in het holst van de nacht. Johanna hoorde de bonk van een val, het breken van ledematen en het gereutel en gepiep van zwoegende longen. Er was geen tegengif. Johanna tilde de warme kat naar haar gezicht, sloot haar ogen en ademde de frisse geur van de vacht in tot het weer helemaal stil was.

Hoofdstuk drieënvijftig

DE IDEN VAN MAART

Bronnen: E.L., J. Bloem, keukenmeid

DE KEUKENMEID ZOCHT tussen de sleutels aan de sleutelring; naast haar stond een knecht ter bescherming. 'De Gebedsvereniging voor Dames heeft laten weten dat u zou komen, Diaken. Ze beweerden dat hun gebeden niet sterk genoeg waren voor zoiets,' zei ze.

'Het is de plicht van de clerus om bij de zondaar langs te gaan en rechtstreeks de confrontatie aan te gaan met de duivel. Ik dank God voor deze gelegenheid.'

'Dan kunt u mij beter eerst bedanken.' De keukenmeid hield haar hand op, stopte de munt in haar zak en ontgrendelde de deur. 'Neem me niet kwalijk, Diaken, maar de geest van Ouwe Kokkie waart nog rond in het privaat, dus ik kom niet met u mee naar beneden.' Toen ik binnen was, deed ze de deur weer op slot. Haar stem klonk gedempt door het hout heen. 'Driemaal luid kloppen als u eruit wilt. De knecht zal op u wachten. De dame mag niet boven komen zonder De Uzanne.' Ik hoorde het meisje wegsnellen, alsof ze bang was dat ze omlaag gezogen zou worden door de donkere trap.

'Juffrouw Bloem,' riep ik zacht. 'Hier is uw verlossing.' Het was stil beneden, heel iets anders dan de sissende ketels en rammelende potten toen Ouwe Kokkie de scepter zwaaide. Het enige licht was de flakkering van de haard, die langs de schaduwen en lichtstreepjes op de tegels weerkaatste. Ik schrok toen er een hoofd om de hoek stak.

'Ga maar weg, priester,' fluisterde ze. 'Het is te laat voor verlossing.'

'Ik heb anders dik betaald voor de eer om u te mogen redden,' zei ik, terwijl ik de trap af kwam.

Johanna staarde me aan alsof ik een geest was, trok me de keuken in en sprak zachtjes in mijn oor. 'Praat met zachte stem. Ze luisteren aan de deur.' De keuken was warm en schemerig, en de witte wandtegels weerkaatsten het licht van het open vuur en van een olielamp die boven de lange, eikenhouten tafel hing. 'Waar is De Uzanne?' vroeg Johanna.

'Die zoekt troost in het bed van hertog Karel. Of ze troost hem. Alle heersers zijn op hun hoede op de iden van maart,' zei ik. Johanna's schouders ontspanden bij het horen van dat nieuws. 'Vooral Gustaaf ziet tegen deze dag op; maar hij zou voor morgen moeten vrezen.' Ik zette meester Fredriks geestelijkenhoed af, trok de soutane uit en wikkelde de sjaal van mijn gezicht af. 'Dat doe ik in elk geval wel.'

De rijke, heerlijke geur van stoofpot van rund en gerst vulde het vertrek en Johanna ging naar de haard om in de pan te roeren. 'Hebt u honger, mijnheer Larsson?' vroeg ze. Ik gaf geen antwoord, maar ze schepte wat voor me in een kom en ging op een driepotig krukje bij het vuur zitten. Ik nam plaats aan tafel, waar ik haar beter kon zien.

'Wat is er met Ouwe Kokkie gebeurd?' vroeg ik.

'Ouwe Kokkie was de repetitie voor de tragedie van morgen.'

Ik gluurde naar de deur van het privaat. 'En hoe zal die tragedie verlopen?'

Een blok dennenhout viel knetterend uit de haard en Johanna schopte het terug in het vuur. Er schoten vonken omhoog, die fel opgloeiden tegen de beroete stenen. 'De eerste akte is Verbintenis. Dat deel van de avond is licht en vermakelijk. De Uzanne en juffrouw Plomgren zullen gemaskerd en gekleed zijn als mannen. De jongedames worden gekostumeerd als heel verleidelijke vrouwen. De Uzanne en Plomgren zullen zich op Gustaaf richten, en de coterie zal de mannen die loyaal zijn aan de koning onder handen nemen. Ze zullen de vrijheid van het masker in hun voordeel gebruiken. De tweede akte is donker. U hebt de lezing over Overheersing gemist, maar ik weet dat meester Fredrik het u heeft verteld. De jongedames hebben hun waaiers volgestopt met geparfumeerde talkpoeder of afrodisiaca uit De Leeuw, maar Plomgren draagt de grijs met zilveren waaier, die hier in de keuken van Gullenborg geprepareerd is. Cassiopeia ligt klaar als reserve, maar De Uzanne zal haar handen niet vuilmaken als ze dat kan vermijden.' Johanna draaide zich om op haar kruk en keek naar me. 'Ik zal geen waardevolle waaier krijgen; De Uzanne vindt me te stuntelig na gisteravond met Ouwe Kokkie. Maar ik zal me bij hen voegen voor de finale. Ik sta erbij als ongemaskerde dienstmeid, bedoeld als het trieste offer. Als het plan mislukt of het verraad wordt ontdekt, zal De Uzanne naar mij wijzen en opeens begrijpen hoe het zit met de vergiftiging van Jonge Per en de moord op Ouwe Kokkie. Ze zal beweren dat ze niets wist van mijn kwaadaardigheid. Ik heb haar goed gediend, nietwaar?' Johanna's stem klonk kalm, alsof ze een scène in een toneelstuk beschreef, maar ineens sloeg ze haar handen voor haar gezicht.

'Misschien kunnen we het einde nog veranderen,' zei ik, denkend aan het octavo. 'Kunt u Gullenborg uit komen? Ik heb geprobeerd u te bevrijden, maar u wordt vastgehouden.'

'Mijn rol hier is nog niet uitgespeeld. Als ze me later vanavond roept, zal ik doen wat ik moet doen en de voordeur uit lopen. Zo niet, dan vertrek ik morgenavond in een vierspan naar het gemaskerd bal.' Johanna porde verwoed in de houtblokken en er flakkerden vlammen op, die haar gezicht een rozige gloed gaven. 'De Uzanne denkt dat ik niet in staat ben tot Verbintenis en Overheersing, maar ik zal bewijzen dat ik haar meest talentvolle leerling ben. Ik zal dicht naar haar toe komen en mezelf aanbieden, terwijl ik zelf een dodelijke waaier bij me heb: een grijs met zilveren kopie van de hare, gemaakt door maestro Nordén. Op de een of andere manier zal ik háár einde veranderen. Op de een of andere manier word ik gepakt. Mijn einde is nog steeds onzeker,' antwoordde ze.

Ik zette de onaangeroerde kom stoofschotel op de grond, en de nieuwe keukenkat viel hongerig op de stukken vlees aan. 'Het enige wat zeker is, is dat u moet weglopen.'

'Dat hoeft niet. Ik heb niets meer te verliezen en ben zo goed als dood.'

Ik stond op en ging naar haar toe. 'U bent heel erg levend, Johanna.'

Ze staarde naar de verschuivende kooltjes en liet niet merken dat ze me gehoord had. 'Ik ben arrogant en dom geweest door mijn apothekerskennis aan te dikken, mijn bijdrage aan haar plannen te vergoelijken en mezelf wijs te maken dat ik onschuldig was omdat ik de dodelijke poeders alleen bereidde, maar niet toediende. Ik dacht dat ik elke keus in mijn eentje maakte. Maar als de koning valt, zal hertog Karel tot regent benoemd worden. Elke royalist zal gestraft worden. Dan zal De Uzanne Gustaafs zoon uit de weg ruimen. Wie weet waar dit eindigt en hoeveel mensen er kapotgemaakt worden? Ziet u de reikwijdte van mijn domme gedrag?'

'We doen allemaal weleens iets doms,' zei ik. 'Maar niemand is alleen. We hebben altijd ons achttal.' Ik dacht aan mijn Boodschapperskaart, de succesvolle man die waardevolle goederen droeg, maar bezorgd achteromkeek. Op dat moment wist ik eindelijk wie hij was. 'Ik hoopte dat u in de Stad zou blijven. Maar dat is niet langer mogelijk, hè?' Ze schudde haar hoofd. 'Ik heb geen overtocht op een schip geregeld, zoals ik beloofd had. Maar ik zal het vanavond regelen, en ook een veilige schuilplaats. U moet morgenavond naar het gemaskerd bal komen. Dán zult u vrij zijn.'

Er werd zachtjes, maar dringend op de kelderdeur geklopt. Die ging krakend open en de keukenmeid sprak op gehaaste, angstige toon. 'Er is nog een duivel met wie u de confrontatie aan moet gaan, Diaken. De Uzanne komt onverwachts thuis. Laat als dank voor mijn waarschuwing een handvol munten achter en ga weg.'

Ik gooide de munten op tafel zodat de keukenmeid het zou horen, wendde me tot Johanna en fluisterde: 'Ik zal mevrouw Murbeck laten doorgeven waar en wanneer we afspreken. Zoek Orpheus op het gemaskerd bal om u uit de hel te halen.' In de warme gloed van de haard was alleen Johanna's silhouet te zien; haar gezicht was in schaduwen gehuld, maar ik voelde haar verlangen om te worden aangeraakt. En dat deed ik.

Hoofdstuk vierenvijftig

VOORBEREIDINGEN

Bronnen: E.L., M.F.L., mevrouw Murbeck, mevrouw Lind, het Skelet, snuisterijenverkopers

IK DEED DE ochtend van de zestiende bij de douane alsof ik werkte en regelde dat ik die avond vrij had: ik zei tegen de Superieur dat ik een afspraak met hét meisje had en haar mijn bedoelingen duidelijk wilde maken. Toen de torenklok van de Grote Kerk aankondigde dat het vijf uur was, verontschuldigde ik me en haastte me naar de Kleermakerssteeg. Het was donker op straat, omdat er na 15 maart geen straatlantaarns meer werden aangestoken, maar aan de hemel was nog steeds een streepje licht te zien. De muziek van de aankomende equinox werd op de stenen ten gehore gebracht in de vorm van voortdurend gedrup en af en toe een lading sneeuw die van de daken af gleed. Om zes uur klopte mevrouw Murbeck eindelijk op mijn deur en bracht ze thee en nieuws: ze was naar Gullenborg geweest. 'Het huis is in rep en roer,' zei ze, terwijl ze mijn kamer binnenstormde. 'Wat te verwachten was, nu Ouwe Kokkie zo plotseling is heengegaan.'

'En mijn brief aan juffrouw Bloem?' vroeg ik.

'De Uzanne was in geen velden of wegen te bekennen. Louisa beweerde dat ze nog steeds van streek was vanwege Ouwe Kokkie. Heeft gisteravond niet geslapen en liep maar te ijsberen, zei ze.'

'Mijn brief, mevrouw Murbeck!'

'Ik mocht niet naar juffrouw Bloem toe, maar heb de brief bij de keukenmeid achtergelaten.'

'De keukenmeid! Hebt u haar betaald?'

'Nee, zeg! Ze zijn in de rouw, ze denken niet aan geld!' zei mevrouw Murbeck. 'En ze gaan niet naar het gemaskerd bal.'

'Wát?!'

'Nou, ik kan niet met zekerheid zeggen dat ze niet gaan, maar dat zouden ze niet moeten doen.' Ze zag de paniek in mijn ogen. 'Misschien vinden ze de kracht om door te zetten. U kunt zich maar beter voorbereiden, mijnheer Larsson. Laten we eens naar uw kostuum kijken.' Ik hield de verschillende kledingstukken omhoog zodat ze die kon inspecteren. 'Is dat het? Die wollen cape is vreselijk somber en u zult de hele avond jeuk hebben door die maillot. De lier is het enige behoorlijke eraan. En waar is uw masker?'

'Ik heb geen masker,' zei ik, verbaasd door mijn eigen domheid. Ik pakte meteen mijn overjas en ging op een holletje naar de snuisterijenkraampjes op de Kasteelkade, in de hoop dat daar nog iemand was. 'Een masker,' zei ik, buiten adem van het rennen.

'Ik ben bijna uitverkocht. Kleur?' De eigenares was gehuld in een rode jas die een paar maten te groot was en droeg een zwart hoedje dat was afgezet met allerlei kleurige veren.

'Grijs, denk ik. Het kostuum is grotendeels grijs.'

'Grijs? Dit is een maskerade, geen vastenprocessie. U zult liever wit willen, met versiering. Veren, lovertjes, vlechtwerk? Ik heb er ook een met vleugels aan weerszijden. En een prachtig Turks masker met een mooie sluier.' Ze rommelde in haar zakken en dozen.

'Niets eenvoudigs?'

'Een dame wil niks eenvoudigs.'

Ineens dacht ik aan meester Fredrik: in mijn bezorgdheid om Johanna was ik vergeten hem op de hoogte te stellen van het plan. 'Nee, nee, het masker is voor mezelf,' zei ik. De verkoopster gaf me nijdig een eenvoudig wit masker in ruil voor een bespottelijk bedrag. Toen rende ik naar het Koopmansplein in de hoop mijn vriend thuis te treffen.

De skeletachtige knecht deed open en verkondigde dat de zaak voor vandaag gesloten was, maar in het schemerduister ontwaarde ik mevrouw Lind, die aan haar sjaal friemelde. 'Mevrouw Lind! Ik ben het, Emil Larsson, de vriend van uw man. Ik moet meester Fredrik onmiddellijk spreken. Het gaat over vanavond.' Ze kwam snel naar voren en trok me naar binnen, waarna ze de deur met een klap dichtdeed.

Ze draaide zich met rode ogen naar me toe en bracht haar vingers naar haar mond om op haar nagels te bijten. 'Ik heb hem gevraagd niet te gaan, maar hij staat erop,' zei ze.

'Hij doet het voor u,' zei ik. Ze knikte, in tranen. 'En voor vele anderen. U hebt geen idee hoeveel.'

Ze ging me voor naar zijn werkkamer en klopte aan. 'Freddie? Mijnheer Larsson is hier voor je.'

De deur ging open en ik werd omhuld door de geur van *eau de lavande*. Ik stapte de kleedkamer van een vakman binnen en deed de deur achter me dicht.

Hoofdstuk vijfenvijftig

DE ZWARTE KOETS

Bronnen: E.L., J. Bloem, lakei van Gullenborg

OM TIEN UUR liep ik over de Oude Noordbrug naar de Opera in de kristalheldere lucht van een late winteravond. Meester Fredrik had een geschikter kostuum gevonden, maar mijn witlinnen tuniek en gouden Griekse mantel waren veel te dun, zelfs onder mijn dikste wollen cape. Ik liep zo nonchalant als ik kon over het plein, en bij mijn derde rondje zag ik het imposante zwarte rijtuig met het baroniewapenschild. De paarden stonden te dampen en de koetsier legde net een deken over hen heen. De koets was afgetekend tegen een taveerne waarvan de ramen een oranje gloed hadden, die versmolt met een nachtelijke hemel die bezaaid was met sterren. De aanwezigheid van de koets duidde erop dat De Uzanne leefde, maar het betekende niet dat Johanna bij haar was. Ik trok mijn masker omlaag en kwam naderbij, luisterend of ik binnen stemmen hoorde. De lakei stond met zijn armen over elkaar aandachtig naar de koets te kijken. 'Wie hebben we hier?' vroeg ik.

'Madame Uzanne en haar meisjes.'

'Dochters! Dat wist ik niet,' zei ik.

'Het zijn niet haar dochters. Het zijn eerder haar oogappeltjes.'

'Zijn ze donker of blond, die oogappeltjes?'

'Een van elk, maar de donkere… de pruim…' Hij likte aan zijn duim en schoof die met een zeer obsceen gebaar in zijn mond, toen de deur van de koets openging. Er stapte een slanke, jonge prins uit met een zwarte cape over zijn schouders en een ronde, zwarte hoed en een masker in zijn handen. Althans, ze zag er een ogenblik uit als een jongen, maar het was onmogelijk om zulke borsten te verstoppen, en haar haar was niet volledige getemd tot een mannelijk model. 'Ik wist wel dat u zou kijken wie van ons u het beste zou dienen. Ik deel uw gevoelens voor hem, Madame, en uw waaier is in de beste handen,' zei Anna Maria, haar stem dik van opwinding. 'En zal juffrouw Bloem daar nog steeds zijn, ongemaskerd, zoals gepland?'

'Juffrouw Bloem, dat is die andere,' fluisterde de lakei me toe. 'Niet zo rijp, maar gekleed als het voorjaar zelf. Een prima alternatief als u de hand niet op de pruim kunt leggen.'

'Ga nu maar, juffrouw Plomgren,' zei De Uzanne kalm. 'Geen vragen meer.'

'Mijn kaart?' vroeg Anna Maria, die haar hand ophield.

Er dwarrelde een stuk papier op de grond. De pruim raapte het op en beende boos naar de Opera. Ik volgde op een paar passen afstand, bedenkend dat ik haar zou kunnen ondervragen als we ver genoeg waren. Tijdens het lopen hoorde ik haar De Uzanne vervloeken, haar kostuum vervloeken, Lars om het een of ander vervloeken en de man in een berenpak die haar in de weg liep vervloeken. Net toen ik haar naam wilde roepen, kwam er een bebaarde sultan tussen ons in staan, die haar arm pakte en ze wees naar hem en vloekte nog meer. Die vrouw had een vreselijk scherpe tong en de man was geïntimideerd door haar steek. Het was een tableau-vivant van mijn Bedriegerskaart, met een niet mis te verstane schakel naar mijn Metgezel. Ik bleef staan. Alle acht stonden eindelijk op hun plek en mijn octavo was compleet.

Mijn Boodschapper was klaar. Nu was het van cruciaal belang dat ik mijn Bedrieger in mijn voordeel zou aanwenden, maar de sultan nam haar al mee naar binnen. Ik moest Anna Maria later alleen te pakken zien te krijgen. Ik liep terug naar het rijtuig. 'Die bloem in de koets, staat die open voor een liaison met een heer?' vroeg ik en ik gaf de lakei mijn laatste geld. Hij haalde zijn schouders op. 'Zeg tegen het meisje dat ze haar Orpheus in het oranje huis in de Baggensstraat kan vinden, zodra ze zich vrij kan maken. Er is een klopper in de vorm van een cherubijntje en het wachtwoord is Hinken. Zeg maar dat ik haar de Hades uit zal leiden.'

De lakei grinnikte en gooide de munten op, waarbij ze in zijn hand rinkelden. 'Naar het paradijs, zeker?' vroeg hij. 'Goed dan, maar nu kunt u maar beter gaan. Madame wil niet dat haar oogappeltjes worden afgeleid.'

Als de keukenmeid Johanna mijn brief had gegeven, zou ze weten dat ze me in de vestibule moest ontmoeten voordat het dansen begon. Ik had niet opgeschreven waar de schuilplaats was, omdat ik wist dat het briefje onderschept zou kunnen worden. Maar ik hoopte dat Johanna meteen zou weglopen, dat ze de hele maskerade zou overslaan en zich op de Baggensstraat zou verstoppen tot de avond voorbij was.

Ik kon verder niets doen, behalve binnen op haar wachten. De Opera stond aan de oostzijde van het plein, waar de statige zuilen en de precieze ramenrijen een sobere achtergrond vormden voor de feestgangers die naar de deuren toe stroomden. Helemaal boven op het gebouw stond het koninklijk wapen, en vlak daaronder de woorden *Gustavus III* in goudreliëf. De entree stond bomvol met gekostumeerde schepsels in alle soorten en maten. Er was een aparte rij voor de toeschouwers, die in gewone kleding gehuld waren en die een klein bedrag hadden betaald om in het publiek te zitten kijken. Ik gaf mijn kaart aan een zaalwachter en baande me een weg naar binnen.

Hoofdstuk zesenvijftig

EEN GEVAARLIJKE OOGAPPEL

Bronnen: J. Bloem, lakei van Gullenborg

JOHANNA EN DE Uzanne zaten knie aan knie in het rijtuig; hun adem vormde wolkjes voor hun gezicht en op de ramen zaten dikke ijsbloemen. 'Juffrouw Bloem, u ziet er in alle opzichten uit als een jonge barones,' zei De Uzanne, terwijl ze de reisdeken die Johanna warm hield opzij trok.

'Madame is altijd zo aardig.' Johanna kneep in haar waaier en voelde het pakje antimonium onder haar roomkleurige leren handschoen tegen haar handpalm drukken.

'Ik ben niet aardig. Ik ben eerlijk. En ik verwacht dat u ook eerlijk tegen mij bent.' De Uzanne haalde een envelop uit haar zak en maakte hem open. 'Deze brief kwam met de ochtendpost. Ik vroeg me af wat u ervan zou vinden.' Johanna kon slechts schaapachtig knikken, maar voelde al haar spieren verstrakken. Dit was de brief die Emil had beloofd te zullen sturen. 'Het is maar één regel. Zal ik hem voorlezen?' Johanna knikte weer en drukte nerveus haar handen tegen elkaar. '*A minuit il ne sera plus; arrangez-vous sur cela,*' las De Uzanne.

'Om middernacht zal hij niet meer zijn, bereid u daarop voor,' vertaalde Johanna met grote ogen van verwarring.

'Er waren blijkbaar nog vele anderen die precies zo'n zelfde brief hebben ontvangen. Weet u wie deze brief gestuurd heeft?' vroeg De Uzanne.

'Nee, Madame, nee,' zei Johanna, die nog duizelig was van opluchting en door de schaamteloze woorden.

'Ik wel,' zei De Uzanne en ze gooide het briefje op de grond van de koets en vertrapte het onder haar laars. 'De man die ervan profiteert. De man die te laf is om aanwezig te zijn bij de moord op zijn broer, al heeft hij die gewenst, ervoor gebeden en charlatans bezocht om het te bevestigen. Hij wil het nieuws alleen wel bekendmaken.' Ze sloeg met haar hand tegen de wand van de koets, waardoor de lakei het portier opendeed. 'Doe dicht, lakei, en wacht tot ik tweemaal klop. We zijn hier nog niet klaar,' zei ze, en ze herstelde zich. 'Als ik me niet verplicht voelde jegens mijn Henrik, als ik in mijn hart geen eindeloze oceaan van liefde voor hem en voor Zweden had, zou ik misschien zelf politiecommissaris Liljensparre er wel bij halen.' De Uzanne zette haar driekantige hoed recht en trok een wit deelmasker vol lovertjes over haar gezicht. 'Ik heb hertog Karel lange tijd gekend als een hebzuchtige, domme man en probeerde mezelf voor te houden dat dat bewonderenswaardige eigenschappen waren voor een stroman-koning. En hij laat zich makkelijk leiden door zijn lid.' Ze tuitte haar lippen alsof ze bedorven vlees had gegeten, maar leunde toen achterover en glimlachte. 'Bent u ooit met een man geweest, Johanna?'

Johanna boog zich dichter naar haar toe en duwde het pakketje stevig tegen haar hand. 'Nee, nog nooit,' fluisterde ze, en ze probeerde geboeid te kijken.

De Uzanne liet een in satijn gehulde vinger over de rand van Johanna's lijfje glijden en duwde net genoeg onder de stof om haar tepel aan te raken. 'Het kan oprecht genot geven, dat verzeker ik u, en tijdens mijn huwelijk was ik heel gelukkig. Maar soms is het een smerige plicht waartoe we gedwongen worden. Voor God. Voor het land. Voor de liefde. Er is geen offer te groot.' De Uzanne pakte Johanna's handen. 'Uw slaappoeder heeft me tijdens vele nachten met hertog Karel gered. Ik weet dat ik u op de proef heb gesteld en u daarna vleugellam heb gemaakt, ondanks uw diensten en loyaliteit. Maar dat was alleen om te zorgen dat u veilig was.' De Uzanne keek Johanna diep in de ogen en liet haar vingers langs Johanna's handschoenen glijden. 'Ik wil u graag op Gullenborg houden, Johanna. Juffrouw Plomgren zal vanavond het offer zijn, ze zal... Wat is dit?' Johanna trok haar hand weg, maar niet snel genoeg. De Uzanne kneep zo hard dat de tranen Johanna in de ogen sprongen. 'U verbergt iets, mijn oogappel.' Ze stroopte Johanna's handschoen af en wrikte haar vingers van elkaar, waarna ze het opgevouwen papieren vierkantje pakte en het voorzichtig openmaakte. De Uzanne keek naar Johanna en sloot haar hand meteen. 'Wat is dit, apothicaire?'

'Antimonium.'

De Uzanne stopte het pakketje in haar zak en duwde Johanna tegen de rugleuning. 'Waar is het voor?'

'Het was voor mij bedoeld, voor als ik zou falen,' riep Johanna, en ze wendde haar gezicht af.

De Uzanne drukte haar lippen tegen Johanna's oor. 'Dan bent u een lafaard en hebt u al gefaald.' Johanna ontspande zich alsof ze zich gewonnen gaf, en duwde De Uzanne daarna met al haar kracht van zich af. Maar De Uzanne klopte tweemaal met haar knokkels op het plafond en de lakei opende meteen de deur. Johanna haastte zich om eruit te klauteren, maar De Uzanne greep haar jurk en trok haar terug. 'Houd haar vast, lakei.' De lakei klom naar binnen en drukte zijn lijf tegen Johanna aan, terwijl De Uzanne haar eigen handschoenen uittrok. Ze boog zich over het meisje en duwde de meters geborduurde zijde opzij, waarna ze haar koude handen langs het lijfje en onder haar rokken schoof. 'Hier is ze!' De Uzanne haalde de grijze waaier uit een binnenzak. 'Juffrouw Plomgren beweerde dat u een waaier van de Nordéns had gestolen, en dat deed ik af als afgunst. Maar ik heb uw talent onderschat, juffrouw Bloem.' Ze ging kalm tegenover Johanna zitten, die kronkelde onder de ruwe omhelzing van de lakei. 'Lakei! Laat uw handen maar los,' zei De Uzanne uiteindelijk, en ze wachtte tot alles weer stil was. 'Te bedenken dat ik u liefhad, dat ik u zou behoeden voor het offer dat ik bereid ben te brengen, als een moeder voor haar kind. Maar u bent geen kind, Johanna Grijs. U bent nu een vrouw en het wordt tijd dat u gaat trouwen.' Johanna verstijfde en de lakei duwde haar in de hoek. 'Hebt u zich nooit afgevraagd hoe het zal zijn om mijnheer Stenhammar tussen uw benen te hebben? Ik heb gehoord dat de stedelingen hem de Witte Worm noemen. Voor de maand maart voorbij is, zal ik u persoonlijk aan die duivel overhandigen, en als

Gefle niet zo'n achterlijk oord was, zou ik er blijven om op uw bruiloft te dansen.' Ze opende de deur en stapte uit het rijtuig. 'Het meisje blijft binnen opgesloten zitten,' zei ze en ze trok haar handschoenen aan en wees met een witte, geborduurde vinger naar de lakei. 'En u blijft buiten. Ik ben van plan een maagd af te leveren.' De lakei sprong naar beneden en de deur klikte in het slot. Johanna drukte haar gezicht tegen het glas en keek toe hoe De Uzanne één hand over haar neus en mond hield en de antimonium op de keien onder haar voeten strooide. 'Bewaar de waaier van het meisje voor me, lakei. Die wil ik later hebben. Als ze weg is of op wat voor manier dan ook is beschadigd, zult u smeken om de genade van het graf.

De lakei propte de waaier in zijn binnenzak en zag De Uzanne in de Opera verdwijnen, waarna hij de koetsdeur opende en naar binnen leunde. Johanna kwam half overeind in de hoop dat ze zich er op de een of andere manier uit kon redden, maar de lakei duwde haar terug op de bank. 'Er heeft al een heer voor u betaald,' zei hij. 'Hij zei dat hij Orpheus heette en dat hij u uit de hel zou halen.' Johanna ging rechtop zitten en streek haar haar en haar netelgroene jurk glad. 'Hij wilde u naar het oranje huis in de Baggensstraat lokken en u daar neuken als de gehoornde zelf, samen met zijn vriend Hinken. Nou, als ik u niet mag hebben, dan zij ook niet.' Hij smeet de deur dicht en drukte zijn gezicht tegen het raampje: zijn neus was plat en vervormd, zijn tanden waren scherp en zwart. 'U bent al een heel eind op weg over de rivier de Styx, meisje; helaas als maagd, maar zo wil Madame het nu eenmaal.' Johanna voelde dat de rillingen in haar schouders begonnen en helemaal naar haar tenen gingen. Ze wendde zich met trillend lichaam af en trok de reisdeken over zich heen. Hij liep weg bij de deur en stampte met zijn voeten in de kou. 'Verdomde vrouw. Ze houdt het allemaal voor zichzelf.'

Hoofdstuk zevenenvijftig

HET GEMASKERD BAL, 22.00 UUR

Bronnen: M.F.L., L. Nordén, diverse gasten

EEN GLANZENDE JURK van koperkleurige zijde, een torenhoge pruik versierd met vlinders, citroengele handschoenen, groene muiltjes met koperkleurige linten – het was veruit de mooiste kleding die meester Fredrik ooit gedragen had. Helaas was de inzet die avond zo hoog dat hij transpireerde als een matroos in de tropen, waardoor hij donkerbruine plekken onder zijn oksels had. Hij drukte zijn armen tegen zijn zij en bewoog alleen zijn onderarmen en zijn polsen in een poging luchtig en opgewekt over te komen. Lars, in een koningsblauw sultansgewaad en een tulband vol juwelen, stond naast meester Fredrik en bekeek het volle toneel. De orkestleden, allemaal zwarte Venetiaanse domino's, zetten hun muziekstandaards neer en maakten hun instrument schoon. De vloer stond vol met narren en melkmeisjes, elfen en demonen, en tientallen in het zwart geklede domino's met ronde hoeden en maskers. De spanning steeg door alle geparfumeerde polsen en omhooggeduwde borsten, roodgeverfde wangen en lippen, kabbelende spotlachjes, kanten manchetten, gepoetste schoenen, maskers, en dezelfde vraag die op ieders lippen brandde: *wie bent u?*

'Er moeten inmiddels al honderden Venetiaanse domino's zijn. Ik herken er niet één!' riep Lars door zijn zwarte nepbaard. 'Wat? Is híj hier?' Hij rechtte zijn rug en staarde naar zijn broer Christian, die zich een weg door de menigte baande. 'Híj is niet uitgenodigd!'

'Iedereen mag een kaart kopen, mijnheer Nordén, maar Christian hoort bij zijn Margot te zijn,' zei meester Fredrik zacht. 'Dit is niet het debuut dat hij zich voorstelt. Ik zal proberen zijn vertrek te bespoedigen.' Een knappe jongeman kwam aanlopen en kneep in de omvangrijke bilpartij van meester Fredrik. 'Párdon...? O, juffrouw Plomgren. U. Waar is Madame? En juffrouw Bloem?'

'Mijnheer Nordén,' zei Anna Maria, die meester Fredrik negeerde en zich tegen Lars aan drukte. 'U doet me denken aan duizend-en-eennacht. Ik zou maar wat graag met u in een kasteel worden opgesloten.'

'Waar is Madame?' drong meester Fredrik aan.

Anna Maria keek over haar schouder naar meester Fredrik. 'Wie bent u? Een koperwiek?' Meester Fredrik trok zijn zwaar aangezette wenkbrauwen op. Anna Maria deed Lars' tulband goed. 'Als de muziek begint, moet je met me dansen,' zei ze. Als antwoord gaf hij haar een lange kus en liet hij zijn hand langs de achterkant van haar jas glijden, waar hij hem op haar achterwerk liet rusten.

'Wie bent u?' vroeg meester Fredrik aan Christian, die eindelijk bij hen was aanbeland.

Christian zette zijn wassen masker op zijn kruin en keek naar zijn magentakleurige cape, die haastig was afgezet met een gouden bies. 'Margot had een mijter voor me gemaakt en ik zou de paus worden, maar ik dacht dat het misschien verkeerd opgevat zou worden.'

'Wijs besluit. Schadelijk voor uw zaak, katholicisme,' zei meester Fredrik. 'Ik sta versteld van uw aanwezigheid, mijnheer Nordén. Madame vond dat uw broer het atelier moest vertegenwoordigen.'

'Het zijn mijn waaiers. Ik wilde aanwezig zijn op het debuut.' Christian trok zijn mantel om zich heen en keek omhoog naar de bovengalerij, een wirwar van touwen en geschilderde druppels. 'Ze zijn zo licht als duiven en hebben ook dezelfde zachte kleur. Het lijken volmaakte duplicaten, maar het zijn geen kopieën.' Hij glimlachte om zijn geheimpje. 'De jongedames zullen overheersen.' Hij keek weer voor zich. 'Waar zíjn de jongedames?' vroeg Christian, die de menigte afspeurde.

'Jongedames zijn altijd laat, mijnheer Nordén. Soms uren en uren,' zei meester Fredrik met een overdreven hartelijke lach. Hij pakte Christians arm. 'Kom. We kijken of we uw waaiers in de buurt van de versnaperingen kunnen vinden. En ik moet juffrouw Bloem zien te vinden.'

De twee heren wandelden gearmd via de coulissen de trap af naar de foyer. 'Ik moet bekennen dat ik hier met minder verheven bedoelingen naartoe ben gekomen, meester Fredrik,' zei Christian. 'De jongedames hadden begrepen dat De Uzanne hun waaiers voor het debuut zou bekostigen. We moeten nog betaald worden.'

'Mijnheer Nordén, dit is niet de plek om zaken af te handelen,' zei meester Fredrik. 'Sterker nog, het zou veel beter voor de zaken zijn als u meteen naar huis zou gaan, naar mevrouw Nordén.' De klok sloeg halfelf. De eerste violist begon te stemmen. 'Ik heb gehoord dat ze in verwachting is.'

Hoofdstuk achtenvijftig

HET GEMASKERD BAL, 23.00 UUR

Bronnen: M.F.L., L. Nordén, H. von Essen, maskeradegasten, orkestleden waaronder hoftrompettist Örnberg, dirigent Kluth

'IK ZWEER HET, Madame, u bent een adembenemende hertog,' zei meester Fredrik, die een overdreven reverence voor De Uzanne maakte en daarna probeerde haar hand te pakken om die te kussen. 'De transformatie is verre van ongelukkig.'

'Dat kan ik van u niet zeggen, mijnheer Lind,' snibde ze, en ze duwde zijn in handschoen gestoken hand weg. 'Waar is juffrouw Plomgren?'

Christian kwam snel aanlopen en bracht zijn hand naar zijn hart. 'Madame.'

'U?' vroeg ze.

'Dat komt door mijn enthousiasme voor uw briljante leerlingen en hun waaiers, Madame. Ik brandde van verlangen om hen van start te zien gaan.' Christian boog. 'Zijn de jongedames al in aantocht? Ik heb er nog niet één gezien.'

De Uzanne wendde zich tot meester Fredrik.

'Ik heb slechts oog voor u gehad, Madame. Meisjes interesseren me niet,' zei meester Fredrik.

'Ik heb ze nodig! Zorg dat u ze vindt en breng ze meteen hierheen,' beval De Uzanne.

'Madame, wat de waaiers van de jongedames betreft...' begon Christian. 'Ik hoopte... we rekenen op de betaling... mevrouw Nordén en ik zijn...'

De Uzanne hoorde er niets van. Ze stak haar hand in de binnenzak van haar witbrokaten jasje om Cassiopeia te pakken, maar werd tegengehouden door de beringde vingers van meester Fredrik.

'U kunt geen waaier hebben, Madame, u bent gekomen als hertog, niet als hertogin.' De Uzanne kneep haar ogen toe. Meester Fredrik klapte zijn eigen waaier open en wapperde er snel mee. 'Ik zal de debutantes in de vestibule gaan zoeken,' zei hij, in de hoop Orpheus te treffen. 'Zal ik ook juffrouw Bloem halen?' vroeg meester Fredrik.

'Juffrouw Bloem komt niet. Ze voelt zich niet goed en wacht in de koets.'

Meester Fredrik verbleekte onder zijn poeder. 'Madame,' zei hij buigend, en hij haastte zich naar de foyer.

'Juffrouw Plomgren!' riep De Uzanne. Anna Maria, die aan het flirten was met een man in een pak dat van speelkaarten gemaakt was, keek op. Ze droeg geen masker. Haar wangen waren roze, haar lippen waren vol en ze had erop gebeten. 'Kom. Nu,' zei De Uzanne, en ze legde haar hand op Anna Maria's arm. 'En zet uw masker op.'

'Orpheus!' Meester Fredriks luide stem klonk uit de coulissen.

'Sultan,' zei Anna Maria, die bij De Uzanne wegglipte en Lars uit de armen van een herderinnetje met lovertjes plukte. 'Dans.'

'Nee, u blijft hier,' zei De Uzanne.

Anna Maria sloeg haar armen over elkaar en kneep haar ogen toe, maar net toen haar verontwaardiging haar tong bereikte, ging er in de salon een gemompel op. Er ging een hand omhoog, wijzend naar een rond venster in de muur, waar de gezichten van koning Gustaaf en zijn opperstalmeester, Hans Henric von Essen, te zien waren. Ze waren klaar met hun souper in de appartementen van de koning op de bovenverdieping en keken vanuit een raam in het privétrappenhuis op de menigte neer.

'Hij komt eraan.' De Uzanne stak haar hand in haar jasje en haalde Cassiopeia uit een zak. Ze spreidde haar waaier niet, maar hield haar stevig vast en kneep erin tot de benen zich opwarmden door haar aanraking en het ivoor de temperatuur van haar huid aannam. 'We zullen dit doen, juffrouw Plomgren. U en ik. We worden heldinnen. Ze schoof haar witte, met lovertjes bezette masker op zijn plaats. Anna Maria keek naar De Uzanne met haar schitterende mannenkleding, haar diamanten speld en haar huid en haar, beide spookachtig wit gepoederd. 'En juffrouw Bloem dan?'

De Uzanne hield haar blik op het doelwit gericht. 'Kom. Nu.'

Hoofdstuk negenenvijftig

JUFFROUW BLOEM IS ZOEK

Bronnen: J. Bloem, lakei van Gullenborg

'IK BEVRIES VERDOMME bijna, ik ga even een borrel halen, maar u blijft hier. Madame houdt er niet van als haar slaafjes weglopen,' zei de lakei door het ijzige glas. 'Dan word ik gegeseld en zal ik u op mijn beurt geselen.' Johanna zat ineengedoken onder de reisdeken, klappertandend en met gevoelloze vingers en tenen. Ze blies op het glas en wreef er een nieuw kijkgaatje op, waar ze doorheen keek tot de taveernedeur achter de lakei dichtviel. Het was niet moeilijk om de klink te forceren; de lakei was het grootste struikelblok geweest.

Johanna trok een mottige wollen jas onder de koetsiersbank vandaan en rende, uitglijdend op de ijzige keitjes, naar de deur van de Opera. Er arriveerden nog steeds laatkomers.

'Uw kaartje,' zei de bepruikte portier.

'Dat ligt binnen, dus ik...' Ze probeerde zich langs de man te wringen, maar die hield waarschuwend zijn hand omhoog. 'Madame Uzanne. Zij is binnen met mijn kaartje!'

'En hoe zou ik die Madame van u moeten herkennen in dit gekkenhuis? Wegwezen.'

'Daar zie ik mijn vriend, mijnheer Larsson! Daar, binnen. Ze wuifde koortsachtig.

'O, nu snap ik het! Zo'n soort madam! Bent u verkleed als naaistertje?' vroeg hij, en hij stak zijn neus in haar jas. Johanna liet de jas op de grond vallen en toonde haar schitterende jurk. 'Dat is een goedkope truc, jij trut. Terug naar de Baggensstraat, waar je hoort.'

De portier pakte met zijn ene hand Johanna's bovenarm vast en raapte met zijn andere hand haar jas van de grond. Hij duwde ze allebei naar buiten, de keitjes op, draaide zich om en sloot de deur.

Hoofdstuk zestig

HET GEMASKERD BAL, TEGEN MIDDERNACHT

Bronnen: E.L., M.F.L., L. Nordén, hoftrompetter, dirigent Kluth, H. von Essen,
F. Pollet, commissaris Gedda, talloze maskeradegasten

IK WACHTTE EEN uur in de vestibule beneden, maar Johanna kwam niet opdagen, dus beklom ik de brede trap naar de stalles en het toneel in de hoop dat ze daar was en niet van De Uzanne kon loskomen. Het was een hevig spektakel, echt carnaval, als was de vastentijd al vergevorderd. De muziek was fortissimo en de gesprekken deden er niet voor onder, toen er een hoorbare pauze viel en er plotseling een hoop ophef ontstond aan de achterkant van het toneel, gevolgd door een golf van geroezemoes. Koning Gustaaf.

Op dat moment zag ik De Uzanne: een oogverblindende hertog, geheel in het wit gekleed. Naast haar een knappe prins, de donkere pruim, nog altijd ongemaskerd. Christian, gehuld in een magentakleurige stof, stond aan één kant met zijn handen in een smekende of dankbare pose, dat kon ik niet zeggen. Ik baande me door de menigte een weg naar hen toe en trok mijn masker stevig op zijn plek.

'Wat voor kostuum zal Gustaaf dragen?' vroeg Anna Maria. 'Ik hoorde dat hij een keer met vier dansende beren in zijn kielzog aan kwam zetten en dat ze zoveel scheten dat het bal voortijdig werd beëindigd.'

'Die toneelspeler zal wel als domino verkleed zijn, want daar heeft hij zijn hele entourage op aangepast,' zei De Uzanne, die haar waaier op het orkest richtte.

'Maar hij zal de elegantste van hen allemaal zijn, dus is hij gemakkelijk te herkennen.'

'Madame, nogmaals, we hebben nog niet betaald gekregen…' begon Christian.

De Uzanne hield haar hoofd schuin naar één kant, alsof ze ontsteld was omdat geld zo onbeschaamd ter sprake werd gebracht. 'Ze zouden hier vanavond debuteren. Waar blijven ze?' De Uzanne wendde zich af. 'Ik betaal niet voor iets waar ik niets aan heb. U zult het geld bij de jongedames zelf moeten halen.'

'Madame, ze dachten dat de waaiers een geschenk waren, dus zullen ze weigeren…' begon Christian, zijn gezicht donker van woede.

'Zoals iedereen zoiets onbehoorlijks zou weigeren.' De Uzanne keek hem niet aan. 'Ga tussen de toeschouwers zitten, mijnheer Nordén.'

'Madame, mijn vrouw…'

'Ga dan naar haar toe, mijnheer Nordén, en bereid u voor op het sluiten van uw winkel.'

Christian keek naar zijn broer, die stond te flikflooien met een gravin die koekjes uit een mand uitdeelde. 'Lars!' riep hij. 'Help me!' Lars draaide zich fronsend om en schudde zijn hoofd. Christian bleef even staan en liep toen met een asgrauw gezicht naar de toeschouwerszitplaatsen, zijn blik op de grond gericht.

'Nord…' wilde ik roepen, maar ik voelde een kneepje in mijn arm.

'Ssstt,' zei meester Fredrik en hij fluisterde in mijn oor: 'Er is nu geen tijd voor troost. Het uur U is aangebroken en we staan er alleen voor. Juffrouw Bloem zit buiten in de koets gevangen.' Mijn maag kromp ineen en ik wilde al naar het plein rennen, maar hij pakte vastberaden mijn arm vast. 'Ze is nu veilig en dit is toch zeker úw octavo? Ik houd De Uzanne wel bezig. Zet u uw tanden maar in de pruim, maar pas op.' Hij sleurde me mee naar de dames, roddelend en lachend, alsof dit het leukste feest van zijn leven was.

We hielden koning Gustaaf in de gaten terwijl die zich langzaam onder de mensen begaf, gearmd met Von Essen. Gustaaf lachte en glimlachte ontspannen. Hij was gekleed als domino, in een zwarte cape en met een wit masker, een driekantige hoed die was afgezet met witte veren, en op zijn borst zat het teken van de Orde van de Serafijn gespeld, een glinsterend doelwit boven zijn hart. De feestgangers draaiden in een contradans in het rond en de drommende menigte, verhit van plezier en punch, duwde De Uzanne en Anna Maria richting het orkest. Conversatie was onmogelijk, er konden alleen gebaren en blikken worden gewisseld. Een golf van onderdanen stroomde als eb en vloed van en naar hun koning op het getijde van dansers, en De Uzanne liet zich met de stroom meedrijven en kwam steeds dichterbij, met Anna Maria aan haar zij. Eindelijk kwamen we vlak achter De Uzanne terecht. Er viel een pauze in de muziek. Ik knikte naar meester Fredrik.

'MADAME UZANNE!' bulderde meester Fredrik vlak achter haar. 'HERTOG KAREL LAAT U ROEPEN!' Ze bleef staan, wachtte een paar maten, draaide zich om en sloeg meester Fredrik hard in zijn gezicht met Cassiopeia, waardoor er een lelijke, rode striem opwelde. Hij legde een hand tegen zijn wang en in zijn ogen glinsterden tranen.

'De hertog is elders, pervers mannetje,' siste ze. 'Dacht u dat ik dat niet wist?'

Meester Fredrik klemde zijn vrije hand om haar pols en kneep net zo lang tot ze ineenkromp. 'NEE, MADAME, HIJ ROEPT OM U,' schreeuwde hij. 'HIJ EN CARL PECHLIN…' Om hen heen werd gefluisterd, waarna het orkest de muziek hervatte en de rest van de woorden verloren ging. Er doken ineens verscheidene domino's op, die meester Fredrik ruw opzij duwden, zijn pruik scheeftrokken en een van zijn mouwen scheurden. Hij werd de coulissen in geduwd en ik verloor hem volledig uit het oog. Een knappe, ongemaskerde domino hielp De Uzanne ondanks haar protesten in een stoel, in de veronderstelling dat ze van streek was door de aanval. Het was Adolph Ribbing; hij was niet vergeten dat hij beloofd had haar te zullen helpen.

Anna Maria bleef alleen achter.

Ik drukte me tegen Anna Maria aan en prevelde een verontschuldiging in haar geparfumeerde haar. Ze bleef staan en liet me nog harder duwen; het was niet moeilijk om intiem te worden in de anonieme massa van lijven. 'Wie bent u?' vroeg ze.

'Orpheus,' zei ik. 'Ik heb een bezoek gebracht aan de Hades en heb een boodschap voor u.'

'Als die van kapitein Magnus Wallander komt, heb ik geen antwoord.'

'Ik ken niemand die zo heet. De boodschap is afkomstig van iemand met een veel hogere rang dan kapitein,' zei ik en ik pakte haar zachte hand en kuste die.

'Uw stem klinkt bekend. Wie bent u?' vroeg ze nogmaals en ze bleef mijn hand vasthouden.

'Dat heb ik al gezegd: Orpheus, en ik ben hier om u van de vervloeking te redden.' Haar handen waren warm en haar vingers vonden een manier om mijn handpalm te strelen. 'De slechterik heeft het grijze meisje buiten gelaten en wil u in haar plaats de hel injagen. U hebt nog tijd om te ontsnappen, als u met mij meekomt.' Anna Maria glimlachte en haar lippen staken roze af tegen haar witte tanden. Ze haakte haar arm door de mijne en ik klemde hem tegen me aan, toen ik een ruwe hand op mijn schouder voelde.

'De prins heeft al een escorte,' zei Lars.

Ik aarzelde één maat lang. 'Dan moeten jullie je masker opzetten en wegdansen,' zei ik, waarna ik haar enigszins terughoudend losliet. 'Ver weg, en wel meteen.'

Anna Maria staarde doordringend en deed alsof ze mijn masker wilde wegtrekken. Lars hield haar tegen. 'Heel onsportief, pruimpje van me. Kom. De muziek is begonnen.'

'Eerst alsjeblieft zeggen,' zei ze. 'Ik ben het zat om gecommandeerd te worden alsof ik een hond ben.'

Lars kuste haar teder op de lippen. 'Alsjeblieft, zoete, sappige pruim van me, vereer me met een dans.'

'Dat is beter,' zei ze. Lars knikte en leidde haar weg. Anna Maria keek meermalen naar me om, en evenzoveel keren naar De Uzanne, en verdween in het dansgewoel.

Ik richtte mijn aandacht op de koning. Gustaaf stond voor het orkest naar de dansers te kijken, tevreden met de warme aandacht van zijn onderdanen en de vrolijke sfeer van het laatste gemaskerd bal. Iemand deed een raam open, waardoor er een kille tocht door de zaal blies en er een storm van protest opging. Bladmuziek waaide op, maar het orkest speelde verder. Een menigte domino's verdrong zich om Gustaaf, en De Uzanne bewoog zich weer in zijn richting. Ze moest zo dicht bij Gustaaf komen dat hij haar kon zien. Gustaaf zou haar nooit negeren. Hij zou de domino's wegsturen zodat ze een tête-à-tête konden hebben. De Uzanne stond nu vlak bij hem en streelde Cassiopeia's sluitbeen met haar duim, waarbij ze een cirkel om de sluitpin trok. Ik liep naar haar toe. In de groep die om de koning heen stond, ging luid gelach op, waardoor De Uzanne schrok. Ze opende Cassiopeia heel zorgvuldig en fluisterde tegen de voorzijde van de waaier: 'Nu.' Haar gezicht straalde van geluk en verwachting; ze zou straks de heldin van haar leerlingen zijn. Van haar land. Van de wereld. Ze begon met haar trage, gracieuze waaierbewegingen en luisterde aandachtig naar de woorden en gevoelens die ze teweegbracht, waarbij ze luchtstromen uitzond die iedereen die op haar pad kwam zouden ontwapenen. Maar ze hoorde alleen muziek en de menigte sloeg er geen acht op. Gustaaf wendde zich af. 'Er klopt iets niet,' zei ze, en ze hield haar waaier volkomen stil. De zwarte, lege koets stond donker in het midden met het stille landhuis erachter. De hemel was precies hetzelfde gebleven: een vlammend oranje zonsondergang die vervaagde naar indigo. De lovertjes op de achterzijde fonkelden. Ze voelde aan de schacht, ervoor wakend dat ze de inhoud niet morste. Alles was zoals het moest zijn. De Uzanne wapperde nogmaals in de richting van de koning, met de bedoeling hem op te laten kijken zodat hij haar zag. In die beweging was ze net zo geoefend als in ademhalen. 'Juffrouw Plomgren! Hier!' riep ze scherp, en ze draaide haar hoofd om. Gustaaf keek, maar De Uzanne miste zijn blik.

'Juffrouw Plomgren is aan het dansen,' zei ik zachtjes.

'Ik geloof niet dat wij elkaar kennen,' zei De Uzanne, die Cassiopeia dichtklapte.

'O, we kennen elkaar wel, maar vrienden zullen we nooit worden.' Ik paste op dat ik niet te dichtbij kwam, want ik kende haar bereik en de inhoud van haar waaier. 'Ik ben hier met een boodschap van de Zieneres: ze beweert dat de sterren niet op één lijn staan voor u. Uw lot is gewijzigd.'

'Wie bent u?' De Uzanne reikte naar mijn masker, maar ik sloeg haar hand weg. Ze klapte de waaier open en hield hem naar me toe met de achterkant omhoog.

'Net als liefde kunt u het niet zien, maar wel voelen,' zei ik, wanhopig om haar af te leiden, hopend dat de koning zou gaan, biddend dat ze niet langs het middenbeen zou blazen. De Jacobskerk sloeg kwart voor twaalf. Bijna middernacht.

Ze staarde naar de waaier, waarvan de diepblauwe achterzijde in het licht baadde. Eén kristallen kraaltje knipoogde naar haar vanaf de bovenkant van het middenbeen, de Noordster stijgend, Cassiopeia eronder bungelend. Ze raakte de zijde aan en haar vingers volgden de speldenprikjes waar de W van de constellatie had gestaan. Toen keek ze naar me op, maar niet gealarmeerd. 'Ze ís veranderd! Maar ik ook. Denkt u dat ik bang ben om te hangen?' fluisterde ze, waarna ze buiten mijn bereik de menigte in glipte en zich een weg naar de koning baande. Ik hoorde haar roepen: 'Majesteit! Majesteit! Hier!' Eindelijk zag de koning haar, en zijn gezicht lichtte op van verrassing en plezier. Hij draaide zich om naar Fredrik Pollet, zijn aide de camp, en fluisterde hem iets toe, waarna hij groetend zijn hand naar De Uzanne opstak.

Ik werkte me met mijn ellebogen achter haar aan en mijn geschreeuw ging verloren in de kakofonie van gesprekken, muziek en gelach. 'De Uzanne! Houd haar tegen! Stop!' Ik schreeuwde de longen uit mijn lijf terwijl ik naar voren rende, nu op een armlengte afstand van haar. Maar Ribbling was als een bewaker achter De Uzanne aan gelopen en duwde me ruw tegen de grond. Er klonk luid tromgeroffel. Ik krabbelde overeind toen de donkere wolk van domino's rondom de koning als op een teken uiteenweek. De dirigent keek boos op en krabbelde een aantekening op zijn bladmuziek, maar het orkest speelde verder en de dansers wervelden in cirkels binnen cirkels op het toneel. Ik zag dat Gustaaf de arm van Von Essen pakte en ze liepen naar een bankje tegen de muur. De Uzanne was nog maar drie passen bij me vandaan toen een groepje soldaten een dichte kring rondom de koning vormde. Een van hen trok zijn zwaard en riep: 'Sluit alle deuren en laat niemand eruit! De koning is neergeschoten!'

Er klonk gedreun van cimbalen en gekletter van metaal toen de muziekstandaards omvielen en de musici op de vlucht sloegen. Overal in de zaal klonk geschreeuw en gegil. Fantasieschepsels renden alle kanten op. Een Cleopatra viel flauw en werd de coulissen in gesleept. Brigadecommissaris Gedda trok zijn pruik af en haastte zich in zijn vrouwenjurk door de menigte, met zijn zwaard in de hand. Een man riep *Brand!* maar niemand hoorde het; de paniek was al uitgebroken.

Ik stond nu vlak bij De Uzanne: haar ontstelde blik was oprecht en haar lippen bewogen, maar in de herrie kon niemand haar woorden verstaan. Ik kwam dichterbij. 'Pechlin!' brulde ze. De Uzanne sloot Cassiopeia met een klap en greep de sluitbenen vast. Haar tranen sneden een pad door het rijstpoeder op haar gezicht. 'O, Henrik, ik heb je laten vallen.' De wachter van de koning rende via de achtertrap naar beneden en er klonken nog meer kreten dat de deuren vergrendeld moesten worden. Niemand mocht weg. Elke gast zou gefouilleerd en ondervraagd worden. Als ze gepakt werd, zou alles afgelopen zijn. Ze sloot haar ogen en bracht de waaier naar haar lippen. De Uzanne deed haar arm omlaag, klapte Cassiopeia open en smeet haar op het toneel. Ik hoorde het gekraak toen haar benen werden vertrapt en zag hoe haar blad door een scherpe, rode hak werd verscheurd. De Uzanne wrong zich door de menigte om Gustaaf valse troost te bieden en ik rende weg om Johanna te zoeken.

Hoofdstuk eenenzestig

VASTGEHOUDEN VOOR VERHOOR

Bronnen: E.L., M.F.L.

DE VERWARRING EN de paniek die de Opera op haar grondvesten hadden doen schudden, namen af en maakten plaats voor angstige afwachting. Niemand mocht het gebouw verlaten zonder door de politie te zijn verhoord. 'Johanna is zo goed als dood. En Gustaaf is neergeschoten. Ik zat in de coulissen op een mooie, gouden stoel die door een musicus was verlaten. 'Mijn octavo is voltooid en ik heb gefaald, meester Fredrik.'

Meester Fredrik verwijderde een mouche en wreef over de paarse zwelling die op zijn slaap ontstond. 'Ik weet niet zo zeker of dit wel het einde is.'

Ik keek op het toneel. Het voetlicht brandde nog en af en toe liep er een gekostumeerde feestganger van links naar rechts over het toneel, als een verdwaald personage uit een nachtmerrie. Overal lagen vellen bladmuziek en vertrapte maskers. De muziekstandaards en orkeststoelen waren omgevallen, alsof er een orkaan over het toneel had geraasd. Een eenzame schoen met een gesp, een smaragdgroene sjaal en een verkreukelde waaier waren achtergebleven. Meester Fredrik begon te neuriën; een melancholieke melodie in mineur.

De levensjaren vlieden heen
Van 't leven hier op aard
Net uit de wieg en van de speen
En alweer opgebaard...

Ik stond op en liep naar de lampen om de kapotte waaier op te rapen, waar nu geen spoor van poeder meer in zat, en stopte Cassiopeia in Orpheus' mantel.

Hoofdstuk tweeënzestig

OPERALOGE DRIE, SCÈNE TWEE

Bronnen: geen

ANNA MARIA LEUNDE over de balustrade van operaloge drie en keek naar de roerige menigte beneden. Een geroezemoes van stemmen steeg op naar de kroonluchter die in de duisternis boven hen hing. 'Ze zeggen dat het maar een vleeswond is. Maar uw broer heeft geholpen de koning naar zijn appartement boven te dragen,' zei ze met schitterende ogen van opwinding. Verscheidene mensen in de naburige loges draaiden zich om en keken haar aan met angst op hun spookachtige gezichten. 'De moordenaar stond rechts van de koning. Hoe kan iemand zo slecht mikken?' fluisterde Anna Maria.

Christian keek op, zijn gezicht nat van tranen. 'Had u gewild dat deze schandelijke moordenaar in zijn opzet was geslaagd?'

'Ik bedoelde alleen dat wanneer iemand zo dicht bij het succes is, het jammer is wanneer het wegglipt.'

'Vindt u?' Christians afkeer droop ervanaf.

Anna Maria draaide zich naar hem om. 'Ik geloof dat uw tranen niet alleen voor de koning zijn. De perfectie van uw waaiers zou de Nordéns rijk hebben gemaakt als ze maar gezien waren, als ze maar gekopieerd hadden kunnen worden.'

'Als ervoor betaald was, juffrouw Plomgren.' Christian sloeg zijn handen voor zijn gezicht. 'Ik heb er te veel in gestopt. We zullen de winkel kwijtraken.'

Anna Maria ging naast Christian zitten en legde haar hand op zijn arm. 'Misschien is er een manier om de winkel in de familie te houden. Misschien wilt u de winkel wel aan uw broer en mij verkopen.'

'Daar hebt u het gevoel niet voor en hij ook niet,' zei Christian bedroefd. 'En denkt u echt dat hij zoveel geld heeft?'

'O, jawel. Lars heeft geluk gehad aan de speeltafels,' zei Anna Maria zacht. 'Dat heeft hij u alleen nooit verteld, want hij was bang dat het op zou gaan aan uw volmaakte, verfijnde, onverkoopbare kunst.'

Christian wilde haar niet aankijken. 'Zo loopt het af met de wereld, juffrouw Plomgren. Dat heb ik al eerder meegemaakt.'

'Dat is uw keuze, Christian.' Anna Maria trok haar hand terug en pakte de grijze leren waaier uit het zwartsatijnen zakje om haar middel, waarna ze haar zachtjes openklapte. Verderop in de gang werd op een deur geklopt. Straks zou de politie ook hen komen verhoren.

'Ik ben de strijd zat,' zei Christian, die achteroverleunde en zijn ogen sloot.

'Ja natuurlijk, lieve toekomstige zwager van me.' Anna Maria legde haar vrije hand op zijn wang, zo zachtjes alsof hij haar jengelende baby was. De grijze waaier lag geopend en stil in haar hand en de zilveren strepen waren dof in de schemerige loge. 'Een goede nachtrust zal u goeddoen.'

'Margot weet wel wat we moeten doen,' zei Christian.

'Uiteraard,' zei ze en ze hield haar gezicht dicht bij het zijne. 'Toe, Christian, doe je ogen even open en zie de toekomst voor je,' fluisterde ze.

Anna Maria hield de waaier parallel met de vloer en volgde precies de bewegingen die ze van De Uzanne had geleerd, waarna ze langs het middenbeen blies waar de geheime schacht gevuld was met poeder van kluifzwammen, bedoeld voor de koning. 'Het *ancien regime* is voorbij, broer. Ik ben de toekomst.'

Hoofdstuk drieënzestig

DE OUDE NOORDBRUG

Bron: J. Bloem

JOHANNA GING OP haar hurken naast een pijler van de Oude Noord-brug zitten, terwijl haar adem bevroor in de weerbarstige lokken van haar piekerige haar. De koetsiersjas bood geen bescherming tegen de kou. Ze stopte de rand van de kraag in haar mond om het klappertanden tegen te gaan, waardoor ze wol en lanoline op haar tong proefde. De stilte was even diep en dik als het ijs langs de rand van de Norrströmmen. Niemand ging de Opera in of uit. Er stonden vier militaire wachters voor de ingang die onder de in stilte wachtende menigte de orde bewaarden. Zo nu en dan klonk er een paniekerige schreeuw door de koude lucht: *Verraad! Moord! Revolutie!*

Stroomafwaarts zag het ijs er zwart en solide uit, maat verderop brokkelde het af tot snelstromend water en werd het licht van de sputterende fakkels op de brugleuningen erin weerspiegeld. Om de zoveel tijd schrok Johanna op van een luid gekraak: over vijf dagen was de lentenachtevening en het ijs verloor zijn grip op de Stad. Het Mälarenmeer eiste altijd wel een paar slachtoffers in deze tijd van het jaar, als er weer eens iemand zo dom was om te denken dat het in alle jaargetijden veilig was. Johanna vroeg zich af of dat de weg naar verlossing was: over het krakende ijs lopen. De pijn zou van korte duur zijn: verzwolgen worden door het donkere water om dan snel onder het glazige oppervlak getrokken te worden, met een onmiddellijke hartstilstand als gevolg. Daarna zwart. Zwart was alle kleuren. Dan zou ze in een prisma vastzitten, een paradijs van licht.

Haar vingers waren volledig verstijfd, dus stopte ze haar handen onder de jas en klemde ze onder haar oksels, om ze nog eenmaal op te warmen. Ze voelde de volmaakte stof van het lijfje, de zachtgroene zijde met stijve baleinen en de prikkende zilverdraadjes van het borduurwerk. Ze voelde de zachte streling van kant om haar polsen, hetzelfde kant dat haar borsten omlijstte, die nog nooit zo ontbloot, zo pront en zo mooi waren geweest als vandaag. De wijde rok bolde op en ruiste onder de jas. Als ze haar oude kleren had gedragen, haar grijze kleren, had ze niet geaarzeld. Maar de jurk stond voor een heleboel vingers. Ze voelde de steekjes van de naaister, de baleinen waarvoor de kammaker hoorn had geperst, de stukjes parel en zilver waar de knopenmaker zich over had gebogen, het werk van de kantklosser, de verver, de wever: al hun handen hielden haar op de oever.

Johanna knielde neer om een sneeuwkussen te maken. Haar moeder was opgegroeid in de noordelijke bossen en had haar verhalen verteld over winterslapers. Daarbij kwam een brandende sluimering opzetten, nét op het moment dat de kou ondraaglijk werd; een gloeiende rode warmte stroomde van de kruin via de ledematen helemaal naar de punt van de tenen. Al waren de vingers en tenen van de gevonden lijken zwart door bevriezing, meestal hadden ze een bevroren glimlach op hun gezicht. Ze ging liggen en trok haar in kalfsleren schoenen gestoken voeten en haar in witte kousen gehulde benen onder haar jurk. De Noordster en Cassiopeia stonden boven haar te stralen. Bibberend van de kou sloot Johanna haar ogen. Ze probeerde zich haar bad in de officin te herinneren, dampend in de koele herfstlucht, wanneer de zon door haar flessen elixir scheen en gekleurde strepen op de muur maakte; de frisse linnen handdoek op de stoel naast de tobbe; de rozenbottelthee die ze dronk als ze schoon was. Haar vader. Haar moeder. Haar broers, gezond en wel. De klanten die de apotheek bevolkten. Luider en luider werden hun stemmen, tot de zwarte sluier van de bevroren slaap als een scherm optrok. Het was geen droom, maar rumoer boven haar hoofd.

Met onvaste benen kroop ze omhoog naar de straat. Een stuk of tien rokende toortsen verlichtten een menigte die in de richting van de Oude Noordbrug liep. Er waren vier officieren te paard, gevolgd door een bizarre stoet van pierrots, colombines, harlekijns, herders, engelen, pasja's en gewoon geklede stadsmensen die werden opgehitst door de commotie. Een groep Venetiaanse domino's liep aan de rand; ze droegen snaarinstrumenten en hoorns, als een marcherend orkest dat wachtte op het bevel te gaan spelen. Te midden van deze menigte reed een schitterende koets met een leren leunstoel erin, waarin een man zat die naar een kant overhelde. Slechts hoefgetrappel en het geknetter van toortsvlammen waren vaag te horen. Het zachte gefluister van de menigte klonk als het smeltwater in maart, waarmee de winter naar de zee stroomde.

Bij het zien van het tafereel stroomde het bloed terug naar Johanna's armen en benen, en ze klom verder omhoog en sloot zich bij de massa aan. Toen ze struikelde, greep een vos haar bij de arm en hielp haar over de glibberige brug naar het paleis. Bij de toegang tot de zuilengang tilden vijf mannen de man in de leunstoel uit de koets en gingen naar de paleisdeur. De gewonde man boog zich voorover en riep naar de menigte: 'Ik lijk de Paus wel! Ik word in processie gedragen!'

Johanna wendde zich tot een als haremmeisje verklede vrouw die openlijk huilde. 'Wie is dat? Wat is er gebeurd?' vroeg ze.

Het haremmeisje antwoordde van achter haar rode sluier, terwijl de kohl waarmee ze haar ogen had omrand, in straaltjes langs haar wangen liep. 'Zijne Majesteit! Hij is neergeschoten, maar ze denken dat hij het overleeft.'

'Neergeschoten?' Johanna stond volkomen stil terwijl de menigte vooruitschuifelde en de koning naar binnen volgde. Om Johanna heen begon alles te draaien; ze werd de duisternis in gezogen en viel flauw.

Hoofdstuk vierenzestig

TERUGKEER NAAR HET NEST

Bronnen: E.L., M.F.L., mevrouw Murbeck, Sekretaire K.L***, mevrouw Mus, Katarina E., diverse gasten

MEESTER FREDRIK EN ik zaten er al twee uur toen we werden verhoord en vrijgelaten. Hij ging naar huis, naar mevrouw Lind en zijn zoons. Ik rende naar het Jacobsplein om Johanna te zoeken, voor het geval ze nog steeds zat opgesloten in de koets, maar alle mooie rijtuigen waren al weg. Op weg naar de Baggensstraat bad ik dat de lakei mijn boodschap aan Johanna had doorgegeven en dat ze in het oranje huis was, maar bij Tantetje von Platen zaten alle deuren potdicht en niemand reageerde op mijn gebons. Ik haastte me naar het Koopmansplein voor het geval dat Johanna de weg naar huize Lind had gevonden, maar een huilende mevrouw Lind vertelde dat meester Fredrik weg was gegaan en dat Johanna er niet was. Inmiddels was ik bijna bevroren in mijn lichte, linnen kostuum en ik ging naar de Kleermakerssteeg om warme kleren en mijn mooiste rode mantel aan te trekken. Ik wekte mevrouw Murbeck en bracht haar op de hoogte van het tragische nieuws, waarna ik me door donkere stegen en pleinen naar de enige plek in de Stad begaf waar licht en geluid vandaan kwamen: het paleis. Misschien dat Johanna was meegevoerd door de menigte. Ze was nergens te bekennen.

'Nog nieuws?' vroeg ik een andere Sekretaire. Mijn aandacht was gericht op de deur naar de staatsappartementen, waar een mensenmassa worstelde om binnen te mogen.

'Gustaaf ligt in de ceremoniële slaapkamer; daar heeft hij niet meer geslapen sinds zijn huwelijksnacht, ruim twintig jaar geleden.'

Hij bleef staan om een snuifje te nemen. 'Dat was ook geen fijne nacht. Maar hij heeft het overleefd.'

Ik werkte me naar binnen met de smoes dat ik een of andere absurde boodschap van mijn kantoor moest overbrengen en trof een heksenketel van stadsgenoten aan; hoge en lage stand op een kluitje. Officieren en ministers mengden zich onder de pages, naaisters, kleermakers en brouwers. Geen spoor van Johanna of De Uzanne. Het was heet in de kamer en het rook er naar natte wol en zweet. En angst. Gustaaf lag in bed, troostte zijn bezoekers, sprak bemoedigende woorden en hield de trillende handen van de radelozen vast. Toen ik hem dicht genoeg genaderd was, ving ik even zijn blik. 'De koningsvogel laat u groeten,' riep ik. Ik weet niet of Gustaaf me hoorde; hij draaide zich om en groette hertog Karel en zijn broertje Fredrik Adolph, die er allebei bleek en aangedaan uitzagen. Daarna ontruimde de brave dokter Af Acrel de kamer, want de lucht was ondraaglijk geworden en iedereen behalve de naasten van de koning werd gedwongen door de koude, troosteloze straten te dwalen. Het was bijna drie uur.

Ongemerkt liep ik de vertrouwde route naar de Minderbroederssteeg, met een sprankje hoop dat Johanna daarnaartoe zou komen als niets anders lukte. Ik zag een streepje licht door de dikke gordijnen kieren, holde de trap op en bereidde me voor op de gebroken mevrouw Mus die ik aan de zorg van mevrouw Murbeck had toevertrouwd. Maar Katarina deed de deur open, de hal straalde door het kaarslicht, de vloer was gepoetst en de kachels waren warm genoeg om de dames hun schouders te laten ontbloten. Ik deed een stap achteruit. 'Je bent er weer, Katarina,' zei ik, geschokt door de transformatie. 'En de goklokalen...'

'Mevrouw Mus liet me een week geleden komen. Onze vogel heeft zich hersteld.'

'En wordt er op een avond als deze gegokt?'

Katarina kwam naar buiten en kneep mijn handen fijn. 'O, ze zal zo blij zijn u te zien, mijnheer Larsson. Ze is van streek en de kaarten zijn haar enige troost.'

Ik gaf haar mijn mantel. 'Dank u, mevrouw... Ekblad is het nu?'

Katarina knikte met lachende ogen. 'Wacht hier. Ze komt u wel halen als ze klaar is.' Ze gebaarde naar de tafels.

Er zaten zeker tien spelers koffie en thee te drinken in de rokerige hoofdzaal. Er werd niet ingezet, maar wel gekaart. Alle gesprekken na en zelfs tijdens het spelen gingen over de moordaanslag, en twee spelers die op het gemaskerd bal aanwezig waren geweest, sponnen van roddels en herinneringen een verhaal. Ik nam niet de moeite hen te corrigeren of mijn eigen versie toe te voegen. Ik zat gewoon te luisteren. Speculaties over de moordenaar of moordenaars concentreerden zich op La Perrière, de acteur van wie bekend was dat hij jakobijn was, en de aristocratische patriotten onder leiding van generaal Pechlin. Het was een en al revolutie en onderdrukking wat de klok sloeg en uiteindelijk richtten we onze aandacht volledig op de kaarten om de rest buiten te sluiten.

Na een uur voelde ik een blik in mijn rug prikken. Mevrouw Mus, nog steeds mager, maar wel gelijkenis vertonend met haar vroegere uitstraling, knikte begroetend. Ik stond op en pakte haar hand, die zacht en koel was. 'U ziet er… goed uit,' zei ik.

'Ik ben veranderd,' zei ze en ze kuste me op mijn wang. 'Alles is veranderd. Kom met me praten, Emil.'

Ik volgde haar naar het bovenvertrek en we gingen in de twee stoelen bij de kachel zitten. 'Het verbaast me dat u hier bent,' zei ik.

'Ik heb geprobeerd naar hem toe te gaan zodra ik het hoorde, maar de mannen van de hertog stonden bij de deur en lieten me niet binnen. Morgen probeer ik het nog eens.' Ze wiegde wat heen en weer in haar stoel, alsof ze nu meteen weg wilde. 'Toen ik thuiskwam, hadden zich hier wat vaste gasten verzameld, dus heb ik de goklokalen geopend. Gedeelde smart is halve smart, zelfs onder deze omstandigheden.' Ze haalde een kaartspel uit haar zak en begon te schudden, wat voelde en klonk als troostende balsem. 'Maar u was erbij. Vertel.'

Ik vertelde haar alles: wat er tijdens het gemaskerd bal gebeurde, hoe het achttal in het spel kwam, de verwarring die me bekroop, het gevoel dat de wereld ophield te bestaan en bovenal mijn absolute falen. 'Dit is alles wat ik u te bieden heb na al onze inspanningen.' Ik gaf haar de toegetakelde Cassiopeia, die ik van het toneel had geraapt. 'Ze is onschadelijk gemaakt.'

Ze pakte de waaier en bestudeerde de gladde, ivoren sluitbenen, waarna ze zich vooroverboog en haar hand op de mijne legde. 'Dit is een prachtige trofee. Dit is de geschiedenis die met één klein gebaar veranderd is.' Ik gaf geen antwoord; ik zag niet in dat het inruilen van vergif voor een kogel een beter resultaat opleverde.

Mevrouw Mus stond op en liep naar het raam, waarna ze de gordijnen opendeed. Op straat was het druk voor dit tijdstip; de mensen uit de Stad gingen naar het paleis om te waken. 'Er is nu op verschillende fronten hoop. Twee dagen geleden kwam er nieuws uit Brussel: het is Von Fersen gelukt naar de Tuilerieën te gaan, waar hij de nacht heeft doorgebracht met de Franse koning en koningin. Lodewijk wilde niet alleen met Von Fersen komen, want hij wilde zijn belofte aan het volk en de liefde voor zijn familie niet verloochenen, maar stemde ermee in de oprukkende troepen tegemoet te gaan. Het is mogelijk dat Gustaaf herstelt en in het voorjaar de Europese legers bijeenroept. Deze aanslag op zijn leven zal zelfs de meest terughoudende vorst stimuleren.' Mevrouw Mus kwam achter me staan. 'U hebt vandaag de Hades getrotseerd voor de liefde, Orpheus.'

Ik draaide me om. 'Hoe wist u wat mijn kostuum was?'

'Tja, mevrouw Murbeck. Zij is mijn Ekster: zij en haar zoon, staand bij de fontein van Bekers Vier. Misschien is ze zelf de fontein wel, ze is zo'n uitstekende bron. En bij mij bezorgd door mijn Boodschapper. Ze legde haar hand lichtjes op mijn schouder. 'Ze heeft me over juffrouw Bloem verteld.'

Nu bezweek ik onder het gewicht van die lange nacht en mijn vingertoppen voelden koel aan toen ik ze op mijn oogleden drukte. 'Net als Orpheus heb ik gefaald.'

'Nee. Het Stockholm octavo is gewoon nog niet voltooid.' Ze liep om de stoel heen en trok mijn handen voor mijn ogen weg. 'Kijk me aan, Emil. Heb vertrouwen en bedenk dat uw Metgezel niet tegen haar verlies kan. U moet doorgaan tot het afgelopen is. Dat hebt u gezworen.'

Hoofdstuk vijfenzestig

TANTETJE VON PLATEN NEEMT EEN ZWERVERTJE
IN HUIS

Bronnen: Kapitein H., Tantetje v. P.

ZE KEKEN NAAR het flauwgevallen meisje op de grond; ze zag krijt-wit en haar lippen waren blauw. Haar schitterende jurk was ge-scheurd bij het lijfje en langs de zoom, en ze miste één kalfsleren witte schoen met een koraalroze hak.

'Ze viel flauw op straat, vlak bij het paleis. Er brak paniek uit en ze werd bijna vertrapt, als ze niet dood zou vriezen.' De als een vos verklede man keek tersluiks naar Tantetje von Platen. 'Ze kwam even bij toen ik haar mee naar binnen nam om op te warmen. Ze zei dat ik haar naar het oranje huis in de Baggenssstraat moest brengen.'

'Wilde u haar neuken of aan mij verkopen?' Tantetje von Platen herschikte bescheiden de jurk van pauwblauwe Chinese zijde die ze haastig had aangeschoten.

De vos haalde zijn oren van zijn hoofd. 'Ik ben een christen en ik handel niet in vlees.'

'O, ik dacht dat dat juist heel christelijk was.'

'De jongedame noemde een naam: Hinken.'

Tantetje opende de verborgen middendeur van de foyer en schreeuwde de trap op: 'Kapitein, er is iemand voor u.'

Hinkens zware voetstappen klonken op de trap en zijn gezang echode in het nauwe trappenhuis. Hij bleef staan toen hij Johanna op de grond zag liggen. 'Jezus Christus, niet weer een lijk dat begra-ven moet worden.'

'Nee, nee, ze is alleen flauwgevallen. Geef de heer geen verkeerde ideeën,' vitte Annie, die zich over Johanna heen boog om haar oorringen te inspecteren. 'Ze vroeg naar jou, kapitein. Verwachtte je vanavond iemand?'

'Ja, Tantetje, inderdaad, maar geen méísje,' zei Hinken. 'En dan nog wel een die verpleegd moet worden.' Hinken wreef zich over zijn kin, vloekte en mopperde in zichzelf en richtte zich tot Tantetje. 'Je weet dat je goed bent in het genezen van zwervertjes.'

'Ik ben geen madam van een herstellingsoord,' snoof Tantetje. Hinken stak zijn hand in zijn zak en haalde er een zware, gouden munt uit. Ze glimlachte en gaf Hinken een speelse tik. 'Vleier! Maar niet langer dan een week. Ze neemt ruimte in beslag.' De vos maakte aanstalten om te gaan nu zijn reddingswerk erop zat. 'Wat? Wilt u echt vertrekken zonder bezoek aan de dames? We hebben besloten om vanavond toch open te gaan.' De vos zette zijn masker weer op en schudde zijn hoofd. 'Nou, help dan in elk geval even om het meisje naar boven te brengen,' zei Tantetje. 'En zorg dat niemand u ziet. Dat verpest de stemming.'

'Je weet toch dat de koning is neergeschoten, Tantetje; over wat voor stemming heb je het?' vroeg Hinken.

De madam haalde haar schouders op. 'Het lijkt er anders op dat het goed is voor de zaak.'

Hoofdstuk zesenzestig

KUNST OF OORLOG

Bron: M.F.L.

MEESTER FREDRIK STOND bij de etalage van zijn winkel en keek toe hoe mensen halsoverkop over het Koopmansplein renden. Het nieuws had zich als een lopend vuurtje door de Stad verspreid: op en neer, aangewakkerd door de ademtocht van duizenden hijgende, schreeuwende monden. De Lundgrens, die de kamers op de derde verdieping huurden, verkondigden dat ze naar Gotenburg zouden vertrekken zodra reizen weer toegestaan was, alsof het einde van de wereld een geografische grens kende.

Hij pakte een kristallen glas van een plank en opende een fles port die hij had bewaard. De wijn klotste over de rand van het glas; zijn handen trilden ondanks de kalmte die hij zichzelf had opgelegd, en er bleven dieprode spatjes achter op de veertig witte enveloppen die hij zojuist geadresseerd had. De Uzanne had bevolen dat ze de ochtend na het gemaskerd bal moesten worden verstuurd; ze gaf een feest. De vlekken zagen eruit als meteoren, als de verwoesting van hemel en aarde. De wederkomst van de Heer kwam eraan. De uitnodigingen zouden door vuur moeten worden verslonden. Hij lachte om zijn pas ontdekte vrolijkheid, maar het lachen was van korte duur. Ja, dit was het einde.

Meester Fredrik gooide zijn werk in de haard en zag het zwart worden en verbranden. Toen riep hij mevrouw Lind, maar er kwam geen antwoord. Ze was op zoek gegaan naar haar jongens en was nog niet terug. Hij liep kalm naar de kledingkast in de hal en haalde zijn met konijnenbont afgezette jas en zijn wandelstok met de ivoren knop eruit, maar liet zijn mooie, geitenleren handschoenen op de plank liggen. Hij zette koers naar de Kasteelplaats, waar de massa zich had verzameld, maar toen hij in de Kraaiensteeg was aanbeland, sloeg hij rechts af richting het water en daarna naar het zuiden. Voorbij de sluis lag de Zuidwijk met taveerne De Lynx. 'Die wijnspetters... dat waren geen meteoren, dat was muziek. Ik moet Bellman zien te vinden.'

Hoofdstuk zevenenzestig

DE KONINGSSUITE

Bronnen: E.L., kapitein H., J. Bloem

OP DE TERUGWEG van mevrouw Mus naar de Kleermakerssteeg voor een paar uur slaap, ging ik weer langs bij Tantetje von Platen. Er stond een groepje levendige heren buiten, een nogal grote groep, gezien het tijdstip. Hinken versperde de deur, maakte grapjes en hield een vervaarlijk ijzeren werktuig in de buurt, voor als het uit de hand zou lopen. Ik ving zijn blik en hij knikte dat ik achterom moest gaan. 'Mijn kamer,' zei hij.

'Er staat hier een rij, hoor!' riep een man kwaad.

'Ik ken uw voorkeuren, magistraat. U wilt niet hebben wat ik in mijn kamer heb,' zei Hinken, die vuil naar de man grijnsde, waarna die stilletjes naar achteren kroop.

Ik wrong me langs twee meisjes die in dikke dekens gehuld bij de keukendeur een pijp stonden te roken en vroeg hoe ik het snelst in Hinkens kamer kwam. Ze wezen naar een doorgang naar de hoofdtrap. Ik haastte me door deze stinkende tunnel – waar het naar rozenwater, jasmijn en pis rook – en beklom de drie trappen naar de koningssuite met twee treden tegelijk. Ik klopte zacht op Hinkens deur, en nog een keer toen er geen antwoord kwam. Op de zolderverdieping was het stil en donker, warmer door de hitte die uit de rest van het huis opsteeg, en ik was bang dat ze vast sliep of ernstig gewond was en niet meer wakker zou worden. Toen hoorde ik haar stem. 'Deze kamer is bezet vannacht.'

Ik drukte mezelf tegen de deur aan, alsof ik door het hout heen kon. 'Dat hoopte ik al, Johanna Bloem.' De klik van de grendel en het piepen van de deurknop klonken als de begintonen van een lied, en toen stond ze voor me en werd haar gezicht verlicht door het zwakke vlammetje van een bieskaars. Haar haar was klitterig en vochtig, er liep een lange snee over haar bleke, ongewassen wang en haar vormen werden verhuld door vale mannenkleren, ongetwijfeld uit Hinkens duffel. Maar de blik die ze me toewierp was open, smetteloos blauw. Ik stapte naar binnen en ze vergrendelde de deur. De dageraad liet koud en onflatteus grijs licht binnen. Een zee-meeuw krijste een groet naar de bakkers die op weg waren om hun ochtendbrood te bakken.

'Dus het is haar uiteindelijk toch gelukt,' zei Johanna.

'Nee. Ze heeft gefaald en een schutter heeft het geprobeerd. Maar Gustaaf heeft ze allemaal weerstaan,' zei ik. 'Hij leeft.'

Johanna zette de bieskaars op het nachtkastje en stond daar stijf-jes, met haar handen ineengeslagen. 'Ze zal het weer proberen.'

'Ik ben vannacht in Gustaafs ziekenkamer geweest, Johanna: een zee van bewonderaars en vrienden. Ze zou het niet durven.'

'Ik ben haar protegee. Ik weet wat ze zou durven.' Ze keek naar de grond, schudde haar hoofd en keek toen weer naar mij. 'Ik zal het ook nog een keer proberen.'

'Johanna, laat toch. Gustaaf kan ze niet treffen, maar u wel.' Ik wrikte haar ineengeslagen handen uiteen en nam ze in de mijne. 'Blijf hier verborgen tot Hinken uitvaart.'

'En waar gaat u naartoe?' vroeg ze. 'Denkt u werkelijk dat u buiten haar bereik valt?'

Even gaf ik geen antwoord; ik had nooit overwogen ergens heen te gaan. 'Ik ben een man van de Stad,' zei ik ten slotte. 'Er is geen elders.'

Ze liet haar handen uit de mijne glijden en ik voelde ze warm op mijn gezicht, haar handpalmen zacht op mijn baardstoppels. 'Er is een hele wereld, Emil.' En in de kus die ze me gaf, zag ik daar een glimp van.

Hoofdstuk achtenzestig

ZORG VOOR DE LEVENDEN EN DE DODEN

Bronnen: E.L., kapitein H., M.F.L., L. Nordén, M. Nordén, mevrouw M.,
mevrouw Lind, Rode Brita, verscheidene rouwenden en buren

IK ARRIVEERDE RUIM voor het afgesproken tijdstip en ging achter in het vrijwel lege Varken zitten. Toen Hinken binnenkwam, stond ik zo snel op dat het bankje met een klap achteroverviel. 'Rustig maar, Emil. Uw vrachtje is veilig,' zei Hinken zachtjes, en hij zette het bankje neer en ging naast me zitten. 'U had me weleens mogen vertellen dat hij een zij was.'

De herbergier kwam eraan en we bestelden bier en de dagschotel. Toen de man buiten gehoorsafstand was, leunde Hinken over tafel. 'Ik zal u die gunst ruimschoots terugbetalen, Sekretaire. Ik zal de aanvullende kosten er ook bij doen. Ik vind dat meisje leuk.' Hij lachte toen hij mijn gepijnigde blik zag. De kroezen bier kwamen eraan, met dampende aal in citroensaus en donker brood om de kommen mee uit te vegen.

'Ik moet haar zien,' zei ik.

'Ze heeft me op de hoogte gebracht van haar hachelijke situatie. En die van u.' Hij hief zijn glas naar me. 'Blijf weg uit de Baggensstraat; u wordt waarschijnlijk in de gaten gehouden.' Ik betoogde vurig dat dat niet waarschijnlijk was: de Stad hield zich alleen bezig met Gustaaf. Hinken schudde zijn hoofd om mijn naïviteit. 'Sekretaire, mijn leven is een voortdurend spel van jagen, gepakt worden en ontsnappen. Ik ken de regels heel goed.' Zijn ervaring triomfeerde over mijn gissingen. 'Houd uw kaarten in de gaten, dan houd ik mijn spullen in de gaten,' zei hij en hij stak een groot, wit stuk aal in zijn mond. 'En ga weer gokken. Dat leidt u af van juffrouw Bloem.'

Ik nam zijn advies ter harte, hoe pijnlijk het ook was, en bleef uit de buurt van het oranje huis. Die avond kaartte ik met mevrouw Mus en de volgende ochtend ging ik weer op wacht staan bij de Kasteelplaats, buiten het paleis. Daar begon het er voorzichtig feestelijk uit te zien, want uit de slaapkamer kwam het nieuws dat Gustaaf aan de beterende hand was. Venters roosterden kastanjes en vleesspiezen op roosters, en de snuisterijenverkopers verhuisden vanaf de kade hierheen en deden goede zaken met vlaggetjes met de drie kronen en portretten van de koning. Wachters in uniform stonden langs de kant terwijl koetsen door de Buitentuin reden, als bescherming voor de edellieden die erin zaten. Sinds de schietpartij waren er vele gewelddaden gepleegd tegen aristocraten, want de stadsbewoners legden de schuld onomwonden bij het Huis van de Adel.

Ik ging de slaapkamer niet meer binnen na de zestiende, maar degenen die er in en uit liepen deden gretig verslag: extravagant geklede bezoekers kwamen extravagante geschenken brengen; gezworen vijanden kwamen vrede sluiten en vertrokken in tranen; de drie beste chirurgen van Zweden hadden vierentwintig uur per dag dienst; de kogel was niet verwijderd, maar Gustaaf was kwiek; Gustaaf zat in een fauteuil en voelde zich veel beter; Gustaaf lachte met de Russische ambassadeur; Gustaaf dineerde stevig en nam ijs als dessert; hertog Karel kwam voortdurend op bezoek, maar de koningin was zelden te zien. Toen ik naar De Uzanne vroeg, kon niemand me iets vertellen.

Het weer werd nu milder, een zegen voor degenen die op wacht stonden. Op een zonnige dag met een stevige wind kwam meester Fredrik naar me toe rennen, vreselijk overstuur. 'Kan het zijn dat u het nieuws niet hebt gehoord?'

Ik keek om me heen, maar de menigte zag er kalm uit. 'Wat?' vroeg ik. 'Is de kogel verwijderd?'

'Nee, Emil, het is Christian Nordén. Hij is overleden.' Het duurde enkele ogenblikken voor dit vreselijke nieuws tot me doordrong en toen begaven mijn knieën het bijna. Meester Fredrik pakte mijn arm en trok me overeind. We liepen samen naar de betrekkelijke beslotenheid van de brede zuilengang. 'Juffrouw Plomgren beweert dat Christian op de avond van het gemaskerd bal is bezweken vanwege de harde ondervraging na de schietpartij. Of wellicht door de schok vanwege de brute aanslag op de koning.'

'Dat zijn geen fatale slagen, meester Fredrik,' zei ik, dankbaar dat ik op zijn arm mocht steunen en overmand door spijt dat ik de aangeslagen Christian zo had verwaarloosd.

Meester Fredrik stapte uit de zon en dempte zijn stem. 'Juffrouw Plomgren beweert dat ze zo in de rouw is dat ze niet in staat is zich enig detail te herinneren.' Hij zweeg even met een bezorgde frons op zijn voorhoofd. 'Ze zei dat het net leek of hij in slaap viel en niet meer wakker werd.'

Zijn bewering ontging me niet. 'De Uzanne,' fluisterde ik.

'Ik moet bekennen dat ik een soortgelijke conclusie trok.' Meester Fredrik zweeg en staarde naar iets dat op de keien lag. 'Ik voel me deels verantwoordelijk.'

'Dat zijn we allemaal,' antwoordde ik.

'U weet dat juffrouw Plomgren nu mevrouw Nordén is?' vroeg hij. Ik schudde mijn hoofd en zette grote ogen op. 'Ze zal het Nordén-atelier overnemen, samen met haar nieuwbakken echtgenoot, Lars. Ze beweert dat de winkel zal floreren.' Meester Fredrik bukte en raapte een vertrapte dameshandschoen op. 'Maar ik vrees dat dat onder voorwaarden zal gebeuren die niet bepaald gunstig zijn voor de weduwe en haar ongeboren baby.'

Voor de ramen van het Nordén Atelier hingen zwarte rouwbanden en één votiefkaars verlichtte een aantal zwarte waaiers. Buren stonden buiten in groepjes te fluisteren. Er hing een krans van bukshout aan de deur, maar Margot had de door Anna Maria geopperde afgehakte dennentakken geweigerd en het een barbaarse praktijk genoemd. De voorkamer was ontdaan van zijn elegantie en charme en de dennenhouten kist rustte op twee smalle schrijftafels. Een stuk of vijf rouwenden zaten op vergulde houten orkeststoelen die ze dankzij de Plomgrens van de Opera mochten lenen. Margot leek wel gekrompen en had ondanks haar vergevorderde zwangerschap al haar kleur verloren. Meester Plomgren keek met onverholen blijdschap naar zijn dochter. Moeder Plomgren nam de ruimte in zich op en tikte rusteloos met haar voeten op de grond. Meester Fredrik dronk koffie met mevrouw Lind, en de buurvrouw, Rode Brita, liep naar de achterkamer, waar versnaperingen geserveerd werden, en kwam terug met een saffraanpretzel. Anna Maria, gesluierd en in tranen, klampte zich vast aan de rouwende broer Lars. Maar toen tilde ze haar hoofd op en keek naar mij, en ik zag paniek achter het zwarte netje van haar hoed. Margot was katholiek en Christian lutheraan, dus van geen van beide kerken wilde er een priester of dominee komen om de gebeden op te zeggen. Meester Fredrik stemde ermee in om psalm drieëntwintig te lezen, en de mannen volgden de baar helemaal naar de Sluis. We staken niet over naar de Zuidwijk, maar keerden terug voor het begrafenismaal; de grond begon net zachter te worden, maar de kist kon nog niet in de aarde, dus zou hij bij de andere winterse doden worden gezet tot het voorjaar werd.

Pas toen bijna iedereen weg was, ging ik eindelijk naast Margot zitten. Met haar blik op oneindig schudde ze haar hoofd. 'Weg. Alles weg. Mijn man. Onze winkel. Mijn land. Mijn nieuwe koning. Mijn toekomst. Ik heb alleen nog mijn kind om me om te bekommeren, maar ik kan niet bedenken hoe,' zei ze. Ik had er geen woorden voor, dus zaten we zwijgend bij elkaar. Ik keek naar Margots voeten. Ze had haar enkels over elkaar geslagen, haar schoenen waren schoongepoetst, de tenen krulden aan de voorkant op. Ik zag dat de hakken gerepareerd en pas opnieuw diepblauw geverfd waren. Het waren niet de schoenen van een vrouw die alleen achter moest blijven. Uiteindelijk richtte ze haar aandacht weer op de kamer en zei: 'Ik voel me helemaal niet meer verbonden met deze plek.'

Ik boog me naar haar toe en rook de geur van citroenverbena, het handelsmerk van het atelier. Ik keek naar haar bleke, afgetobde gezicht, naar haar lippen, die donkerrood waren omdat ze erop gebeten had, en naar de diepe, bezorgde frons van haar wenkbrauwen. Ik hield mijn adem in en pakte haar hand, draaide die om en streek met mijn vinger langs een lijn. 'Wij zijn verbonden, Margot. Jij bent er een van mijn achttal.' Ze keek me verward aan. 'Ik zal je helpen. Meer hoef je nu niet te weten.'

Ze glimlachte zwakjes, draaide haar hand weer terug en verstrengelde haar vingers met de mijne. 'Dank je, Emil. Ik zal mijn vrienden nodig hebben.'

Hoofdstuk negenenzestig

BLOEDSINAASAPPELS

Bronnen: E.L., dokter Af Acrel, bezoekers van de ziekenkamer,
kapitein Jo. C***

DE VOLGENDE DAG hervatte ik mijn wake bij het paleis. Daar kwam
ik de Superieur tegen, die mijn affectie voor Gustaaf én mijn onverzorgde uiterlijk deelde; geen van ons had sinds de aanslag goed geslapen of veel aandacht besteed aan uiterlijke verzorging. Onze dagen bestonden uit waken en bezorgd zijn. Zijn nachten waren
gewijd aan bidden. Mijn dagen waren gewijd aan kaarten en lange
wandelingen op de Zwartmansstraat, waar ik op de hoek van de
Baggensstraat reikhalzend een glimp van het oranje huis probeerde
op te vangen. De Superieur en ik vertelden elkaar het laatste nieuws
over Gustaafs ziekbed toen ik haar aan de andere kant van de zuilengang zag staan. Of eigenlijk was het eerste wat ik zag de mand
met fruit, die schitterend afstak tegen de grijze massa. De mand
werd gedragen door een meisje van een jaar of zeven met blond,
bijna wit haar, dat gekleed was in een fluwelen jas met de kleur van
de zonsondergang. Het kind droeg de mand alsof de kroonjuwelen
erin zaten, met een mengeling van trots en angst op haar gezicht.
Iemand bracht de gewonde koning een schat van Spaanse bloedsinaasappels. Het was De Uzanne.

De menigte week voor het kind. De Uzanne volgde met een
grijze, zijden waaier die was afgezet met zilver en die ze ongeopend
in haar ene hand hield, terwijl ze de andere hand vlak boven de
schouders van het meisje hield, maar zonder die aan te raken, alsof
ze het kind door puur magnetisme voortduwde. Ik riep haar naam
en wrong me door de menigte om haar te confronteren, de sinaas-

appels uit de mand te meppen en haar te weerhouden om haar to-
neelstukje op te voeren, maar de wachters, die mijn onverzorgde
uiterlijk en verwilderde rode ogen zagen, hielden me tegen. Ik riep
De Uzanne nogmaals en ze draaide haar hoofd om. Ze verhulde
haar ergernis nauwelijks. 'Sekretaire?' vroeg ze.

'Sekretaire Larsson, Madame. We hebben elkaar ontmoet bij een
van uw lezingen.'

Haar ogen verwijdden zich iets. 'Gaat het… goed met u?'

'Ik ben gered, Madame, gered door…' Ik zweeg voordat ik Johanna's naam zou noemen of er een beschuldiging uit zou flappen
die ik niet kon bewijzen. De mensen om me heen waren nu stil en
luisterden. 'Ik denk dat ik gered ben door uw ruimhartigheid. Ik
wilde u persoonlijk bedanken, maar mijn herstel duurde lang en de
besmetting was dodelijk.'

Ze draaide zich om, keek me recht aan en zette twee stappen in
mijn richting, waardoor het blonde kind daar alleen bleef staan met
de fruitmand. 'Dus de medicijnen hebben u goedgedaan?'

'Die ik kon slikken wel. Die andere fles is kapot gevallen, helaas… uw meisje had me een onvergelijkelijke rust beloofd.' Ik
schudde zogenaamd treurig mijn hoofd. 'Ik neem aan dat ze uw
waaier heeft teruggegeven? Ik had het graag zelf gedaan.'

De Uzanne boog zich voorover. 'We hebben elkaar meer dan
eens ontmoet, denk ik.'

'Ik word vaak met iemand anders verward,' zei ik en ik wrong
me door de menigte om dichter bij haar te komen.

'Dat kan handig zijn.' De Uzanne hield haar waaier omhoog
alsof ze haar open wilde klappen, maar stopte. 'U bent me eerder
van dienst geweest, Sekretaire. Als dit voorbij is, kunt u me misschien nog een keer helpen. Ik ben nog iets anders kwijt.'

'Als wat voorbij is?' vroeg ik en ik stak mijn arm naar haar uit.

Een wachter greep mijn arm en kneep erin tot ik het gevoel
kreeg dat hij zou breken. 'Als wat voorbij is? Uw moord op de koning?' riep ik. De Uzanne draaide zich om, sloeg een arm om het
kind heen en leidde haar naar binnen. Ik bleef doorschreeuwen
terwijl ze de overvolle gang voor Gustaafs kamers in liepen en werd

toen, vanwege mijn idiote geblèr, van de binnenplaats verjaagd door een gemene laars.

Ik wachtte tot ruim na middernacht, maar zag haar niet vertrekken. Toen ik bezoekers van de ziekenkamers ernaar vroeg, vertelden ze dat De Uzanne minstens een kwartier met Zijne Majesteit had doorgebracht, waarbij ze haar liefde voor Zweden had betuigd en hem koelte had toegewuifd met haar waaier. De getuigen zeiden dat ze een soort magie had bedreven, want Zijne Majesteit had in geen jaren zo goed geslapen.

Hoofdstuk zeventig

EQUINOX

Bronnen: E.L., mevrouw M., kapitein Hinken

DE DAGEN DIE volgden, waren een wazige vlek; de combinatie van vrees en hoopvolle verwachting veroorzaakte een aanhoudende brom in mijn oren en een nerveuze onrust in mijn ledematen. Alleen als ik een handvol kaarten vasthield, voelde ik me rustig. Het gokken in de Minderbroederssteeg was ten volle hervat en zelfs de zoekers kwamen weer met hun vragen. De politie had op bevel van de militaire gouverneur van de Stad, hertog Karel, opdracht gekregen om mevrouw Mus te beschermen. Hij was de sibille die zijn twee kronen had gezien niet vergeten, en een daarvan zat er nu aan te komen.

'Het is de voorjaarsequinox,' zei Hinkens stem achter me. Het was middernacht, 21 maart. 'Ik zal het jammer vinden om de eerste sneeuwval te missen.'

'En waarom is dat?' vroeg ik, afgeleid door een speler die mijn kaarten leek te zien voordat ik ze legde.

'Dan zijn we op zee, Sekretaire. Ik ben gekomen om afscheid te nemen.'

'Troef,' zei mijn tegenstander.

Ik spreidde de kaarten met de afbeelding omhoog op tafel uit en richtte me tot Hinken. 'Wanneer?' vroeg ik.

'Hoogtij. Over vijf uur.' Hij droeg een bord schol in witte wijn en mosselsaus en hield het bij zijn neus, waarna hij de geur dankbaar opsnoof. 'Het laatste avondmaal,' zei hij. 'Gaat u mee?'

Ik voelde het bloed in mijn oren suizen en mevrouw Mus' sfinxachtige blik vanaf de andere kant van de kamer op me rusten. Mijn tegenstander schoof mijn muntgeld op zijn stapel winst. 'Waarheen?'

'Afscheid nemen, Sekretaire. U hebt uw oversteek weggegeven, weet u nog, en de *Hendrik* zit bomvol. Onze passagier zal laat komen opdagen, rond halfvijf.' Hij zwaaide met zijn lege vork naar me. 'En waag het niet naar Tantetje te komen. Die snijdt mijn ballen eraf als er heibel komt.'

De eerste officiële lentemorgen was niet bepaald voer voor dichters. De doordringende damp vormde sliertjes mist en de duisternis in het oosten was zo donker dat je ging twijfelen aan het bestaan van de zon. Maar in de bulderende wind knetterden de fakkels, en de stemmen van de matrozen klonken opgewekt, opgewonden als ze waren om eindelijk verlost te zijn van hun winterharnas. Er zeilden vier schepen uit, dus op de Skeppsbronkade stond het vol met bemanningsleden die de laatste voorraden aan boord brachten. Ik vond haar vlak bij de boeg van de *Hendrik*, waar ze naast een krat klokkende kippen naar de Zilte Zee zat te staren. Ze omhelsde me niet, stond niet op en glimlachte zelfs niet, maar trok haar grijze mantel strakker om zich heen. 'Waarom zit je bij het vee, Johanna? Er is een warme hut vlakbij,' zei ik.

'De kippen herinneren me eraan wat er van me geworden is en waarom ik wegga.' Ze draaide zich eindelijk naar me toe, met een ondoorgrondelijke blik. 'Is ze al achter je aan gekomen?'

Ik vertelde haar over de bloedsinaasappels, het witharige kind en de grijs met zilveren waaier. 'Ik heb haar maar één keer gezien, maar ze is daar elke dag.'

'Dus uiteindelijk krijgt ze alles wat ze wil,' zei Johanna.

'Nee.' Ik pakte haar bleke hand, wilde haar smeken te blijven, zeggen dat ik zeker wist dat we alleen haar eigen achttal maar hoefden te vinden; dat we De Uzanne konden tegenhouden en dat alles goed zou komen. Maar ik was nergens meer zeker van, behalve dat De Uzanne in geen geval Johanna Bloem in handen mocht krijgen. Mijn keel werd dik en ik haalde de waaierdoos uit mijn zak en drukte die in haar hand. Johanna maakte hem zorgvuldig open, alsof er een adder uit kon springen, en staarde toen naar de waaier die op de blauwfluwelen voering lag. Ze klapte haar open en de witte zijde glansde in het licht van de fakkels, waarin de blauwe en gele vlinders tot leven kwamen door het spel van licht en donker. Toen sloot Johanna haar plooi voor plooi, een kunst die het resultaat was van uren oefenen, en legde haar terug in de doos. 'Nee, Emil. De Vlinder was bedoeld voor je verloofde.' Ze deed de deksel weer op de doos en gaf hem aan mij. 'Ik zou je nooit gevangen houden in een leven dat je niet wilde.' Twee bemanningsleden pakten de kippen en lieten een spoor van veren, gepik en hysterisch gekakel na. Ze omhelsde me en haar grijze mantel viel van haar schouder. Ze droeg een jurk in de kleur van een junihemel.

Over deze dag valt verder niets te zeggen.

Hoofdstuk eenenzeventig

EEN OGENBLIK RUST

Bronnen: E.L., wachters en personeel in het paleis

DE WAKE BIJ Gustaafs paleis duurde nog acht dagen, maar ik zag De Uzanne niet meer; misschien had ze toestemming de privé-ingang te gebruiken, want getuigen beweerden dat ze er elke ochtend was en dat hertog Karel haar zelf had gevraagd op bezoek te gaan bij Zijne Majesteit. Ik viel hen voortdurend lastig en smeekte of ik Gustaf Armfeldt of Elis Schroderheim, of een andere loyale vriend van Zijne Majesteit, mocht spreken om hun te vertellen wat ik wist: dat De Uzanne dodelijke bedoelingen had. Maar ik werd door iedereen bespot en beschuldigd van krankzinnigheid; Gustaaf was tot tranen toe geroerd omdat ze weer aan zijn zij zat. Ze bracht altijd zeldzame geschenken voor hem mee: een ananas veroorzaakte bijna een rel in de ziekenkamer. En ze hield telkens weer diezelfde grijs met zilveren waaier in haar prachtige handschoen geklemd. 'Trouwens, Sekretaire,' zei een wachter tegen me, 'de moordenaar is al gepakt: een vroegere page van Zijne Majesteit, kapitein Jacob Johan Anckarström.'

'Hoe kan Anckarström nou de moordenaar zijn als Zijne Majesteit niet dood is?' vroeg ik.

De wachter keek me aan. 'Ik ben in die kamer geweest. Het zal niet lang meer duren.' Hij zei dat er velen waren die nooit weggingen; ze sliepen op matrassen die over de vloer verspreid lagen, aten niet, huilden stilletjes, fluisterden. Er was een scherm om het bed van de koning gezet. Op een tafeltje voor het scherm stond een olielamp met een papieren kap – het enige licht dat 's nachts in de kamer was toegestaan – die vreemde schaduwen veroorzaakte en op een spookachtige manier de geschilderde figuren verlichtte die van-af het plafond toekeken. Er hing een nachtklok aan een zuil. De koning vroeg steeds maar weer hoe laat het was. Hij hoestte onop-houdelijk. Zijn wond begon te etteren en de stank doordrenkte de kamer.

Op de negenentwintigste maart van 1792 stierf Zijne Majesteit koning Gustaaf III van Zweden. Zijn laatste woorden waren: 'Ik heb een beetje slaap en een ogenblik rust zal me goeddoen.'

Hoofdstuk tweeënzeventig

DE KONINKLIJKE GENADE

Bronnen: E.L., mevrouw M., Stockholmse Courant, *getuigen van de executie, politiespion, pastoor Roos, L. Gjörwell*

ALLES AAN DE Stad kwijnde weg terwijl de bomen uitliepen en ik liep als een invalide door het vroege voorjaar, net als vele anderen aan wier wereld vlak voor hun neus langzaam een einde kwam. Het was nu mogelijk het onheil te bestuderen in plaats van het te ondergaan en naarmate er meer details bekend werden, triomfeerde de duisternis. Slechts één dag na de dood van koning Gustaaf werd het onderzoek naar de moord op bevel van hertog Karel gesloten. Van de tweehonderd namen die hoofdinspecteur Liljensparre in verband bracht met de moord, werden er slechts veertig aangehouden voor verhoor. Van die veertig werden er slechts veertien gearresteerd en vastgehouden. Degenen die in de gevangenis belandden, beschouwden hun gevangenisstraf eerder als een bezoek aan een huis op het platteland, waar feestjes en diners werden gehouden voor vrienden en familie. Deze veertien beschuldigde samenzweerders moesten terechtstaan en konden de galg tegemoetzien, nadat de man die het schot had afgevuurd publiekelijk onthoofd en van zijn ingewanden ontdaan was.

Maar koning Gustaaf spreidde zelfs na zijn dood zijn legendarische clementie ten toon. Hertog Karel beweerde dat hij op aandringen van zijn stervende broer Gustaaf een geheime eed had afgelegd: niemand anders dan Johan Jakob Anckarström mocht voor het misdrijf terechtstaan. Gek genoeg had niemand in de overvolle slaapkamer van de stervende koning dit barmhartige decreet gehoord, behalve hertog Karel. Dertien van de beschuldigde samenzweerders werden verbannen; de veertiende, generaal Pechlin, kreeg levenslang in de Varberggevangenis, waar hertog Karel hem veilig in het oog kon houden.

Het bloederige spektakel van de dood van Johan Jakob Anckarström vond plaats in Skanstull, op een prachtige voorjaarsdag eind april; de zevenentwintigste om precies te zijn. Ik ging er niet naartoe, maar hoorde de details bij mevrouw Mus, waar ik die dag en het grootste deel van de nacht doorbracht. De moordenaar werd onthoofd en zijn rechterhand werd afgehakt, waarna men het lichaam liet liggen tot het bloed eruit was gestroomd. Zijn hoofd en hand werden op een lange stok bij de galg genageld. Zijn lichaam werd van de ingewanden ontdaan en gevierendeeld en op een rad gebonden; wat er van hem over was, liet men rotten.

Binnen een maand waren de botten schoongepikt. Gustaafs zoon van dertien werd op de troon gezet en hertog Karel werd tot regent benoemd. De royalisten werden systematisch verbannen of te schande gemaakt. De patriotten en de aristocratie kwamen weer aan de macht en De Uzanne maakte zich op om eindelijk Eerste Maîtresse te worden.

Hoofdstuk drieënzeventig

POEDER EN CORRUPTIE

Bronnen: Louisa G., Nieuwe Kokkie

DE UZANNE 'TROK zich terug' op Gullenborg gedurende de terechtstelling en executie van Anckarström, al voelde ze wel de behoefte om achter hertog Karel op het toeschouwersplankier te staan. Ze was van plan afstand te houden en de politieke dans af te wachten, die altijd ruw en stuntelig was na zo'n gebeurtenis, om daarna in te vallen op een ritme dat ze kende. De Uzanne wachtte tot haar gevraagd werd naar het paleis te komen, maar hertog Karel stuurde nooit bericht. Niemand stuurde haar een bericht. Op een regenachtige avond in mei, vlak voor Hemelvaartsdag, zat De Uzanne in haar stille studeerkamer op Gullenborg en staarde naar de enige vitrinekast die altijd leeg zou blijven. Als ze naar de lege plek keek, werd ze weer boos; dat was het enige wat ze nog voelde naast de incidentele behoefte aan eten en slapen. De pendule sloeg zeven uur toen er zacht op de deur werd geklopt. 'Wat?' vroeg ze met schrille, hoge stem.

Nieuwe Kokkie beet op haar lip, nog altijd onzeker over haar plaats op Gullenborg. 'Een warm avondmaal zou u troosten, Madame, en de jonge stalknecht heeft me een paar dagen geleden twee konijnen gebracht. Ze hebben nu lang genoeg gehangen en ik kan er een smakelijke ragout van maken.' Nieuwe Kokkie haalde diep adem en vervolgde: 'Als ik het zeggen mag, Madame: u bent te mager geworden.'

'U hebt gelijk, Kokkie,' zei De Uzanne, die haar eigen spiegelbeeld zag in het donkere glas van de vitrine. 'En hoe wist u dat ik dol ben op konijn?'

'Het is mijn taak om dat te weten, Madame.' Nieuwe Kokkie maakte een reverence, dolblij met dit gesprekje, en haastte zich via de keukentrap terug naar beneden. 'Vanavond zullen we eindelijk Ouwe Kokkie begraven,' zei ze tegen de gevilde konijnen die aan haken in de provisiekamer hingen. 'Hoe zei die heer ook alweer dat ze het het lekkerst vond? Reepjes wortel zo dun als lucifers. Uitjes, maar niet zoveel dat het goedkoop lijkt. Een dikke saus met rozemarijn en een scheutje bourgogne. En… waar zijn ze?' mompelde ze, zoekend tussen de potjes en flesjes. Nieuwe Kokkie pakte de haardkruk en klauterde erop, waarna ze met haar hand op de hoogste plank voelde, tot ze tegen een potje achteraan ketste. Ze draaide het deksel eraf, doopte er een vinger in en bracht die naar haar roze tong, maar proefde niet. 'Hier zijn ze! Precies zoals de Sekretaire zei: Madame is dol op een bepaalde gedroogde paddenstoel. Morieljes vermalen tot een fijn poeder. Gemaakt voor een koning, zei hij.'

De twee konijnen werden getransformeerd tot een overheerlijke schotel met fijne morieljes in een rijke, donkere saus. De Uzanne vroeg om een tweede portie; een welhaast ondenkbaar compliment. 'Dit was precies wat ik wilde,' zei De Uzanne, die haar mes neerlegde.

'Ik leer de geheimen van Ouwe Kokkie, Madame.' Nieuwe Kokkie kreeg een kleur van plezier. 'Ik heb het gedroogde paddenstoelenpoeder op een hoge plank gevonden, precies zoals me verteld was.'

De Uzanne hield haar ogen dicht en haar gezicht stil, maar ze pakte de rand van haar schrijftafel vast alsof ze van een rots viel. 'Verteld door wie?'

'Een Sekretaire. Hij zei dat u hem gezegd had dat u iets miste en dat u zijn hulp had ingeroepen om het te vinden.' Nieuwe Kokkie trilde van opwinding om haar succes. 'Wil Madame nu iets zoets?'

'Nee, Kokkie,' zei De Uzanne, die zich naar de lege vitrinekast aan de wand draaide. 'Ik heb een beetje slaap en een ogenblik rust zal me goeddoen.'

Hoofdstuk vierenzeventig

STOCKHOLM, NADERHAND

Bronnen: E.L., diversen

ZO EINDIGDE HET gustaviaanse tijdperk, en brak er een andere tijd aan: mijn tijd. Het jaar na de moord besteedde ik veel tijd aan de bestudering van de geschiedenis van mijn achttal. Ik scharrelde informatie bijeen in goklokalen, keukens, winkels, tavernes, landhuizen, archieven, kerken en overheidskantoren, ik combineerde, verstelde en borduurde hun levens tot een kledingstuk dat ik droeg toen ik het gevoel had dat mijn leven nergens toe leidde; wat ook het geval was geweest als ik de structuur van de anderen niet had gehad.

Naast de geïnspireerde visionaire en incidentele valsspeler mevrouw Mus bestond mijn octavo uit een aristocratische dame, een plattelandsmeisje dat alleen grijze kleren droeg, een kalligraaf, een smokkelaar, een dandy, een feeks en een waaiermaker met een Franse vrouw. Sommige hadden handelsbanden, andere hadden heel intiem contact en voor weer anderen was de verbintenis van heel oppervlakkige aard: een naam die ze gehoord hadden, een gezicht in de menigte. Maar uiteindelijk waren ze allemaal met en via mij verbonden en bewerkstelligden ze mijn wedergeboorte.

DE METGEZEL
Kristina Elizabet Louisa Uzanne

'De Jacobskerk,' zei Louisa, die nog een petitfour van het blad nam. 'En ze heeft geluk dat ze er een plek kan krijgen, het is zo populair.' Ze stopte het lila met witte gebakje in haar mond en vervolgde:

444 | KAREN ENGELMANN

'Het is een heel goed kerkhof: de aarde wordt gauw bedekt met mulch en haar botten rusten naast de allerbesten. Verscheidene bisschoppen wachten daar op de herrijzenis.' Louisa schraapte haar keel en slurpte van haar thee. 'Hertog Karel heeft een heel mooie krans gestuurd. Niet geweldig, maar afdoende. Hij kon niet komen, zei hij. Het hof evenmin. Haar zus kwam wel, helemaal uit Pommeren. En een nicht uit Finland. Ze hadden niet blijer kunnen kijken.'

We zaten in een kleine voorkamer op Gullenborg, de enige kamer beneden die niet gerenoveerd werd. De nieuwe huiseigenaren waren afwezig en daar maakte Louisa ten volle gebruik van door Nieuwe Kokkie een uitgebreide thee te laten brengen toen ik langskwam. 'En waar gaat u nu naartoe?' vroeg ik, terwijl ik de kruimels wegveegde die ze naar me toe had geblazen.

'Naartoe?' ze veegde haar mond verwoed af aan een gesteven linnen servet. 'Nergens, Sekretaire. De zus heeft het huis met alles erop en eraan verkocht, dus ik ben ingehuurd door de nieuwe bazin. Ze is pas getrouwd en lief en stevig als een honingtaart. Ook net zo gewoontjes. Haar vader is wijnhandelaar, maar ze heeft een Finse edelman in Åbo aan de haak geslagen en wilde Gullenborg heel graag voor zichzelf. Blijkbaar heeft ze hier tijd doorgebracht toen ze les had van Madame.' Louisa zuchtte en beet op haar lip. Ik heb net gedaan of ik me haar herinnerde, maar er zijn hier zoveel meisjes geweest. 'Het gekke is, dat freule Carlotta de hele studeerkamer gesloopt heeft en de waaiers heeft verkocht aan een man uit Sint-Petersburg.' Ze keek me sluw aan. 'Naar men zegt voor keizerin Catharina de Grote.'

DE GEVANGENE
Johanna Bloem

De brief lag voor me op de grenen tafel in Het Varken, opgevouwen met een witte buitenkant en verzegeld met indigo was zonder wapen. Hinken wendde zich af, alsof hij de privacy van een fysieke hereniging respecteerde. Ik dwong mezelf langzaam te werk te gaan, het papier te beroeren en het tot voor mijn gezicht te houden, zodat ik de verbrande zegelwas rook en de gekartelde rand tegen mijn bovenlip voelde kietelen. Ik kuste de voorkant van de brief die mijn naam in haar handschrift droeg en liet mijn wijsvinger onder de flap glijden om het zegel te breken. Het zachte papier gaf mee en ging open, zodat het ronde, heldere handschrift binnenin zichtbaar werd.

Johanna beweerde dat het goed met haar ging en beschreef Charleston als een onvoorstelbaar mooie stad en de inwoners als warm en charmant. Maar de brief was als de buitenkant van een waaier, die het menselijk gezicht erachter verborg. Dit gezicht kon ik lezen. 'Ze is ongelukkig,' zei ik en ik keek naar Hinken. 'Ze zegt dat ze de handel niet kan verdragen.'

Hij zag mijn niet-begrijpende blik. 'De slavenhandel, Sekretaire. Ze had het erover dat ze naar het noorden wilde.'

Diep vanbinnen voelde ik een pop die een licht tikje tegen de wand van zijn cocon gaf. Ik vouwde de brief op en stopte hem in mijn borstzakje. 'De Stad is het noorden,' zei ik.

DE LEERMEESTER
Meester Fredrik Lind

'Huize Lind aan het Koopmansplein lijkt niet veranderd door wat er gebeurd is,' zei ik tegen meester Fredrik.

Hij keek op van zijn schrijftafel en hield zijn pen in de lucht. 'Vindt u het erg om niet tegen me te spreken tot ik deze regel af heb?' Hij was vandaag gekleed als militair officier en had zijn positie als voornaamste kalligraaf van de Stad behouden, zijn diensten verlenend aan elke persoon van aanzien, behalve degenen in de directe omgeving van hertog Karel. Toen meester Fredrik klaar was, ruimde hij zijn spullen op en klom van zijn kruk.

'Alles is veranderd,' zei hij eenvoudig. Dat gold ook voor zijn overdreven taalgebruik en zijn voortdurende gebruik van handschoenen; beide gewoonten verdwenen na de aanslag. Hij verkondigde dat zijn huid mooi genoeg was en moest luchten na zoveel

jaren ingezwachteld te zijn geweest. 'Maar nu heb ik een verrassing voor u!' riep hij uit. 'Ik
heb het octavo bestudeerd. Het
omvat veel meer dan een achttal.'
Fredrik pakte verschillende rollen
papier uit een vakje van zijn
schrijftafel en nam ze mee naar
een tafel bij het raam waar het
noorderlicht het best was. 'Door
het werk van Nordén en Mus is
er een wereld voor me opengegaan, en die breng ik in kaart met
inkt op papier.' Hij rolde een van
de papieren uit en streek hem
met zijn handen glad. 'Als we
goed naar de patronen kijken,
kunnen de acht worden be-
schouwd als een geschakeld mechanisme, zo. En net als mevrouw Mus gedaan heeft, kunnen
we het uitbreiden.

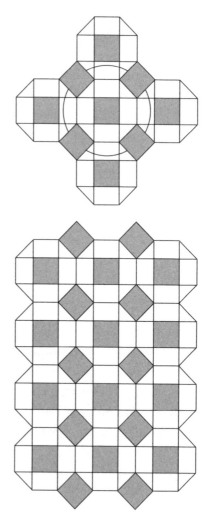

Dit patroon van het octavo
breidt zich oneindig naar buiten
toe uit, als een tegelvloer in een
huis zonder muren. Ik ben be-
gonnen met het maken van zo'n diagram, Emil, met als uitgangspunt uw Stockholm octavo. En aangezien de centrale gebeurtenis al
heeft plaatsgevonden en vanuit hier is uitgewaaierd, ben ik zo vrij
geweest namen in te vullen. U kunt me helpen met de verdere in-
vulling.'

'Daar zou mevrouw Mus ook aan mee moeten doen, meester
Fredrik,' zei ik. 'Het is immers haar ontdekking.'

Dus togen we met het diagram naar de Minderbroederssteeg en
vroegen of we haar boven konden spreken.

'Mevrouw Mus,' zei meester Fredrik, terwijl hij het papier met een extravagante zwaai uitrolde, 'u hebt de sleutel van de Meester-bouwer onthuld. Was u een man geweest, dan zou u tot Groot-meester van de Vrijmetselaarsloge benoemd worden.'

Mevrouw Mus huilde toen ze het zag en ze zei dat het Eeuwige Cijfer nu echter dan ooit voor haar was; eindelijk was het bereik van het octavo op papier in kaart gebracht, zodat iedereen het kon zien en begrijpen.

DE BOODSCHAPPER
Kapitein Hinken

'Amerika is een duister continent, Sekretaire,' zei Hinken, die het dienstertje wenkte. 'Maar wel interessant om te bezoeken. En lucratief!' Hij floot laag en langdurig. 'Daar valt uitstekend geld te verdienen. Uitstekend! Ik verscheepte een lading tabak uit Virginia naar Denemarken en verdiende in drie maanden tijd evenveel als in negen maanden ploeteren in de Oostzee. Ik vaar komend voorjaar weer. Dan is er een plek vrij.'

Ik speelde met een bord bruine bonen en hij wachtte tot ik aan boord zou springen, maar de najaarsstorm bulderde door de kieren van de ramen en ik kon me niet voorstellen dat ik een oceaanreis zou maken die zo zwaar zou zijn en waarvan de eindbestemming zo onzeker was.

DE EKSTER EN DE BEDRIEGER
Lars Nordén en Anna Maria Nordén-Plomgren

'Ik vond haar heel, heel, heel leuk,' bekende Lars me tijdens een dronken avond in De Pauw. Hij was er nog niet klaar voor om naar huis te gaan, al was de laatste ronde al geweest en zou hij binnen de kortste keren op zijn rug op de natgeregende straat liggen. 'Juf-frouw Bloeoeoem.' Hij viel bijna van zijn stoel. 'Een gewone bloem, maar niettemin een bloem, hè? Ze had haar bloempje nog intact, naar het schijnt.'

Als hij niet zo beklagenswaardig was geweest, had ik misschien wel meer gedaan dan hem met kracht overeind zetten. 'Maar u hebt de lieftallige pruim veroverd,' zei ik. 'De helft van de mannen in de Stad zou haar naar Kiruna en terug volgen om een glimp van haar op te vangen.'

Hij schold en klauwde met één hand in de rokerige lucht. 'Ik heb een hele boom vol rotte pruimen. Haar vader en moeder zijn bij ons ingetrokken nu de Opera de helft van de tijd donker is.'

'Maakt u nog steeds waaiers?'

'Nee, nee. Nou, geen Waaiers met een waanzinnige hoofdletter W. We verkopen ladingen van die goedkope gedrukte prullen uit Engeland, die we opsmukken met kant en veren. En we doen goede zaken in snuisterijen, sjaaltjes, linten en bijous. De pruimen willen niet dat de winkel te Frans is.' Hij boog zich naar me toe. 'Weet u nog iemand die de gevel wil hebben? Die slopen we volgende week.'

De treurigheid van die laatste opmerking werd me te veel, dus stond ik op om te vertrekken. 'Lars,' zei ik en ik trok mijn jas aan, 'heeft Anna Maria die grijs met zilveren waaier nog? Die ze op het gemaskerd bal bij zich had.'

'Neeeee, die heeft ze verkocht, evenals alle andere waar ze haar hand op kon leggen. Voor een fortuin, mijnheer Larsson. Moordsouvenirs,' zei hij trots, waarna hij zich op mijn gezicht probeerde te concentreren. 'Was u daar ook? Ik heb u helemaal niet gezien.'

DE PRIJS

Christian Nordén | Margot Nordén

Margot en haar pasgeboren zoon verhuisden naar een paar kamers op de bovenverdieping van Minderbroederssteeg 35, met mevrouw Mus' hutkoffer vol geld. Mevrouw Mus ontpopte zich tot een geweldige tante en verwende hen alsof ze haar familie waren. 'Eindelijk huizen de juiste geesten in het bovenvertrek,' zei mevrouw Mus, al bonkte ze wel met een bezem tegen het plafond als het babygehuil de zoekers te gortig werd. Ik bracht de Nordéns vaak een bezoek en probeerde te zijn wat ik in mijn leven voor het octavo nooit geweest was: een betrouwbare, attente vriend.

Op Allerheiligen in 1792 kwam ik langs voor een diner bestaande uit gebraden eend met pruimen en knapperige aardappelen. We dronken een fles sancerre zo goed als leeg en spraken over het nieuws uit Frankrijk. Het was alsof de schokgolven van de moord op Gustaaf het zuiden van Frankrijk zo'n knauw hadden gegeven dat de beschaving daar was omgekukeld, terwijl het in Zweden rustig bleef.

Er deden bizarre, bloederige verhalen de ronde over theaterbazen die op straat over lichaamsdelen struikelden, over de septembermoorden, over de koning en koningin die vernederd werden in de Tempeltoren; hun jonge zoon leerde zijn ouders te beschimpen en zijn moeder een hoer te noemen; over de krankzinnige dans 'La Carmagnole', over de afgehakte hoofden die op houten palen door de straten werden gedragen, en over het nieuwe instrument voor efficiënte executies: de guillotine. Koning Lodewijk XIV zou terechtstaan.

'Ik ben zo blij dat jullie hier zijn en niet daar,' zei ik.

'Dank je, Emil. Ik ben ook blij om hier te zijn,' zei Margot. 'Eerst schreeuwde ik moord en brand omdat ik niet naar de Stad wilde komen. Ik wilde niet gered worden als ik niet in Parijs mocht wonen. Maar wat wist ik toen van liefde?'

'Liefde,' echode ik en ik vertelde Margot over mijn bewondering voor Christian en hoe hij de Prijs van mijn octavo was geweest door me de kennis van de Goddelijke Geometrie te geven, en de kans om te kijken wat kunstzinnigheid betekende. 'Hij heeft me laten zien wat het betekent om van de kleinste details te houden. En wat het betekent om van een vrouw te houden.'

Ze fronste en trok een prachtige pruillip. 'Maar jij hebt diezelfde eigenschappen, Emil. Je moet er alleen aandacht aan schenken.' Ze boog haar hoofd, maar glimlachte. 'Ik bedoel de aandacht van iemand die van je houdt.'

Het was stil in de kamer, maar ik hoorde het bloed in mijn oren bonzen en mijn handen waren klam en warm toen ik ze tegen elkaar drukte. Ik had me al vaker afgevraagd hoe Margot het in haar eentje zou rooien, en ik had me haar voorgesteld op manieren die ik niet hardop durf uit te spreken. 'Misschien dat je...' begon ik, en ik draaide me naar haar toe. 'Misschien kunnen wíj een...'

Ze keek me aan met haar blauwe ogen en haar scherpe neus en ze glimlachte ondeugend. Maar bij het zien van mijn gezicht verflauwde haar glimlach. '*Non non non*.' Ze schudde haar hoofd en hield haar handen in haar schoot, terwijl ze haar ogen dichtkneep. Toen was haar glimlach weer terug, maar ditmaal getemperd door verdriet. 'Je bent zo aardig, Emil, en galant en ruimhartig. Maar ik ben niet het ontbrekende stukje in je hart. Wij zijn vrienden. Ik zal alles doen wat in mijn macht ligt om je te helpen haar terug te vinden.'

DE SLEUTEL
Mevrouw Mus

'Ik zal altijd de vogel van de koning zijn,' zei ze, 'en u zijn schildknaap.' Het liep tegen het eind van maart 1793 en we zaten in het bovenvertrek piket te spelen, ons nieuwe lievelingsspel. De luiken stonden open zodat de avondlucht binnenstroomde, die de geur van hyacint meevoerde. Mevrouw Mus droeg de rouwkleding die ze altijd aantrok op de zestiende van elke maand en aanhield tot de negenentwintigste.

'Een boodschappenknaap,' zei ik, terwijl ik de kaarten schudde, 'verslagen door een verraderlijke dame.'

'Maar bedenk eens hoe veel erger het leven was geweest als De Uzanne op het gemaskerd bal was geslaagd in haar opzet. Of wat er was gebeurd als ze was blijven leven. U had dan bijvoorbeeld geen leven gehad, Hertog Karel had een ambitieuze, verdorven raadgeefster gehad en hoogstwaarschijnlijk ook een erfgenaam.' Ze haalde de pijp uit haar mond en wees ermee naar mij. 'U hebt uw land een grote dienst bewezen.'

Ik keek haar aan. 'Wat bedoelt u precies?' Ik had niemand iets verteld over mijn instructies aan Nieuwe Kokkie.

Ze trok een volmaakt onschuldig gezicht. 'Precies wat ik zeg.'

'Maar doet het er nog iets toe? Gustaaf is dood,' zei ik bedroefd.

'Ja. Het doet er nog iets toe. Hij heeft veel dingen in gang gezet die niet meer kunnen worden teruggedraaid.' Ze sloeg haar handen ineen en sloot haar ogen. 'Ik zie Gustaaf nog steeds als een jonge prins in Parijs, die op het punt stond het wereldtoneel te betreden, vol charme en intelligentie. O, wat die allemaal nog had kunnen doen. En nu is Lodewijk XIV ook verloren.'

'Een vreselijk begin van het nieuwe jaar,' zei ik.

Mevrouw Mus zuchtte. 'Ze zeggen dat het in de straten van Parijs volkomen stil was toen de kar hem naar de guillotine reed. Het was alsof de mensen wisten dat ze de waanzin hadden verkozen en dat hun keuze een andere heerschappij zou brengen dan die van de milde, liefhebbende koning.'

'Zoals we ook hier in de Stad hebben gezien, mevrouw Mus.' Stockholm was vrijwel direct na de dood van koning Gustaaf veel van haar charme en gratie kwijtgeraakt, en zakte weg in een soort provinciaalse malaise. De nieuwe regering onder de regent, hertog Karel, was meer geneigd tot oorlog dan tot kunst, en Karel had een nieuwe, nog duisterder adviseur gevonden in de mysterieuze baron Reuterholm. Gustaafs zoon, koning Gustaaf Adolf, was een vreemd, instabiel kind dat zijn vaders intellect en charme ontbeerde. 'We zouden hier wel een Franse koning kunnen gebruiken,' zei ik, slechts half schertsend, terwijl ik eindelijk mijn kaarten oppakte.

Ze legde haar kaarten omgekeerd op tafel. 'Ik moet u iets vertellen. Een visioen.'

'Nee, alstublieft niet, mevrouw Mus.'

'Dit visioen was voor mij, al kan het eigenlijk voor velen zijn.' Ze lurkte aan haar pijp en de geur van met appel doortrokken tabak vulde de kamer. 'De avond voordat het parlement in Gefle was afgelopen, omhelsde Gustaaf me als zijn liefste vriendin en stuurde bericht aan Von Fersen om die dappere reddingspoging in Parijs door te zetten.' Ze zoog een mondvol rook naar binnen en blies een volmaakte O. 'Toen kwam het: het visioen van een schild in de kleur van een zomeravond, wanneer het hemelgewelf bijna violet is en richting de horizon tot een lichter blauw vervaagt. Op het schild stonden de drie kronen en de drie *fleurs-de-lis*, de symbolen van Zweden en Frankrijk. Ze smolten samen en verdwenen weer, waarna ze een witte, vredige leegte achterlieten, als de ochtend na een sneeuwstorm. Ik sliep voor het eerst in maanden de hele nacht door. Sindsdien heb ik het Inzicht niet meer gehad.'

'Wat betekent dat?' vroeg ik.

'Het betekent dat het Stockholm octavo veel verder reikt dan we dachten. Er zal een Franse koning komen,' fluisterde ze.

DE ZOEKER
Emil Larsson

Verscheidene spelletjes later had ik een aardig bedrag verloren en stond ik bij het raam een luchtje te scheppen. Het was stil in de Minderbroederssteeg, en in het donker ruiste een lichte regen. 'Mevrouw Mus, wat is er van Cassiopeia geworden?'

'Wilt u haar?' vroeg mevrouw Mus.

Ik kon niet inschatten of ze een grapje maakte, maar schudde mijn hoofd. 'Nee, ik heb genoeg van waaiers; ze zijn me veel te gevaarlijk.'

Mevrouw Mus stond op en ging naar de buffetkast, die ze voorzichtig van de muur af trok. Ze opende een smalle la die onder de rand verborgen was en haalde er een blauwe waaierdoos uit. Cassiopeia lag erin. Ze klapte haar voorzichtig open, trok de gebroken benen recht en keek naar het toegetakelde tafereel van het lege landhuis. Ze kwam naar het raam en gaf me de waaier. 'Ik betwijfel of u haar nog zou kunnen verkopen,' zei ze. Ik draaide Cassiopeia met de sterrenkant naar boven en streek langs de lijn van de W, die ondersteboven onder de Noordster hing. 'Maar ik weet niet zeker of ze haar magie verloren heeft,' voegde ze eraan toe, en ze stak haar hand uit om haar te pakken.

'Het tijdperk van magie loopt ten einde, mevrouw Mus.'

Mevrouw Mus pakte Cassiopeia en sloot haar langzaam, voorzichtig de plooien terugvouwend, en streek de kreukels en vouwen glad tot ze veilig achter haar ivoren sluitbenen zat. 'Ik hoop oprecht van niet. We hebben zowel dag als nacht nodig, Emil. Waar zouden we zijn zonder het herboren gevoel dat de slaap ons geeft, de inspiratie van dromen, de schok van het ontwaken? Ik zou niet willen leven in een wereld waar magiërs worden vervangen door bureaucraten, wier enige truc is dat ze tijd en geld laten verdwijnen. Geef mij maar de ouderwetse methode, die biedt tenminste ruimte voor verwondering.'

'Dacht u echt dat De Uzanne zich zou laten tegenhouden door een paar veranderde lovertjes?' vroeg ik.

'Maar ze wérd tegengehouden, in elk geval lang genoeg om u de gebeurtenis te laten doordrukken. Dat is de aard van zulke machtige voorwerpen.'

'Maar ik heb helemaal niets tegengehouden!' zei ik en ik stompte met mijn vuist tegen de muur. 'Het octavo heeft Gustaaf niet gered en mij al helemaal niet.'

Ze ging weer aan tafel zitten en waaierde haar kaarten met één snelle, elegante beweging uit elkaar. 'Misschien heeft het Stockholm octavo een eigen tijdskader en zal de echte centrale gebeurtenis pas over jaren plaatsvinden. Of misschien wacht het grotere patroon wel op u.'

'Hoe bedoelt u?' vroeg ik.

'U hebt het nooit afgemaakt. Het gouden pad, Emil. Liefde en verbondenheid.'

Ik ging zitten en pakte mijn kaarten weer op. De kaarten beloofden een uitstekend spel, maar ik kon me niet concentreren en voelde dat mijn gezicht begon te gloeien. 'Liefde en verbondenheid? Ik weet nu wat liefde en verbondenheid zijn, maar het pad dat ze vormen is verraderlijk en vol droefenis. Ik heb meer verloren dan gewonnen. Ik ben alles kwijt.'

Ze legde haar kaarten op een stapel en keek me aan. 'U bent nog steeds Sekretaire, u verdient nog steeds geld aan de tafels. De dreiging van een huwelijk is verdwenen nu de Superieur naar het Loterijkantoor is verhuisd. U hebt vrienden en collega's in de Stad en bent in vele huizen welkom alsof u familie bent. U bent nog steeds een jonge man en het staat u vrij precies te doen wat u wilt. Wat bent u kwijt?'

Ik schikte mijn kaarten, voegde de bijpassende kleuren bij elkaar en legde ze met de bovenkant omhoog op tafel ten teken dat ik klaar was. 'Ik ben de weg kwijt,' zei ik.

Mevrouw Mus dacht even na en legde toen ook haar kaarten neer. 'U bent de weg niet kwijt, u bent uw momentum kwijt. Of iemand heeft het van u gestolen.' Haar handen waren snel, dus ik zag niet wat ze oppakte. Ze liep naar de hoek en opende Cassiopeia. Ik stond op en schreeuwde van verrassing en toen, verrassend genoeg, van verdriet, en keek toe hoe mevrouw Mus het deurtje van de kachel opendeed en de waaier op de gloeiende kooltjes gooide. We zagen haar ivoren sluitbenen zwart worden en verschrompelen in de hitte, en haar voorzijde uiteenbarsten in vonken die oplichtten toen ze omhoog werden gezogen. Mevrouw Mus veegde haar handen af aan haar rok, alsof ze net een smerig klusje had voltooid. 'Wedergeboorte is een voorwaartse beweging,' zei ze. 'Ga het afmaken, Emil. Toe.'

Laatste hoofdstuk

HET EINDE VAN DE EEUW

Bronnen: E.L., Hinken

'DUS U BENT het met me eens dat de eeuw een paar jaar te vroeg aan haar eind is gekomen?' vroeg ik.

Hinken knikte ernstig en tuitte zijn lippen. 'Mee eens: ze is dood.'

We zaten gebogen over een ruwhouten tafel waarop een bord met harde koekjes en twee kroezen sterke, zoete koffie stonden. Een kaars die door het dikke, bobbelige lantaarnglas scheen, maakte een gezwollen rechthoek van geel licht op Hinkens gezicht. De wiegende golven en zacht krakende touwen waren een verademing na de beukende stormen die we, naar het scheen een eeuwigheid, hadden moeten trotseren. Het was mijn eerste bezoekje aan de kombuis in bijna tien dagen en ik was verzwakt door de beproeving, maar blij dat ik onder de levenden was.

'Om precies te zijn zou er maart 1792 op het certificaat van overlijden staan,' voegde ik eraan toe.

'In Zweden misschien. Maar gezien de dominante positie van Frankrijk zou ik pleiten voor januari jongstleden. 1793.' Hinken maakte een fluitende zoefbeweging waarmee hij een scherp mes nadeed, dat door de winterkou sneed om op de nek van Lodewijk XIV neer te komen. 'Of zelfs helemaal terug naar 1789, toen Versailles werd bestormd en de Bastille werd ingenomen. Misschien was dat het einde.'

Ik stond op en zette het raampje op een kier om de frisse zeelucht binnen te laten in de krappe ruimte die naar spek, zweet en pek rook. Het was de eerste keer in tien dagen dat de geur van wat dan ook me niet misselijk maakte. '1789 was het begín van het einde,' zei ik. 'Dat was het jaar dat ik mevrouw Mus ontmoette. Alle octavo's van alle moordenaars werden dat jaar in gang gezet. Ik kon het toen niet zien aankomen, net zomin als koning Gustaaf de kogel kon zien aankomen of koning Lodewijk het mes.'

Hinken nam een slok koffie. 'U ziet er slechts een beetje dood uit.'

'Deze reis kan me de das omdoen,' zei ik.

Hij zette de kroes met een klap neer. 'En wat dan nog? U had al dood kunnen zijn of in de gevangenis kunnen zitten, of in uw eentje op die ellendige kamers: een ouder wordende, bange bureaucraat die toekijkt hoe de trage tred van de eeuw u en de Stad tot niets vermaalt.'

'Ik ben nog geen dertig, Hinken,' zei ik.

Hinken snoof, en de lijntjes rond zijn ogen werden dieper door zijn glimlach. 'Dan hebt u nog even de tijd om dat octavo van u af te ronden.' Hij pakte zijn witte stenen pijp en vulde hem, en door dat kleine gebaar kreeg ik heimwee naar de Stad en mevrouw Mus, naar meester Fredrik en mevrouw Lind, naar Margot en de baby, naar mevrouw Murbeck en zelfs naar Lars Nordén. 'Als er al zoiets bestaat,' zei Hinken.

'O, het bestaat,' zei ik en ik voelde de wind door de patrijspoort. 'Als u de kaarten leert kennen en goed oplet, kunt u het om u heen vorm zien krijgen. Meester Fredrik heeft het in kaart gebracht. Mevrouw Mus zegt dat je het, als je maar lang genoeg leeft, in de tijd kunt traceren. Ik denk dat het octavo in een heel eigen dimensie bestaat: het definieert het hier en nu, reikt tot in het verleden en beïnvloedt de toekomst, als een groot gebouw dat eeuwig verrijst. Als u besluit er binnen te gaan, wordt u echt opnieuw geboren. Het octavo is de architectuur van relaties die we zelf opbouwen en waarmee we de wereld bouwen.' Ik raakte de waaierdoos van Nordén aan die ik altijd bij me had, en voelde de gladde, harde steen van de Noordster boven de ronde vormen die verre wolken voorstelden. De Vlinder lag erin te wachten. 'Via het octavo heb ik in enige mate goed gedaan. Ik ben verbonden. Ik heb lief.'

We zwegen een tijdje, onze benen en voeten in diepe, blauwe schaduwen gehuld. De voorwaartse beweging van het schip stuwde het water op aan weerszijden van de kiel en maakte bruisende golven die braken alsof we langs de kust voeren. Het was een ritmische betovering die me eraan deed denken dat we deze lege, eindeloze oceaancirkel mettertijd zouden verlaten en de vorm van mijn acht eindelijk zou sluiten. Hinken stond op en pakte zijn pijp. 'Kom naar de maan kijken, Sekretaire. Dat is een aanblik die de reis nog meer de moeite waard maakt.'

'O, ik zit hier prima, hoor,' zei ik, bang dat ik me zelfs door een glimp van de rollende oceaan weer ellendig zou voelen.

'Kom Emil, we zijn nu in warmere, rustiger wateren en u hebt lang genoeg opgesloten gezeten in uw hut.'

We beklommen de steile, houten ladder naar het dek. Het was volkomen stil, op de scheepsklok na, die acht keer galmde: het wachtkwartier van middernacht. De indigo hemel was zacht en diep, de sterren vormden een adembenemende zee van lovertjes, het water was zijdeachtig onder het schuimende zog van het schip. De bergen van wolken achter ons, zwart van de stormen die ons bijna de hele reis vanuit Denemarken hadden geplaagd, werden door de nacht verzwolgen; een wassende maansikkel was uit de diepten verrezen en zorgde voor een glinsterende reflectie, die zich voor het schip uit naar het westen uitstrekte.

Mijn longen vulden zich met de frisse lucht van een nieuwe eeuw, en eindelijk bewandelde ik het gouden pad.

HET VISIOEN VAN MEVROUW MUS

HERTOG KAREL DIENDE vier jaar als regent, maar eigenlijk werd Zweden geregeerd door zijn adviseur, baron Reuterholm; een bizarre figuur die vaak de Zweedse Robespierre werd genoemd. In 1796 werd de zoon van Gustaaf III, Gustaaf IV Adolf, met overweldigende meerderheid gekozen tot koning, en hertog Karel maakte plaats. Gustaaf IV Adolf was een vreemde, afgezonderde heerser en werd in 1809 gedwongen af te treden nadat rampzalige oorlogen met Frankrijk en Rusland ertoe geleid hadden dat het land op de rand van een faillissement stond. Hertog Karel werd eindelijk de koning van Zweden en nam de naam Karel XIII aan.

De afgetobde, kinderloze hertog/koning Karel had een opvolger nodig. Het parlement benoemde een Deense prins tot troonopvolger, maar hij stierf onverwacht (wat aanzette tot de moord op Axel von Fersen, maar dat is weer een ander verhaal). Dus benaderde luitenant Carl Mörner een andere kandidaat, zonder instemming van het parlement. Zijn naam was Jean Baptiste Bernadotte, geboren in Pau en grootmaarschalk in het leger van Napoleon. Mörner bood Bernadotte de positie van erfgenaam van de Zweedse troon. Bernadotte aanvaardde die. Met het oog op de voordelen van een nieuwe Franse alliantie (gezien Napoleons onstuitbare opkomst in Europa) stemde de regering uiteindelijk in. In 1810 arriveerde Bernadotte in Stockholm en begon het land zeer vakkundig te leiden.

In 1814 kreeg hertog Karel zijn tweede kroon toen hij koning van Noorwegen werd. Hij stierf in 1818, en Bernadotte werd Koning Karel XIV Johan van Zweden. De Bernadottes regeren Zweden tot op de dag van vandaag en de stem van mevrouw Mus weerklinkt door de eeuwen heen: *Vive le roi!*

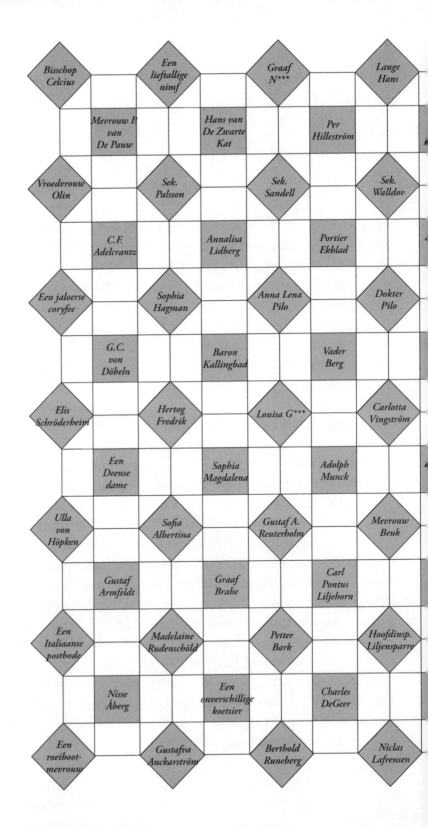

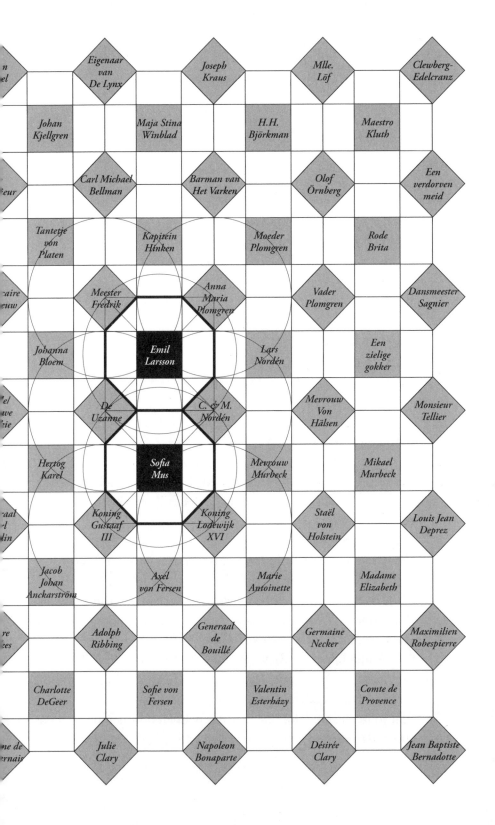

DANKBETUIGINGEN

Elke gebeurtenis die de Zoeker meemaakt – élke gebeurtenis – kan in verband worden gebracht met een groep van acht mensen. En die acht moeten op hun plek staan om de gebeurtenis te laten plaatsvinden.
- Mevrouw Mus

Voor mijn achttal:
- Agent Amy Williams
- Redacteur Lee Boudreaux
- Mede-redacteur Abigail Holstein
- Leraren en adviseurs Nicola Morris en Jeanne Mackin
- *'Bokhandlare' med mera* Lars Walldov en Lars Sandell
- Mijn Sleutel, Erik Ulfers

Net als op de kaart van meester Fredrik breiden de acht zich naar buiten toe uit, wat hen niet minder invloedrijk maakt.
Veel dank aan:
- Het briljante team van Ecco
- Buitengewoon agent buitenlandse rechten Susan Hobson
- Eerste lezers Margaret M. Hall, Snezjana Opacic, Kina Paulsson, Mindy Farkas, Audrey Sackner-Bernstein, Robin Jacobs, Gia Young, Dan Nemteanu, Christof Dannenberg, Martha Letterman, Michele Carroll, Carolyn Bloom, Christie LaVigne, Anilla Cherian, Rick Engelmann, Sally Boyle, Ailleen Engelmann, Lynn Grant, Brian Grant, Teri Goodman, Therese Sabine, Char Hawks, Carm Bush en Rita Engelmann. Bedankt dat jullie die eindeloze kladversies hebben doorgeploegd (soms meer dan eens) en me hebben aangemoedigd.

- Authors All/Decatur Island Writers: Lynn Grant, Carla Norton, Rachel Goldstein en Marisa Silver
- De Goddard College-gemeenschap, waarbij mijn gedachten in het bijzonder uitgaan naar wijlen Cynthia Wilson
- Lynn Schmeidler en Wild Geese Writers
- The American Scandinavian Society of New York voor hun steun en erkenning
- Labyrinthulp Ann Van den Berghe
- Agneta Lindelöf, voor dat bezoek aan *Kulturen* in Lund al die jaren geleden
- Waaierverzamelaar Donna Thompson
- Medereiziger Martha Letterman
- Mijn moeder, Rita, wier waaiers voorwerpen van intrigerende gratie en raffinement waren toen ik klein was
- Lilly en Nia Engelmann Ulfers: hét bewijs dat het leven mooi is.

NOOT VAN DE VERTALER

Voor de fragmenten van de (variaties op) liedjes van Carl Michael Bellman heb ik waar mogelijk gebruikgemaakt van de vertalingen uit het volgende boek: Carl Michael Bellman, *Sterven van liefde en leven van wijn, Een bloemlezing uit de Epistels* en *Zangen van Fredman*, vertaald uit het Zweeds en ingeleid door Bertie van der Meij (Den Bosch, Uitgeverij Voltaire, 2003). Ik heb hierbij soms een ander lied van Bellman als uitgangspunt gebruikt dan dat uit de brontekst, omdat er in dat geval geen Nederlandse vertaling bestaat van het fragment uit het boek. De epistels en zangen van Bellman zijn te specifiek om zonder voldoende kennis van de brontaal te vertalen en ik wilde de Nederlandse vertaling niet baseren op de Engelse, daarom heb ik alleen in de paar gevallen waarin helemaal geen Nederlands equivalent bestond – of waar de schrijfster een lied in de sfeer van Bellman heeft gebruikt dat niet echt bestaat – het betreffende fragment zelf vertaald.

ORLANDO
uitgevers

KAREN ENGELMANN

Het Stockholm Octavo

LEESCLUB
ORLANDO

Zie ook:
www.orlandouitgevers.nl
www.leescluborlando.nl

OVER DE AUTEUR

© Audrey S. Bernstein

De Amerikaanse Karen Engelmann heeft acht jaar in Zweden ge-
woond, waar ze werkte als vormgeefster. Ze woont in Dobbs Ferry,
New York. Haar debuutroman *Het Stockholm Octavo* verschijnt in
meer dan tien landen in vertaling.
Zie ook www.karenengelmann.com
Hier kun je ook een stadswandeling door Stockholm vinden.

ENKELE VRAGEN AAN KAREN ENGELMANN

Wat heeft je geïnspireerd tot het schrijven van Het Stockholm Octavo?
Het Stockholm Octavo is in veel opzichten geïnspireerd door de stad
zelf. Ik belandde er tijdens mijn allereerste bezoek aan Europa en
raakte direct betoverd, vooral door Gamla Stan (het oude gedeelte
van de stad). Er was iets in de atmosfeer daar dat me greep en dat
me nooit meer losgelaten heeft. Ik woonde negen jaar in Zweden
– genoeg om het land in mijn hart te sluiten. Toen ik besloot mijn
Zweedse ervaringen te gebruiken voor mijn boek, gingen mijn gedachten meteen uit naar de betovering van de hoofdstad. Ik ontdekte dat Stockholm voor mij Gustaaf III betekende, van wiens
geest de stad nog steeds is doordrongen, en de achttiende eeuw.

*Het verhaal speelt in de tijd van Koning Gustaaf III. Wat is de belang-
rijkste reden dat je juist deze periode hebt gekozen voor je roman?*
Je kunt niet lang in Zweden zijn zonder over Gustaaf III te horen;
waarschijnlijk de beroemdste (en nog steeds de meest controversi-
ele) koning. De geschiedenis van zijn regeringsperiode is onweer-
staanbaar leesmateriaal. De neergang van de absolute monarchie,
het einde van het geloof in magie bij het aanbreken van de Verlichting en de revolutionaire strijd voor de mensenrechten, dat kwam
allemaal tezamen in een periode waar ook Bach, Mozart, Händel,
prachtige interieurkunst, salons en die prachtige kostuums en gepoederde pruiken deel van uitmaakten. Gustaafs verhaal bevatte
alle drama, raffinement en tegenspraak van die tijd, en bood daardoor een fantastisch fundament waarop ik mijn fictieve verhaal kon
bouwen.

Welk deel van dit boek vond je het moeilijkst om te schrijven en waarom?

Het bedenken en ontwerpen van het octavosysteem zoals mevrouw Mus dat gebruikt, was interessant, leuk en gekmakend tegelijk! Er bloeiden allerlei vormen van waarzeggerij met behulp van kaartleggen in de achttiende eeuw, dus het idee dat mevrouw Mus, die waarzegster en kaartlegster van beroep was, een eigen systeem bedacht was heel plausibel. Maar haar systeem moest wel tegelijk haar filosofie ondersteunen over de acht individuen die de uitkomst van een belangrijke levensgebeurtenis beïnvloeden. Daarnaast moest het ook in het verhaal passen en door de lezers begrepen kunnen worden, of zelfs uitgeprobeerd.

Toen ik het door Jost Amman ontworpen kaartspel vond, wist ik dat het mogelijk was. Maar het bedenken van de methodologie, de betekenis van elke kaart afzonderlijk en het ontwerpen van hun onderlinge verbanden was een enorme uitdaging. Ik heb tientallen diagrammen en tekeningen gemaakt, boeken gelezen over waarzeggerij en esoterische symboliek, heilige geometrie, mystieke getallenleer en nog ander fascinerend materiaal. Een geweldige hoeveelheid werk, maar enorm bevredigend!

Kun je iets meer vertellen over het onderzoek dat je hebt gedaan?

Het onderzoek vergde een enorme hoeveelheid leeswerk, waarvan veel in het Zweeds – wat ik erg langzaam lees. Twee vrienden in Malmö fungeerden als mijn bibliothecarissen en stuurden me veel boeken over de geschiedenis, cultuur en architectuur van Zweden en Stockholm, en ook zeer welkome woordenboeken. Daarnaast heb ik veel gelezen over de Europese geschiedenis van de achttiende eeuw, de Franse revolutie, waaiers en speelkaarten. Het internet is ongelooflijk behulpzaam geweest als bron. Zonder internet had het zeker tien jaar langer geduurd eer ik het boek af had. Naast lezen, heb ik ook gekeken naar de meubelen, decoraties, tekeningen en schilderijen uit die tijd. Ik ontdekte dat ik het heerlijk vind om onderzoek te doen, wat tegelijk een geheel nieuw probleem opwierp: weten wanneer te stoppen. Er is zoveel te vinden en je moet natuurlijk wel een keer je eigen boek gaan schrijven, en ook zorgen dat je lezers niet verdrinken in een overvloed aan informatie!

Hoe is het je gelukt om in de huid en het hoofd van Emil Larsson te kruipen?
Emil is lange tijd een raadsel voor me geweest, wat natuurlijk ook wel klopt omdat hij er alles aan doet om een veilige afstand tot anderen te bewaren. Dat was in het begin prima, want ik zag Emil vooral als een observator, een verteller, en het conflict tussen mevrouw Mus en De Uzanne als het centrale thema van de roman. Maar naarmate het schrijven vorderde, werd duidelijk dat *Het Stockholm Octavo* Emils verhaal was, en dus deed ik mijn best om hem uit de schaduwen tevoorschijn te laten komen. Toen ik eenmaal zijn achtergrond, zijn angsten en de ware aard van zijn verlangens duidelijk had, kon ik in zijn hoofd en hart kruipen en hem een leven in het verhaal geven.

Is er een personage in het boek waarmee je je verbonden voelt? En zo ja: wie is dat en wat is de reden dat je je verbonden voelt?
Mevrouw Mus is een van mijn favorieten. Ik vind haar onafhankelijkheid geweldig, haar loyaliteit, haar listen en haar behendigheid met de kaarten. Ik wens regelmatig in stilte dat ze hier om de hoek zou wonen zodat ik even bij haar kon aanwippen voor een cognacje, wat advies en een beetje waarzeggerij. Haar filosofie over de acht personen in het octavo komt overeen met mijn eigen overtuiging dat het de relatie met de mensen om ons heen is die ons lot bepaalt.

Het octavo lijkt enigszins op een tarot legging. Ben je bekend met de tarot? En hoe kom je aan die kennis?
Tarot is inderdaad de inspiratie geweest voor het octavo. Het tarotspel won in de achttiende eeuw enorm aan populariteit. De tarotsymbolen kennen verschillende interpretaties en er zijn een aantal manieren om de kaarten te leggen. Je kunt wel stellen dat de tarot talloze andere waarzegmethoden met kaarten geïnspireerd heeft. Ik heb een aantal keren de tarot laten leggen voor mezelf, ik heb

verschillende sets kaarten en ik heb een paar boeken over het onderwerp gelezen, waarvan ik *De 78 graden der wijsheid: de tarotkaarten van de grote en kleine Arcana ontsluierd* van Rachel Pollack het beste vind. Haar boek behandelt de esoterische betekenis van de afbeeldingen en de numerologie vanuit een breed perspectief, en was een belangrijke inspiratiebron voor de methode van mevrouw Mus.

Op een bepaald moment vertelt mevrouw Mus aan Emil Larsson de theorie van het octavo, en dat hij de mogelijkheid krijgt om de uitkomst van gebeurtenissen te beïnvloeden. Ken je zelf die invloed uit het dagelijkse leven? Wat zou je zelf doen om gebeurtenissen in je leven te beïnvloeden?
Ik ben het met mevrouw Mus eens dat het mogelijk is om gebeurtenissen in je leven te beïnvloeden door zeer goed op de mensen om je heen te letten. Dat is gemakkelijker gezegd dan gedaan overigens; we worden afgeleid, zijn gehaast, vermoeid, verveeld of onder druk gezet door honderden andere dingen. De mensen om je heen écht zien en op een goede manier met hen omgaan is een sleutel tot succes – in de kaarten, in de liefde, in politiek, of in welk spel je ook maar verkiest.

Tekst Ed Nissink
© Orlando Uitgevers

OVER HET BOEK
DE ACHTERGROND BIJ *HET STOCKHOLM OCTAVO*

Iedereen heeft toch een geluksgetal? Het mijne is 8. Dat dit getal de basis voor mijn eerste roman vormde, is vast en zeker door het lot bepaald. Ik ben geboren op de 8e als één van 8 kinderen. Tot op de dag van vandaag draag ik een koperen ring met een 8 erop die ik gekocht heb toen ik Vormgeving studeerde; een mooier getal bestaat er niet. Er is me verteld dat mijn numerologische levenspad een 8 is en dat de horizontale 8 – het teken van oneindigheid en het symbool van de slang Ouroboros – verwijst naar grotere mysteries die erom smeken verkend te worden. Toen ik in de jaren '80 in Zweden woonde en werkte, maakte ik kennis met de geschiedenis van het eind van de 18de eeuw (alweer achten!). Die periode van enorme sociale veranderingen was zo dramatisch, mooi en heftig dat deze zeer tot mijn verbeelding sprak. Jaren later werd mijn fascinatie een serieuze zoektocht toen ik een specialisatieprogramma volgde met als doel het schrijven van historische fictie. Aanvankelijk lag de focus van de roman op de moord op Gustaaf III in het Stockholm van 1792 en een verkennende bestudering van waaiers, maar het getal 8 wilde per se een centrale rol spelen. In een vroeg stadium van mijn onderzoek vond ik *L'éventail* ('De waaier') van Octave Uzanne. Octaves boek, dat in 1884 werd gepubliceerd, was de inspiratiebron voor het karakter, de passie en de achternaam van mijn slechterik, maar zijn voornaam zette me aan het denken over de 8: muziek (octaven), poëzie (het octaaf; acht regels van de jambische pentameter), papier en boeken (octavo's) en vooral geometrie (octogonen). Ik kwam erachter dat de achthoek beide uiteinden van de levensreis vertegenwoordigt, van christelijke doopvonten tot de mausoleums van de islam, en deel uitmaakte van een esoterische theorie die wordt toegeschreven aan de vrijmetselaars. De achtzijdige vorm bracht me op het idee van acht personages rondom een verteller en diende als mal voor mijn eerste opzet. De vorm inspireerde me ook tot pagina's vol diagrammen waar ik uren aan werkte en waarmee ik naast het schrijven de diepere laag al tekenend invulde. De achthoek vormde uiteindelijk de inspiratie voor een vorm van kaartlegging – het octavo – waarmee acht mensen worden onthuld die cruciaal zijn voor een belangwekkende gebeurtenis in het leven van een Zoeker, in combinatie met de grotere verbintenis die zij met de wereld hebben. Ik weet niet zeker of ik de 8 gevonden heb, het is eerder andersom. Het is een heel, heel bijzonder geluksgetal en ik hoop dat de 8 via dit boek zijn weg naar jou vindt.

Karen Engelmann

'*Het Stockholm Octavo* is verrukkelijk als pure chocola en is humo-
ristische intelligentie in haar puurste vorm. Als lezer blijf je genie-
tend de halve nacht op, in de ban van elk element van deze Zweedse intrige, van het strenge winterweer tot het openvouwen van een
dameswaaier. De plot is meeslepend en de personages zijn mysterieus, innemend en gedenkwaardig. Het Octavo is meer dan een leuk
kat-en-muisspelletje: door de wijsheid die eruit spreekt, wordt je
aandacht getrokken en je verlangen naar persoonlijke groei en verbondenheid met je medereizigers aangewakkerd.' – Sena Jeter
Naslund, auteur van *A Novel of Marie Antoinette*

'In deze debuutroman over manipulerende aristocraten en strebe-
rige handelslieden in Stockholm van het eind van de achttiende
eeuw, versmelten politieke en sociale intriges met elkaar via de mystieke kaartlegging die het Octavo genoemd wordt. In het koninkrijk van de afwisselend verlichte en autocratische koning Gustaaf
III, spannen diens broer Karel en een barones die bekendstaat als
De Uzanne samen, om de macht van Zweden weer terug te geven
aan de adel, waarbij ze heimelijk worden tegengewerkt door mevrouw Sofia Mus, de mysterieuze eigenares van een speellokaal wier
profetische visioenen Gustaaf III koppelen aan de ten ondergang
gedoemde koning en koningin van Frankrijk. Onder de samenzweerders bevinden zich ook de beeldschone apothekeres Johanna
Grijs, de meester-kalligraaf Fredrik Lind, de obsessieve waaiermaker Christian Nordén en de corrupte douanebeambte Emil Larsson,
wiens persoonlijke octavo hem verbindt met spelers aan weerszijden van het conflict.
Door revolutionaire politiek te combineren met de erotische spanning en de genadeloze rivaliteit van de vrouwelijke intriganten – wier
verfijnde, unieke waaiers zowel wapens als beloningen zijn – heeft
Engelmann een buitengewoon prachtig en spannend verhaal geschreven dat zich afspeelt in de zinderende samenleving van de hoog-
tijdagen van Zweden, met een bezetting van kleurrijke personages in
een cruciale periode uit de geschiedenis.' – *Publishers Weekly*

LEESCLUB
LEESCLUBVRAGEN VOOR *HET STOCKHOLM OCTAVO*

1. *Het octavo*. Het octavo geeft aan dat ons leven grotendeels is uitgestippeld, maar dat de Zoeker de kans heeft de uitkomst te beïnvloeden. Welke personages in het boek staan achter deze filosofie en nemen hun lot in eigen hand; al dan niet met het octavo? Welke personages doen dat niet en laten het lot op zijn beloop? Hoe zorgt het octavo er mede voor dat het verhaal zich ontwikkelt? Heb je zelf ook over je eigen octavo nagedacht?

2. *Waarzeggen*. Mevrouw Mus beweert dat ze de gave (en de last) van het Inzicht heeft. Heb je ooit ervaring met waarzeggerij gehad? Waren de voorspellingen relevant, en klopten ze? Geloof je in het lot, de vrije wil, of (zoals het octavo) een combinatie van beide?

3. *Stockholm*. De hele roman (afgezien van wat achtergronden en inleidingen) vindt plaats in de Stad. Op welke manier verrijkt de omgeving het verhaal? Welke geuren, smaken en andere details wekken de entourage tot leven? Fungeert de stad Stockholm volgens jou als een personage in het boek? Zo ja, welke invloed heeft ze dan op de andere personages?

4. *Vouwwaaiers*. Het bezit van de waaier Cassiopeia vormt een belangrijke drijfveer in het boek. Welke macht en symboliek zijn er met de waaier verbonden en waarom? Welke andere hulpmiddelen hadden vrouwen in die tijd tot hun beschikking? Wat vind je van de manier waarop De Uzanne waaiers gebruikt? Denk je dat het hanteren van de waaier kan worden aangeleerd en toegepast op de manier zoals De Uzanne die voorstelt? Waarom denk

je dat de waaier uit de mode is geraakt? Bestaat er een modern equivalent van dit onmisbare achttiende-eeuwse accessoire?

5. *Het achttal.* Zodra de Zoeker het achttal heeft geïdentificeerd en weet welke rol ze in het octavo spelen, hebben ze de gelegenheid de belangwekkende gebeurtenis te beïnvloeden. Wist jij wie Emils acht waren voordat hij dat zelf wist? Wie zijn je favoriete personages van het achttal? Wat zijn hun sterke en zwakke punten? Welke handeling onthult het meeste over hen? Welke gebeurtenis is volgens jou een keerpunt voor die personages? Kun je het achttal van een belangwekkende gebeurtenis in je eigen leven aanwijzen? Heeft iemand met wie je slechts zijdelings contact had ooit een rol gespeeld in een voor jou belangwekkende gebeurtenis?

6. *Geschiedenis.* Zorgen de historische feiten ervoor dat je extra plezier aan het boek beleeft? Heb je na het lezen van dit boek meer belangstelling voor de geschiedenis van Zweden en de gebeurtenissen in de betreffende periode? Wat vind je van koning Gustaaf III? Lees je historische fictie ter informatie of ter vermaak? Verwacht je van een boek in dit genre dat het voor honderd procent accuraat is? Heeft dit boek de geschiedenis veranderd, of heeft de geschiedenis het verhaal veranderd?

7. *Magie.* In de achttiende eeuw werd magie algemeen geaccepteerd als onderdeel van het leven: astrologie, alchemie, waarzeggerij, seances, duivelsbezweringen, enzovoort. Zijn er volgens jou tegenwoordig veel mensen die in diverse vormen van magie geloven? Hoeveel mensen zouden voor dat geloof uitkomen? Welke magische praktijken bestaan er nog steeds? Beschrijf de invloed van de – zowel magische als medicinale – kruiden en drankjes die in dit boek voorkomen. Hoe zit het tegenwoordige met het gebruik van – zowel magische als medicinale – kruiden en drankjes?

8. *Liefde en verbondenheid.* Hoe verandert de betekenis van liefde en verbondenheid in de loop van het boek voor Emil? Geldt dit ook voor de andere personages? Wat vond je van het eind van het boek? Vindt Emil liefde en verbondenheid? Welke rol speelt isolatie (op persoonlijk, cultureel of geografisch vlak) in het boek? Hebben onze daden en keuzes volgens jou een sneeuwbal-effect? Hoe ver zou die sneeuwbal kunnen rollen?

© Karen Engelmann

Geef je mening over dit boek en lees die van anderen op
www.leescluborlando.nl of op Facebook Leesclub Orlando.

Lees meer over het leggen van een octavo in:

Het

OCTAVO
HANDBOEK

EEN NIEUWE METHODE VAN
kaartleggen
DOOR
MEVROUW SOFIA MUS

Tekeningen gemaakt door Meester Fredrik Lind

STOCKHOLM, ZWEDEN, 1797

e-book
ISBN 978 90 449 6993 1

ORLANDO
uitgevers

Ontdek de beste en mooiste nieuwe boeken met de gratis *Lees dit boek***-app**

Wilt u als eerste de beste en mooiste nieuwe boeken ontdekken? Vaak nog voordat die boeken zijn verschenen en de pers erover heeft geschreven? Download dan gratis de *Lees dit boek*-app voor iPhone en iPad via www.leesditboek.nl